JN308709

パワーアップ
いまさら聞けない

腹部エコーの基礎

第2版

DVDで学ぶ超音波検査

東　義孝【著】

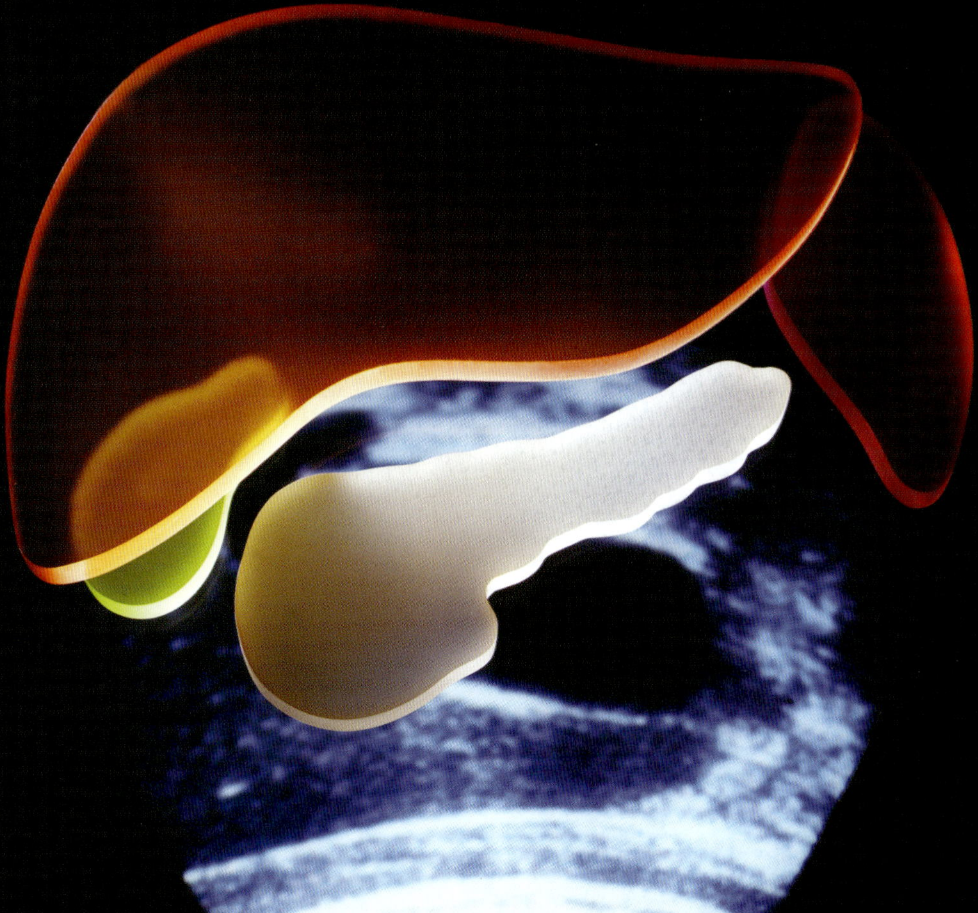

秀潤社

第1版
序

この本は**日常診療で超音波検査を必要とする方を対象にして書いた実用書**です。いわゆる学術書ではありません。学術書では稀な疾患も取り上げ，また最新の知見について紹介しますが，この本では日常診療に関係のないことは取り上げていません。病名に英文を併記したり，疾患の頻度を論じたり，誰々の分類のような諸説の紹介にページを割いたりするのはこの本の主旨ではありません。

私は福岡大学に勤務していた18年前に「**腹部エコー入門**」という超音波検査の入門書を秀潤社から出版いたしました。好評を得て医学書としては異例のベストセラーになり，(一部は無断で)多くの画像診断の本に引用されました。

現在は福岡市およびその近郊の数カ所の病院や施設で超音波検査を主とする画像診断に携わっていますが，ここで改めて日常診療での超音波検査の重要性を認識しています。

その一方で，必ずしも超音波検査の特徴が正確に理解されず，診療に十分に役だっていない場面も目にしています。書店の医学書コーナーには，すべての疾患や最新の知見を網羅した百科事典型の解説書はいろいろありますが，初心者の立場を考慮して，やさしく解説した超音波検査の入門書は少ないようです。

昨年，開業医の先生方から腹部超音波検査の講演を依頼され，プレゼンテーションソフトのPowerPointでスライドを作製したところ，わかりやすいと評価されました。そこでこの経験を基に「**腹部エコー入門**」の後継版として「**いまさら聞けない腹部エコーの基礎**」という本を執筆することにしました。

取り上げる症例は日常診療で遭遇する機会の多い疾患に限り，参考症例として稀な疾患を紹介しています。超音波画像を理解するうえに必要不可欠な原理は，できるだけわかりやすいように模式図を用いて解説しています。

同梱されているCD-ROMは，PowerPointというスライド発表用のプレゼンテーションソフトによる**解説ファイル**とルーチン検査の**動画ファイル**が入っています。内容は超音波検査の講演会形式になっており，**スライド画面を音声で解説**しています。

一通りテキストに目を通したあとで，パソコンでこのCD-ROMをみていただくと理解がより一層容易になると思います。

2003年8月

東　義孝

第2版 序

本書は2003年10月に初版を出し，その後に9刷まで重ねることができました。2006年1年間のある販売ルートの集計によると「画像医学・超音波医学関連書」部門で年間売上1位を達成したそうです。「初心者の方々を対象に，カラー図版と明瞭な超音波画像を用いて，わかりやすい本を作る」という私の理念が多くの方に支持されたものと感謝しています。

ここ数年は超音波検査に新しい手法が次々に登場しています。それに対応するように装置にも手が加えられています。この改訂版では，**総論で多くのページを割いて最新技術の解説**を行っています。最新技術のなかにはアイディアとしては面白いが，日常診療で役立つかどうかの評価が定まっていないものもあります。手放しで喜べるのは画像の記録保存の進歩です。デジタル画像で記録するので画質の劣化がなく，動画の記録も楽になっています。

超音波画像の質に関しては必ずしも全面的に向上したとは思いません。最近の画像の潮流は私には理解できない部分があります。私が最近まで多用し，この本にも多くの画像を提供してくれた診断装置は12年前に購入したもので，ハーモニックイメージング法が登場する前の装置ですが，画質は最新の装置に負けていません。

本書では初版の精神を踏襲して，**どこにでもある装置を駆使して，効率よく診断にたどりつけるように解説**することを心がけています。そのために**紹介する症例数を増やし，付属のDVDには動画を収録**しました。現在は多くの施設でCT検査を行えるので，**超音波とCT画像との関係も解説**しています。

私の仕事先は中小病院なので，大病院のようにチームで多くの症例をこなしていませんが，そのかわりに1人で**丁寧に検査した画像に本音の解説を加えて紹介**しています。
学会や専門書では難しい最新の知見も議論されているようですが，これらは日常臨床には関係ないことがほとんどです。無理にこれらを網羅しようとすると，難しい学術書になってしまいます。
超音波検査を学問として解説する本が多いなかで，最前線の現場で長く検査に従事してきた私の経験をまとめた本書は，かなり独自な手引き書に仕上がっていますが，**この本を熟読することで，日常臨床に十分に対処できる**と自負しています。

2011年5月

東　義孝

この本を読んでいただきたい方

1. **超音波のトレーニングを受ける機会がなかった方**

    超音波検査が広く普及したのはリアルタイム方式の装置が開発されて検査手技が簡便になった昭和55年頃からです。それ以前に研修生活を終えていた方は，研修の一環としての超音波検査のトレーニングは受けていません。施設によっては，その後に研修医になっても良い指導者がいなくてトレーニングを受けられなかった方もいるでしょう。現在は病院内で指導的な立場にあり，いまさら若い人に超音波検査の初歩的なことを聞けない方です。

2. **必要に迫られて自己流で超音波検査をやっている方**

    勤務医時代は専門領域ではないので腹部の超音波検査はしていなかったが，開業直前にチョットだけ超音波検査を習いにいった方です。理論的な裏付けに乏しくて自己流の検査と解釈をしてしまいがちです。
    画面のなかで白く光るものがあると，何でも石灰化とレポートしている方に，ぜひ一度目を通していただきたいと思います。

3. **超音波検査を日常業務にしている検査技師・放射線技師**

    熱心な方が多いのですが，なかには良い指導者に恵まれなくて，診断用語や解剖用語を勝手に創作するなど，自己流の検査をしている方もみられます。自己満足に陥らずに，どこの施設でも受け入れられるスタンダードな検査法と解釈法を身につける指標にしてください。

4. **学生・研修医**

    超音波検査のビギナーの方です。まず装置の調整法やプローブの正しい向きなどを理解することから始めてください。
    日常診療と患者さんの立場を優先させて解説していますから，一般の教科書とは異なる記述がありますが，本書では実際の超音波検査に即して記述しています。

CONTENTS

第1版序 ………………………………………… 2
第2版序 ………………………………………… 3
この本を読んでいただきたい方 ………………… 4
本書の動画DVDの使い方 ……………………… 10

第1章 総論

超音波診断装置 ………………………………… 12
　日立メディコ　HI VISION Preirus ………… 12
　GEヘルスケア　LOGIQ E9 ………………… 13
　日立アロカ　Prosound F75 ………………… 14
　東芝　Aplio MX ……………………………… 15
プローブの種類 ………………………………… 16
　プローブの構造 ……………………………… 17
　3D用プローブ ………………………………… 18
超音波の性質 …………………………………… 19
　超音波の発生 ………………………………… 19
　波長 …………………………………………… 20
　生体組織中の音速 …………………………… 20
　音響インピーダンス ………………………… 21
　超音波エネルギー反射率 …………………… 21
　分解能 ………………………………………… 21
　反射・屈折・散乱 …………………………… 22
超音波をフォーカスさせる …………………… 23
　電子フォーカスのしくみ …………………… 23
　立体的にフォーカスさせる ………………… 23
　多段フォーカス ……………………………… 24
　厚み方向の電子フォーカス ………………… 24
　受信フォーカス ……………………………… 25
　ダイナミックフォーカス …………………… 25
断面像が描かれるしくみ ……………………… 26
　AモードとBモード ………………………… 26
　送信時間と受信時間 ………………………… 26
　1枚の画像を描くのに必要な時間 ………… 27
　フレームレート ……………………………… 27
プローブの有効視野 …………………………… 28
　1画面表示と2画面表示 …………………… 29
　リニア表示とトラペゾイド表示 …………… 29
超音波装置の付加機能 ………………………… 30
　パルスドプラ法 ……………………………… 30
　カラードプラ法 ……………………………… 30
　カラードプラ法の発展型 …………………… 31
　カラードプラ検査の問題点 ………………… 31
　ハーモニックイメージング ………………… 32
最新画像の処理技術 …………………………… 34

　コンパウンドスキャン ……………………… 34
　スペックルエコー低減 ……………………… 35
　音速補正 ……………………………………… 35
アーチファクト ………………………………… 36
　多重反射 ……………………………………… 36
　多重反射の実例 ……………………………… 37
　サイドローブ ………………………………… 38
　サイドローブの実例 ………………………… 39
　レンズ効果 …………………………………… 40
　鏡面効果 ……………………………………… 44
　折り返し現象 ………………………………… 45
検査前の装置の調整 …………………………… 46
　CRT（ブラウン管）モニタを調整する …… 46
　液晶モニタを調整する ……………………… 47
　プリンタを調整する ………………………… 48
　電子ファイルシステムを調整する ………… 49
検査中の装置の調整 …………………………… 50
　ゲイン ………………………………………… 50
　STC（TGC） ………………………………… 51
　コントラスト ………………………………… 52
　フォーカス …………………………………… 53
　プローブの周波数 …………………………… 53
　画像のサーチ ………………………………… 54
　自動調整機能 ………………………………… 55
　DICOM画像やRAWデータを変更 ………… 55
画面に表示される情報 ………………………… 56
　日立メディコ　HI VISION Preirusの場合 … 56
　GE ヘルスケア　LOGIQ E9の場合 ………… 58
　日立アロカ　prosound α7の場合 ………… 60
　東芝　Aplio XG の場合 ……………………… 62
用語の解説-1 …………………………………… 64
用語の解説-2 …………………………………… 68
　超音波造影法 ………………………………… 70
プローブ操作のコツ …………………………… 72
　圧迫 …………………………………………… 72
　扇動操作 ……………………………………… 72
超音波画像の表示方向 ………………………… 73
　左腎と脾臓の表示方向について …………… 74
スキャン面と表示像の関係 …………………… 76
　横断スキャンと表示像 ……………………… 76
　右肋間スキャン ……………………………… 77
　左肋間スキャン ……………………………… 77
　肋骨弓下スキャン …………………………… 77
　縦断スキャン ………………………………… 77
プローブの左右識別マーク …………………… 78

日立メディコのプローブ ……………………… 78
　　日立アロカのプローブ ………………………… 78
　　東芝のプローブ ………………………………… 79
　　GE ヘルスケアのプローブ …………………… 79
スキャン方向の名称 …………………………………… 80
　　肋骨弓下スキャン ……………………………… 80
　　右季肋部縦断スキャン ………………………… 80
　　右肋間スキャン ………………………………… 81
　　正中縦断スキャン ……………………………… 81
　　横断スキャン …………………………………… 82
　　左肋間スキャン ………………………………… 82
　　坐位での横断スキャン ………………………… 83
　　左側臥位でのスキャン ………………………… 83
私のルーチン検査 ……………………………………… 84
正常超音波画像 ………………………………………… 86
横断解剖 ………………………………………………… 91
縦断解剖 ………………………………………………… 92
検査の前処置・後処理 ………………………………… 94
　　絶食 ……………………………………………… 94
　　膀胱充満 ………………………………………… 94
　　ゼリーと部屋の保温 …………………………… 94
　　部屋の照明 ……………………………………… 95
　　ゼリーの拭き取り ……………………………… 95
　　プローブの清掃 ………………………………… 95
超音波診断の精度を上げるコツ ……………………… 96

第2章　胆囊

胆嚢と周囲臓器 ………………………………………… 98
　　正常胆嚢の超音波像 …………………………… 98
　　プローブの置き方 ……………………………… 99
　　肋軟骨の上にプローブを置くと ……………… 100
　　胆嚢の超音波検査の特殊性 …………………… 101
胆嚢の形のいろいろ …………………………………… 102
　　痩身の細長い胆嚢 ……………………………… 102
　　高齢者や肝硬変で反転した胆嚢底部 ………… 102
　　くびれがある胆嚢 ……………………………… 103
　　左側胆嚢 ………………………………………… 103
　　拡張・緊満した胆嚢 …………………………… 104
　　フリジア人帽子様変形 ………………………… 104
　　肝硬変の胆嚢 …………………………………… 105
　　急性肝炎の胆嚢 ………………………………… 105
　　胆嚢摘出後なのに ……………………………… 105
体型と胆嚢の形 ………………………………………… 106
　　胆嚢が高位置にある …………………………… 107
　　高齢者の検査 …………………………………… 107
　　検査しやすい胆嚢 ……………………………… 108
胆石 ……………………………………………………… 110
　　胆石のパターン ………………………………… 110

　　典型的な胆石 …………………………………… 111
　　三日月状の胆石 ………………………………… 111
　　多数の微細胆石 ………………………………… 112
　　充満した胆石 …………………………………… 112
　　見落としがちな胆石　1・2 ………………… 113
　　嵌頓した胆石　1・2 ………………………… 114
　　底部に嵌頓した胆石 …………………………… 115
　　見落とされた嵌頓胆石 ………………………… 116
　　胆泥に混在する微小胆石 ……………………… 116
　　胆石と間違える消化管ガス …………………… 117
左側臥位で検査する …………………………………… 118
　　体位変換で移動した胆石　1・2 …………… 118
稀な症例 ………………………………………………… 120
　　浮遊胆石 ………………………………………… 120
　　陶器様胆嚢 ……………………………………… 121
胆嚢ポリープ …………………………………………… 122
　　コレステロールポリープ　1〜6 …………… 122
　　胆嚢ポリープと紛らわしい胆嚢のくびれ　1・2 … 125
　　胆嚢ポリープに見える胆泥 …………………… 126
　　ポリープは体位変換で動かない ……………… 127
胆泥・胆砂 ……………………………………………… 128
　　胆泥の移動　1・2 …………………………… 128
　　腫瘍と紛らわしい胆泥　1・2 ……………… 130
　　肝硬変でみられた胆泥 ………………………… 131
　　絶食が原因の胆泥 ……………………………… 132
　　胆泥と紛らわしいアーチファクト …………… 133
胆嚢癌 …………………………………………………… 134
　　胆嚢癌のタイプ ………………………………… 134
　　ポリープ型胆嚢癌　1・2 …………………… 135
　　限局腫瘤型胆嚢癌 ……………………………… 136
　　全腫瘤型胆嚢癌　1・2 ……………………… 136
　　限局腫瘤型胆嚢癌とポリープの区別 ………… 137
胆嚢炎 …………………………………………………… 138
　　急性胆嚢炎　1・2 …………………………… 138
　　無石胆嚢炎　1・2 …………………………… 139
　　慢性胆嚢炎　1・2 …………………………… 140
　　慢性胆嚢炎　? ………………………………… 141
　　気腫性胆嚢炎 …………………………………… 142
　　胆嚢炎と診断されたが ………………………… 143
　　スライスの厚みは変化する …………………… 143
胆嚢腺筋症 ……………………………………………… 144
　　胆嚢腺筋症　底部型 …………………………… 144
　　胆嚢腺筋症　分節型 …………………………… 145
　　胆嚢腺筋症　広範型 …………………………… 145
胆嚢壁肥厚 ……………………………………………… 146
　　胆嚢壁肥厚か? ………………………………… 146
コメット様エコー ……………………………………… 147
肝外胆管 ………………………………………………… 148
　　正常肝外胆管 …………………………………… 148

正常膵内胆管　1・2 ………………………… 149
肝外胆管結石 ……………………………………… 150
　　胆管結石　1〜5 …………………………… 150
胆管癌 ……………………………………………… 153
　　肝外胆管型胆管癌 ………………………… 153
　　肝門部型胆管癌　1・2 …………………… 153

第3章　肝臓

肝の区域分類 …………………………………… 156
肝内脈管の分布 ………………………………… 157
肝内脈管の位置関係 …………………………… 158
肝内脈管の立体的理解 ………………………… 159
　　横断スキャン ……………………………… 159
　　肋間スキャン　1・2 ……………………… 160
　　肋骨弓下スキャン　1・2 ………………… 161
肝臓と周辺臓器 ………………………………… 162
肝のスキャン法 ………………………………… 162
肝の形のさまざま ……………………………… 163
　　左葉外側区のさまざま …………………… 163
　　左葉の縦断像のさまざま ………………… 163
　　肝左葉外側区が発達したタイプ ………… 164
　　高齢者でみられる肝全体の萎縮 ………… 165
　　脂肪に囲まれた肝臓 ……………………… 166
　　内臓逆位 …………………………………… 167
呼吸による肝の変形 …………………………… 168
超音波で肝臓のサイズを計測 ………………… 169
　　諸テキストに紹介されている肝の計測法 … 169
読影に困る画像 ………………………………… 170
　　ゲイン不足 ………………………………… 170
　　吸気不足 …………………………………… 171
超音波でわかる肝疾患 ………………………… 172
肝嚢胞 ……………………………………………… 173
　　横隔膜直下の肝嚢胞 ……………………… 174
　　後方エコー増強が明瞭 …………………… 174
　　浅いところの肝嚢胞 ……………………… 175
　　不整形をした肝嚢胞 ……………………… 176
　　扇動操作で嚢胞を確認する ……………… 176
多嚢胞肝 …………………………………………… 177
　　肝嚢胞と紛らわしい腎嚢胞 ……………… 178
　　腫瘍サイズの測り方 ……………………… 179
肝膿瘍 ……………………………………………… 180
　　肝膿瘍の経過 ……………………………… 181
肝血管腫 …………………………………………… 182
　　均一な高エコーを示す血管腫 …………… 182
　　辺縁だけが高エコーの血管腫 …………… 183
　　一部が低エコーの血管腫 ………………… 183
　　微細な血管腫 ……………………………… 183
　　低エコーの血管腫 ………………………… 184

　　多発した血管腫 …………………………… 185
　　大きな血管腫 ……………………………… 186
　　巨大な血管腫 ……………………………… 187
　　血管腫が高エコーに見える理由 ………… 187
肝細胞癌 …………………………………………… 188
　　小さな肝細胞癌 …………………………… 189
　　中等度の肝細胞癌 ………………………… 190
　　大きな肝細胞癌　1・2 …………………… 191
　　びまん型の肝細胞癌　1・2 ……………… 193
肝臓癌の治療法 ………………………………… 195
転移性肝臓癌 …………………………………… 196
　　大腸癌の肝臓転移 ………………………… 196
　　胃癌の肝臓転移 …………………………… 197
　　膵臓癌の肝臓転移 ………………………… 198
　　十二指腸乳頭癌の肝臓転移 ……………… 198
　　腎盂癌の肝臓転移 ………………………… 198
　　肺癌の肝臓転移 …………………………… 199
　　bull's eyeを示す転移性肝臓癌 …………… 200
腫瘍と紛らわしい所見 ………………………… 201
　　肝円索 ……………………………………… 201
　　腹部手術後 ………………………………… 201
脂肪肝 ……………………………………………… 202
　　軽度の脂肪肝 ……………………………… 202
　　中等度の脂肪肝 …………………………… 202
　　高度の脂肪肝 ……………………………… 203
　　まだら脂肪肝 ……………………………… 203
　　脂肪肝が白く見える理由 ………………… 206
肝硬変 ……………………………………………… 207
　　肝表面が凹凸不整になる ………………… 208
　　内部エコーが粗糙になる ………………… 209
　　肝床部が萎縮する ………………………… 210
　　尾状葉が腫大する ………………………… 211
　　脾が腫大する ……………………………… 211
　　門脈の側副血行路が拡張する …………… 212
　　胆嚢壁が肥厚する ………………………… 213
　　腹水が貯まる ……………………………… 213
急性肝炎 …………………………………………… 214
慢性肝炎 …………………………………………… 215
　　諸家による慢性肝炎の超音波所見 ……… 215
　　私が考える慢性肝炎の超音波所見 ……… 215
肝内胆管結石 …………………………………… 216
肝内石灰化 ……………………………………… 219
胆道気腫 ………………………………………… 220
うっ血肝 ………………………………………… 221
門脈瘤 …………………………………………… 222
脾臓のサイズ …………………………………… 224
　　正常脾 ……………………………………… 224
　　軽度の脾腫 ………………………………… 225
　　中等度の脾腫 ……………………………… 225

| 高度の脾腫 …………………………………… 226
| 巨大な脾腫 …………………………………… 226
| 脾臓のサイズの計測について ……………… 227
| 拡張した側副血行路 …………………………… 228
| 副脾 ……………………………………………… 229
| 脾嚢胞 …………………………………………… 229
| 肝腫瘍の診断基準の実状 ……………………… 230

第4章　膵臓

| 膵臓と周囲臓器 ………………………………… 232
| 横断像でみた膵臓 …………………………… 232
| 膵尾部の横断解剖 …………………………… 233
| 膵体部の横断解剖 …………………………… 233
| 縦断像でみた膵臓 …………………………… 234
| 肝左葉のサイズと膵臓 ……………………… 234
| 正常膵臓像　1・2 …………………………… 235
| 正常主膵管 …………………………………… 236
| 紛らわしい脾動脈 …………………………… 236
| 肥満体でも …………………………………… 237
| 描出できない膵臓 ……………………………… 238
| 膵の描出をよくする工夫 ……………………… 240
| プローブを尾側に向ける …………………… 240
| 坐位で検査する ……………………………… 241
| 坐位で水を飲む ……………………………… 242
| 膵尾部を縦にスキャンする ………………… 243
| 急性膵炎 ………………………………………… 244
| 慢性膵炎 ………………………………………… 246
| 膵嚢胞 …………………………………………… 248
| 膵管内乳頭粘液性腫瘍（IPMN）…………… 249
| 膵臓癌 …………………………………………… 250
| 膵頭部癌の間接所見 ………………………… 250
| 膵頭部癌　1〜3 …………………………… 250
| 膵体部癌 ……………………………………… 254
| 膵体尾部癌 …………………………………… 255
| 膵尾部癌 ……………………………………… 256
| 紛らわしい症例 ……………………………… 257
| 最新の超音波診断装置の傾向 ………………… 258

第5章　腎臓

| 腎臓と周囲臓器 ………………………………… 260
| 腎の超音波解剖 ………………………………… 260
| 腎の正常像 ……………………………………… 261
| 腎のカラードプラ ……………………………… 261
| CTで見た腎臓 ………………………………… 262
| 腎のボディーマーク …………………………… 262
| 腎の中極とは？ ………………………………… 263
| 左腎の表示法について ………………………… 263

| 腎嚢胞 …………………………………………… 264
| 辺縁にある腎嚢胞 …………………………… 265
| 肝に食い込む腎嚢胞 ………………………… 266
| 傍腎盂嚢胞 …………………………………… 266
| 嚢胞腎 …………………………………………… 268
| 腎結石 …………………………………………… 270
| 尿管結石 ………………………………………… 271
| 腎細胞癌 ………………………………………… 272
| 副腎腫瘍 ………………………………………… 273
| 腎血管筋脂肪腫 ………………………………… 274
| 重複腎盂尿管 …………………………………… 275
| 水腎症 …………………………………………… 276
| 腎不全 …………………………………………… 278
| 腎の正常変異 …………………………………… 280
| ベルタン柱の過形成 ………………………… 280
| ヒトコブラクダのこぶ ……………………… 280
| 腎実質接合部欠損 …………………………… 281
| 片側性に小さい腎臓 …………………………… 282
| 馬蹄腎 …………………………………………… 283
| 異所性腎 ………………………………………… 284
| 腎結核 …………………………………………… 285
| 腎炎後の変形 …………………………………… 286

第6章　消化管

| 胃癌 ……………………………………………… 288
| 急性胃炎 ………………………………………… 289
| 胃潰瘍 …………………………………………… 289
| 大腸癌 …………………………………………… 290
| 結腸癌 ………………………………………… 290
| 直腸癌 ………………………………………… 291
| 虫垂炎 …………………………………………… 292
| 腸閉塞 …………………………………………… 294
| 小腸の拡張 …………………………………… 294
| 大腸の拡張 …………………………………… 295
| 特殊な腸閉塞 …………………………………… 296
| 輸入脚症候群 ………………………………… 296
| 胆石イレウス ………………………………… 297
| 腸重積 ………………………………………… 298

第7章　その他

| 腹水 ……………………………………………… 300
| 胸水 ……………………………………………… 302
| 網嚢嚢胞 ………………………………………… 303
| 大動脈瘤 ………………………………………… 304
| 解離性大動脈瘤 ……………………………… 305
| リンパ節の腫大 ………………………………… 306
| 総肝動脈幹リンパ節腫大 …………………… 307

鼠径部リンパ節腫大	307
膀胱腫瘍	308
精巣腫瘍	309
精上皮腫	309
前立腺肥大	310
正常子宮と卵巣	311
子宮筋腫	312
卵巣嚢腫	314
漿液性嚢胞腺腫	314
皮様嚢腫	316
子宮内膜症性卵巣嚢胞	317
処女膜閉鎖	318
腹壁の疾患	320
正常な腹壁の構造	320
癌の腹壁播種	320
癌の腹膜播種	321
腹直筋内の血腫	321
下肢の疾患	322
下肢に刺さった棘	322
ベーカー嚢腫	322

演習問題―Q and A ……… 323

索引 ……… 344

MEMO

スペックルエコー	22
フォーカスの調整	24
アーチファクトの範囲	36
サイドローブの影響	39
アーチファクトへの対処法	41
紙プリント記録は階調が悪い	48
調整はマメにしよう	50
装置はゲインの自動補正をしている	51
所見名で診断名の代用	69
胆嚢の肋骨弓下スキャンは特殊	86
超音波検査は胆嚢から始める	101
三日月状の胆石	111
胆石の個数を知る必要は	113
本当に嵌頓しているのか？	114
胆石の嵌頓で胆嚢が拡張するのは？	115
計測誤差について	122
コレステロールポリープの経過観察	126
CTでなく超音波で再検査するべき	130
胆泥・胆砂の正体	131
絶食と胆石の関係	132
胆嚢炎の原因	138
無石胆嚢炎	141
気腫性胆嚢炎	142
胆管結石の診断は難しい	150
胆摘後の肝外胆管結石	152
肝区域の知識は必須か？	156
読影しやすい画像を残そう	170
患者への呼吸の指示	171
悪性の嚢胞	176
肝嚢胞を診断する意味は？	178
訳のわからない肝腫瘍は血管腫	187
日頃から肝内の門脈に注意を	193
治療歴を把握してエコーをしないと誤診する	195
bull's eye sign	200
肝脂肪	204
NASH	205
霜降り肉の検査	206
びまん性肝疾患の診断は	207
超音波検査は動画で診断する	208
スペックルエコーは悪者か	209
胆管結石のエコーは強くない	216
白く光るものは石灰化か？	218
空気はなぜ白く見えるのか	220
肝静脈をキレイに撮るには	221
脱気水	237
チャンピオンデータ	239
音響窓とは	241
「膵は描出不良です」	242
膵腫大の判定	245
自己免疫性膵炎	247
胆嚢腫大か拡張か？	251
見落としやすい腎の小病変	265
嚢胞腎	269
腎臓が4個ある？	275
透析患者と腎細胞癌	278
腎の奇形	282
無視されている腎炎後の変形	286
経腟プローブ	314
左右どちらの卵巣の病気？	316
頭の中で広範囲の合成画像をイメージする	319

本書の動画DVDの使い方

● DVDプレーヤーで基本走査や超音波の動画を見ることができます

本書に付属しているDVDは，通常の映画などのDVDと同じDVDビデオですので，DVDビデオ対応のDVDプレーヤーやDVDレコーダーで再生することができます。
パソコンでもDVDビデオ再生用のソフトが正しくインストールされている場合には，再生することができます。
DVDプレーヤーの場合には，リモコンの上・下・左・右ボタン（方向カーソルボタン）や決定ボタン（ENTERボタン）を使用して操作します。詳しい操作方法は，お使いのDVDプレーヤーの取扱説明書をご覧ください。

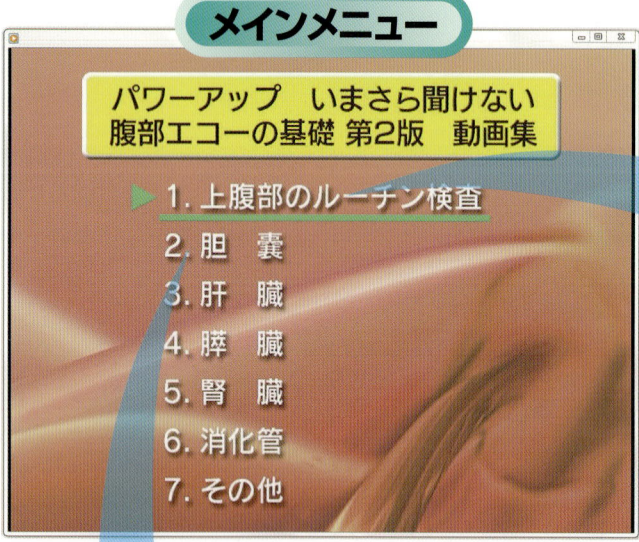

メインメニューからルーチン検査の動画に飛ぶ

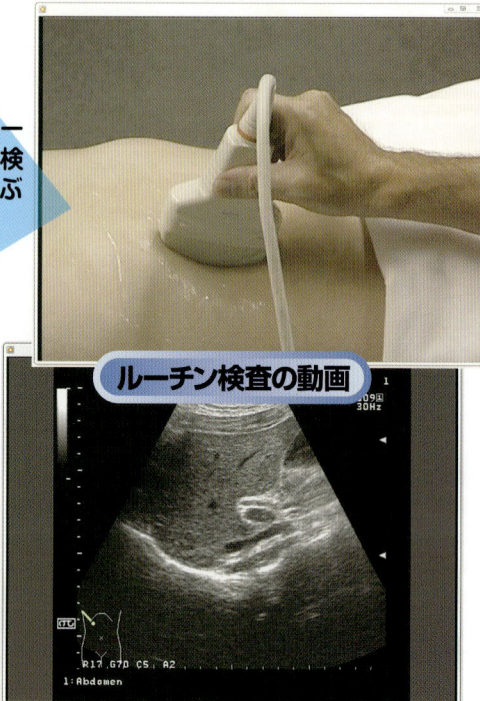

ルーチン検査の動画

メインメニューからサブメニューに飛ぶ

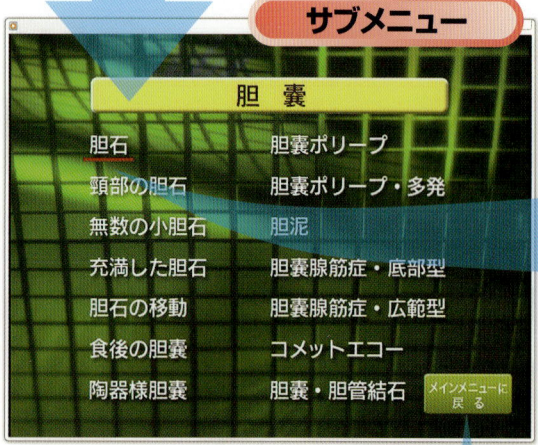

サブメニューから症例の動画に飛ぶ

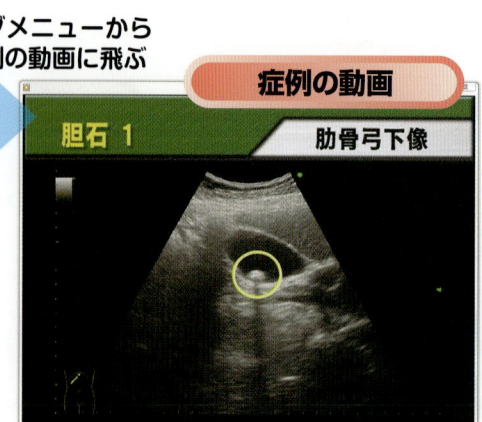

症例の動画

サブメニューからメインメニューに戻る

総論

　総論では超音波画像ができるしくみ，画像の調整方法，アーチファクト，スキャン方向の名称などについて解説します。
　最後に上腹部領域の解剖について簡単に紹介します。超音波検査には解剖の知識がとても重要です。解剖図譜集などで十分に解剖を理解して検査に臨みましょう。

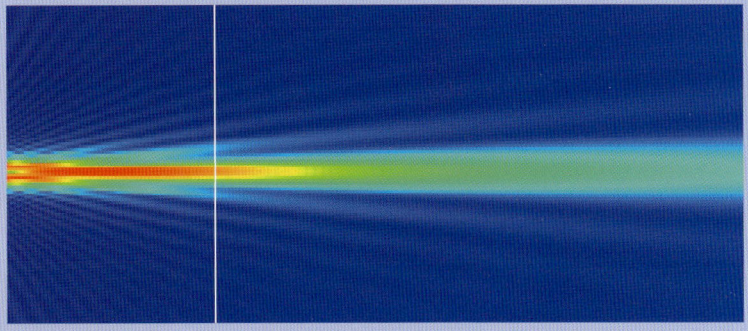

　トランスデューサから発射された超音波ビームをコンピュータでシミュレーションした画像です（19ページ参照）。
　今は用いられないシングルプローブのビームパターンですが，超音波の性質（収束，サイドローブ）を理解するのに役立ちます。

超音波診断装置

● 日立メディコ　HI VISION Preirus

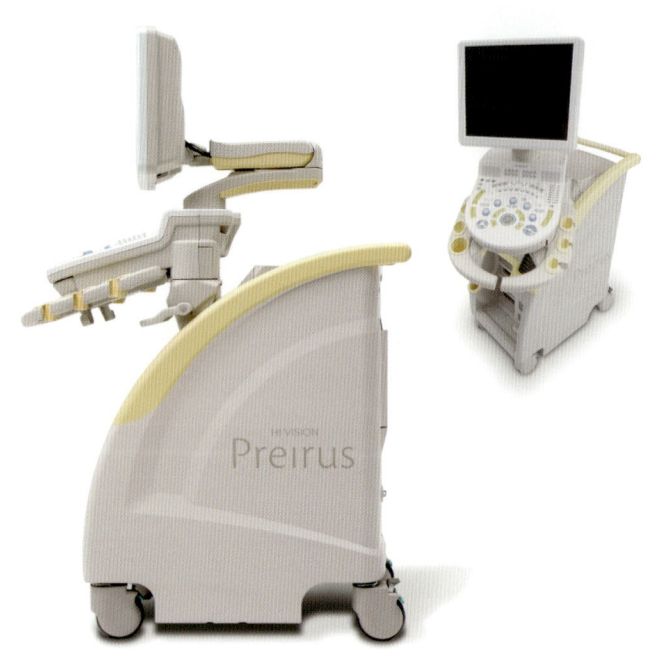

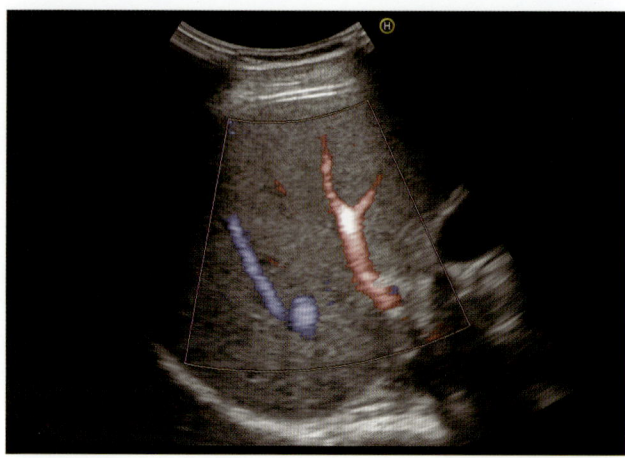

この装置のモニタは19インチです。上図には周囲をトリミングして超音波画像が見えている部分だけを示しています。プリントされる画面は周囲の文字の解説も含めて56ページに示しています。
モニタとコントロールパネルは一緒に広範囲に動かせるので，手術場やベッドサイドなどにも対応します。
Fine Flowは通常のカラー表示よりも，血管からのはみ出しが少なく，微細血流の表示が可能になりました。

日立メディコ[*1]は2010年に創業100周年を迎えた日立グループの医療機器メーカーで，1949年に設立されました。
最近は超音波診断装置に力を注ぎ，世界で初めてエラストグラフィーを実用化しました。
CT，MR画像などとの対比を行うReal-time Virtual Sonographyも開発し，他社に影響を与えています。
上図のPreirusは2011年初の時点における同社の最高級機種で，グッドデザイン賞を受賞しています。

他社がコントロールパネルにサブモニタを付けて画像調整を行うのに対し，日立は液晶パネルの下部にタッチパネル機能をもたせて，動作・機能のON-OFFやボディーマークの選択が行えるようにしています。

*1：2016年4月に日立製作所に吸収合併された。

● GEヘルスケア　LOGIQ　E9

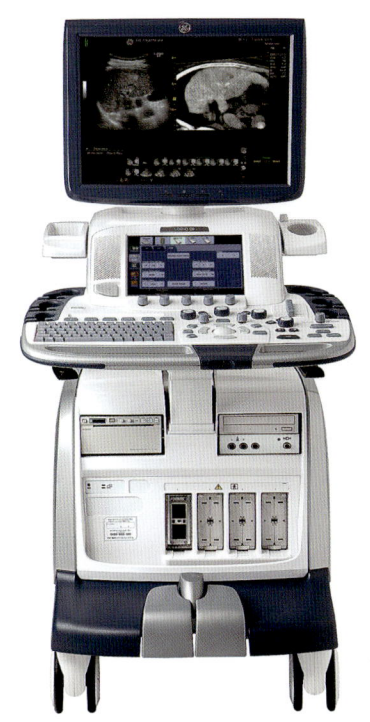

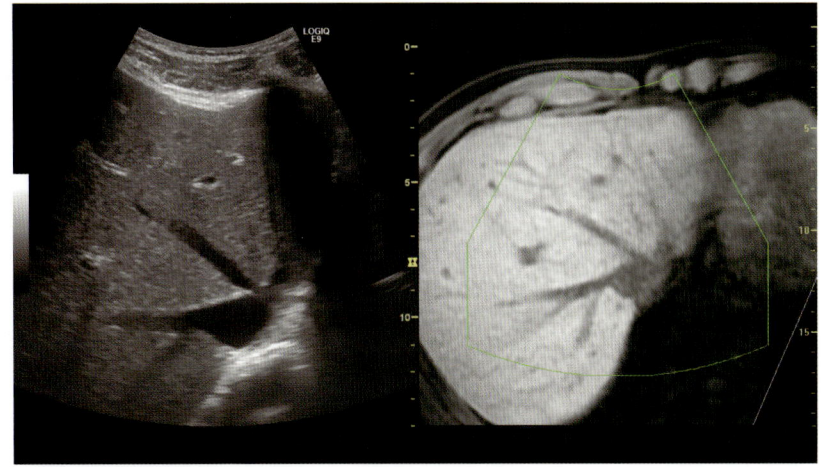

左は超音波画像で，右はこの患者のMR画像です。同じ断面が表示されています。あらかじめMRの3次元情報（ボリュームデータ）をオンラインあるいはCD・USB経由で取り込んでおきます。検査開始時に超音波画像とMR画像の同じ部位をポインタで指示します。
マルチスライスCTで得られた3次元データも同じ手法で，このシステムに取り込めます。
CTやMRで見えた小さな腫瘍を超音波で確認するのに役立つほか，たとえば，右に肋骨弓下スキャン像，左に肋間スキャン像を出して，観察している肝内の小腫瘍が同一であるかどうかの確認もできます。新人のトレーニングにも威力を発揮すると思います。

GEヘルスケア・ジャパンは1982年に米国GEと横河電機の合弁で横河メディカルシステムとして誕生し，現在は米国GEヘルスケアグループに属する総合医療機器メーカーです。
2010年時点での最高機種である上図の装置にはCTやMRで開発されたアイデアや手法が応用され，魅力ある製品になっています。

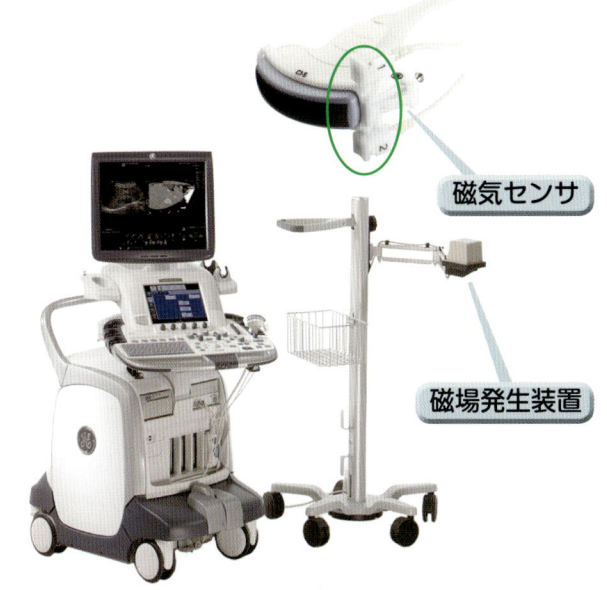

右上の画像を取得するためのシステムです。磁場を用いて空間的位置を把握します。安定した磁場を得るために，磁場発生装置をプローブの約60cm以内に配置します。
この装置ではプローブに磁気センサを2個装着します。プローブを動かすと，プローブの位置・向きが検出されて，断面の部位が自動的に決定され，MRやCTの3次元データから超音波画像に相当する断面をリアルタイムに再構成します。
GEヘルスケアは，このシステムをVolume Navigationと呼んでいます。

● 日立アロカ　Prosound　F75

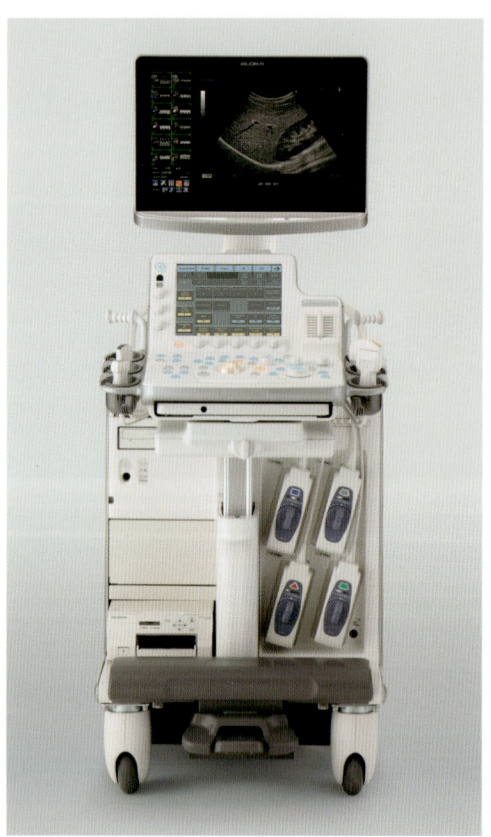

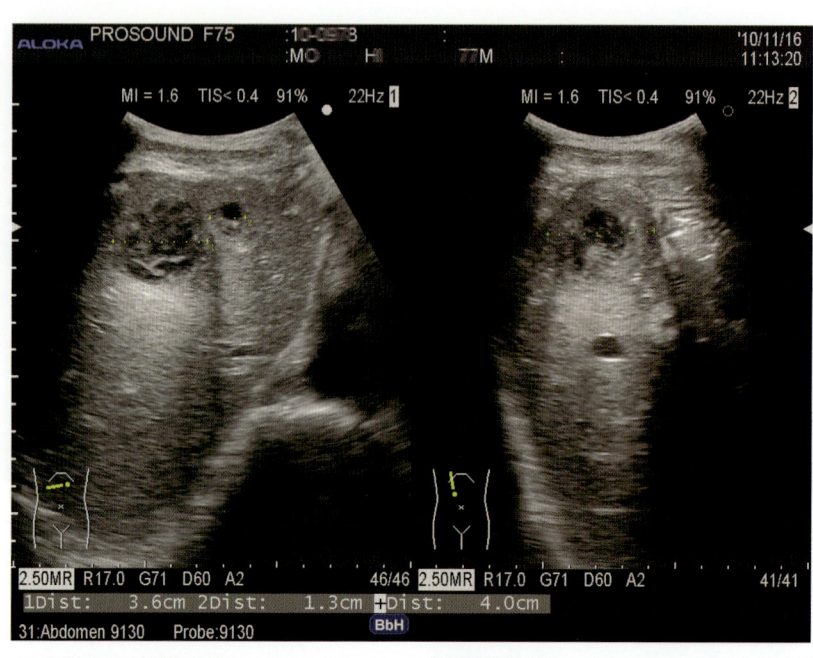

この装置の観察用モニタは19インチ横長を搭載しています．超音波画像の横に撮影済の画像など種々の情報を表示できます。プリンタに記録するときは，上図のように画像部分だけをプリントします。
計測数値は少し大きめのフォントを選べるようになっています。老眼年齢の検者にはうれしい配慮です。

アロカは1960年に世界に先駆けて超音波診断装置を製品化した日本の会社です。カラードプラも同社が開発しました。
この装置は2010年にアロカが発売を開始した腹部用超音波診断装置で，いわゆるフラッグシップモデル（最高級機種）です。2011年4月にアロカは日立メディコの子会社になり，社名が日立アロカメディカル[*2]に変わりました。

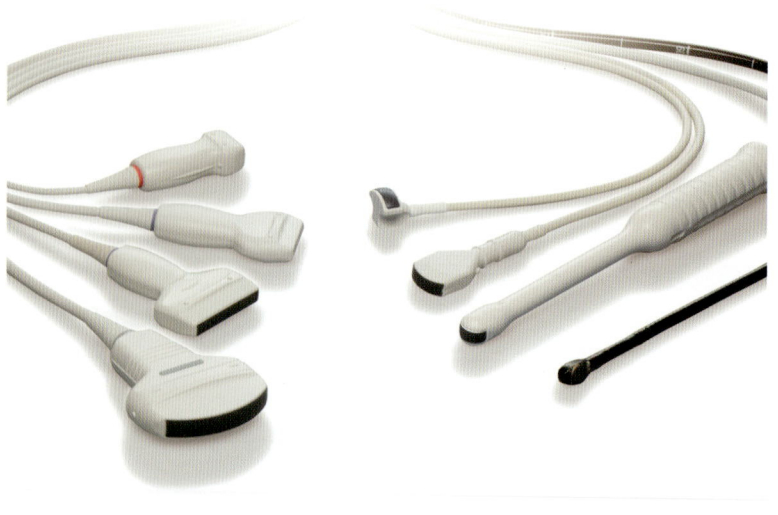

プローブは上腹部検査用の他に術中用，経腟用，経直腸用など総計20本が用意されています。最近は乳腺などの表在性臓器用に三次元（3D）画像が観察できるプローブもラインナップされています。プローブの形状は長年にわたって改良されてきて，手によくなじむデザインです。

＊2：2016年4月に日立製作所に吸収合併された。

● 東芝　Aplio MX

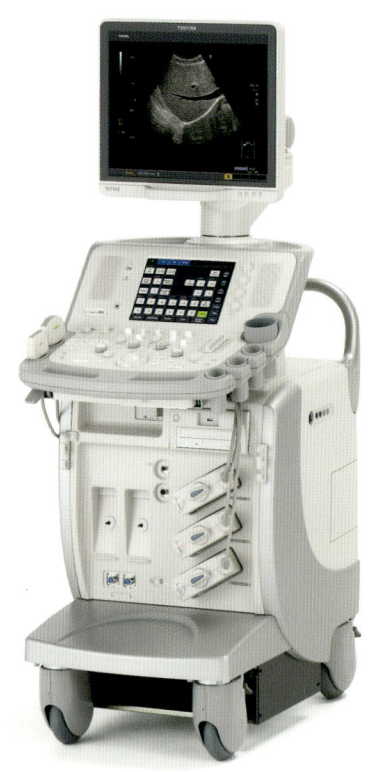

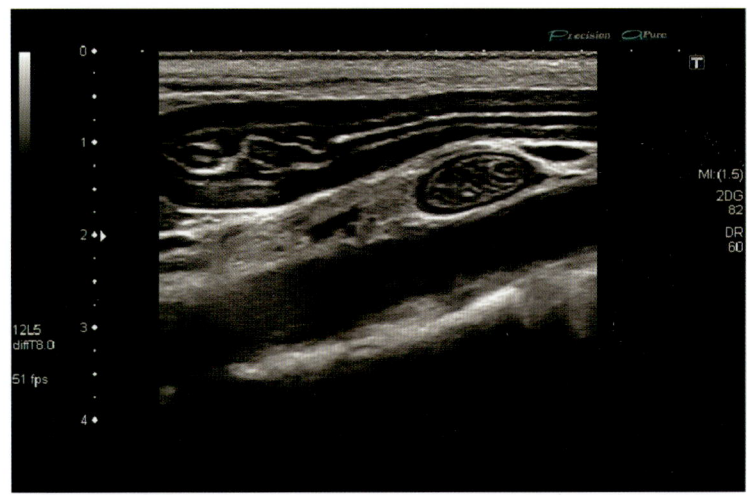

この超音波画像は東芝独自のPrecision Imagingという画質向上技術を用いています。これは近接する複数の超音波信号から組織構造を解析・処理を行う技術です。微細な組織の描出能を損なうことなく，組織のつながりをよくしたり，組織の微妙な違いを分かりやすくしたり，血管や間隙などの抜けをよくすることが可能になりました。
この技術はカラードプラやパワードプラと併用することもでき，診断能の向上に寄与します。

東芝メディカルシステムズ[*3]は1948年に設立された，東芝グループの医療機器メーカーです。
Aplio MXはコンパクトボディのなかにも最高級の画質，および微細な構造物を見やすくする東芝独自のMicroPure™やエラストグラフィ，4D（リアルタイム3D）などの多彩な臨床アプリケーションを搭載し，幅広い臨床分野に対応しています。

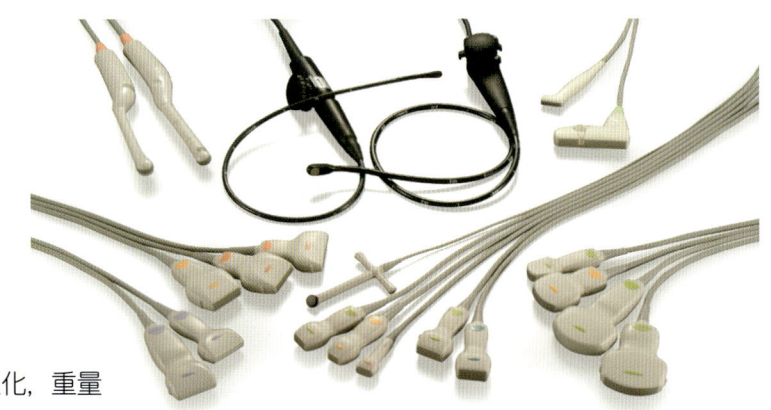

Aplio MXは，装置本体の容積を約50%に小型化，重量も約30%削減しました（東芝従来装置Aplio XG比）。部材もグリーン調達し，省エネ・省資源化など環境に配慮した設計により，東芝グループの環境調和型商品に認定されています。加えて2010年12月に第7回エコプロダクツ大賞でエコプロダクツ部門会長賞（優秀賞）も受賞した，「人にも環境にもやさしい」製品です。

 東芝グループは、持続可能な地球の未来に貢献します。

---
*3：キヤノンに買収されて，2018年1月にキヤノンメディカルシステムズになった。

プローブの種類

超音波の送受信をする部分をプローブ（探触子）といいます。先端近くに短冊型をしたトランスデューサ（圧電振動子）が多数並べられています（右ページ参照）。

リニア方式は超音波ビームが平行・直線（linear）に放射されます。プローブの基本型です。

セクタ方式はビームが扇形（sector）に拡がるのが特徴です。

コンベックス方式は先端が円弧状にカーブしています。先端の形が凸面（convex）なので名付けられました。

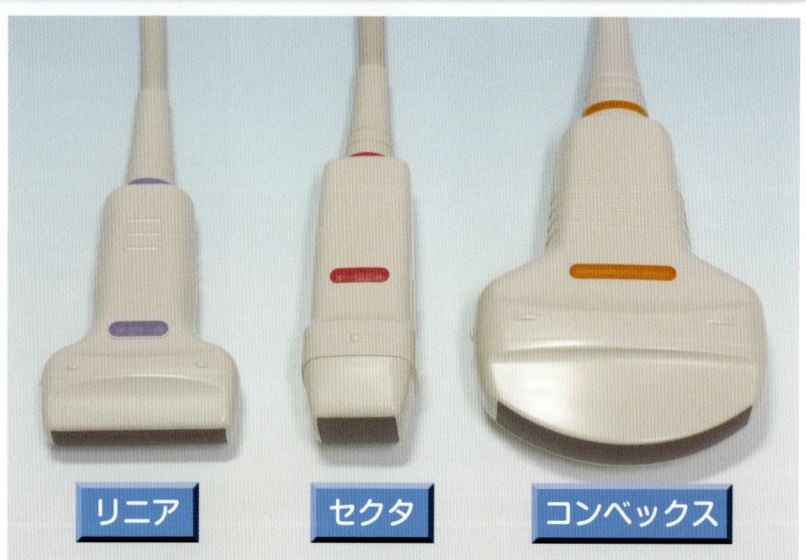

リニア　　セクタ　　コンベックス

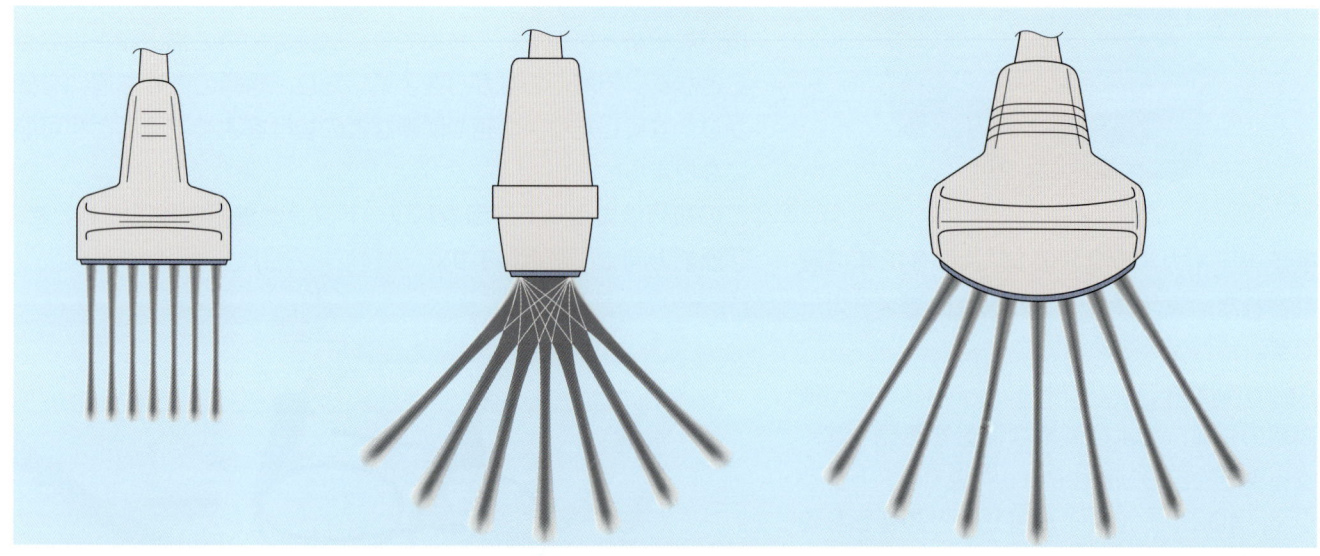

リニア　　セクタ　　コンベックス

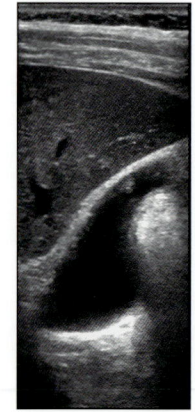
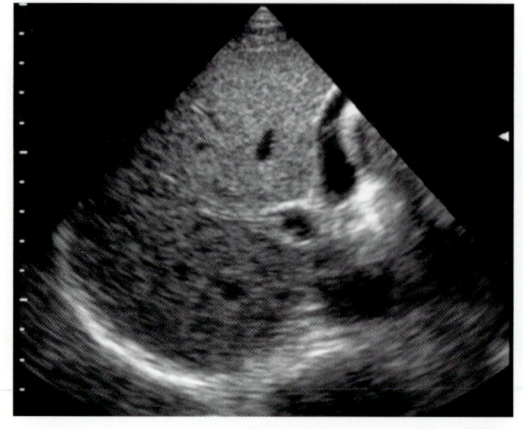
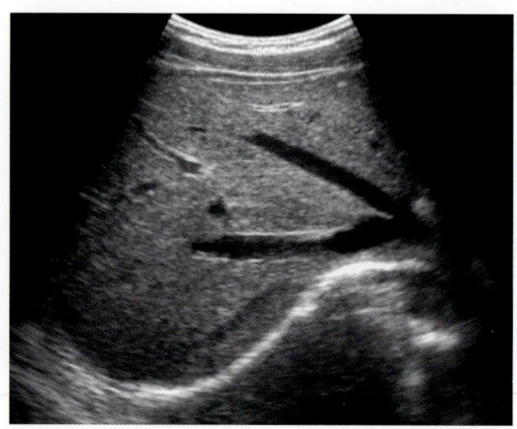

① リニア方式

リニア方式のプローブは，高周波数の小型のものが乳腺・甲状腺・頸部動脈などの表在性臓器あるいは小児科の検査に使われていますが，1980年代の前半には3.5MHzの周波数のものが腹部用に用いられていました（リニア電子スキャナ）。その後，コンベックス方式のプローブが開発されると，リニア方式のプローブは検査野が狭いという理由で腹部領域では使われなくなりました。

最近は台形（トラペゾイド）に視野を広げるスキャンができるようになったので，リニア方式が腹部用に見直されています（29ページ参照）。

② セクタ方式

セクタ方式は超音波ビームを斜めに出すように工夫されています。狭い先端に多くのトランスデューサを装着するので加工が難しく高価です。心臓用に開発されたものですが，腹部領域に使うと横隔膜直下の肝臓の盲点を少なくできるという利点があります。

③ コンベックス方式

コンベックス方式プローブは，リニア方式のプローブの先端を円弧状に曲げたものです。両方式はプローブの表面から垂直に超音波ビームが出ている点が共通しています。

最近は，コンベックス方式で垂直方向に加えて少し斜め方向にもビームを出して，わざとビームが交差するようにしているものがあります。コンパウンドスキャンと呼んでいます（34ページ参照）。画像ムラが少なくなる利点がありますが，度がすぎると画像全体が不鮮明になります。また，フレームレートが減る原因にもなります。

● プローブの構造

プローブの内部には短冊形をしたトランスデューサが密に並べられています。ここに示しているのはリニア方式のプローブですが，コンベックス方式のプローブで130～190個のトランスデューサが使われています。

腹部用のプローブの標準的な周波数は3～4MHzなので，トランスデューサは1秒間に300～400万回も伸縮します。

音響レンズは超音波を幅方向に収束させて，薄い断面が得られるようにするためのものです。シリコンゴムが使われています。もし音響レンズがないと，プローブの表面は凹んだ形にしなくてはなりません。

超音波が生体に入射するまでのロスを少なくするために整合層というものを用います。

バッキング材は後方に出る超音波を吸収します。

プローブの長さは広い検査野を得るためには長いほうがいいのですが，カーブした皮膚に表面が密着しないと意味がないので長さには限界があります。

プローブ先端の幅が厚いほど音響レンズの効果は増しますが，厚すぎると肋間に入りません。諸条件の兼ね合いから現在のサイズに落ち着いています。

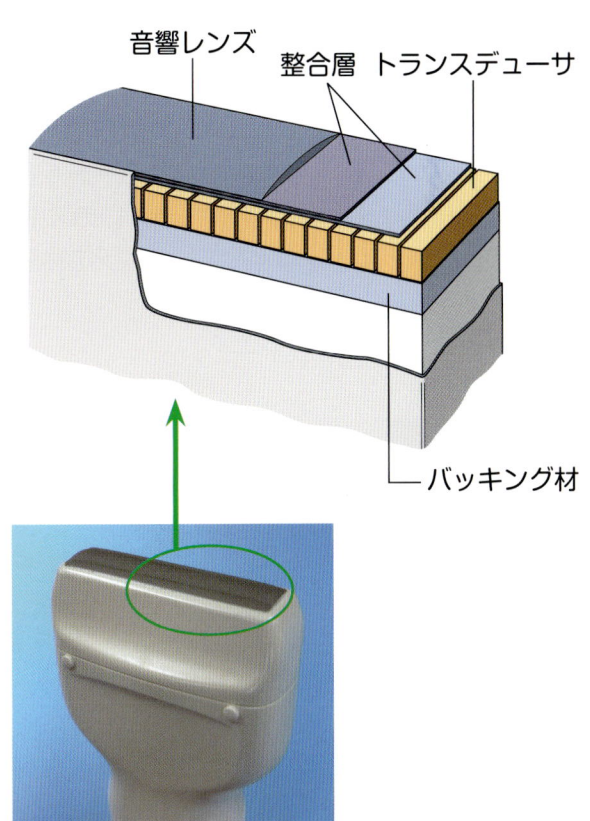

(橋本 浩　USコラム　今さら聞けない音知識・その13，GE today Vol. 26から改変)

3D用プローブ

2000年頃までは乳腺・甲状腺の検査にはメカニカルセクタプローブが使われていました。これは液体を封入したケースの中に丸いトランスデューサが1個だけ装着されたものです。
3D用プローブは液体が入ったケースにリニア方式やコンベックス方式の電子スキャナの先端部分を入れて，機械的に往復運動させます。収集したデータを計算して画像を再構成することで，3次元の画像を作ります。

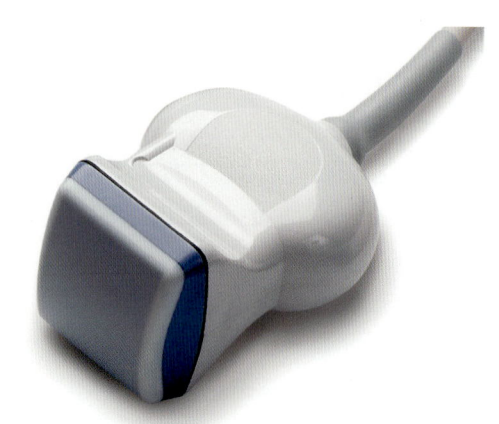

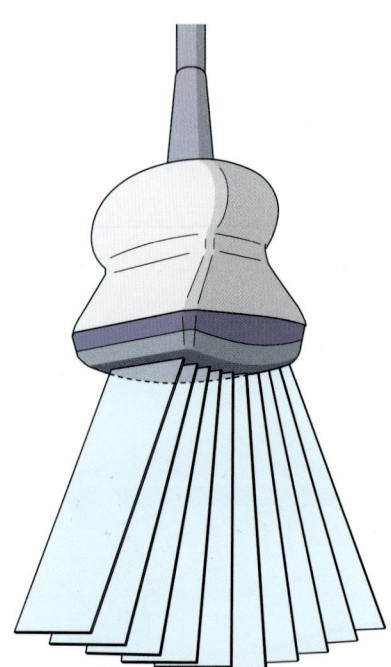

リニア方式の電子スキャナを内蔵した3D用プローブの説明図です。液体を入れたケースの中を小型のリニア電子スキャナが往復します。
肝臓の肋間スキャンを行うときに，肋骨の影響を避ける目的で「扇動操作」（72ページ参照）という手法を用いますが，まさに「扇動操作」を自動的に行うプローブです。ただし，プローブの表面ですでにスキャン面が拡がっているので，肝臓の肋間スキャンには使えません。
スキャン中の画像をメモリに記録しておいて，多数の断面（マルチスライス）から位置情報を基に任意の断面を再構成します。これはマルチスライスCTで用いられている手法（MPR=multi planer reconstruction）と同じです。
皮膚に平行な断面をCモードといいます。これは従来からあるAモード，Bモード（26ページ参照）に対応する用語です。
1回のスキャンで明瞭な三次元の静止画像を得る方法と，連続スキャンで三次元の動画（4Dともいう）を得る方法とがあります。

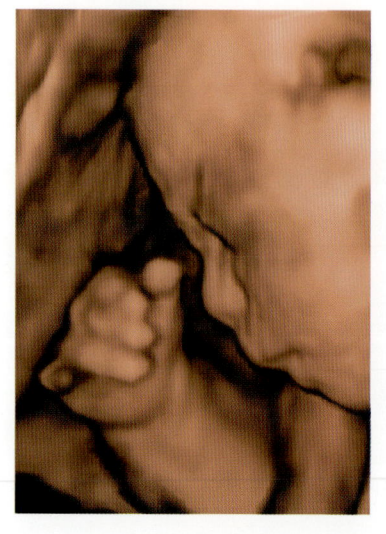

3Dプローブを用いた検査で定着したのが胎児の3D画像です。妊婦の腹壁にプローブを当て，子宮内の胎児の3Dデータを収集します。通常の処理では胎児の断面が任意の方向で得られますが，サーフェスレンダリングやボリュームレンダリングという手法で胎児の体表を描出します。エコー信号の強さで輪郭を抽出し，コンピュータグラフィックスを用いて胎児の表面を表現します。
本来は白黒の画像なのを現実味をつけるために肌色にしたり，輪郭に陰影をつけて遠近感を出すなどの工夫が施されています。
動画（4D）で観察しながら，気に入ったポーズを選び出し，静止画にしてプリントします。

超音波の性質

超音波の定義は「人間が聞きとれない音」です。通常は2万Hz以上の音を示します。腹部の超音波検査に使用されているのは3～6MHz（1メガ＝10^6）で，乳腺などの表在性臓器の検査には10～15MHzが使用されています。最近の装置は従来よりも高い周波数を使う傾向があります。
超音波診断装置で用いられている超音波は骨および肺や胃腸の中にあるガスは伝わりません。

● 超音波の発生

右の図は，水晶の切片の両面に銀メッキをして電圧を加えているところです。水晶は加えられる電圧の＋と－の極性によって，電圧を加えない状態より厚くなったり薄くなったりします。このような現象を圧電効果（piezoelectric effect）といい，圧電効果をもった物質を圧電素子といいます。
超音波診断装置では人工の圧電素子であるPZT（チタン酸ジルコン酸鉛）と呼ばれるセラミックの一種を超音波の発生に用いています。乳腺用などの高周波数用には新種の材料（CMUT）も開発されているようです。
圧電素子の両面に交互に＋－の電圧を加えて刺激すると，素子の形状に応じて特有の振動数（中心周波数という）で安定した振動をして，超音波を発生します。そこで，この素子を圧電振動子ともいいます。
圧電振動子に外から超音波を加えて振動させると電圧を発生します。つまり，圧電振動子は超音波の送信だけでなく受信も行います。最近の圧電振動子は中心周波数周辺の広範囲な超音波も送受信するように工夫されています（広帯域型）。広帯域になると距離分解能は向上します。
圧電振動子は電気エネルギーを音エネルギーに変換することからトランスデューサ（変換器）ともいいます。この本ではトランスデューサと記述します。

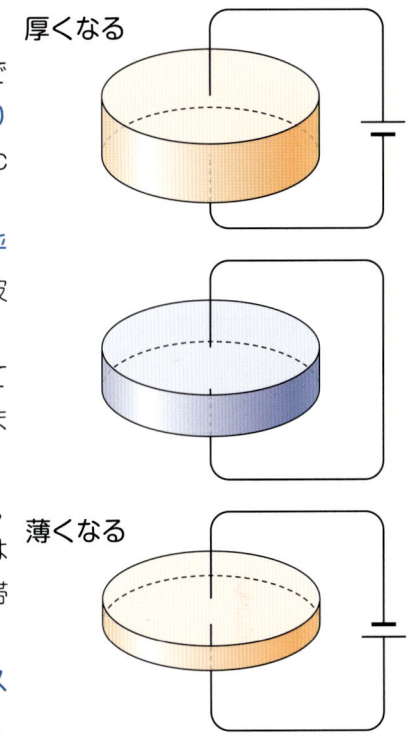

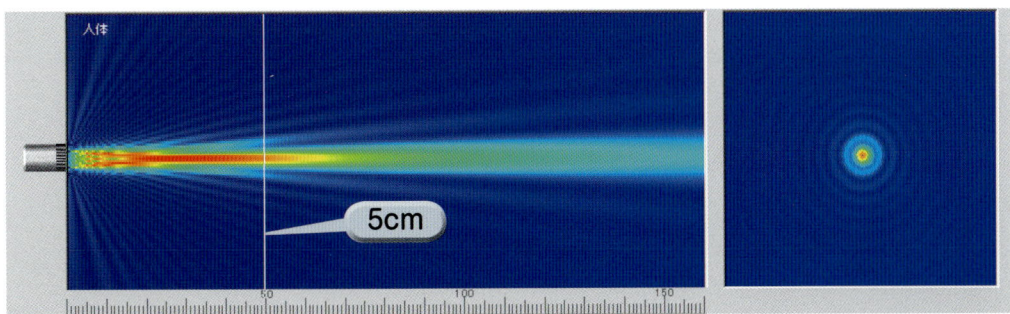

谷村康行氏がホームページでシングルプローブ（円形をした圧電振動子が1個のプローブ）のビームパターンを作成するソフトを公開しています。上図の左側は直径5mm，周波数5MHzのプローブから送信される超音波のシミュレーション画像です。強い部分は赤く表示されます。超音波ビームは数本にバラけています。これがサイドローブ（38ページ参照）です。上図の右側はプローブの表面から5cm先でのビームの断面です。サイドローブがメインローブを同心円状に取り囲んでいます。

（許可を得て転載　谷村康行氏のHPアドレス http://subal-m45.cocolog-nifty.com/blog/2007/07/post_7de7.html）

波長

超音波は生体中を平均1,540m／秒のスピードで伝わります。この音速を周波数で割ると，超音波の波長が計算できます。波長は超音波画像の分解能に関係します。波長が短いほど分解能は増しますが，生体内での減衰が強くなります。分解能と減衰の兼ね合いから，現在は腹部用には5MHz前後のトランスデューサが用いられています。

最近のプローブは周波数を固定させずに，広い範囲の周波数を発信あるいは受信する方式が用いられています（広帯域プローブ）。たとえば，ある腹部用のコンベックスプローブでは，トランスデューサを駆動するパルスの中心周波数を変えることで3〜6MHzの範囲をカバーします。これは後で述べるハーモニックイメージング法（32ページ参照）で必要になる性質です。

周波数	波長
2.25MHZ	0.68mm
3.5 MHZ	0.44mm
5.0 MHZ	0.31mm
7.0 MHZ	0.22mm
10.0 MHZ	0.15mm
13.0 MHZ	0.12mm

生体組織中の音速

生体中での超音波の音速は臓器・組織によって微妙に異なります。このことが原因で肝嚢胞はわずかに形が歪みます。音速の違いが画像の歪みとして顕著に現れるのは乳房の超音波検査です。妊娠期を除けば乳房が発達している人は皮下脂肪組織が厚くなっています。脂肪組織の平均音速は1,440m／秒です。これは超音波診断装置が画像を作るときに前提としている生体内の平均音速1,530m／秒とは差が大きいので，厚い脂肪層の背後にある腫瘍の深さを誤認します。

超音波診断装置は画像を明瞭にするために，送信フォーカスとは別に受信フォーカスという手法を用いています（25ページ参照）。このときに腫瘍の深さが誤認されると受信フォーカスが正確に働かず，フォーカスが甘くなり画像がボケます。

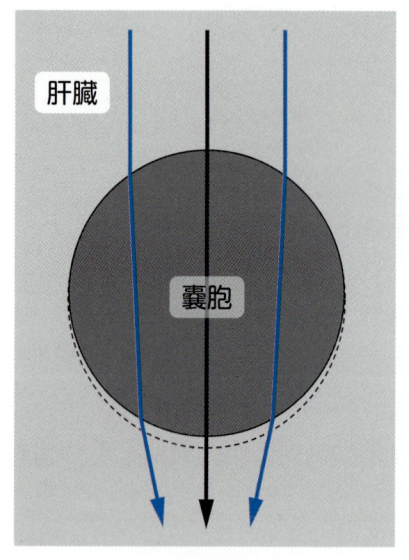

肝臓に嚢胞があるケースを考えると，肝臓の音速は1,550m／秒で，嚢胞内の液体の音速は1,520m／秒なので，嚢胞内でわずかに音速が遅くなり，超音波が嚢胞後壁に到達するのに余計な時間がかかります。すると超音波診断装置は嚢胞後壁を実際よりは後方にある（左図の破線）と誤って表示します。2％の誤差なので，2cmの嚢胞で0.4mmの差です。

また，音速が遅くなると青い線のように超音波は中心側に屈折します。これは光の屈折を説明するスネルの法則で説明できます。

● 音響インピーダンス

生体組織にはそれぞれ音響インピーダンスといわれる固有の数値があります。Zで表します。「インピーダンス」というのは一種の「抵抗」です。音に関する抵抗という意味です。音響インピーダンスは音速と組織の密度の積で表します。単位は$kg \cdot m^{-2} \cdot sec^{-1}$です。

媒質	$kg \cdot m^{-2} \cdot sec^{-1}$	媒質	$kg \cdot m^{-2} \cdot sec^{-1}$
空気	0.0004×10^6	軟部組織平均	1.63×10^6
水	1.48×10^6	脾	1.64×10^6
脂肪	1.38×10^6	肝	1.65×10^6
脳	1.58×10^6	筋肉	1.70×10^6
血液	1.61×10^6	頭蓋骨	7.80×10^6
腎	1.62×10^6		

● 超音波エネルギー反射率

隣り合った組織間の音響インピーダンス（Z）の差は超音波の反射率に関係します。隣り合った組織AとBとの境界面が超音波のビーム幅に対して十分に広く，しかも超音波がこの境界面に直角に入射する場合，超音波音圧の反射率rは$r = \frac{|Z^A - Z^B|}{Z^A + Z^B} \times 100\%$ となり，隣り合った組織間のZの差が大きいほど反射率が大きくなります。

境界面			エネルギー反射率（％）
脂肪	↔	筋肉	1.80
血液	↔	筋肉	0.07
脂肪	↔	骨	48.91
軟部組織	↔	水	0.23
軟部組織	↔	空気	99.90
軟部組織	↔	ひまし油	0.43

● 分解能

① 空間分解能

距離分解能と方位分解能の2つがあります。
距離分解能は超音波ビームに平行に存在する2つの物を別々のものとして識別する能力で，方位分解能は超音波ビームに垂直に存在する2つの物を別々のものとして識別する能力です。それぞれ2つの物体間の距離で表します。前者は波長に関係し，後者は超音波ビームの太さに関係します。

② コントラスト分解能

音響的に性質の異なる物質を明るさ（エコー強度）の違いで識別できる能力です。たとえば，被膜のない肝臓腫瘍が周囲の正常組織と異なる明るさで識別できるかどうかの能力です。

③ 時間分解能

これは動きのあるものを観察する心臓では非常に重要です。腹部検査でも心臓に接する肝左葉は心拍に連動して揺れ動くので重要です。1秒間に作成される画像数（フレームレート）が少ないと速い動きが正確に判断できません。

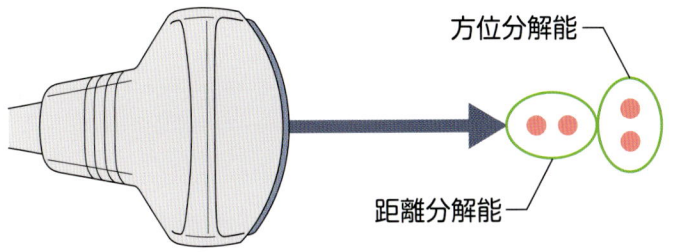

4個の明るさ（エコー強度）の異なる腫瘍がありますが，これらを識別する能力がコントラスト分解能です。

● 反射・屈折・散乱

隣り合った二つの組織の境界面が超音波のビーム幅に対して十分に広く，かつ角度がある一定の角度（臨界角）を超えていると超音波は全部反射（全反射）します。臨界角以下だと一部が反射し，残りは屈折して，次の組織へ入っていきます。超音波は波長よりも短い反射体に当たると四方八方へ散乱します。この散乱がスペックルエコー（下のMEMO参照）の原因になります。

反射する超音波の中で，プローブに戻ってくる超音波だけが画像を描くのに役立ちます。プローブまで戻ってくる超音波は送信された超音波に比べるとごくわずかで，ほとんどはプローブ以外の場所に反射したり，途中で減衰したりします。

屈折した超音波は厄介です。トランスデューサの真下にはない情報を持ち帰るので，画像が歪む原因になります。腹直筋の境で超音波が屈折する「レンズ効果」がその代表です（40ページ参照）。

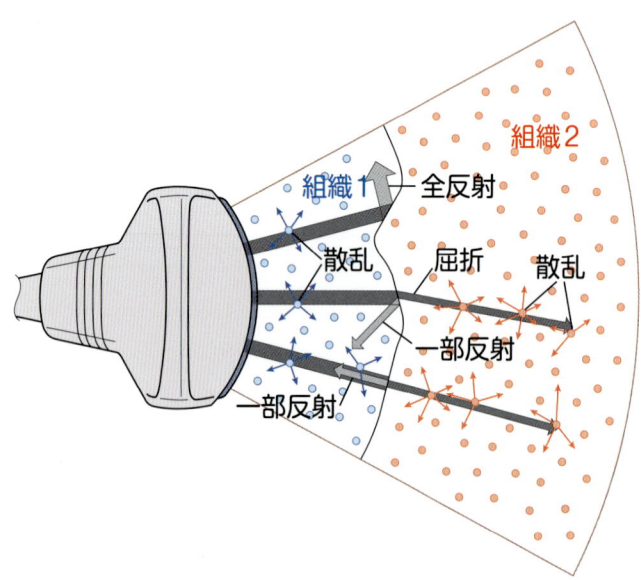

MEMO　スペックルエコー

肝臓など実質臓器の内部エコーはスペックルエコーと考えられています。speckleを辞書で引くと「斑点，ぽつぽつ，しみ」と書かれています。

肝臓の内部エコーは細かい点状エコーの集合体です。これは1個1個の肝細胞を表わしているのではありません。超音波の波長（5MHzのプローブの場合は0.3mm）よりもはるかに小さな反射体に当たった超音波は散乱を起こします。散乱した超音波は近くの小さな反射体でまた散乱します。あちこちで生じる散乱波が互いに干渉し，合成されて白い点状エコーが出現します。これがスペックルエコーの正体でノイズの一種です。

スペックルエコーは肝細胞の状態をある程度反映します。たとえば，肝硬変になると点状エコーの粒が粗くなります（粗糙化）。また，スペックルエコーは超音波の周波数が高くなると，細かくなります。最近では高い周波数のプローブを使う装置が増えているので，注意が必要です。いろいろな画像処理を加えると，さらに内部エコーは違って見えます。その結果，診断装置ごとに微妙に診断基準が異なるという厄介な問題を引き起こします。

最近の装置は積極的にスペックルエコーを抑制する機能を搭載しています（35ページ参照）が，スペックルエコーが消えることが診断能の向上につながるのかは，今後の検証が必要です。

超音波をフォーカスさせる

小さな短冊型をした多数のトランスデューサを同時に駆動すると，発生する超音波は先で拡散します。ところが，わずかな時間差を設けて正確に制御すると，先の方でビーム状に狭くなり焦点域を形成します。これを電子フォーカスといいます。このように超音波を細く絞ったり，向きをコントロールしたりすることができるので，生体内部の構造を描くことが可能になるのです。この送信フォーカスとは別に，装置では受信フォーカス（25ページ参照）を自動的にほぼすべての深さにかけています（ダイナミックフォーカス）。フォーカス設定にルーズでも画像が大幅にはボケないのは受信フォーカスのお陰です。

● 電子フォーカスのしくみ

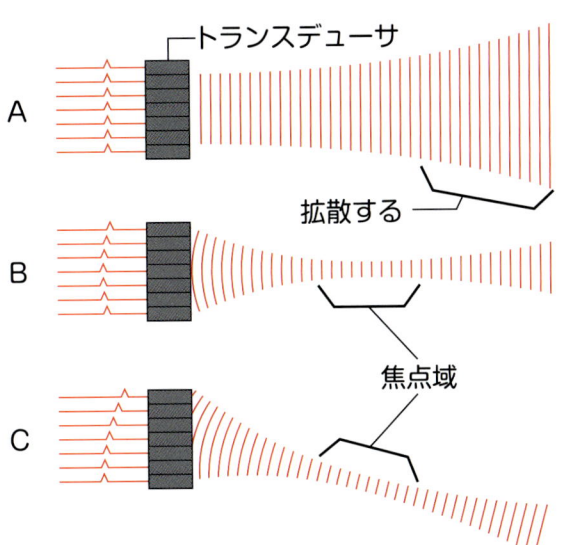

ここでは7個のトランスデューサを1グループとして使用する例を示します。実際はもっと多くを使用します。
Aのように7個のトランスデューサに同時に電気信号を加えたのでは，発生する超音波は先で拡散します。
Bのように端になるほどわずかに早く駆動させると，超音波は先で収束します。つまり焦点域を形成します。
Cのようにどちらかの端に先に電気信号を加えると超音波は斜めに発生して，しかも先で焦点域を形成します。
このように複数のトランスデューサの位相を電子的に制御して超音波ビームをフォーカスさせるしくみを，電子フォーカスと呼んでいます。

● 立体的にフォーカスさせる

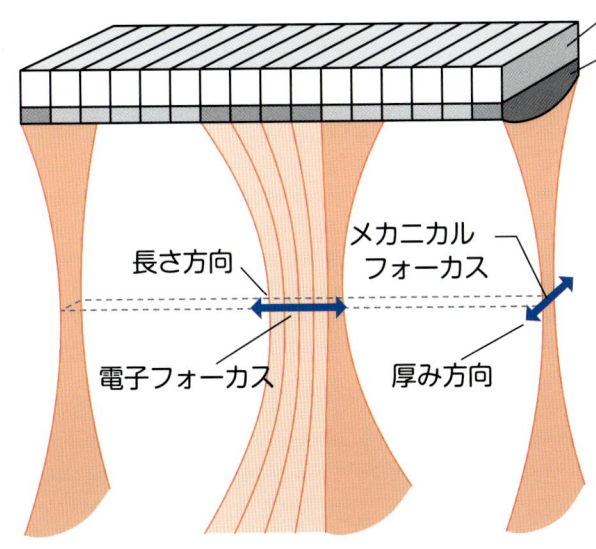

超音波ビームはプローブの長さ方向にフォーカスさせるだけでは不十分です。プローブの厚み方向（スライス方向）には音響レンズを用いて超音波を収束させています。これをメカニカルフォーカスといいます。
音響レンズに生体よりも音速が遅い材料（シリコン）を用いると，表面が凸型でも超音波は厚み方向に収束します。
電子フォーカスの深さは電気信号を加えるタイミングを調整する（位相の制御）ことで変えられますが，メカニカルフォーカスは固定されています。
詳しいプローブの構造は17ページを参照してください。

🔵 多段フォーカス

前のページではフォーカスは1か所だけに設定していますが，実際の装置では，2か所（2点），3か所（3点）と複数の深さにフォーカスを設定することができます（多段フォーカス）。

たとえば，3cmと6cmに設定すると，まず3cm（→）にフォーカスを合わせてスキャンを行い，次に6cm（→）にフォーカスを変更してスキャンします。2枚の画像からフォーカスが合った領域だけを切り出し，貼り合わせて1枚の画像に合成します。1枚の画像を作るのに2倍弱の時間がかかります。その結果，次のページで解説するフレームレートが約半分に落ちるので，動画を観察するのには不都合です。

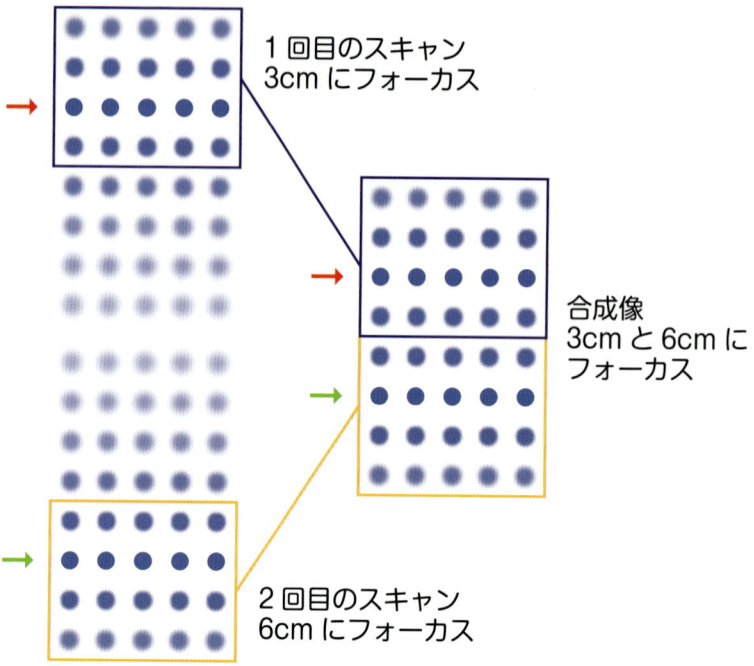

1回目のスキャン 3cmにフォーカス

合成像 3cmと6cmにフォーカス

2回目のスキャン 6cmにフォーカス

🔵 厚み方向の電子フォーカス

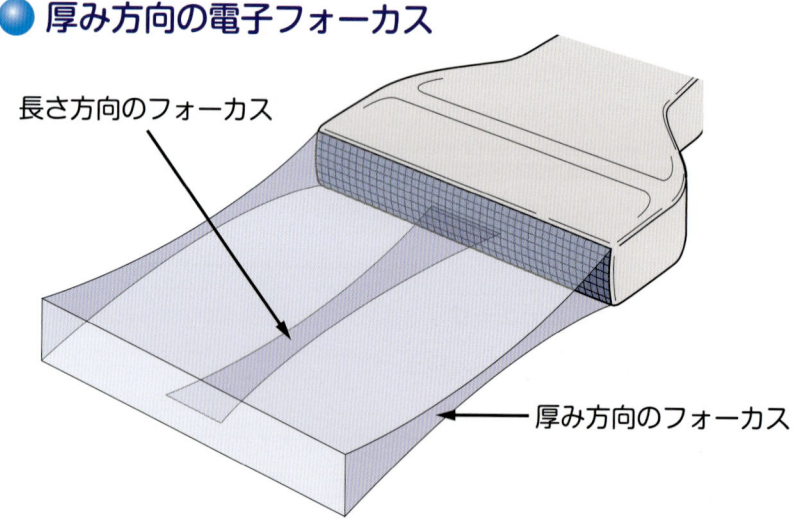

長さ方向のフォーカス

厚み方向のフォーカス

短冊形のトランスデューサを厚み方向にも複数に分けたプローブがあります。マトリックスプローブといいます。厚み方向（スライス方向）にも電子フォーカスをかけて，従来のプローブでは固定されている厚み方向のフォーカスもコントロールしようという考えです。トランスデューサを何列並べているのかは企業秘密らしく，どのメーカーも教えてくれません。私の予想では5～7列です。

MEMO　フォーカスの調整

皆さんはフォーカスはマメに調整されていますか？　なかには「フォーカスって何？」という強者（つわもの）がいるかもしれません。私の周りではフォーカスに気を配っている人は少ないです。ユーザーが調整できるのは送信フォーカスです。送り出す超音波を細く絞る深さを決めます。装置は受信フォーカスという作業をすべての深さに自動的にしてくれています（ダイナミックフォーカス）。ですから送信フォーカスを調整しなくても，全体的にフォーカスはある程度合っています。それでも見たい対象の深さに送信フォーカスを合わせると，よりフォーカスが合った画像になります。

● 受信フォーカス

受信フォーカスを理解できなくても検査には関係ありません。技術的なことに興味がある方だけ読んでください。

前に説明したフォーカス（23ページ）は超音波を送り出すときに行う送信フォーカスです。検者がツマミを操作して，たとえば肝腫瘍にフォーカスを設定します。

これに対して超音波を受信するときに行うフォーカス操作が受信フォーカスです。これは下のダイナミックフォーカスで述べるように装置が自動的に行うので，検者は意識せずに検査しています。送信フォーカスも受信フォーカスも複数のトランスデューサを1グループとして用いて実現します。

右上図でトランスデューサからターゲットまでS秒で超音波が届くとします。送信してから$2S$秒後に中央のトランスデューサにエコーが返ってきます。中心から離れるほど遅れてエコーが返ってきます。この遅れが遅延時間tです。右上図ではこの遅れを赤い円弧で表わしています。

遅延回路では，この遅れ時間を調整して（遅延処理），位相を揃えて合計します（整相加算処理）。こうすると，ターゲットから各トランスデューサに返ってくるエコーが合算されて，強い信号になります。

遅れを表す円弧の半径はターゲットが浅い所にあるほど小さくなります。この半径は音速，ターゲットの深さ，トランスデューサ間の距離から計算で求められます。ターゲットから横にずれた位置にあるものからのエコーは，この整相加算処理では位相が完全には合わないので，信号を合計しても強い信号になりません。このようにして中央のトランスデューサの真下にあるものだけが強い信号になって画像化されるので，フォーカスが絞られることになります。

● ダイナミックフォーカス

上に述べたS秒はターゲットの深さに応じて変化するので，遅延時間tを連続して変化させることで，すべての深さにフォーカスを合わせることが可能です。

受信の間に連続的に受信フォーカスをかけることをダイナミックフォーカスといいます。現在の装置はすべてダイナミックフォーカスを行っています。

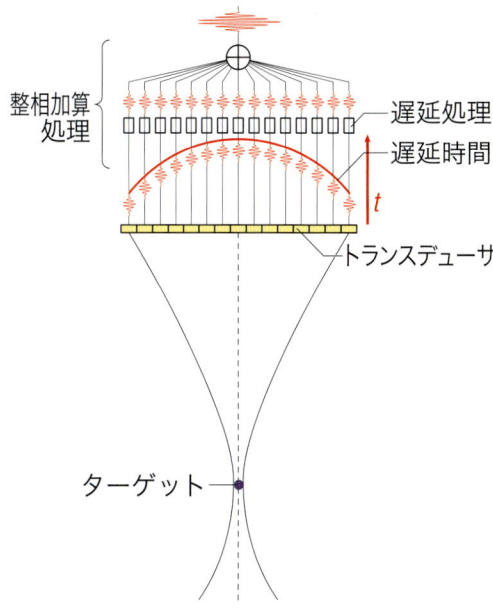

ターゲットから跳ね返ってくる超音波を複数のトランスデューサで受信します。周囲ほど時間が遅れているので，遅延処理をしてタイミングを合わせます。

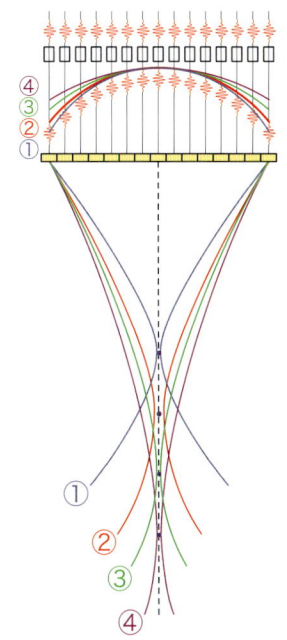

ダイナミックフォーカスの様子を図示しています。浅い部分ほど先にフォーカスを設定し，エコーが戻ってくるタイミングに合わせて，フォーカスポイントを連続的（①→④）に深部にずらします。

（図は日立アロカ提供の資料から）

断面像が描かれるしくみ

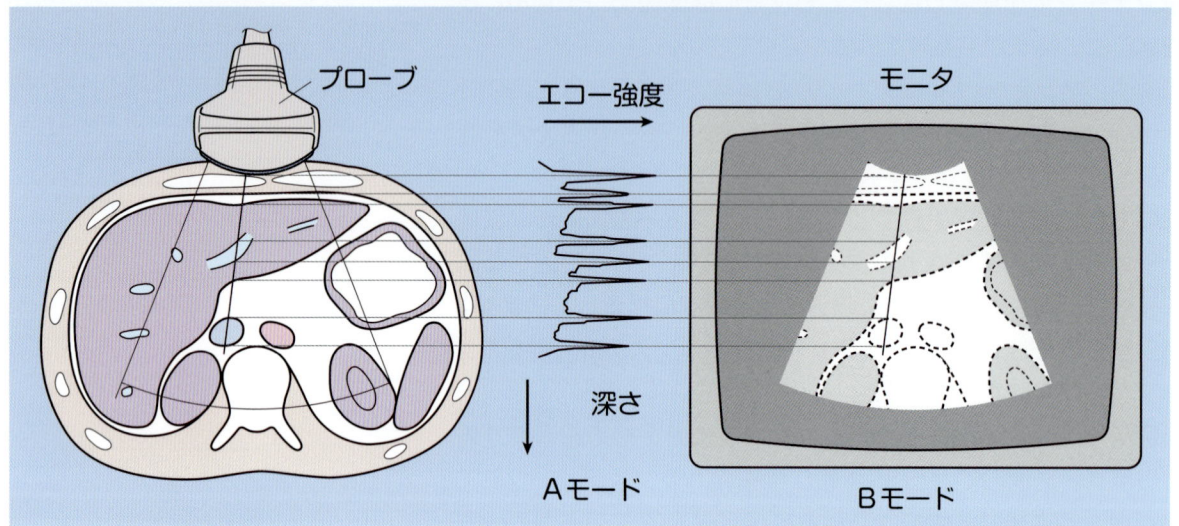

● AモードとBモード

プローブからは瞬間的には1本のビームが体内に発射されています。このビームは体内に進入するにつれて、音響的な抵抗（音響インピーダンス）の異なる組織が互いに接している境界で一部が反射されます（21ページ参照）。跳ね返ってくる超音波をプローブでとらえて、その強弱を波の高さ（amplitude）で表現するのがAモード法です。腹部領域では使われていませんが、眼科では眼軸長を計測して白内障患者の眼内レンズの度数を決めるのに使われています。

Aモード法では断層像は得られないので、プローブの端から順番に超音波ビームを発射し、跳ね返った部位ごとに反射波の強弱を輝度（brightness）に変換して表示すると、断層画像が描出されます。これがBモード法です。Bモード法を1秒間に30回前後繰り返すと、生体の動き（動画）を観察できます。観察モニタで見ている画像はその瞬間の画像なので、実時間画像（リアルタイム画像）を表示する装置という意味でリアルタイム装置といいます。プローブを上図のように患者の真上に垂直に当てているときの画像は容易に理解できますが、プローブを傾けたり、あるいは側腹部に当てても画面はいつも垂直に表示されるので、実際の解剖とは向きが異なってきます。

● 送信時間と受信時間

トランスデューサ間の時間差の設定にかかる時間と、時間差をつけたトランスデューサの駆動に必要な時間（送信時間）は10〜17μ秒（1マイクロ＝10^{-6}）です。このようにして複数（4〜100個）のトランスデューサから発射された超音波は体内を平均1,540m/秒の速さで伝搬します。

肝臓背後の横隔膜までが最深で20cmだとすると、横隔膜で跳ね返った超音波がプローブに戻ってくるのに要する往復の時間は260μ秒です。受信にもトランスデューサ間の時間差（20μ秒前後）が必要です。送信時間を平均14μ秒とすると、送信時間：受信時間は14：280＝1：20となります。

超音波診断装置は送信している時間の20倍の時間をかけてエコーを受信していることになります。

超音波プローブは大部分の時間は受信用に使われています。

● 1枚の画像を描くのに必要な時間

コンベックス型プローブには130〜190個のトランスデューサが使われています。画像を滑らかにするためにトランスデューサの組み合わせを工夫することで，トランスデューサの数の16倍までの超音波ビームを送信できます。実用的には700〜800本くらいまで使用します。腹部用のコンベックス型プローブで深さ20cmまで検査するときは150本程度しか使いません。1本の超音波ビームの送受信に274μ秒（約300μ秒）かかるのなら，150本のビームの送受信にかかる時間は300×150＝45,000μ秒（約0.05秒）です。つまり0.05秒かけてようやく1枚のコンベックス画像が得られることになります。

これでは1秒間には20枚の画像しか描けません。実際には50枚前後の画像を描いている装置があります。いろいろな手法を駆使してフレームレートを2.5倍にまで高めているのです。

その1つとしてマルチビームプロセッシングという技術があります。少し太めの超音波ビームを送信して，受信するときに細いビーム数本分の情報を収集します。これにより数倍のフレームレートを稼ぐことができるようです。個々の細かい技術は企業秘密になるので公開されていません。

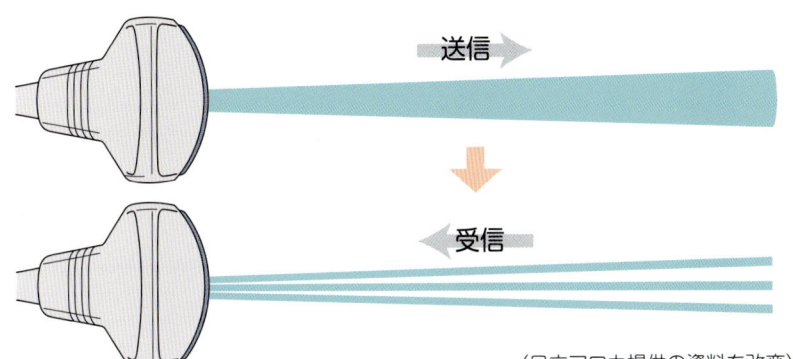

プローブから太めの超音波ビーム（緑の帯）を出し（上図），エコーを受信するときに3本の細いビームに分けて受信します（下図）。

（日立アロカ提供の資料を改変）

● フレームレート

以前の液晶テレビは1秒間に表示される画像の枚数（フレームレート）が60枚／秒でしたが，これではスポーツ中継など動きの速い場面で画像がブレるので，2010年の時点ではフレームレートを倍の120枚／秒に上げる（倍速フレーム）のが当たり前のようになりました。

超音波診断装置はどうでしょうか。私が多用していた古い装置では，2点にフォーカスを合わせてもフレームレートは30枚／秒です。1点フォーカスにすると51枚／秒です。他社の新しい装置では1点フォーカスでも18枚／秒（ハーモニック法をOFFにすると22枚／秒）です。これではプローブを速めに動かすと画像は追従してきません。静止像にすると，心臓の拍動が直接伝わる肝左葉の横隔膜直下の部分はブレています。

最近の装置は解像力や画質を上げるために，いろいろな工夫を凝らしていますが，その中にはフレームレートが犠牲になるものがあります。以前から知られているのは多段フォーカスです。複数の深さにフォーカスを設定した場合，ファントム（解像力をテストする器具）ではきれいな画像が見えますが，生体でプローブを速く動かすと，画像が蜃気楼のようにゆらゆら揺れて見えます。これでは動きまわる幼児や認知症の人を検査できません。

コンパウンドスキャン（34ページ参照）も垂直方法のビームに加えて，斜め方向にもビームを出すので，フレームレートに悪影響を与えます。ハーモニックイメージング法もフレームレートを少なくします。

フレームレートは最低でも25枚／秒はないと，すべての検査場面には対応できません。新しい超音波診断装置を観るときに私が真っ先に注目するのはフレームレートです。フレーム数が少なくて動画の動きがスムーズでないのは，本当のリアルタイム装置ではありません。

プローブの有効視野

コンベックス方式のプローブの利点は深部で視野が広くなることです。しかし、コンベックス方式はプローブの先端が凸（コンベックス）型をしているために、肋間から検査するときに先端全体を皮膚に接触させるのが困難です。肥満体の患者では皮下脂肪が厚いので、プローブを押しつけると皮膚が凹んで先端全体が皮膚に密着しますが、痩せた患者では両端が皮膚から離れるために、視野が狭くなってしまいます。つまり、コンベックス方式の利点は活かされません。

私は超音波画像を記録するときに1画面表示にせずに、2画面表示にしていますが、その理由の1つはここにあります。1枚のフィルムに1画面だけ表示した場合と、2画面を同時に表示した場合とを比較してみると、2画面表示にしたために欠損する領域に重要な情報はほとんどありません。それよりも2画面表示にすると、フィルム枚数が半分に節約できます。フィルム枚数が少ないと、読影するのにも保管するのにも便利ですし経済的です。

診断装置を院内LANに接続して超音波画像をDICOM規格（55ページ参照）で電子保存するときは、1画面表示にしてあると後で画像条件を変更できますが、2画面表示にすると変更できないようです（メーカー・機種によって異なる）。装置が更新されて、電子保存するようになったら私も1画面表示にする予定です。

視野が拡がり皮膚への密着も保てるという理由で、今後はリニア方式のプローブをトラベゾイド表示（次ページ参照）させるのが有用になると期待しています。

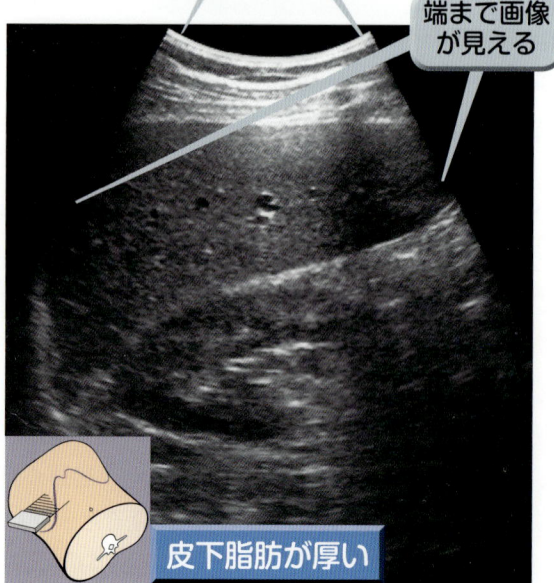

皮下脂肪が厚い

太った人ではプローブを肋間に押しつけると、皮下脂肪が縮むことで、皮膚が凹んでプローブの先端が皮膚に密着します。その結果、検査野全体に画像が表示されます。

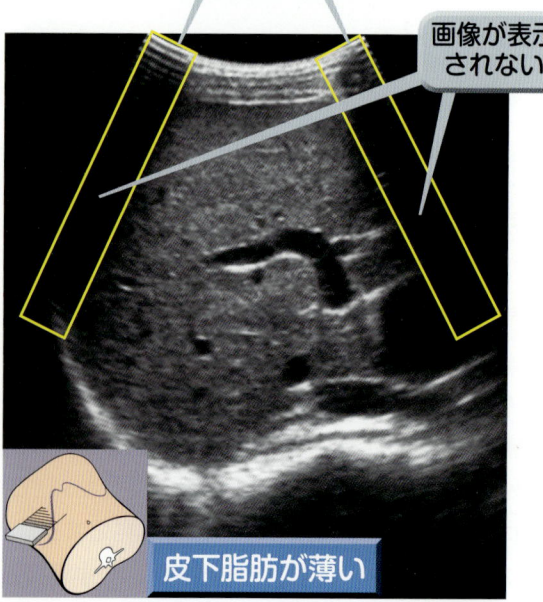

皮下脂肪が薄い

痩せた人ではプローブを肋間に押しつけても、皮膚が凹まないので、プローブの両端は浮いてしまいます。その結果、画面の両脇には画像が表示されません。

● 1画面表示と2画面表示

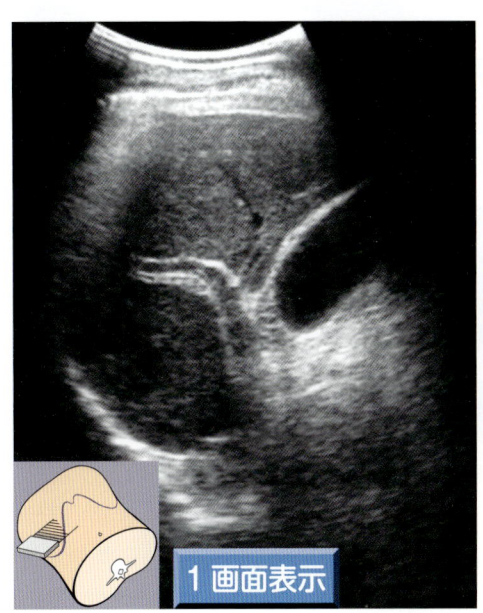
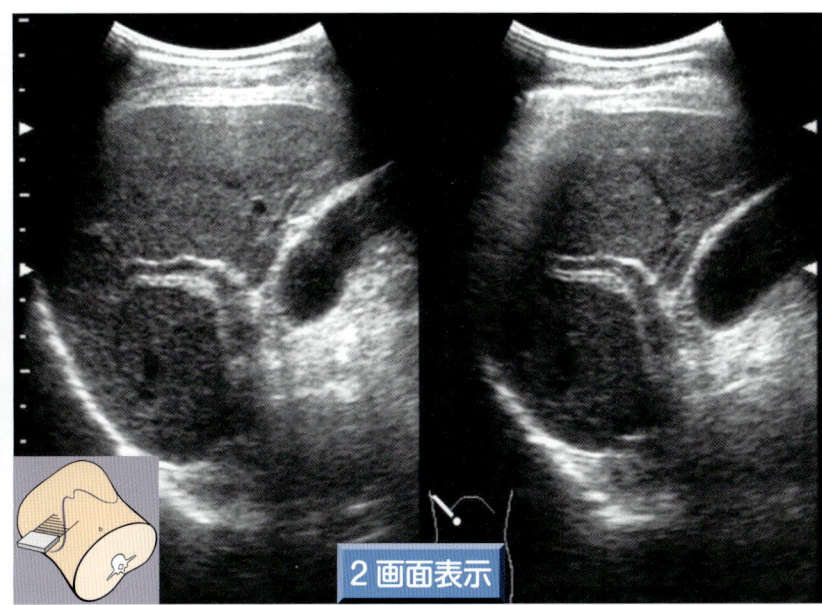

同じ人で検査した右肋間スキャンです。左図は1画面表示で記録し（画像がない所はトリミングしている），右図は2画面表示で記録しています。2画面表示でカットされているのはごくわずかで，しかも診断には関係しない部分です。影響があると考えられるのは，心窩部で横断スキャンをしたときに画面の左端に見える肝右葉ですが，この領域は肋間スキャンでカバーされます。肝左葉の先端は浅い部分にあるので，2画面表示でもカットされません。

● リニア表示とトラペゾイド表示

リニア表示　　　トラペゾイド表示

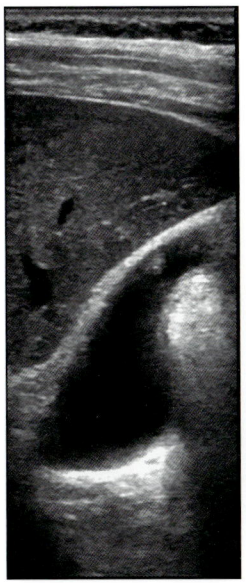
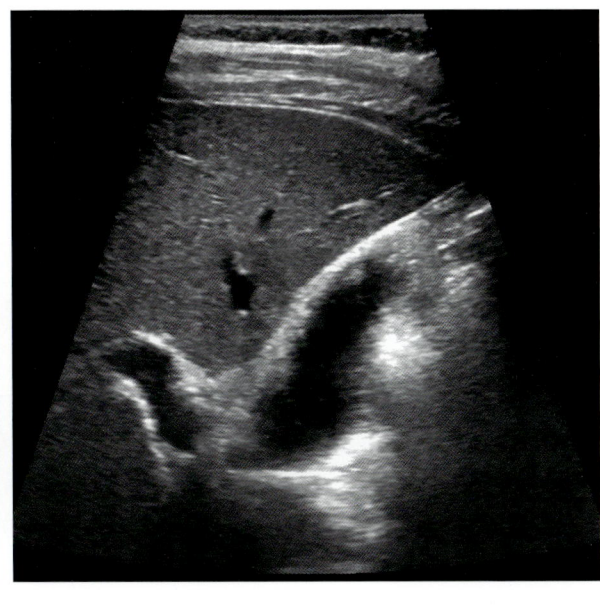
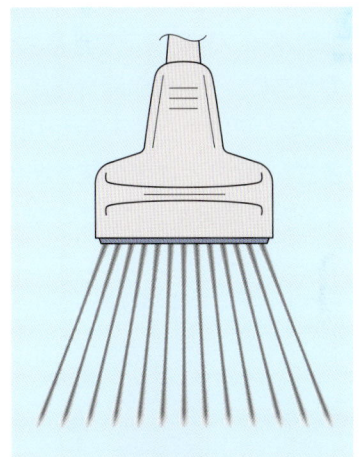

有効視野が4cmのリニア方式のプローブです。これにセクタ方式を応用したのがトラペゾイド（台形）表示です。深部で視野は10cm前後に拡がります。以前から乳腺・甲状腺では用いられていましたが，肝臓を肋間スキャンで検査するときに威力を発揮します。

超音波装置の付加機能

初期のリアルタイム装置は白黒で断面像を表示するだけでしたが，装置の発達によって種々の機能が追加されてきました。ここではそれらの機能を解説します。

● パルスドプラ法

私たちがドプラ効果を体験するのは，近づいてくる救急車のサイレンの音程（周波数）が徐々に高くなり，通りすぎると急激に低くなるときです。同じように動いている物から反射してくる音も周波数が変化します。この変化量がわかると動く速さが計算できます。

ドプラ検査には送信と受信に別々のプローブを用いる連続波ドプラ法と，1本のプローブでパルス状の送信と受信を交互に行うパルスドプラ法があります。腹部血管や表在血管に使われるのはパルスドプラ法ですが，FFT解析という数学的手法で得られた波形で表示されるので，Bモードの断面像を見慣れている検者にはなじみにくい情報です。

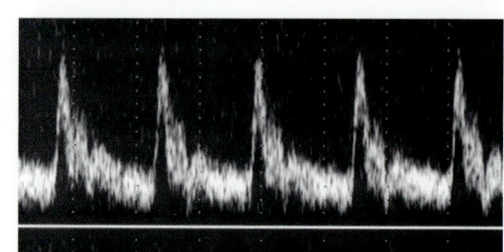

頸動脈の血流を捉えたパルスドプラ波形。心臓の収縮期に血流が最も速くなるので波は高く，拡張期には低くなる。逆流はないので，常に基線（白線）の上に描かれている。

● カラードプラ法

1970年代初めに，現在も使われている二次元画像が得られるリアルタイム方式の超音波診断装置が開発され，心臓用にはセクタ型，腹部用にはリニア型のプローブを用いて断面像を動画で表示するようになりました。それまで心臓の検査ではMモード画像を頼りにパルスドプラの採取ポイントを決めていましたが，動いている断面像上で採取ポイントを設定できるようになり，ドプラ検査の精度が高まりました。

そのうちに，1点の血流情報だけではなくて，広い領域の血行動態を知りたいという要求が強くなりました。

1982年，アロカと埼玉医大の尾本教授グループの共同研究により，関心領域内の血流の向き（プローブに向かうか遠ざかるか）と血流の速さを色の違いと濃度で区別し，Bモード画像に重ねて表示するカラードプラ法が開発され，ドプラ情報をそれまでの波形表示から二次元表示にし，血流情報の取得と解釈を容易なものにしました。

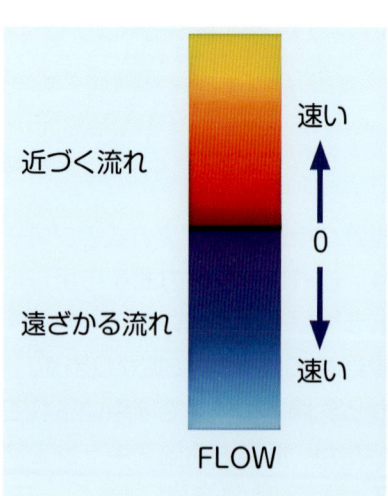
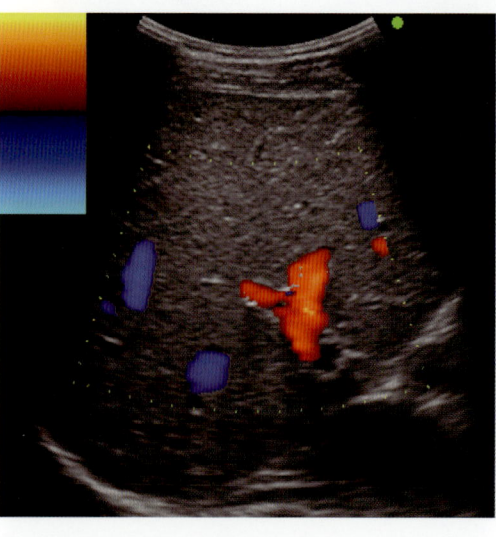

肝臓のカラードプラ検査。プローブから遠ざかる血流（この場合は肝静脈）は青く，近づく血流（この場合は門脈）は赤く表示されています。

● カラードプラ法の発展型

パワードプラは角度依存性が少なく，低速流の検出感度が良くなっており，折り返し現象（45ページ参照）は発生しませんが，血流の方向はわかりません。周波数偏移の量（流速）ではなく，ドプラ信号の強さを表示しています。eFlowはパワードプラを発展させたもので，血流の方向性をもたせたうえに高い分解能とリアルタイム性を実現し，低速流に対する感度をさらに高めています。なおeFlowは日立アロカの名称で，日立メディコはFine Flow，GEはB-Flow Color，東芝はAdvanced Dynamic Flowと呼んでいます。

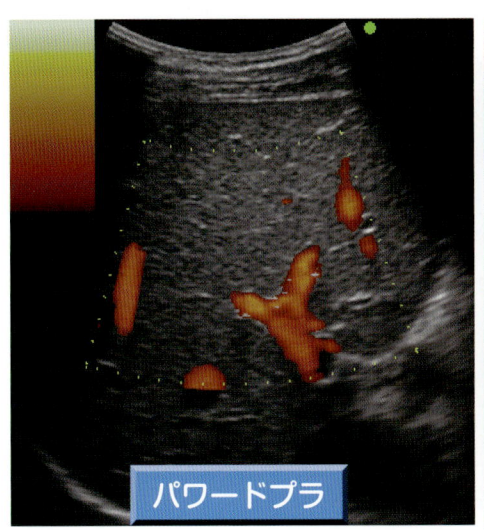
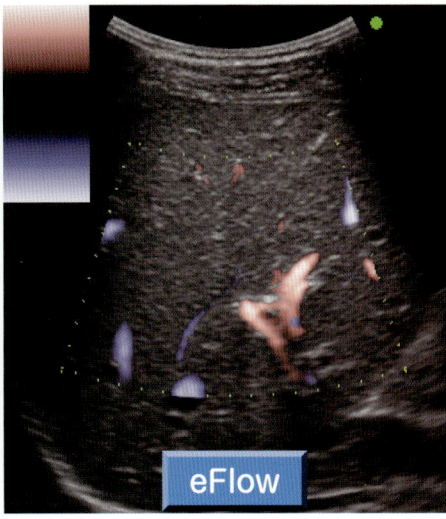

パワードプラでは信号の強さに応じて赤～黄色で表示され，血流の方向はわかりません。Directional Power Flowでは方向がわかります。

eFlowは血流の向きで色を使い分け，血管からのはみ出しが少なく，細い血管も描出し，リアルタイム性を向上させています。

● カラードプラ検査の問題点

最大の問題は**ドプラ信号は血流に対して垂直方向には発生しない**ということです。したがって，血管に対して斜めか平行に超音波を入射させる必要があります。腹部臓器の血管に対してドプラ効果を得るのに理想的な角度をとれる機会は多くありません。**角度によってドプラ感度は変化するので，流速を計測する時は角度補正をする必要があります。**カラードプラの場合，カラー信号が血管からはみ出して血管の外までカラー表示されたり，反対に血管内で血流があるのにカラーが欠損したりという問題点もみられます。

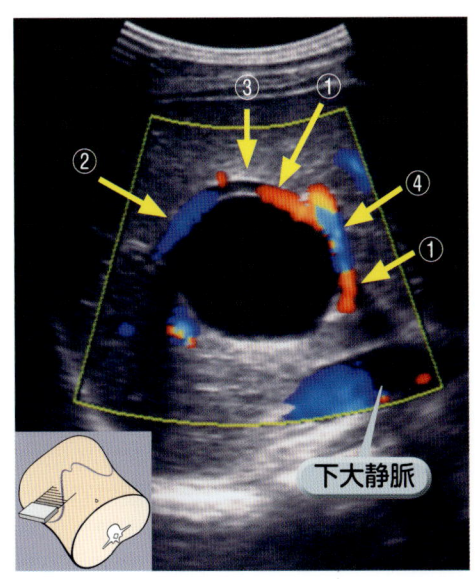

肝囊胞に圧排されて円弧状に走行する肝内門脈枝があります。カラードプラで観察すると，①プローブに近づく血流の部分は赤く表示され，②遠ざかる部分は青く表示されています。③その途中は血流方向が超音波ビームに直交するので色がついていません。④赤い部分の中心部分には青の部分があります。この部分は**流速が速すぎるために，血流の向きが逆方向に表示されてしまう「折り返し現象」です**（45ページ参照）。この現象は「流速レンジ」を上げることで消すことはできますが，遅い血流は検出されなくなります。

画面の右後方には下大静脈が見えています。速い血流があるはずなのに超音波ビームに対して垂直になるので一部にしか色がついていません。

このように，**カラードプラで表示される色は血管と超音波ビームが交わる角度に大きく依存します。**

ハーモニックイメージング

超音波は縦波(疎密波)です。密な部分が最も音圧が高いので，生体は圧縮されて硬くなります。すると，その部分では音速がわずかながら速くなります。反対に疎な部分では音速が遅くなります。この現象の結果，密な部分は深部にいくほど疎な部分よりも速くなり，波形に歪みが生じます。縦軸に超音波の音圧を，横軸に時間をとって表示すると，初めのうちは正弦波なのが，深部になるほど音圧の山は後ろにずれ，音圧の谷は先にずれた波になります。横軸に時間をとっているので，音速が速くなると，図では後ろにずれたように表示されます。

これを数学的な手法で正弦波の集まりに分解すると，大きな基本波のほかに，基本波の周波数の2倍，3倍，4倍……の周波数(第2高調波，第3高調波，第4高調波……)の小さな波に分解されます。つまり，基本周波数が3MHzだと，生体組織を伝搬する間に，弱いながらも6MHz，9MHz，12MHz……の超音波が発生します。プローブには受信可能な周波数(帯域幅)に限度があるので，実際は基本波と第2高調波しか受信できません。

フィルターをかけて送信周波数と同じ周波数の超音波(基本波)はカットして第2高調波だけを受信して画像を描くのがハーモニックイメージングです。ハーモニック(harmonic)とは高調波のことです。基本波をカットする方法としては位相が反対のパルスをペアで送信して，受信時に逆位相同士の基本波信号を打ち消して高調波成分だけを取り出す手法(phase inversion)などもあります。

上に述べた波形の歪みは超音波の音圧が高いほど大きくなり，結果的に強い高調波が発生します。基本波は超音波ビームの中心ほど音圧が高いので，発生する高調波も中心ほど強くなります。ですから，発生する高調波信号は基本波と比べてビームの幅が狭く(方位分解能がいい)，メインローブに比べて信号が弱いサイドローブから発生する高調波は微弱なので，サイドローブによるアーチファクトは通常のBモード法より弱くなるという性質があります。しかし，高調波成分だけを使うために信号は微弱で，深い部分の病変や肥満体の検査には向きません。また，浅い部位からは高調波は発生しないので，深さが4〜8cmの病変だけに有用という制限があります。

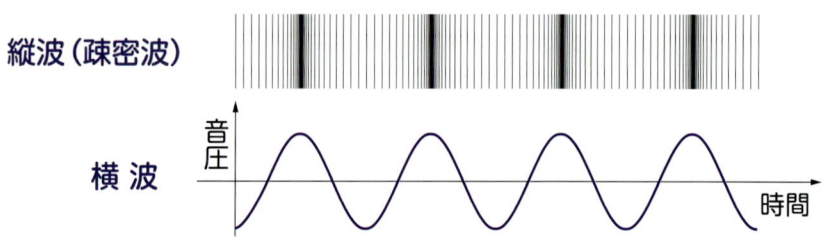

超音波は縦波だが，横波に置き換えて考えると理解しやすい．

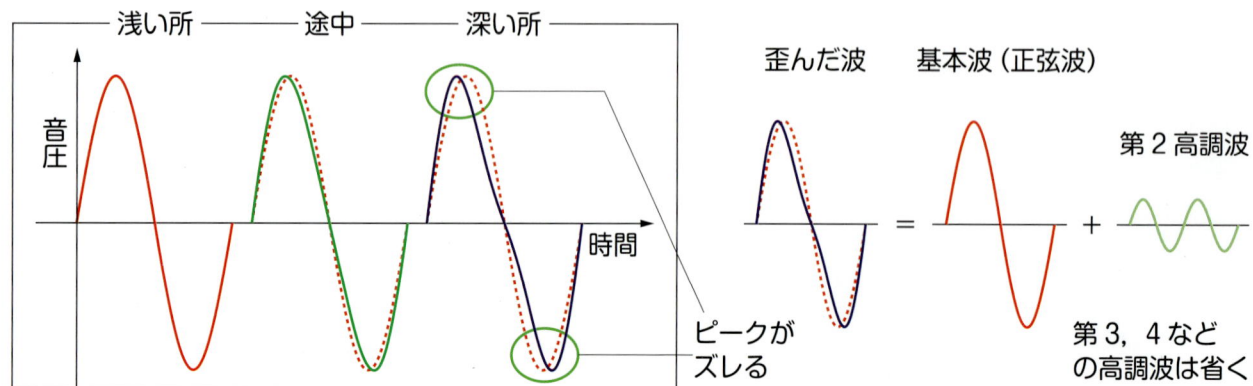

(橋本 浩　USコラム 今さら聞けない音知識・その13　GEtoday Vol, 26 から改変)

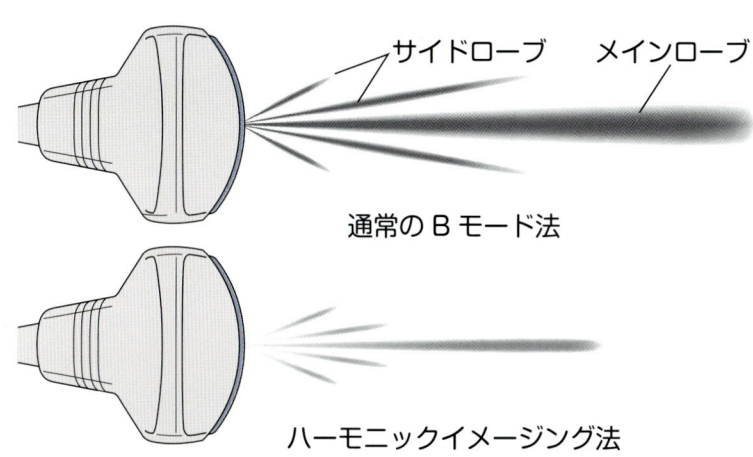

ハーモニックイメージング法の効果を視覚的に表現してみると，左図のようになると思います。ハーモニックイメージング法ではメインローブは細くシャープになります。その結果，方位方向（横方向）の分解能が良くなります。サイドローブは弱くなるので，サイドローブアーチファクトは抑えられます。
欠点は浅い部位では高調波が発生せず，深い部位からの高調波は減衰して使えないので，有効な領域が4～8cmに制限されることです。

海外メーカーがハーモニックイメージングを採用した装置をわが国に紹介したのは1997年です。翌年には国内メーカーも対応しています。

ハーモニックイメージングはTHI (tissue harmonic imaging)とCHI (contrast harmonic imaging)に分けられます。後者は造影超音波検査で用いられる手法です。THIは生体組織中を進む途中で生じる超音波の歪みが原因で発生する高調波を利用することからtissue（組織）という言葉がつくものと思われます。

開発当初のハーモニックイメージングは第2高調波成分だけを利用していたので，感度が悪くて画像が暗く，実用には耐えませんでした。その後いろいろな改良・工夫が施され，現在は装置メーカーごとに特徴を列記した名称で呼ばれています。たとえば日立アロカはブロードバンドハーモニクス，日立メディコはハイディフィニションダイナミックTHI，GEヘルスケアはコーデットハーモニックイメージングと呼んでいます。

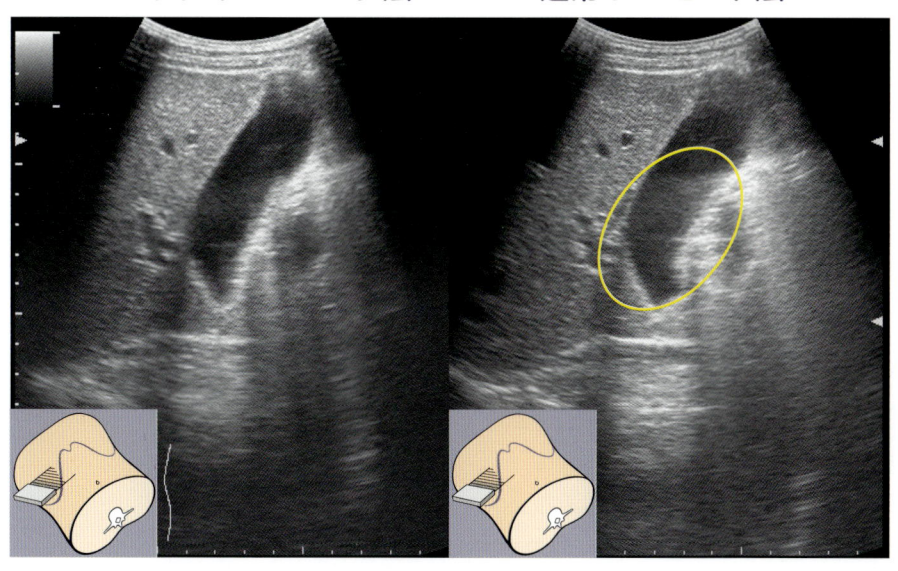

ハーモニックイメージング法の効果が実感できるのは胆嚢の検査です。右図の通常画像では胆嚢の尾側にある消化管ガスからサイドローブアーチファクトが発生して胆嚢体部に異常エコー（黄色の円内）がみられます。
ハーモニックイメージング法で検査した左図では，サイドローブアーチファクトが減少しています。

最新画像の処理技術

最近の診断装置はいろいろな工夫をして，画質の向上を図っています。1つのメーカーが新たな方式を開発すると他社が追従するようですが，特許の関係か全く同じ方式ではありません。ですから，めざしている方向は同じでも，その効果は微妙に異なるようです。基本の画質が異なるので，効果が違ってくるのも当然です。
ここに紹介する方法が将来も採用され続けるのか，現段階では判断できません。

● コンパウンドスキャン

コンパウンド (compound) というのは「複合・混ぜあわせ」という意味です。リニア方式やコンベックス方式のスキャンにセクタ方式を混ぜます。ビームが交差することからクロスビームスキャンという表現もします。いろいろな方向から超音波を照射すると，輪郭が正確に出せるという発想です。この考えは1970年頃にすでにあり，当時の超音波診断装置であるコンタクトコンパウンドスキャナに使われていました。ただし，自動スキャンではなく，検者が手でシングルプローブをこね回す方式だったので，非常に使いにくい装置でした。その画像を303ページに示します。
コンパウンドスキャンでセクタに振る角度は5〜20度の範囲で調整できるメーカーもあるようです。
あるメーカーの装置では腹部の検査でも標準になっていますが，他社では乳房の検査だけで標準にしたりと評価はまちまちです。この方式は操作パネル面のスイッチでON-OFFできるので，効果がなければOFFにするといいでしょう。
呼吸や心臓の拍動に連れて微妙に動く人体では，同じターゲットに超音波を数回照射すると，どうしても軽いボケが生じます。たとえば，微細な胆石が多数ある症例では胆石同士が分離されずに一塊に見える傾向があります。また，ビームが交差するので，胆石後方でシャドーが出にくく，嚢胞では外側陰影が塗りつぶされるという問題があります。

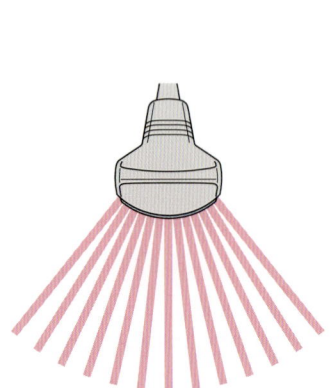

従来方式のスキャン

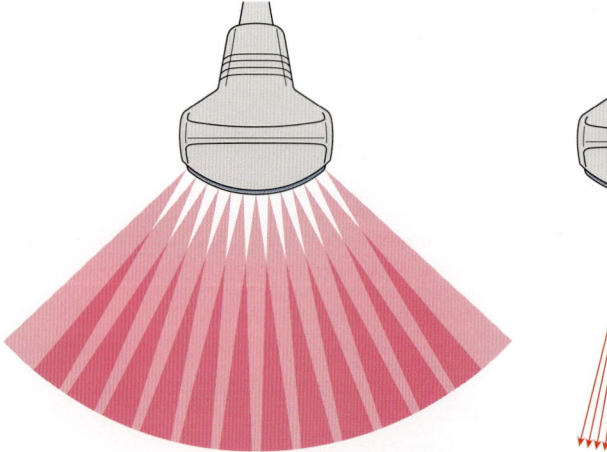

セクタ方式のスキャン

コンベックス方式のプローブは340本位の超音波ビームを出していますが，ここでは，その中の13本だけを抜き出して説明します。
左図のようにプローブの表面に垂直に出すビーム（コンベックス方式）に加えて，右図の赤い線で示すように左右に角度をつけたビーム（セクタ方式）も出します。

● スペックルエコー低減

肝臓内部はスペックルエコーで示されています（22ページのMEMO参照）。スペックルエコーは細かい灰色の粒の集合体に見えます。実際の肝臓にはこのような粒はありません。そこで，粒を見えないようにして，実際の肝臓の肉眼像に近づけようとするのが，「スペックルエコーの低減」技術です。装置メーカーによって名称は異なります。超音波画像に単にスムージング処理を施しても内部エコーは平滑に見えますが，血管や腫瘍の輪郭はボケてしまいます。肝実質だけを平滑に見えるようにして，血管や腫瘍の輪郭はむしろ強調してわかりやすくする工夫をします。超音波検査は長い間，肝実質をスペックルエコーで表現しており，その粗さで肝硬変の診断をしてきた経緯があります。わざとスペックルエコーを減らして，のっぺりとした肝臓の画像に慣れるまでは違和感を覚えます。

従来画像　　　　スペックルエコー低減画像

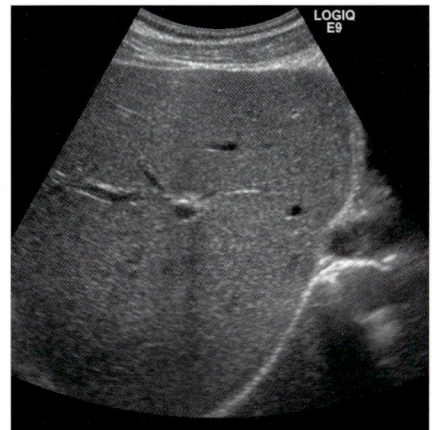 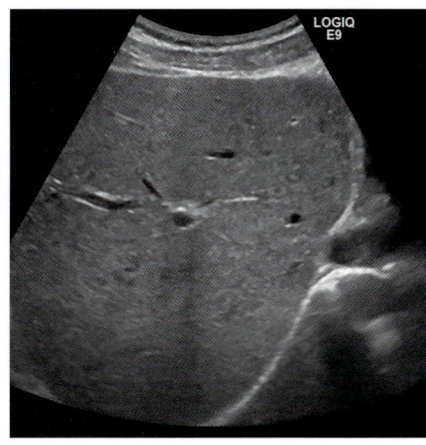

左図が従来の画像で，右図はスペックルエコーを最大に低減する処理をしています。このメーカーの場合，低減の程度を4段階に設定できます。低減するのなら軽いほうから2番目がいいように思います。

● 音速補正

超音波診断装置は生体内の平均音速を1,540m/秒として設計されています。ところが実際の音速は臓器や組織によってばらつきがあります。たとえば，脂肪の平均音速は1,440m/秒です。乳房の検査で皮下脂肪が厚いと，受信フォーカス（25ページ参照）で遅延回路の設定に誤差が生じます。その結果，皮下脂肪の背後にある構造がボケます。音速を1,440m/秒に補正して検査するときれいなフォーカスを結びます。腹部領域で応用できる部位はなさそうです。

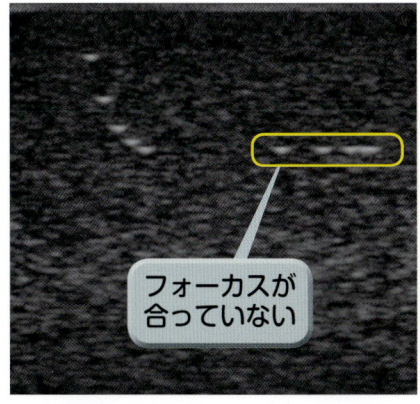 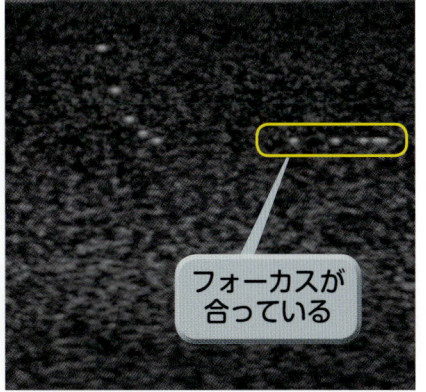

音速1,540m/秒で測定　　音速1,440m/秒に補正して測定

音速が1,440m/秒のファントムを装置の音速補正をせずに1,540m/秒のままでテストした画像（左図）と，音速を1,440m/秒に補正してテストした画像（右図）です。
送信フォーカスはターゲットに合わせていますが，受信フォーカスは自動なので，補正しないときれいなフォーカス効果が得られません。

アーチファクト

超音波検査ではアーチファクト（人工産物）の理解がとても大切です。超音波画像には数種類のアーチファクトが出現します。これを頭の中で差し引いて画像を読まないと診断を間違えてしまいます。たとえば，胆嚢内のアーチファクトを胆石や胆泥と間違えたり，浅い部位にある肝嚢胞を充実性腫瘍と間違えたりします。超音波検査での誤診の半分近くはアーチファクトを理解していないために起こります。

最近の装置はアーチファクトを減らす工夫をしていますが，完全になくすことはできません。

● 多重反射

腹壁には筋膜や腹膜のように表面が平滑で超音波ビームに垂直な膜構造が数層存在します。これらの膜は超音波を強く反射させます。

トランスデューサで発生して体内に進入してくる超音波の一部は，これらの膜で跳ね返され，プローブの表面との間で複雑な反射を繰り返します。これが多重反射です。多重反射が原因で発生する人工産物を多重反射アーチファクト（略して多重反射）といいます。

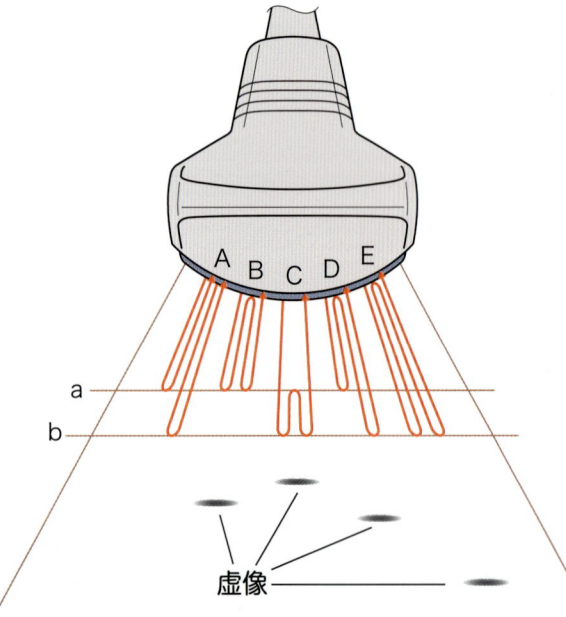

たとえば腹壁にa，b 2層の膜が存在すると仮定して，その様子を描いてみると，左図のように簡単に考えただけでもAからEの5通りの反射パターンが考えられます。実際はこれ以外にもさまざまなパターンが存在します。

膜の相互間やプローブの表面とで反射が繰り返されると，超音波ビームがプローブに戻る時間が遅れます。ところが超音波診断装置は，このような道草現象を起こした超音波ビーム（B〜E）と，1回の反射だけで戻ってきた超音波（A）とを区別できないので，経過時間だけで反射面の深さを決めてしまいます。その結果，膜構造の虚像が実際の位置より深いところに描出されてしまいます。

MEMO　アーチファクトの範囲

アーチファクト（artifact）は日本語では「人工産物」です。超音波検査に当てはめれば，解剖とは違う見え方をするものをアーチファクトだとする考えもあります。その考えに立てば，ここに紹介する多重反射・サイドローブ・レンズ効果・鏡面効果・折り返し現象のほかに，音響陰影・音響増強・外側陰影もアーチファクトということになります。この本では，後のグループはそれぞれの所見がみられる疾患の項目で解説します。

● 多重反射の実例

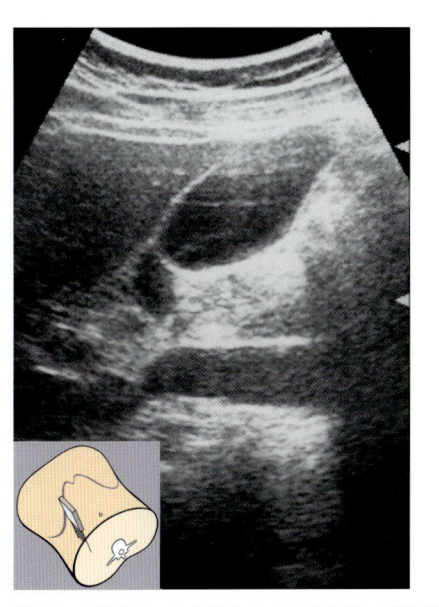

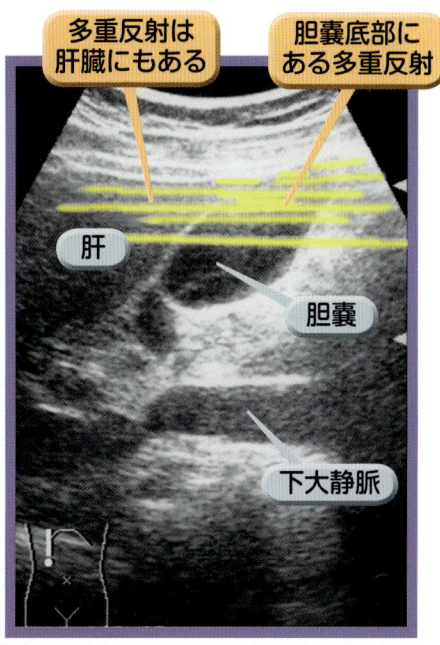

腹壁で発生した層状の多重反射が胆嚢底部に重なっており，あたかも胆嚢底部の胆汁が濃縮しているように見えます。この多重反射は肝臓にも連続して投影されています。

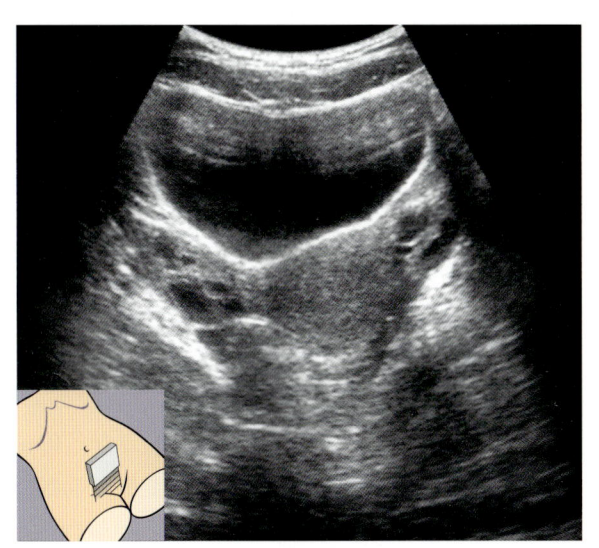

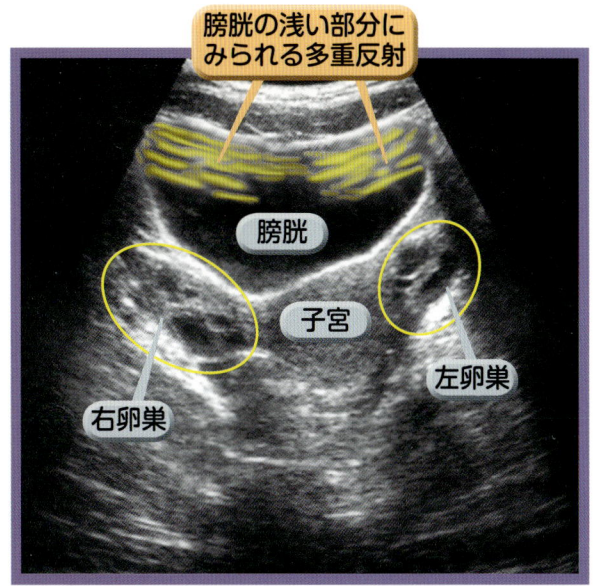

膀胱内にみられる多重反射です。もし，膀胱前壁に小さな隆起性病変があると，この多重反射で隠されてしまう可能性があります。

● サイドローブ

プローブの前面にあるトランスデューサから送信される超音波ビームは，垂直方向に出るメインローブ（主波）のほかに，斜め方向に出るサイドローブ（側波）があります。このサイドローブが原因で発生する人工産物をサイドローブアーチファクト（略してサイドローブ）といいます。

胆嚢は尾側に強エコーを発生する腸管ガスが接しているので，頻繁にサイドローブが観察されます。肝嚢胞内にもみられることがあります。肝内の血管はサイドローブが重なっている可能性があります。サイドローブの発生が少ないといわれるハーモニックイメージング法が注目を浴びる理由がここにあります。

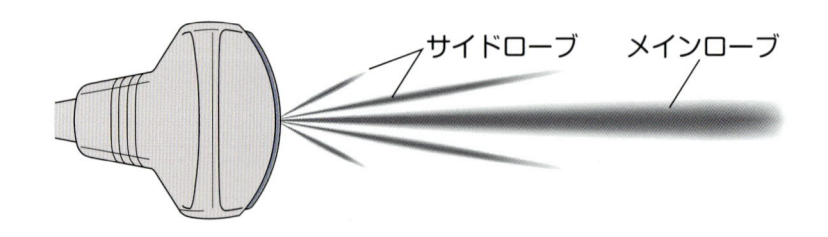

トランスデューサから送信される超音波は中心の強い波（メインローブ）のほかに，少し斜め方向に出る弱い波があります。これがサイドローブです。ここでは二次元（平面）で説明していますが，実際は三次元（円錐状）の分布をしています（19ページ参照）。

メインローブに関しては，先での拡がりを少なくして焦点域を作るために工夫がなされています（23〜25ページ参照）。

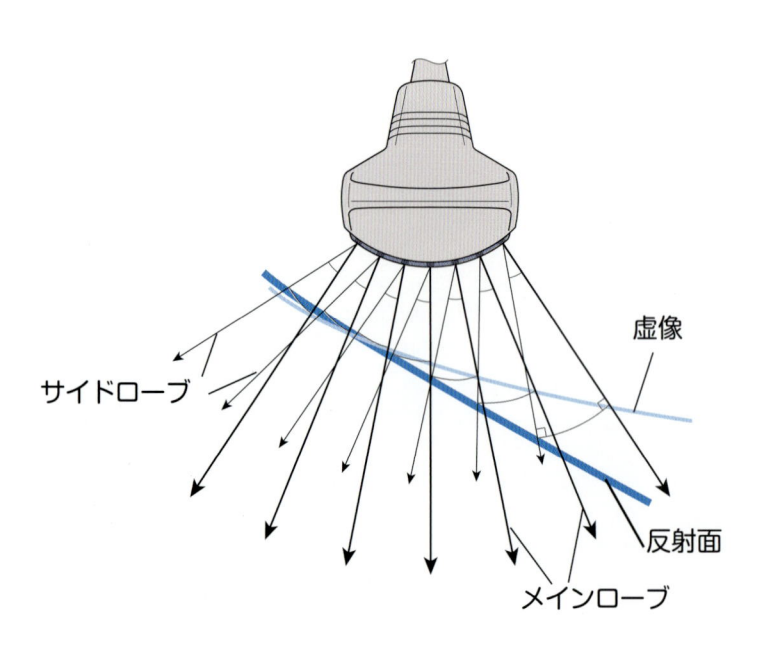

超音波はプローブから垂直に送信され，斜め方向に送信される超音波（サイドローブ）はないという前提で画像を描くので，左図に示すようにサイドローブ（細い線）が持ち帰ってきた信号は，メインローブ（太い線）上の等距離の位置（超音波が出たトランスデューサの位置に支点をおいてコンパスで描いた円と交わる位置）から帰ってきたものと考えて，メインローブ上に反射面の一部を描きます。すべてのトランスデューサから出ていったサイドローブがこのような間違いを犯すので，反射面の虚像が描かれてしまいます。ここではプローブに向かって左に出るサイドローブだけを描いていますが，実際はサイドローブは左右対称（正確にいうと円錐状）に出ています。

● サイドローブの実例

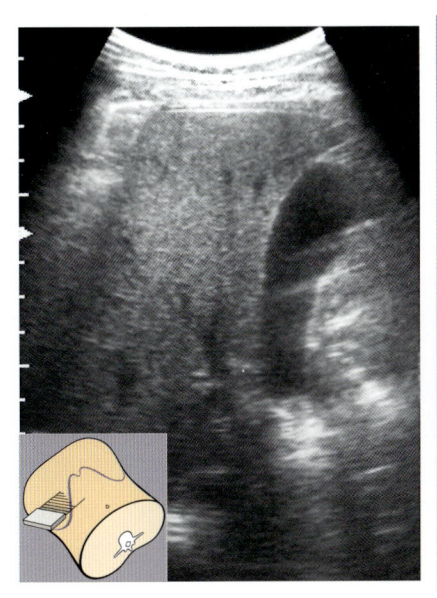

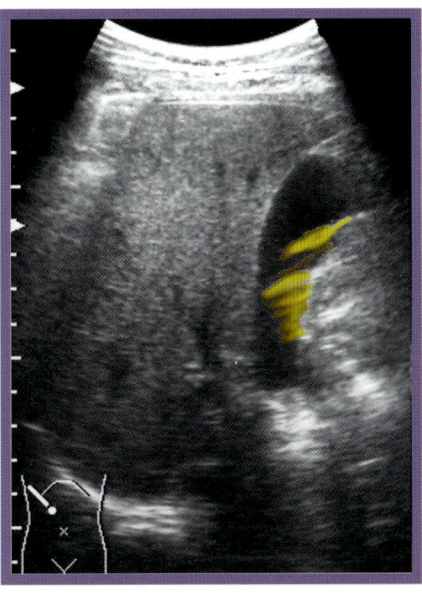

胆嚢に接している腸管（十二指腸球部や大腸の肝湾曲部）が強いエコー源になっていて，そこに当たったサイドローブがもたらす虚像が胆嚢内に流れ込むように表示されています。

ハーモニックイメージング法　　通常のBモード法

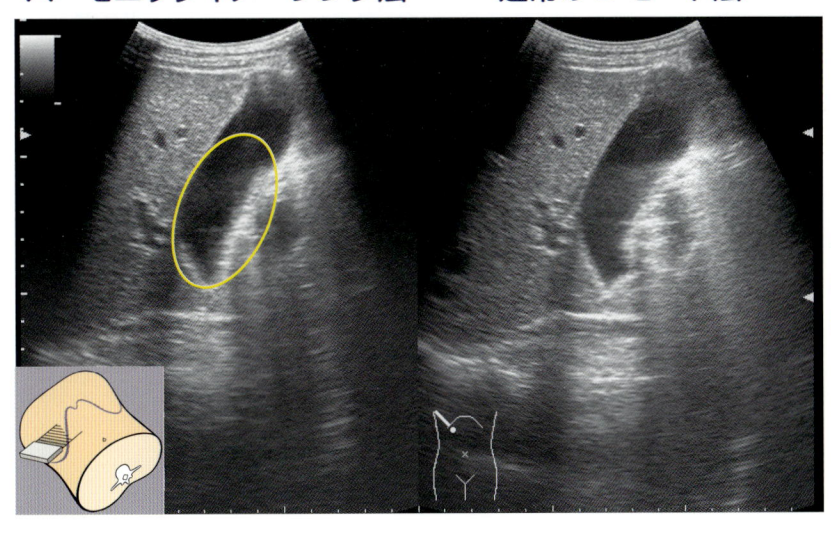

ハーモニックイメージング法の利点の1つはサイドローブが少ないことです。
この例でも，左図では胆嚢の尾側にある強エコーが胆嚢内に流れ込んでくる現象（黄色の楕円の中）が少なくなっています。

MEMO　サイドローブの影響

サイドローブによるアーチファクトが問題になるのは胆嚢です。すぐ横にある消化管ガスからサイドローブが発生している場合は胆泥と間違われてしまいがちです。

右図のように胆石の表面からもサイドローブが発生するので，胆石が左右に少し大きく感じられるときがあります。

胆石の両端にみられるサイドローブ

🔵 レンズ効果

上腹部の正中で横断スキャンをすると，正中線（白線）直下の構造が二重にダブって描出される現象が発生します。これは左右の腹直筋の端が凹レンズの役目を果たし，超音波ビームが通過する際に進行方向が曲げられるために起きます。ほかにも，筋肉の厚みが急激に変化する場所の直下で発生します。

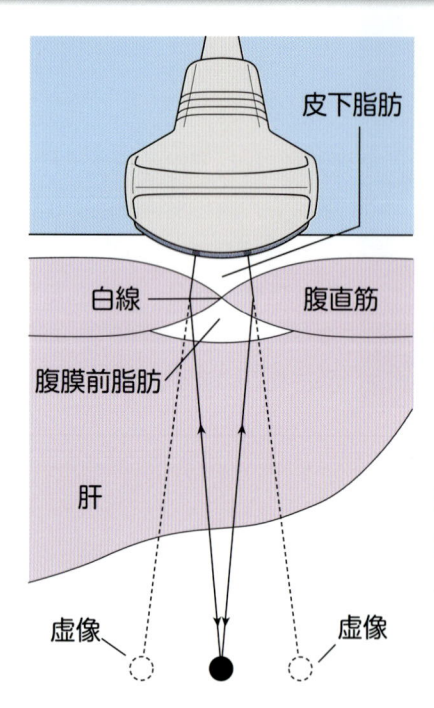

正中の横断面では，左右の腹直筋が白線を挟んで凹レンズの形をしています。生体内の音速は脂肪よりも筋肉のほうが速いので，**超音波ビームは中心に収束する方向に曲げられます**。真下にある物体によって反射された超音波は，入射したときと同じルートを通ってプローブに戻ります。この超音波が画面上に表示されるときは，超音波を送受信したトランスデューサの真下に表示されるので，**本来は1つの物体が2つに分かれて表示されます。このアーチファクトが発生しているときは実像（左図の黒丸）は見えません。見えるのは2個の虚像だけです**。
43ページにファントム実験の画像を示しています。

a 血管のダブり

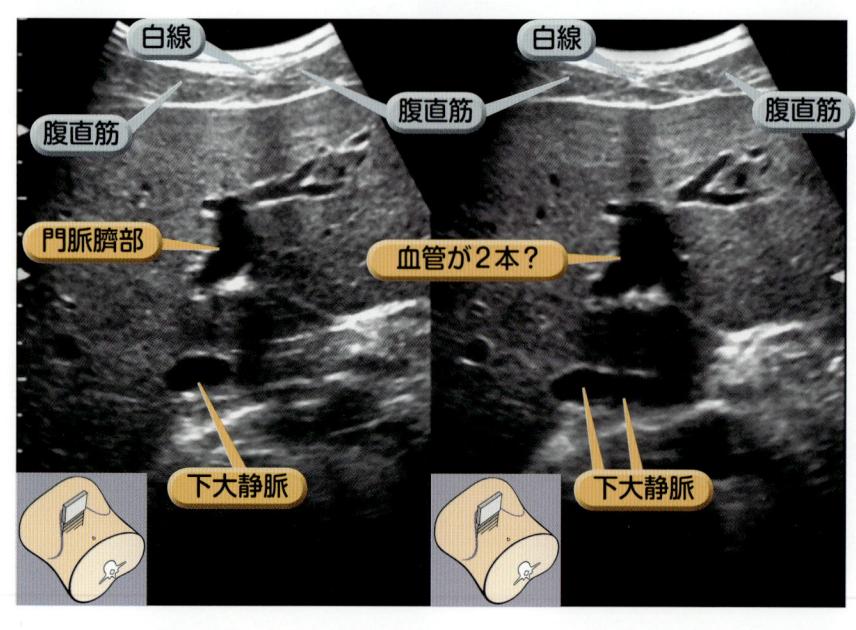

右図では門脈臍部が幅広く，2本の門脈が接しているように見えます。下大静脈も大小2本が左右に並んでいるように見えます。これがレンズ効果による血管壁のダブりです。**小さな血管や嚢胞だと完全に2個に分離します**。
左図ではプローブを傾けて，白線を通った超音波が門脈臍部を避けるように工夫しています。

b　胆嚢壁や腎の輪郭のダブリ

【左画像の注釈】
- 腹直筋が凹レンズの形
- この部分が暗く見える
- 胆嚢壁が二重に見える

【右画像の注釈】
- 腎被膜が二重に見える

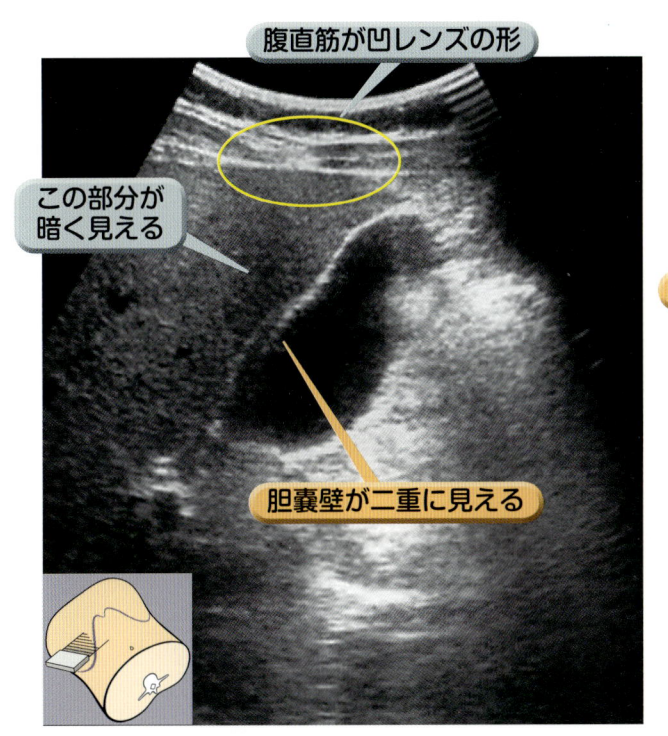

レンズ効果は白線周囲の腹直筋だけでなく、**筋肉の厚みが変化してレンズを形成するところでは、どこでも発生します。**
この図では腹直筋の節（腱画）の部分で生じたレンズ効果のために胆嚢壁がダブって二重に見えています。部分的な胆嚢壁肥厚や胆嚢破裂と間違えてはいけません。

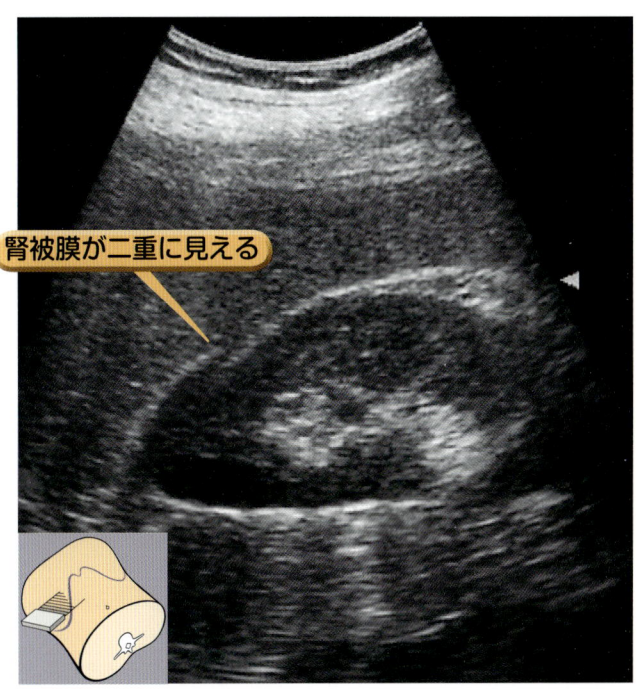

ここでは右腎の輪郭線がダブって、腎被膜が二重に見えています。腎が断裂しているわけではありません。呼吸で腎が移動すると、二重に見える場所も腎のなかで移動しますが、腹壁との位置関係は変わりません。原因は腎にあるのではなくて腹壁にあるからです。

MEMO　アーチファクトへの対処法

アーチファクトは超音波診断装置の性能が向上しても、完全になくなることはありません。超音波診断装置が超音波を媒体として使う限りは避けられない現象です。アーチファクトはどの画像診断法にもみられる現象ですから、そのしくみ・成り立ちを理解し、各自の頭の中で除去して、本物の情報だけで診断するように習慣づけるしかありません。
胆石の背後にできるシャドーや嚢胞の背後にみられる音響増強は、解剖上はなくて超音波画像だけにみられるので、広い意味ではアーチファクトですが、これらの所見は胆石や嚢胞を診断するときの根拠として有用です。アーチファクトをすべて邪魔者扱いすることはできません。

c 「レンズ効果」の誤った解釈が流布している

「レンズ効果」は私たちが1984年10月に日本超音波学会で初めて発表したアーチファクトです。それまではレンズ効果という名前のアーチファクトは知られていません。1986年に出版された私たちの著書『腹部エコー入門』でも紹介しています。その1年後に日本医師会雑誌臨時増刊号の『腹部エコーのABC』に「レンズ効果」という同じ名称で取り上げられていますが，私たちとは異なる説明図を用い，レンズ効果の解説が不正確です。私たちが命名したレンズ効果という言葉が広まったのはうれしいのですが，間違って理解されているのは心外です。その後もこの本の図を転載したと思われる書物が数冊刊行されています。「レンズ効果」の発表者として間違いを正しておきます。

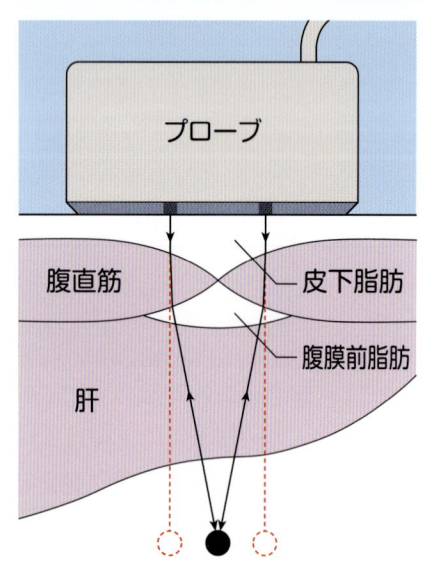

私たちが『腹部エコー入門』に掲載した説明図です。このときはリニア方式のプローブで説明しています。実像は見えずに，左右に分かれた虚像（赤い破線の円）だけが見えます。

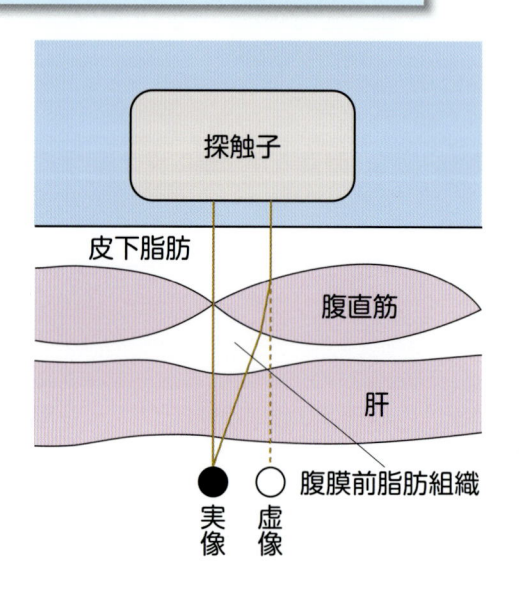

『腹部エコーのABC』の20ページにある「図26 レンズ効果」です。これでは読者は実像と虚像とで血管の輪切り像が2つ見えると解釈してしまいます。

『腹部エコーのABC』の解説は間違いで，血管などでレンズ効果が観察されるときは実像は見えません。左右の腹直筋で生じる2個の虚像だけが見えます。実像が見えるのなら，実像と左右の虚像とで3個に分かれて見えるはずですが，実際は2個の虚像だけが見えます（なお44ページで解説する「鏡面効果」では実像と虚像が同時に見えます）。「レンズ効果」という私たちが命名した言葉を用いているので，私たちの本か，その前の学会発表の論文を参照したと考えられますが，なぜか図が描き替えられており，白線の両側で起こる超音波の屈折現象（レンズ効果）の片方だけを取り上げて，「正中線直下の上腸間膜動脈や腹部大動脈の"輪切り像"が，それぞれ2つに見えることがある」と解説しています。この説明文には間違いはありませんが，右図を見てこの文章を読むと「実像と虚像とで血管の輪切りが2つに見える」と解釈してしまいます。プローブから白線を通って「実像」にまっすぐ引かれた線が誤解を生んでいます。ほかに「レンズ効果」の記載がある5冊の超音波検査の解説本も右図を用いて（あるいはさらに改変して），同様の解説をしています。内容を精査・検討しないまま『腹部エコーのABC』から引用したものと思います。

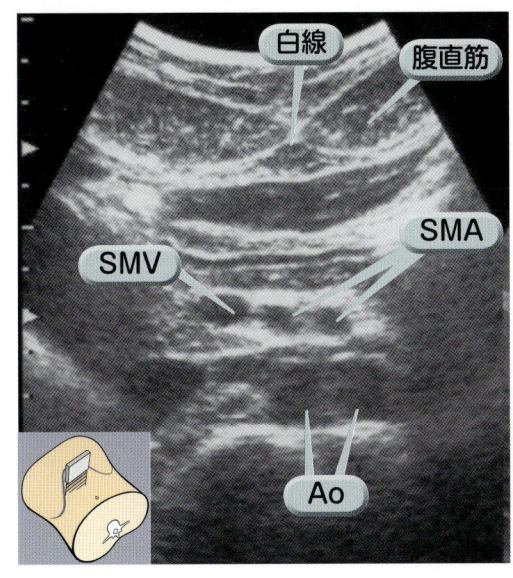

上腸間膜動脈（SMA）が左右に分かれて2個見えます。その後方にある大動脈（Ao）も不完全に2個に分かれています。

産科領域でこの現象が生じると，胎嚢が2個に見えて双子と間違われるといわれています。もし，レンズ効果で3個の胎嚢が見えるのであれば三つ子と間違われることになりますが，けっして3個には見えません。

この分離現象は血管や小囊胞だけに起きるのではなくて，白線直下のすべての構造に起きます。血管の断面がレンズ効果を認識するのに適しているだけのことです。なお，このアーチファクトは理論的にもリニア方式のプローブで顕著に発生します。コンベックス，セクタの順に発生しにくくなります。

d　レンズ効果のファントム実験

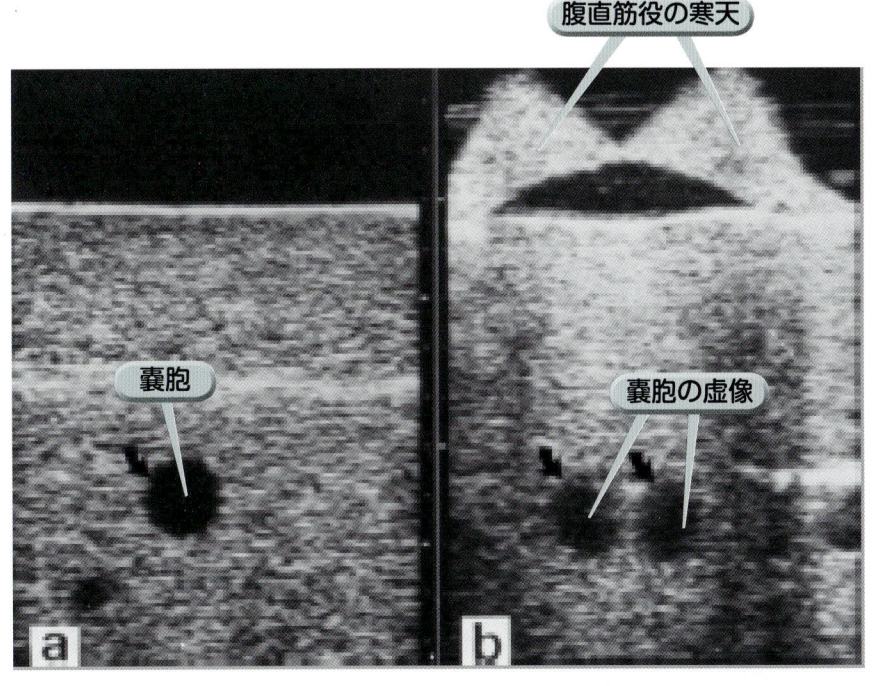

市販されている超音波診断装置用のファントムを用いて実験しました。左はファントムを水中に沈めてリニア方式のプローブでスキャンしたものです。内部の囊胞が正確に描出されています。右はファントムの上に腹直筋の役割をする寒天を置いてスキャンしたものです。
ファントム内の囊胞が2個に分離して見えます。実像（本物の囊胞）は見えません。2個の囊胞は両方とも虚像です。

このデータは1984年の日本超音波医学会講演論文集の680ページに掲載されています。
詳しい解説は1986年の日本医学放射線学会雑誌（46:825-838）にも掲載されています。

鏡面効果

超音波は光と同じように反射します。下図のように肝臓を通って横隔膜に到達した超音波は，入射角と同じ反射角で肝内に向けて反射します。この反射超音波が肝内の腫瘍に当たって跳ね返されると，来たときと同じルートを逆方向に辿って，プローブに戻ります。超音波診断装置では超音波が横隔膜で反射してきたということはわからないので，肝内の腫瘍が装置の画面では入射ビームの延長線上に表示されてしまいます。横隔膜が鏡の役割を果たすのです。

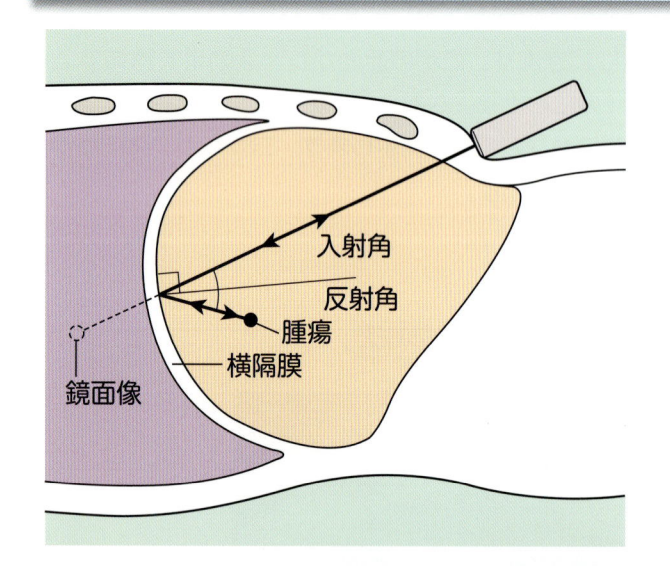

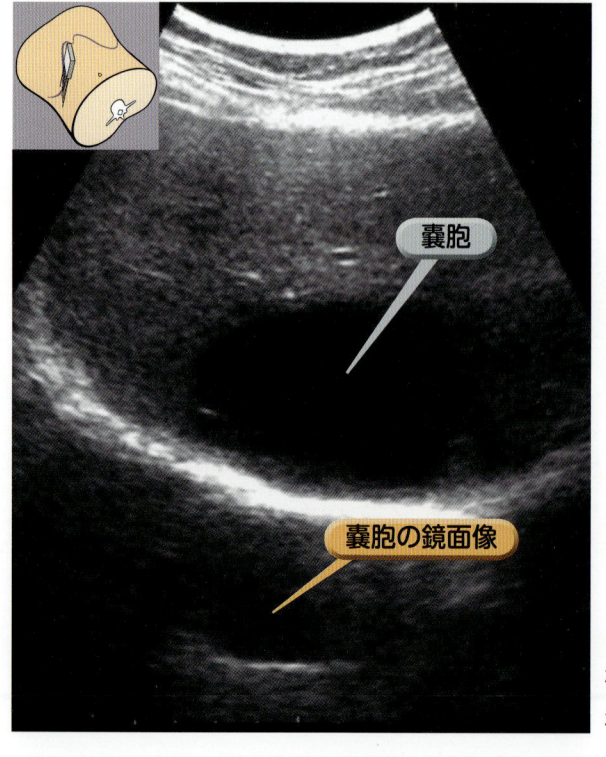

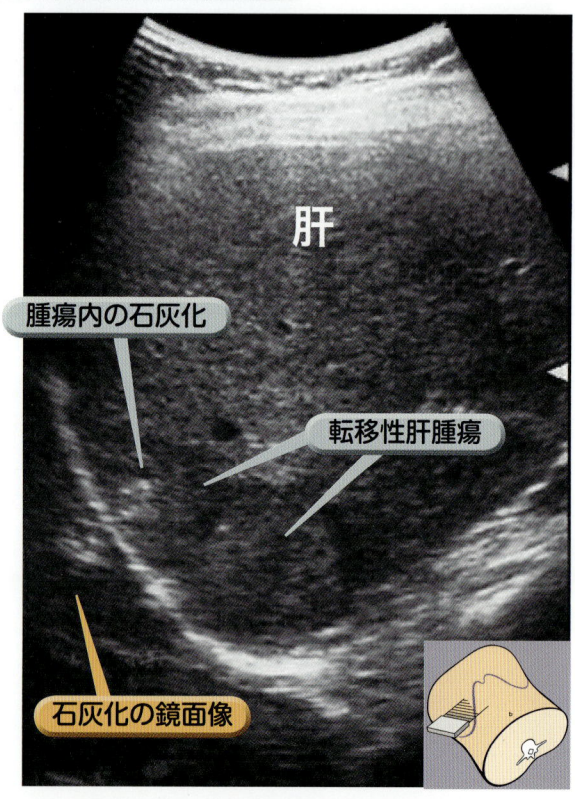

肝右葉のS7に大腸癌からの転移性腫瘍があります。その中の石灰化成分が高エコーに見えていますが，この高エコー成分は横隔膜を挟んで頭側にも描出されています。あたかも肺内に高エコーを生じる病変があるようです。

横隔膜直下にある肝嚢胞が，鏡面効果で横隔膜の頭側に写し出されています。

● 折り返し現象

折り返し現象（エイリアジング）はパルスドプラ検査に特有のアーチファクトです。腹部エコーではパルスドプラが使われることは少ないと思いますが，パルスドプラの応用であるカラードプラ法は多く用いられるようになっています。カラードプラでも流速が限界を超えると血流方向を表す色が「折り返し現象」により反対色に表示されます。

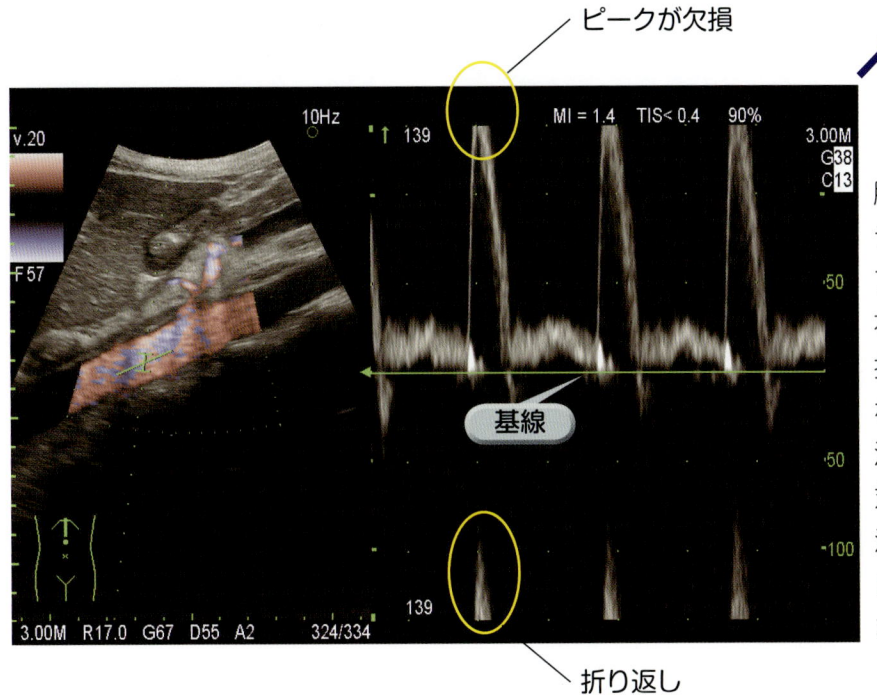

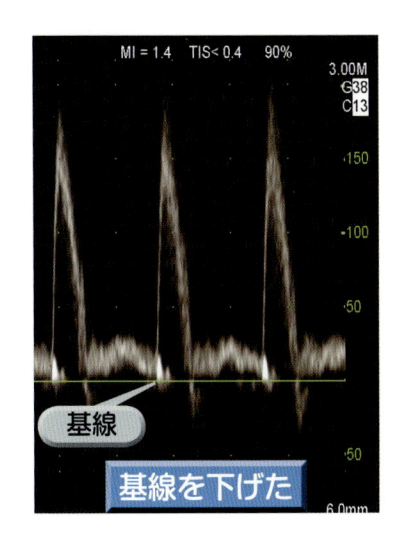

基線を下げた

腹部大動脈の血流を捉えたパルスドプラ画像です。左のBモード画像上でドプラの採取ポイントを決めます。
右の波形（FFT分析）のピーク部分が欠損して，その部分が画面の下に表示されています。これが折り返し現象です。流速が限界を超えたときに出現します。対策は基線（緑色）を下げるか（上図），流速レンジを上げることですが，流速レンジを上げると遅い血流は検出されません。

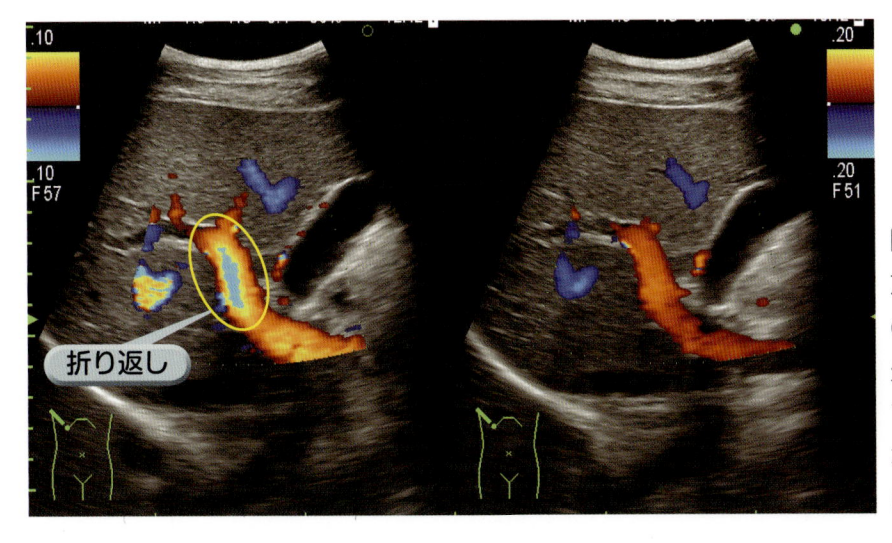

門脈をカラードプラで観察しています。左図は流速レンジを低く設定しているので，門脈の一部で折り返し現象が発生して，血流が反対色（青）で表示されています。
右図は流速レンジを上げて検査しています。折り返し現象は起きていません。

検査前の装置の調整

検査を開始する前の診断装置の調整は重要です。一度しっかり調整をすませておけば，数か月は調整不要ですが，健診車などで移動したときには，ツマミに手が触っている可能性があるので毎回チェックする必要があります。特に部屋の明るさが異なる場所で検査する場合は再調整が必要でしょう。

● CRT（ブラウン管）モニタを調整する

① 輝度

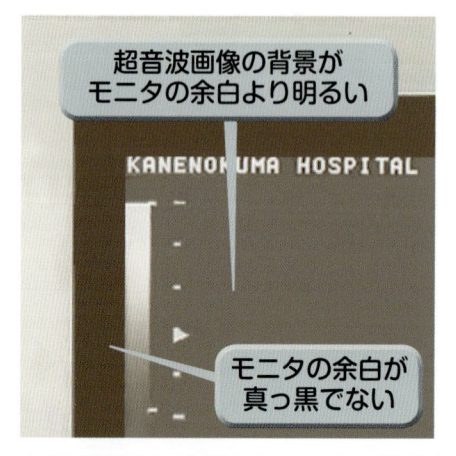

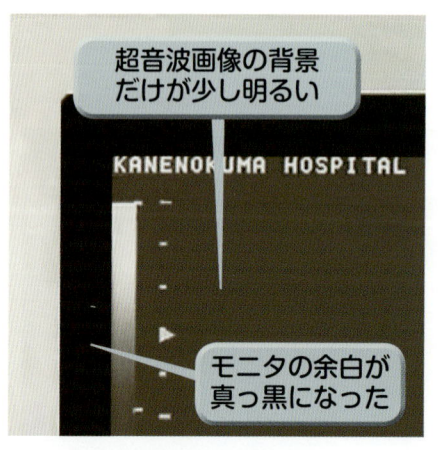

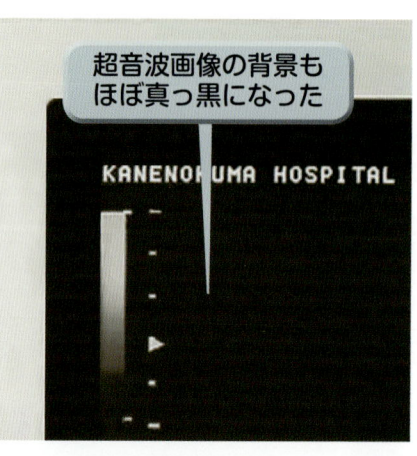

- 超音波画像の背景がモニタの余白より明るい
- モニタの余白が真っ黒でない
- 超音波画像の背景だけが少し明るい
- モニタの余白が真っ黒になった
- 超音波画像の背景もほぼ真っ黒になった

左図の明るい状態からモニタの輝度を下げて，周囲の部分を真っ黒にします。さらに輝度を落としていくと，超音波画像の背景が限りなく黒に近づきます。右図のように，真っ黒になる直前で止めます。

② コントラスト

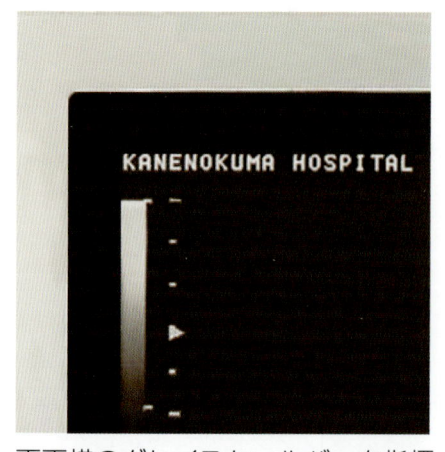

画面横のグレイスケールバーを指標にして画面のコントラストを調整します。このバーの濃度階段がすべての段階で明るさの差を識別できるように調整します。

これがグレイスケールバーです。モニタの調整に使います。**真っ白から真っ黒までの濃度を階段状に並べてあります。**16段階の階段では濃度の境目が識別できますが，32段階に割り振ってあると，濃度の境目がわかりません。
装置メーカーによってはグレイスケールバーが細すぎたり，短かすぎたりして，本来の目的にそぐわない場合があります。
カラードプラ検査の際は，特殊なカラーバーが表示されます（30, 31ページ参照）。

● 液晶モニタを調整する

2005年頃から超音波診断装置に液晶モニタ（LCD）が採用され始めています。従来のブラウン管モニタ（CRT）は製造中止されて入手できません。液晶モニタは明るい部屋で検査するほうが画面調整が容易です。ブラウン管モニタのように，検査室を暗くして調整しようとしてもうまくいきません。同じく液晶モニタを使っているパソコンは明るい部屋で使うのですから，超音波診断装置も少し薄暗い程度で使います。
液晶モニタの調整ツマミはブラウン管で使われていた回転式のダイヤルではなくて，押しボタンだったり，あるいはサブパネルの液晶画面から操作したりと，いろいろです。

日立アロカ　Prosound SSD α7 の場合

液晶モニタの右背側に，このような3個の押しボタンがあります。バックライト，スクリーンサイズ，カラー（色温度），フィルターを変更するためのボタンだそうです。メーカーで調整するので，ユーザーが調整することは想定していないそうです。

サブモニタの液晶画面からメインモニタの輝度，コントラスト，シャープネスを調整します（左図の黄色で囲んだ部分）。
ブラウン管モニタにはモニタのすぐ下に回転式のツマミが2個あり，各社共通でしたが，液晶モニタでは各社が特徴を出している（勝手にしている？）ので，調整方法を覚えるのに苦労します。

● プリンタを調整する

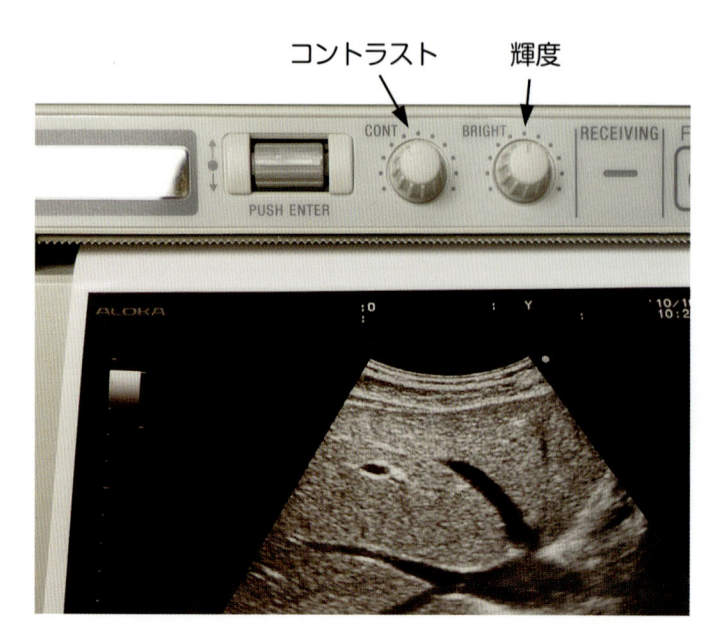

サーマルプリンタ(感熱印刷)にも輝度とコントラストの調整ツマミがついています。

輝度とコントラストは互いに影響するので，片方を調整すると，もう一方を調整しなくてはなりません。

1回で調整を終わらせようとしないで，少しずつ調整します。

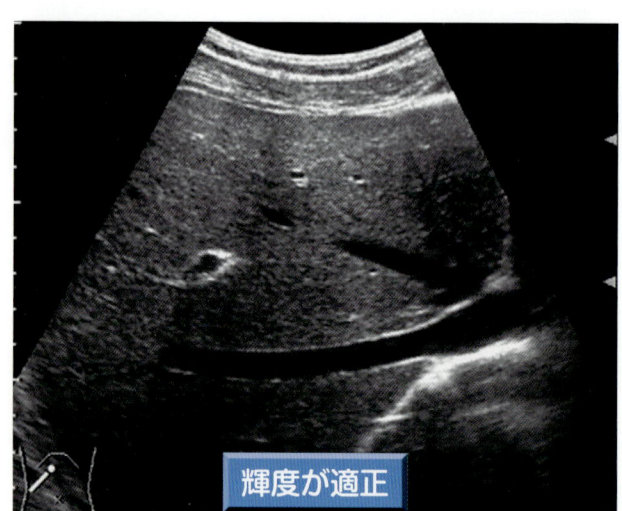

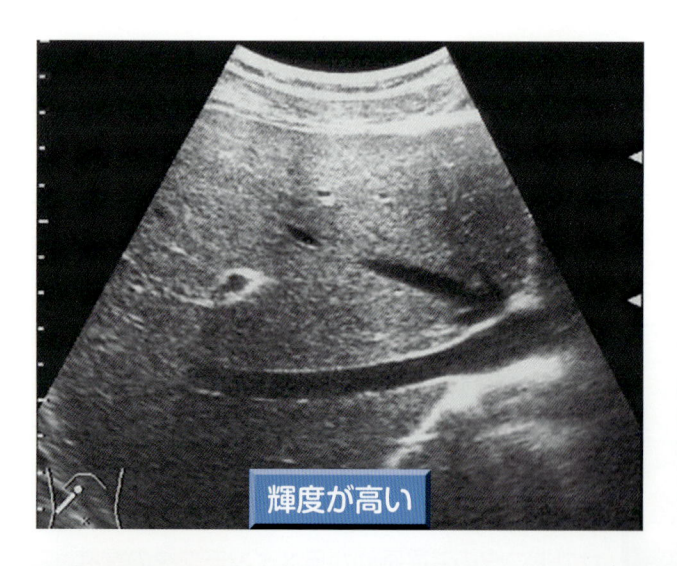

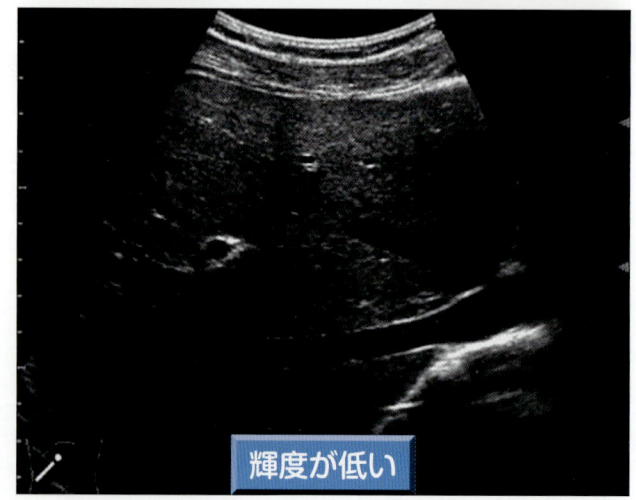

MEMO　紙プリント記録は階調が悪い

観察モニタで見る画像は光の透過像なので，明るさの階調が豊富です。それに対して，紙の上の情報を反射光で見るプリント画像は階調が落ちます。ですから，観察モニタの情報をすべて漏らさずに紙プリントに記録することはできません。これからは電子カルテが主流になって，超音波画像も液晶モニタで見る時代になるかもしれません。すでに大病院では紙プリントをしていません。

● 電子ファイルシステムを調整する

電子ファイリングシステムを用いた装置ではモニタで見ている画像の濃度は適正なのに，CD・DVDあるいはUSBに記録した画像は暗すぎる（あるいは明るすぎる）というケースが発生します。
モニタでは適正濃度に見えているため，暗すぎる（あるいは明るすぎる）のに気づかないで検査して，検査が終わって上記の媒体をパソコンなどで再生した時点で（あるいはLAN上のモニタで見て）気付きます。

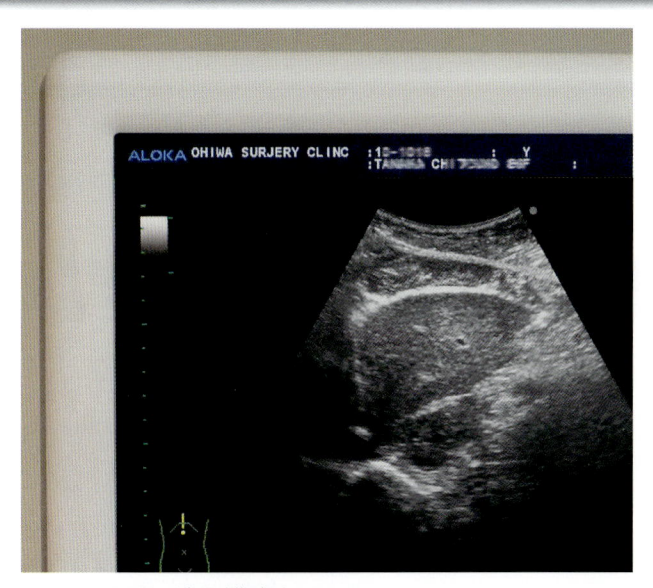

モニタ画面は適正濃度なのに 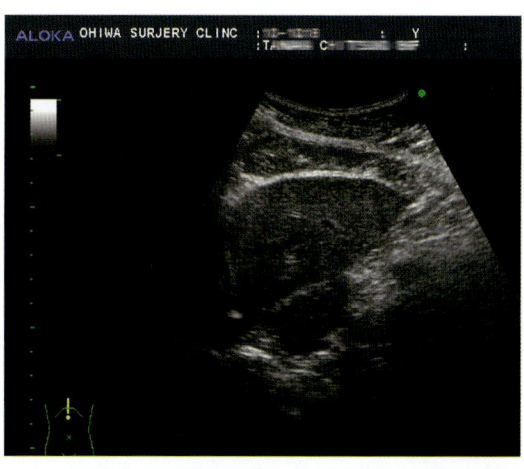　　　　　　　CD・DVDやUSBに記録した画面は暗すぎる

CD・DVDやUSBに記録した画像が暗すぎるのは装置のゲインが低すぎる状態で検査しているからなので，ゲインを上げればいいのですが，そうすると装置のモニタ画面では明るくなりすぎます。そこでモニタの輝度を下げて適切な明るさになるように調節します。
CD・DVDやUSBに記録される段階ではユーザーは信号の強さを調整できません。そこで，CD・DVDやUSBに送られる信号強度が適切になるようにゲインを調整して，そのゲインでモニタ画像の明るさが適切になるようにモニタの輝度を調整します。観察用モニタの輝度調整を最後にするのが解決策です。

ゲインを変えて数枚の画像をCD・DVDやUSBに送る。 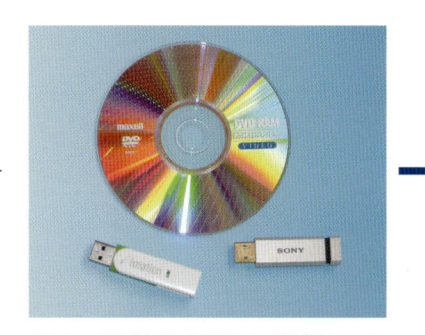　→　CD・DVDやUSBに記録して，それをパソコンにセットする。 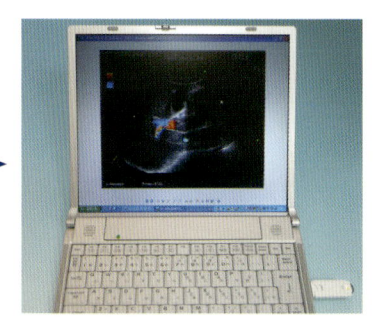　→　濃度が最適なゲインを選び，そのゲインでモニタの輝度を調整する。

検査中の装置の調整

患者の体型（肥満体か痩せているか）や，病変の深さなどによって，装置を調整する必要が出てきます。ここでは検査中に行う装置の調整について説明します。

● ゲイン

ゲインは体内から跳ね返ってきた超音波を画像に変換する際の感度（利得）を変化させるしくみです。ゲインを上げると画像は明るくなり，下げると暗くなります。
画像が明るすぎると腎結石や肝血管腫が見分けにくくなり，暗すぎると嚢胞を見落とすことがあります。
プローブから発射される超音波の強さを調整するのはアウトプット（出力）です。
アウトプットは胎児に影響が出ないように，十分に低く抑えられています。

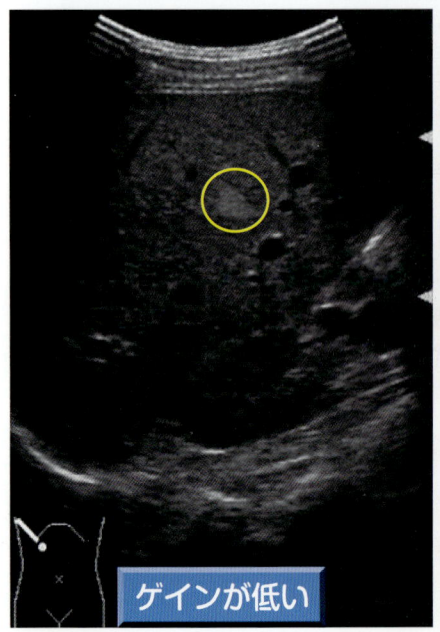

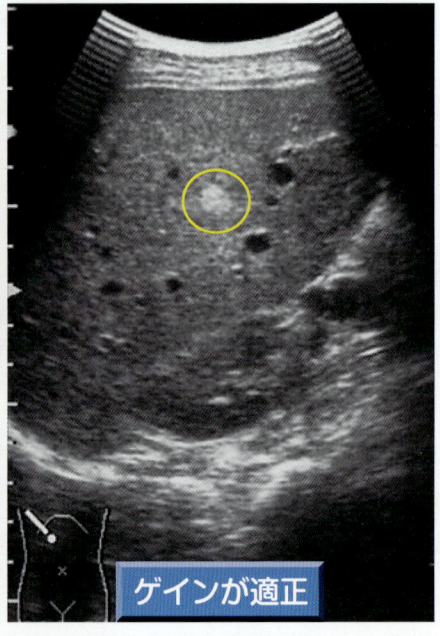

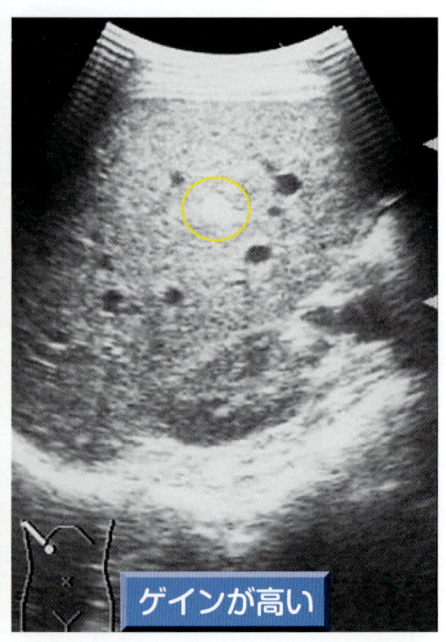

ゲインが低い	ゲインが適正	ゲインが高い
暗すぎるので，黄色い円の中にある血管腫がわかりにくい。	黄色い円の中の血管腫がはっきり見える。	明るすぎるので，黄色い円の中にある血管腫がわかりにくい。

MEMO　調整はマメにしよう

この本では装置の調整をしつこく解説しています。初心者を指導するときにいつも感じる問題点だからです。ゲインの調整なんか簡単と侮ってはいけません。モニタを見ているときは瞳孔が明るさを自動調整してくれますから，ゲインの調整が少々ラフでも，微妙なエコー強度の差に気付きます。最終的にサーマルプリンタを通して紙に印刷すると，紙が表現できる階調は狭いので，わずかなエコー強度の違いは消し飛びます。
高額な装置でも調整がまずいと半値以下の装置と同じ画像になってしまいます。

● STC（TGC）

STC（sensitivity time control）あるいはTGC（time gain control）は深さによってゲインを補正したいときに用います。通常の検査はSTCレバーを全部中央位置においた状態で最良の画像が得られるように超音波診断装置は調整されています。
STCを調整する必要があるのは，大量の腹水があるときや，膀胱越しに後方の子宮・卵巣などを検査するときなどです。液体を通るときは超音波は減衰しないので，調節が必要になります。

適正なSTC　　　　不適正なSTC

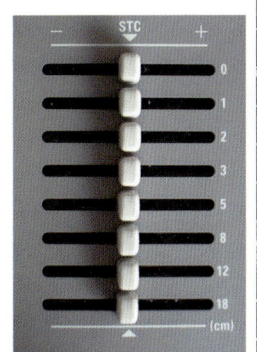

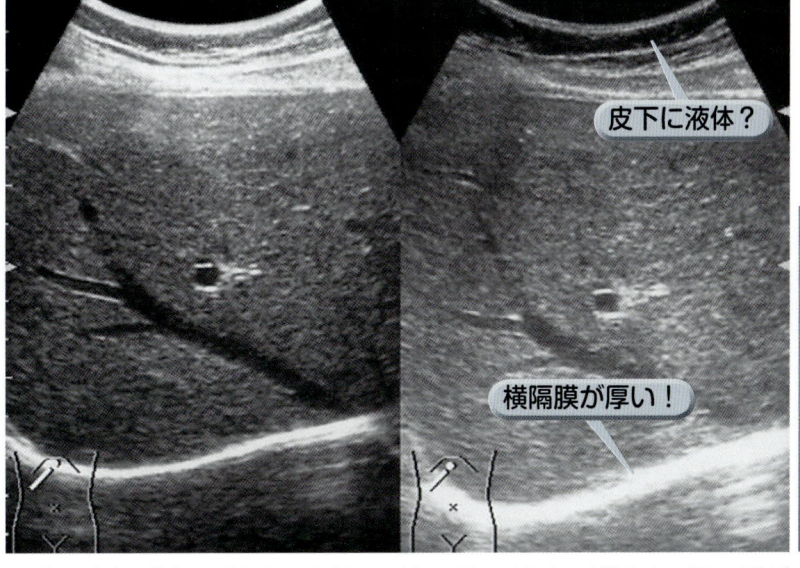

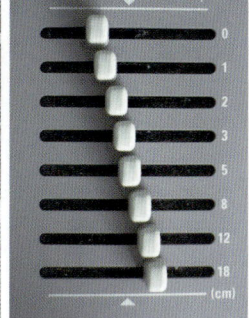

皮下に液体？

横隔膜が厚い！

肝臓の内部が浅い所も深い所もほぼ同じ濃度に見えています。

浅い所のゲインが低く，深い所が高すぎます。
皮下脂肪層は液体のように見えており，横隔膜は厚く見えます。

MEMO　装置はゲインの自動補正をしている

STC（TGC）はゲインの補正を深さに応じて手動で行うためのしくみですが，超音波診断装置は自動的なゲイン補正を常時しています。たとえば，肝臓の浅い所からのエコーと深い所からのエコーが同じ強さであるはずはありません。深い所からのエコーは強く減弱しています。そこで深さに応じて感度を補正しないと，肝臓が均一の明るさに見えません。ゴルフの下手な人にはハンディキャップを多く与えるようなものです。
肝臓の最も深い部分が15cmとすると，超音波が肝臓内を30cm移動して戻ってくるのに0.2ミリ秒かかります。超音波ビームを送信した後はエコーを受信する0.2ミリ秒の間に，ゲインを最小から最大まで自動的に変化させています。

🔵 コントラスト

エコー信号を強く圧縮すると，強エコーから無エコーまで広い範囲の情報を表示できますが，コントラストが弱くなり，わずかなエコーの差は識別できなくなります。たとえば，等エコーの腫瘍が周囲と区別できなくなります。反対に，肝腫瘍を見つけるためにコントラストを強くして，わずかなエコー強度の差を検出しようとすると，内部エコーが粗糙に見えて，ほとんどの症例が肝硬変のように見えてしまいます。極端な状態にするのは感心しません。コントラストのことをダイナミックレンジと表示している装置がありますが，これが原理に基づいた正確な表現です。

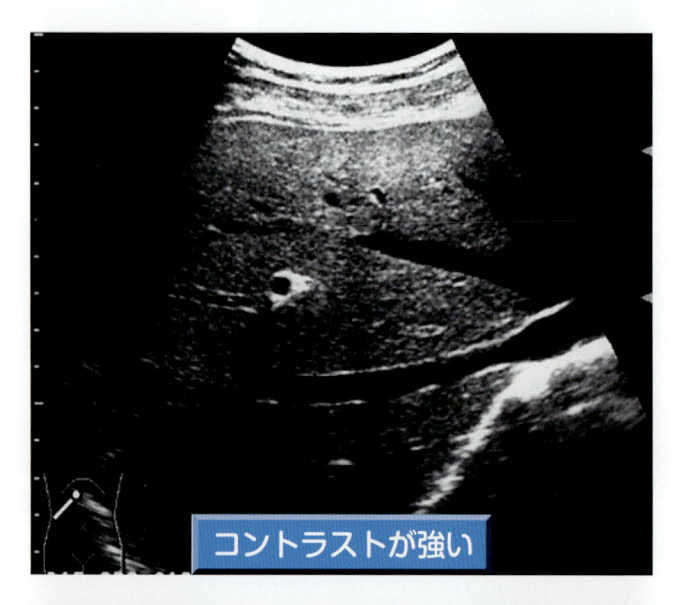

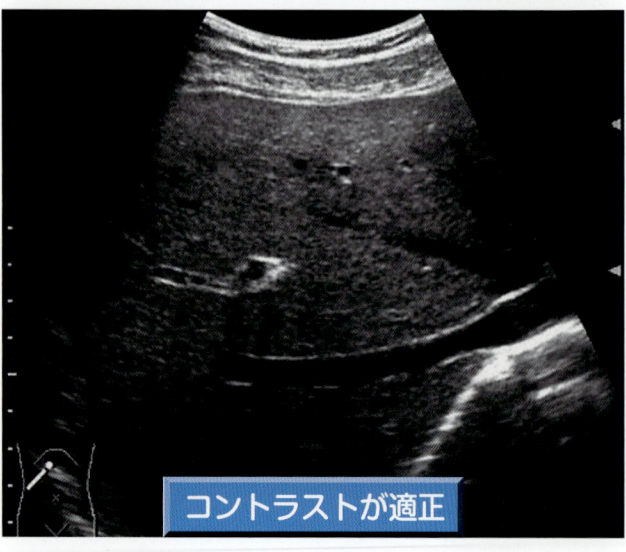

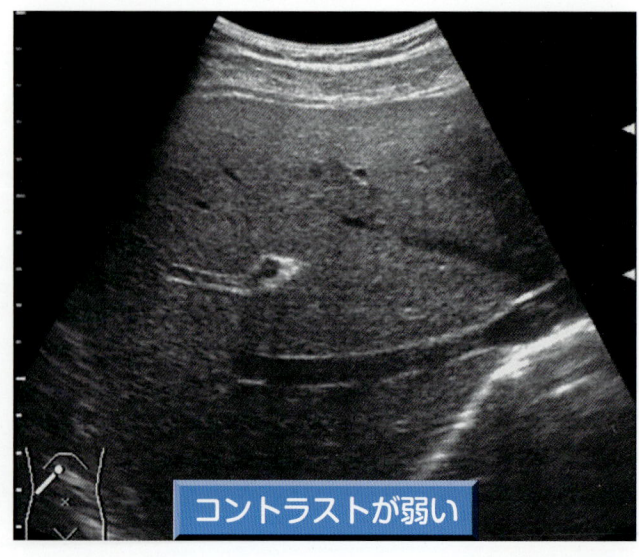

コントラストが強い

コントラストが適正

コントラストが弱い

● フォーカス

フォーカスには送信フォーカス（23ページ参照）と受信フォーカス（25ページ参照）があります。検者が調整できるのは送信フォーカスだけです。送信フォーカスは設定した深さを中心にして3〜4cmの範囲に効果があるようです。ですから，肝臓全体にフォーカスを合わせようとすると，最低でも2点（箇所）にフォーカスを合わせなくてはなりません。以前の装置は2点にフォーカスを合わせても，フレームレート（27ページ参照）は30枚/秒を確保できましたが，最近の装置はさまざまな機能が組み込まれているために，フレームレートにしわ寄せがきています。2点にフォーカスを設定するとフレームレートが15枚/秒以下になって，実用的でなくなっています。

1点フォーカスでスクリーニング検査をするときは体表から6〜8cmにフォーカスを設定しますが，結石や腫瘍などの異常所見が見つかれば，その深さにフォーカスを移動させます。

フォーカスを設定した深さは音圧が強くなるので明るくなってしまいます。そこでSTC（TGC）で補正しなくてはならないこともあります。

日立メディコ製装置のパネルにあるフォーカス調整ツマミ

● プローブの周波数

超音波画像の分解能は波長に反比例します（20ページ参照）。波長が短くなると分解能は高くなります。波長はプローブの周波数に反比例するので，結局，分解能は周波数に比例することになります。

プローブが発生する周波数には幅がある（広帯域型）ので，受信時にパスフィルターを切り替えることで使用周波数を選択できます。たとえば，あるコンベックスプローブは3〜8MHzをカバーしているので，標準的な体型の患者には5MHzを使用し，肥満体の検査には分解能を犠牲にして減衰が少ない3MHzを選択します。周波数はパネル面のツマミかサブパネルで段階的に選択できます。

ハーモニックイメージング法で検査しているときはプローブから出ている周波数（基本周波数）の倍の周波数を受信しています。たとえば，2.5MHzで送信して5MHzを受信しています。画面の周波数表示は基本周波数を示したり，受信周波数を示したりとメーカーまちまちです。

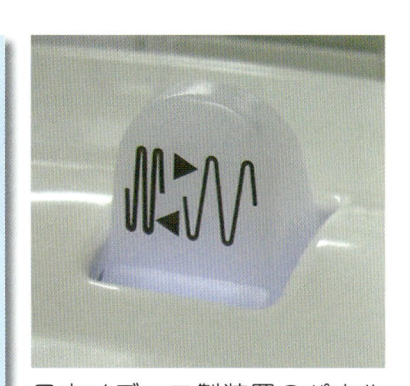

日立メディコ製装置のパネルにある周波数切替ツマミ

肥満体		標準体		痩身体
3MHz	4MHz	5MHz	6MHz	7MHz

上の数値は受信周波数を示しています。ハーモニックイメージングを使うときの送信周波数は半分の数値になります。7MHzは減衰が強いので，痩身体でも浅い部分にだけしか使えないでしょう。

🔵 画像のサーチ

超音波検査は動画（リアルタイム画像）を見ながら検査を進めて，所見がはっきり確認できる画像を静止画像として記録する作業です。胃のX線検査や内視鏡検査も同じような作業をしています。

現在は動画の記録が容易になっているので，動画が記録できれば，診断とレポートには支障ありませんが，やはり説得力のある静止画像を記録して提示する必要があります。

小さな胆石や胆嚢ポリープを瞬間的に確認できても，画像をフリーズしたときは画面から消えていることはしばしば経験します。

このときに活躍するのが「サーチ機能」です。動画の各フレームを最後の数10秒間分は記録しているので，サーチ機能をONにした後，トラックボールでフレームを遡って再生して，所見が明瞭に観察できる画像を探し出し，静止画像に記録します。

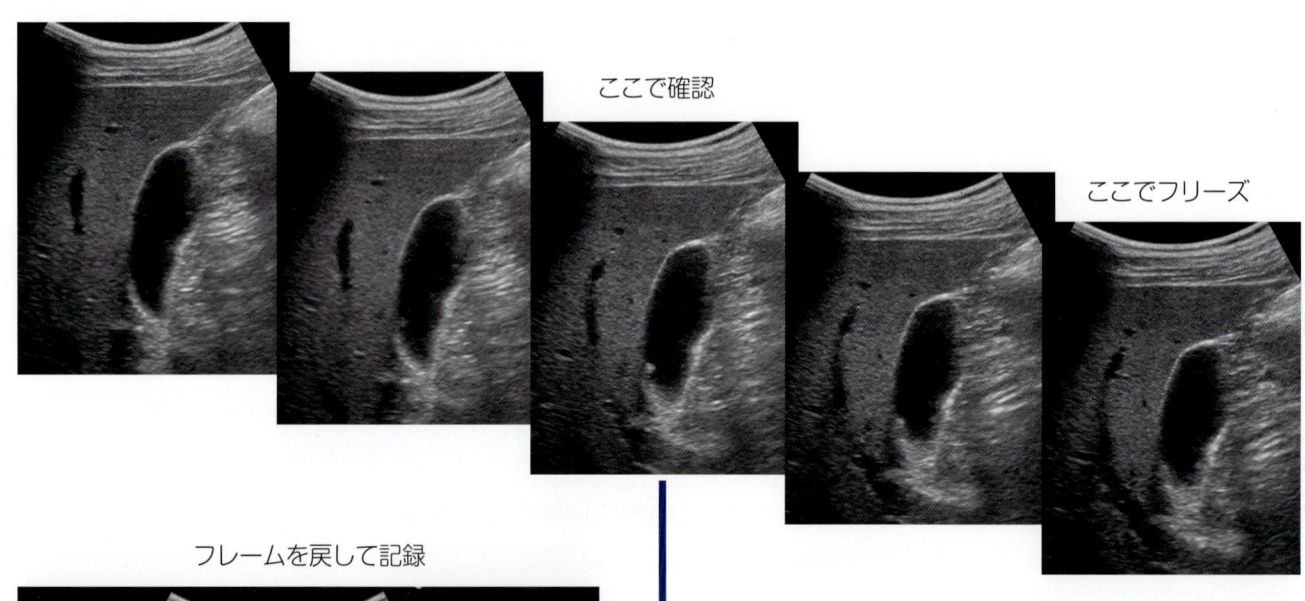

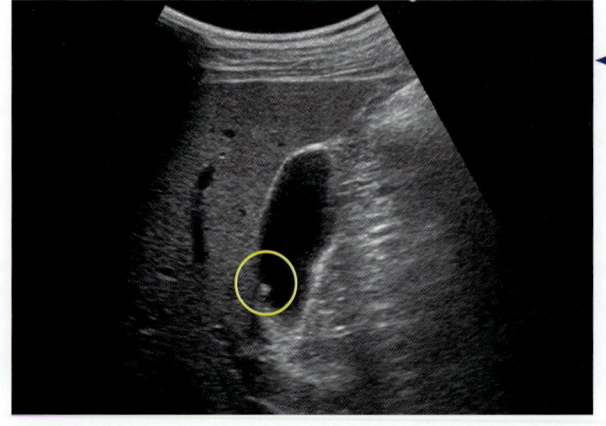

ここで確認

ここでフリーズ

フレームを戻して記録

胆嚢前壁に2mmのポリープがあります。検査中にこのポリープを確認できたら，すぐにフリーズツマミを押しますが，フリーズしたときはポリープは画面から消えていることがほとんどです。サーチ機能でフレームを戻して，最も明瞭にポリープが見えているフレームを探して記録します。

● 自動調整機能

以前から一部の簡易型の診断装置ではゲイン，STC，コントラストを自動で調整して，通常の検査には困らない程度の画像を出す機能が搭載されていました。最近では高級機種にも搭載されています。
Image Optimizer（最適化）などと表現しているようです。専用のスイッチを押すだけです。メカに弱い医師や臨床検査技師が増えた現状を反映しているのではないでしょうか。最近の装置は新しい機能が増えて（増えすぎ？）扱いにくくなっているのも事実です。装置メーカー間で操作法が大きく異なるのも問題です。
日頃，超音波検査をしていない人が当直時に急患の検査をすることになったときには重宝する機能です。超音波検査を自分の得意領域にしたい人は頼らないようにしてください。

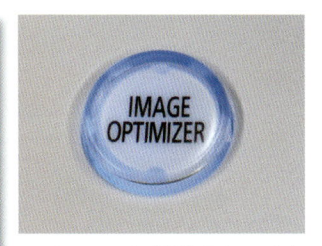

日立アロカ製装置のパネルにある最適化のツマミ

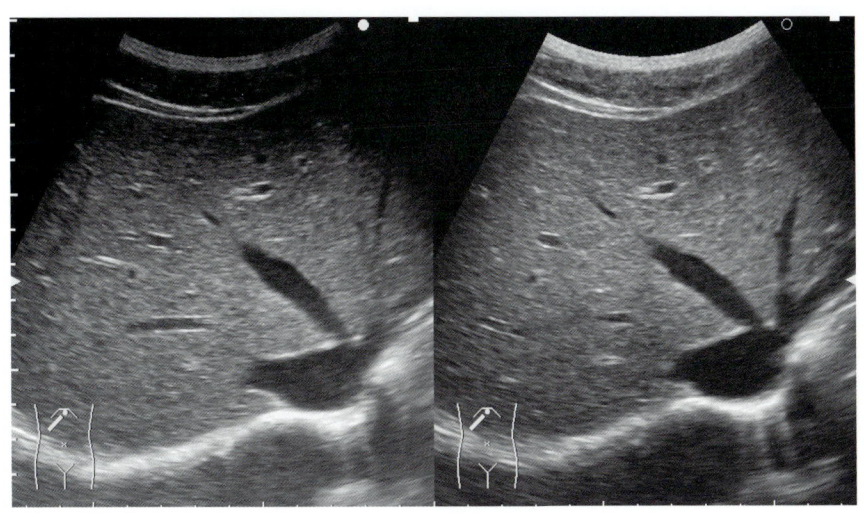

たとえば左図では腹壁から肝臓の表面にかけて暗く見えています。本来はSTCの調整レバーを動かして，浅い部分の感度を上げる操作をするところですが，超音波装置の操作に不慣れな人は「最適化」ボタンを押すと，右図のように浅い部分の感度を上げてくれます。
肝臓の内部をパーフェクトに均一にしようと思えば、手動で調整するべきです。

● DICOM画像やRAWデータを変更

電子ファイリングを採用している装置は画像をDICOM（ダイコム）規格でLAN上のサーバに保存しています。DICOMとは，Digital Imaging and Communication in Medicineの略で，米国放射線学会と北米電子機器工業会が開発し，CT，MRI，CRなどで撮影した医用画像の形式と，それらの画像を扱う医用画像機器間の通信プロトコルを定義した標準規格のことです。
DICOM規格で保存してあると，画像をサーバから呼び出して，画像のゲイン，コントラストを後で変更することができます。
最近の装置は本体のハードディスクに画像をRAWデータで保存しています。フリーズした直後だと，ゲインツマミを回すことで画像のゲインを変更できるので，ゲインが不適切だからと再スキャンする必要がありません。

日立アロカ製装置のパネルにあるゲインのツマミ。フリーズボタンを兼ねている

画面に表示される情報

超音波診断装置のモニタを見ると，超音波画像の周囲にさまざまな文字・数値が表示されており，どのような条件・設定で検査が行われているのかを表わしています。重要な情報もありますが，なかには表示する理由がわからない項目もあります。ユーザーの判断で表示しないように設定変更できる項目と，米国のFDA（食品医薬品局）が表示を義務付けている項目があります。

〈 日立メディコ　HI VISION Preirus の場合 〉

患者名
私は姓・名の順で入力している。名に続けて年齢と性別（M・F）を記入している

患者ID
患者固有の番号。患者が磁気テープ付きのIDカードを持っていると，リーダを使って自動で登録できる

設定条件
画像の条件が腹部用に設定されていることを示す

検査日
年・月・日・時刻。時刻はどのメーカの装置でもズレることがあるので注意

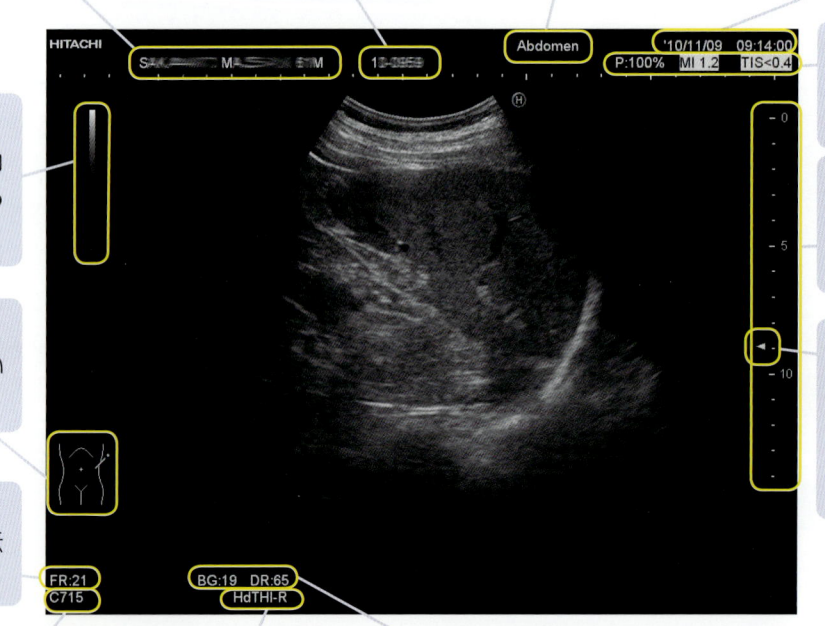

P・MI・TIS
超音波の安全性に関連する数値

グレイスケールバー
モニタ画面の輝度・コントラストを調整するときの指標にする

距離マーク
画像の拡大率に連動して変化する

ボディーマーク
プローブが置かれている位置，向きを表す

フォーカスポイント
送信フォーカスが設定されている深さを示す

フレームレート
日立はFR:○○と表示する

プローブのタイプ
プローブごとに付けられた記号と数値。Cはコンベックスタイプ

ハーモニックエコー
ハーモニックイメージング法を使用中に表示される

ゲイン，ダイナミックレンジ
BGはBモードのゲインを示す。カラードプラを使うとCG:○○という表記が追加される

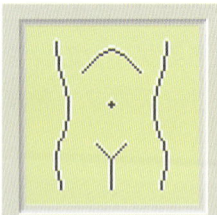

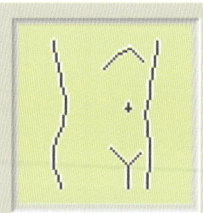

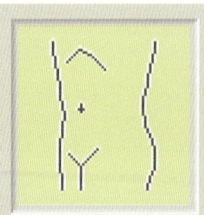

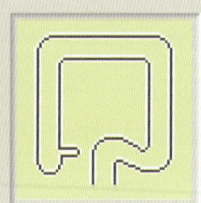

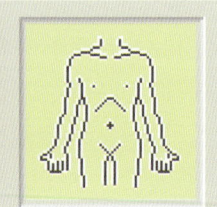

🔵 患者ID

最近は，超音波診断装置を院内のLANに接続して，画像をX線画像と共通のサーバで管理するところが増えています。その場合は患者のID番号（認識番号：患者に割り振られた固有の記号・数値）で登録します。超音波検査の通し番号を入力すると，サーバで検索するときに不便です。装置にカードリーダーを接続すると，患者が所有しているIDカードの磁気テープから自動で患者登録画面にIDナンバー，患者名，性別，生年月日，年齢を記入してくれます。

患者名をアルファベットで記入するときに，検者によって記入法が異なる（shiとsi, chiとti, dsuとzuなど）ので，名前での検索はトラブルの元です。ID番号で管理するのがベストです。

🔵 P，MI，TIS

P（超音波出力）はその装置に定められている最大出力に対して，使用している出力は何％に当たるかを示します。最大出力は胎児への障害の可能性などを考慮して，安全な数値に抑えられています。

MI（メカニカルインデックス）は キャビテーション（空洞現象）という超音波の機械的作用の指数です。キャビテーションを利用するものに超音波洗浄器があります。生体でキャビテーションが起こると，組織が破壊する可能性があります。超音波による生体内でのキャビテーションはMIが1.0以上で起きやすいと考えられています。

TIS（ソフトティッシュ・サーマルインデックス）は超音波の熱的作用の指数です。超音波が体内の温度を1度上昇させるのに必要な出力に対する割合をいいます。TISは1.0以下で使います。つまり，温度上昇が1度以内であれば大丈夫だとされています。実際はTIS＜0.4のような形で表記します。

🔵 ゲイン，ダイナミックレンジ

ゲインやダイナミックレンジが数値で表示されるようになっていますが，これは相対的な数値で絶対値ではありません。患者によって最適な条件は異なるので，この数値自体は参考になりません。

超音波画像の明るさは「ゲイン」ツマミで調整しますが，名前のように受信するエコー（反射してくる超音波）の感度（利得）を調整するのであって，送信超音波の強さを調整しているのではありません。ゲインを上げていくと画像は明るくなりますが，限界を超えるとノイズがはっきりと見えてきます。

ダイナミックレンジは，最近の装置ではユーザーにわかりやすいようにコントラストと表記することがあります。CTのウィンドウ幅に相当します。表示する超音波の強弱の幅を拡げると画像はコントラストが弱くなります。反対に狭くするとコントラストが強くなります。

🔵 ボディーマーク

最近の装置はボディーマークが多種類用意されています。大腸の全体像を描いたボディーマークを用意しているメーカーもあります。ボディーマークのデザインは各社各様です。検査の部位ごとにボディーマーク内のプローブ位置を正確にセットしている人は少ないのではないでしょうか。

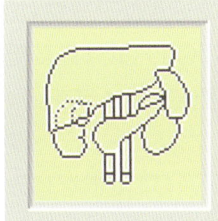

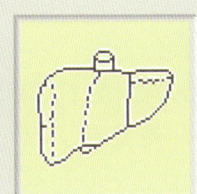

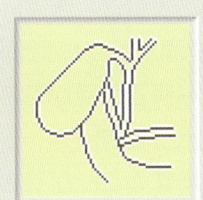

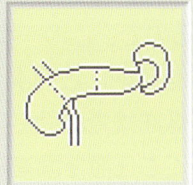

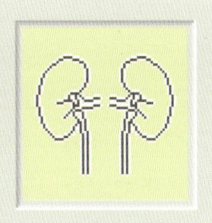

左は日立メディコ製の装置が用意しているボディーマークの一部です。

〈 GE ヘルスケア　LOGIQ E9 の場合 〉

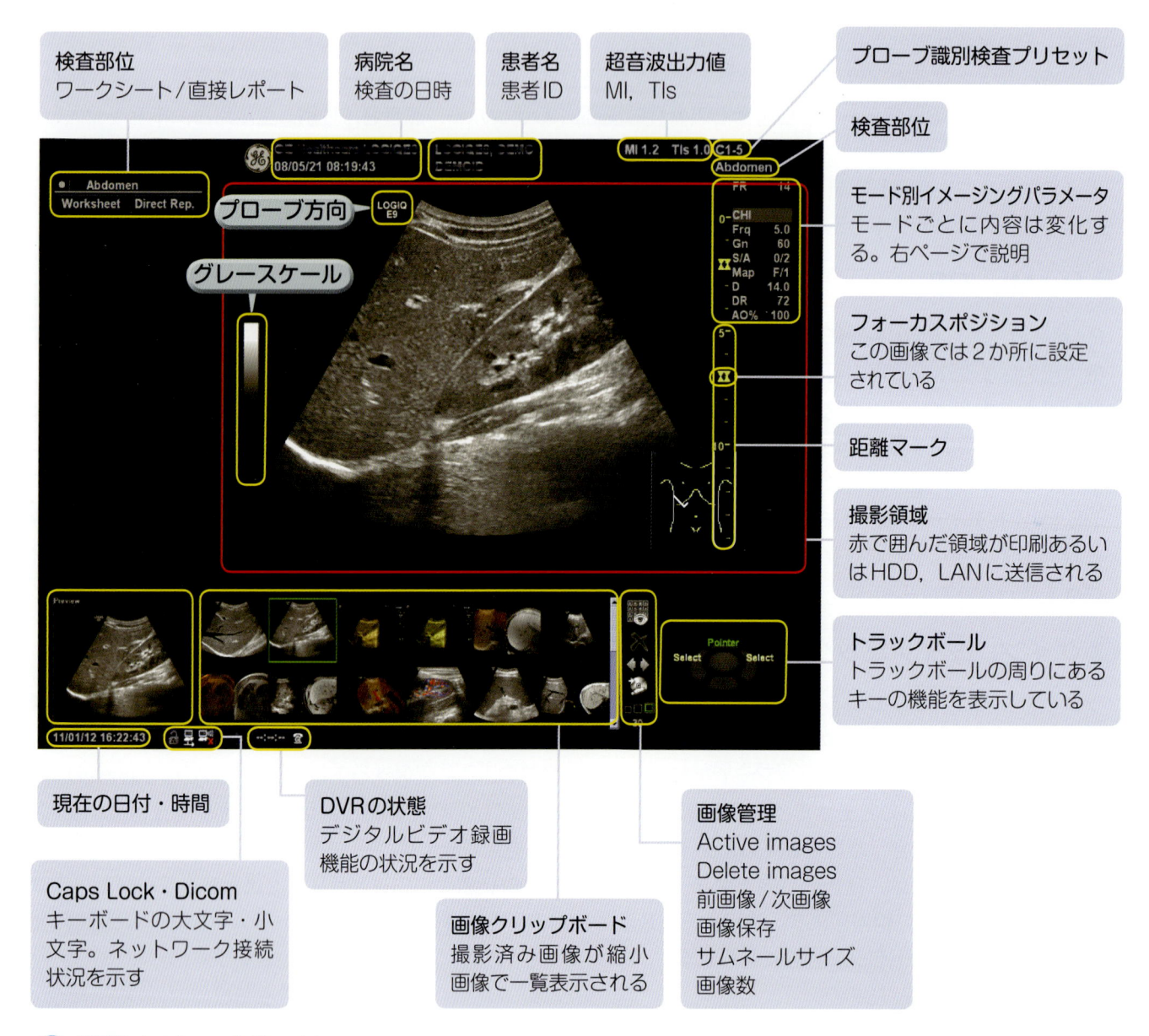

検査部位　ワークシート/直接レポート
病院名　検査の日時
患者名　患者ID
超音波出力値　MI, TIs
プローブ識別検査プリセット
検査部位
モード別イメージングパラメータ　モードごとに内容は変化する。右ページで説明
フォーカスポジション　この画像では2か所に設定されている
距離マーク
撮影領域　赤で囲んだ領域が印刷あるいはHDD, LANに送信される
トラックボール　トラックボールの周りにあるキーの機能を表示している
現在の日付・時間
DVRの状態　デジタルビデオ録画機能の状況を示す
Caps Lock・Dicom　キーボードの大文字・小文字。ネットワーク接続状況を示す
画像クリップボード　撮影済み画像が縮小画像で一覧表示される
画像管理　Active images / Delete images / 前画像/次画像 / 画像保存 / サムネールサイズ / 画像数

● 画像クリップボード

どのメーカーも、上位機種は撮影済みの画像を縮小（サムネール）して、モニタの余白に一覧表示しています。検査部位や方法に漏れがないかを確認するのに便利です。

縮小された画像をクリックすると、元のサイズで検査画面に表示されます。LOGIQ E9は画像をRAWデータ（加工しない生の情報）として記録・保存するので、この一覧画面から検査画面に戻してゲイン、STC (TGC) を変更することができます。次の患者の検査に移る前にこのような修正作業ができるので、きれいな画像を残せます。

さらに、ハードディスクから検索して画像を検査画面に表示しておいて、モードを変更したり、ボリュームデータ（3次元情報）から再度スキャンをしなくても任意断面を描出することができます。マルチスライスCTでおなじみの機能です。

● 画像管理

クリップボードに表示される画像を管理するときに，ここで操作します。
Active images：検査中の患者の画像をモニタ画面一杯にサムネールで一覧表示します。
Delete images：保存した後に不要と判断した画像はここをクリックするとハードディスクから削除されます。
前画像／次画像：枚数が多いために表示できなくて隠れている画像を表示するときに，ここをクリックします
画像保存：これをクリックするとDVDやUSBに画像を転送・保存する機能が起動します。
サムネールサイズ：クリップボードに表示する画像のサイズを決めます。
画像数：隠れている画像を含めて何枚の画像がクリップボードに登録されているかを示しています。

● プローブ識別検査プリセット

プローブを切り替えると，その種類を検出して自動的にパラメータを切り替えてくれるしくみです。プリセットはユーザーの要望・判断で検査臓器（腹部，産科，婦人科，心臓，血管，泌尿器，表在，小児）ごとに数種類を設定することができます。具体的には次に説明する「モード別イメージングパラメータ」で設定します。
ちなみに，C1-5は周波数が2〜5MHzのコンベックス型プローブを表わしています。

● モード別イメージングパラメータ

検査臓器やプローブを切り替えるとセットで変わるパラメータ群です。ユーザーの要望・判断であらかじめ数値を設定しておきますが，検査中に変更することもできます。
FR：フレームレート。1秒間に作られる画像数（FR：frame rate）
CHI：ハーモニックイメージングが設定されていることを示す（CHI：coded harmonic imaging）
Frq：Bモードの受信周波数。ハーモニックのときの送信周波数はこの半分（Frq：frequency）
Gn：Bモードゲイン（Gn：gain）
S/A：スペックル低減機能の度合い／フレーム間で信号を平均化する度合い（S/A：speckle reduction index/ frame average）
Map：Bモード画像のグレイ階調を調整する（Map：Gray Map）
D：視野深度。画像の最深部までの距離（D：distance）
DR：ダイナミックレンジ。受信する信号の強弱の幅。別名コントラスト（DR：dynamic range）
AO％：超音波出力の％。使用中のプローブの最大許容出力の何％を出力しているか（AO：acoutic output）

カラードプラ検査を行うと，パラメータが加わります。
CF：カラードプラ検査モードを示す（CF：color flow）
Fre：カラードプラ周波数
Gn：カラードプラゲイン
L/A：カラーラインデンシティー／カラーフレーム平均化
PRF：繰り返し周波数（PRF：pulse repetition frequency）
WF：ウォールフィルタ（WF：wall filter）
S/P：空間フィルタ／パケットサイズ。後者はカラードプラの感度調整のパラメータの1つ（S/P：spacial filter/ packet size）
AO％：超音波出力の％。使用中のプローブの最大許容出力の何％を出力しているか

〈 日立アロカ　prosound α7 の場合 〉

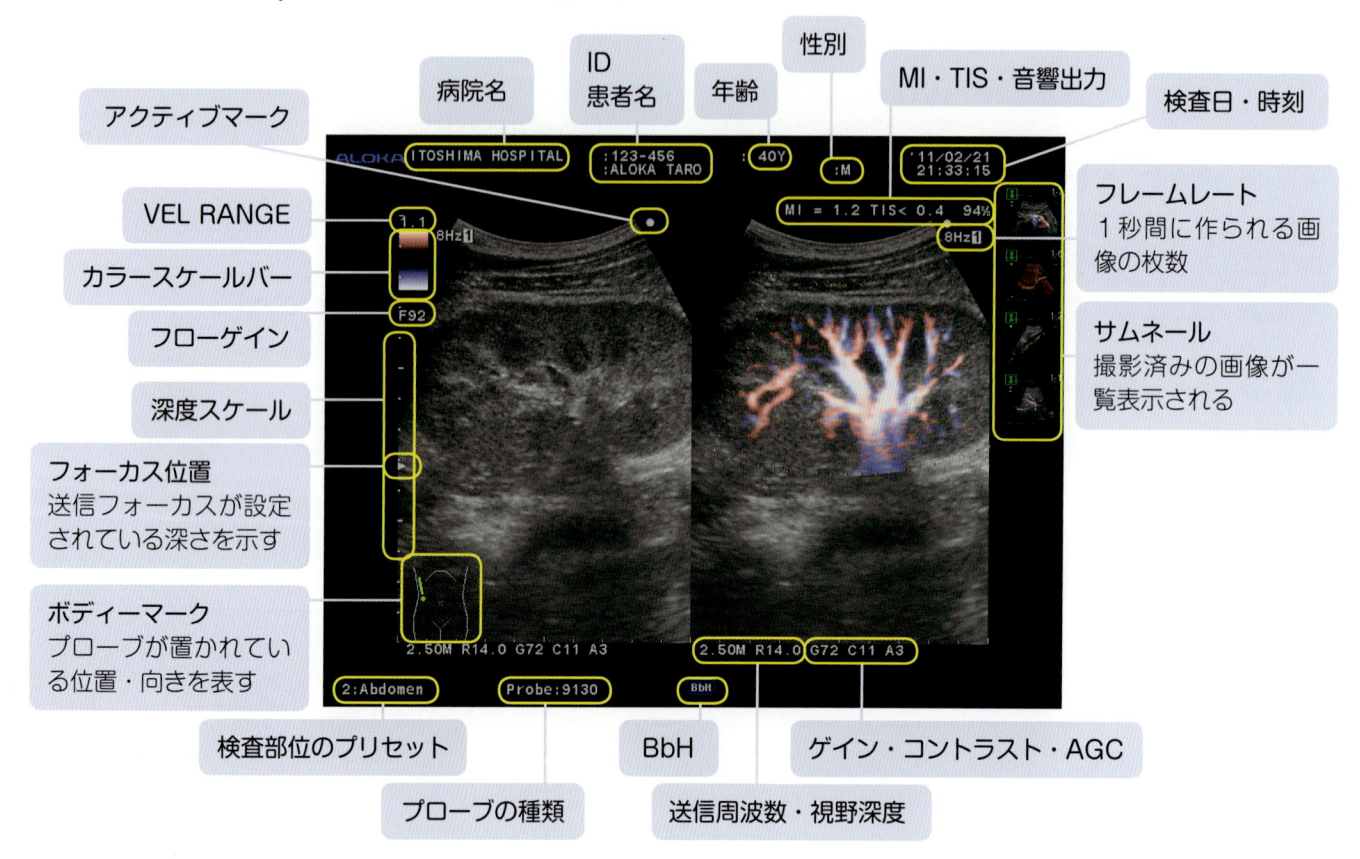

画面各部の名称：

- アクティブマーク
- VEL RANGE
- カラースケールバー
- フローゲイン
- 深度スケール
- フォーカス位置　送信フォーカスが設定されている深さを示す
- ボディーマーク　プローブが置かれている位置・向きを表す
- 検査部位のプリセット
- プローブの種類
- BbH
- 送信周波数・視野深度
- ゲイン・コントラスト・AGC
- 病院名
- ID 患者名
- 年齢
- 性別
- MI・TIS・音響出力
- 検査日・時刻
- フレームレート　1秒間に作られる画像の枚数
- サムネール　撮影済みの画像が一覧表示される

● アクティブマーク

プローブの当て方はいつも2通りあります。バラバラでは困るので，統一基準（73〜77ページ参照）があります。プローブを反対に持ち替えると画像は左右反転しますが，持ち替えなくてもパネル面のINVERTツマミでも反転できます。装置を起動したときのアクティブマークは上図のように画像の右上に表示されるように設定されています。このマークが左上にあるときはINVERT機能が働いています。

初心者にはプローブの片側だけについている突起（78，79ページ参照）を目印にしてプローブの方向を判断する人がいますが，画面上にあるアクティブマークはプローブの突起とは直接関係ありません。プローブを反対に持ち替えると画像は反転しますが，アクティブマークはそのままです。INVERTしていない状態ではプローブの突起とアクティブマークが一致している（同じ方向にある）ときが正しいプローブの持ち方になります。

● 検査部位のプリセット

プリセットが，どの臓器の条件になっているかを示します。たとえば，甲状腺を検査するときは高周波数のリニアのプローブを選択するのが一般的です。腫瘍が大きすぎるとリニアのプローブでは腫瘍全体をカバーできないので，サイズの計測を目的に一時的にコンベックスのプローブを使用することがあります。プローブを切り替えるとプリセット条件も腹部用に切り替わるので，通常は甲状腺のボディーマークは表示されません。あらかじめ，コンベックスプローブでも甲状腺のボディーマークが表示される組み合わせをプリセットの中に作成しておけば，このような用途にも対応します。その場合のプリセット名は「ThyroidCV」でいいでしょう。CVはconvexの略です。

● VEL RANGE（流速レンジ）

カラードプラ検査のときにだけ表示される数値です。血流は遅いものから速いものまで幅があります。パネル面の「VEL RANGE」と書かれた調整ツマミで表示範囲を調整します。調整した流速上限値がここに表示されます。単位はcm/秒です。表示する範囲を拡げすぎると遅い血流は表示されずに血管の中に色抜けが生じます。反対に表示範囲が狭いと，上限値を超えた信号は「折り返し現象（45ページ参照）」を起こすので，カラードプラ画像では反対方向の血流を示す色になります。

● BbH

BbH：broad band harmonicsの略です。超音波が生体中を進む間に発生する第2高調波（周波数が倍の超音波）を利用して，高解像度でアーチファクトの少ない画像を作る手法をティッシュ ハーモニックイメージング（THI）法といいます。その発展型がBbHです。

日立アロカでは一般にTHI（tissue harmonic imaging）と呼んでいる手法をTHE（tissue harmonic echo）と称しています。これは基本波と第2高調波が混在（実際は第3から上の高調波も含まれているが，利用できるのは第2だけ）している反射波から第2高調波を取り出すときにフィルターで基本波を取り除く手法です。それに対して，日立アロカが開発したExPHD（extended pure harmonic detection）は複数回の送受信でカラードプラに近い処理を行うことで，基本波成分は相殺除去され，第2高調波成分だけが抽出される手法です。一般的にはPhase Modulation法あるいはPulse Inversion法といわれています。短いパルスが出せることで距離分解能がTHEよりも向上します。ただし，複数回の送受信を行う必要があるので，THEに比べフレームレートは低下します。フレームレートが重視される検査（患者の体動や臓器の拍動が大きいなど）では選択を解除しましょう。

日立アロカでは，さらにプローブに加える刺激信号を工夫して広帯域な複合駆動信号（compound impulse）で送信し，広帯域な送信パルス波を作り出しています。この超音波から発生する第2高調波は通常よりも広帯域になり，距離分解能・感度・深部到達度などで優れています。

BbHとはcompound impulseで送信し，ExPHDで処理する技法に対してつけられた名称です。compound impulseを送信できるプローブは限られています。prosound α7ではcompound impulseを送信できるプローブを接続してExPHDを選択したときにモニタ画面の下にBbHと表示されます。上位機種であるprosound F75ではすべてのプローブがcompound impulseを送信できるので，あらゆる検査でBbHに対応しています。

● AGC

一般にAGC：automatic gain control は自動的に感度を調整するという意味ですが，アロカのAGCはDelayed AGCといわれるEdge Enhance（辺縁強調処理）をいいます。AGCを強くかけると辺縁が強調され，立体感をもった画像になります。

prosound α7では15段階でAGCを調整するようになっています。

● プローブの種類

prosound α7には腹部用，表在性臓器用，心臓用，産科・婦人科用，泌尿器科用，術中用などを合わせて，合計48本のプローブが用意されています。前出画像の9130というのは2〜6MHzをカバーするコンベックス型のプローブで，先端の円弧部分の曲率半径は60mmです。

〈 東芝　Aplio XG の場合 〉

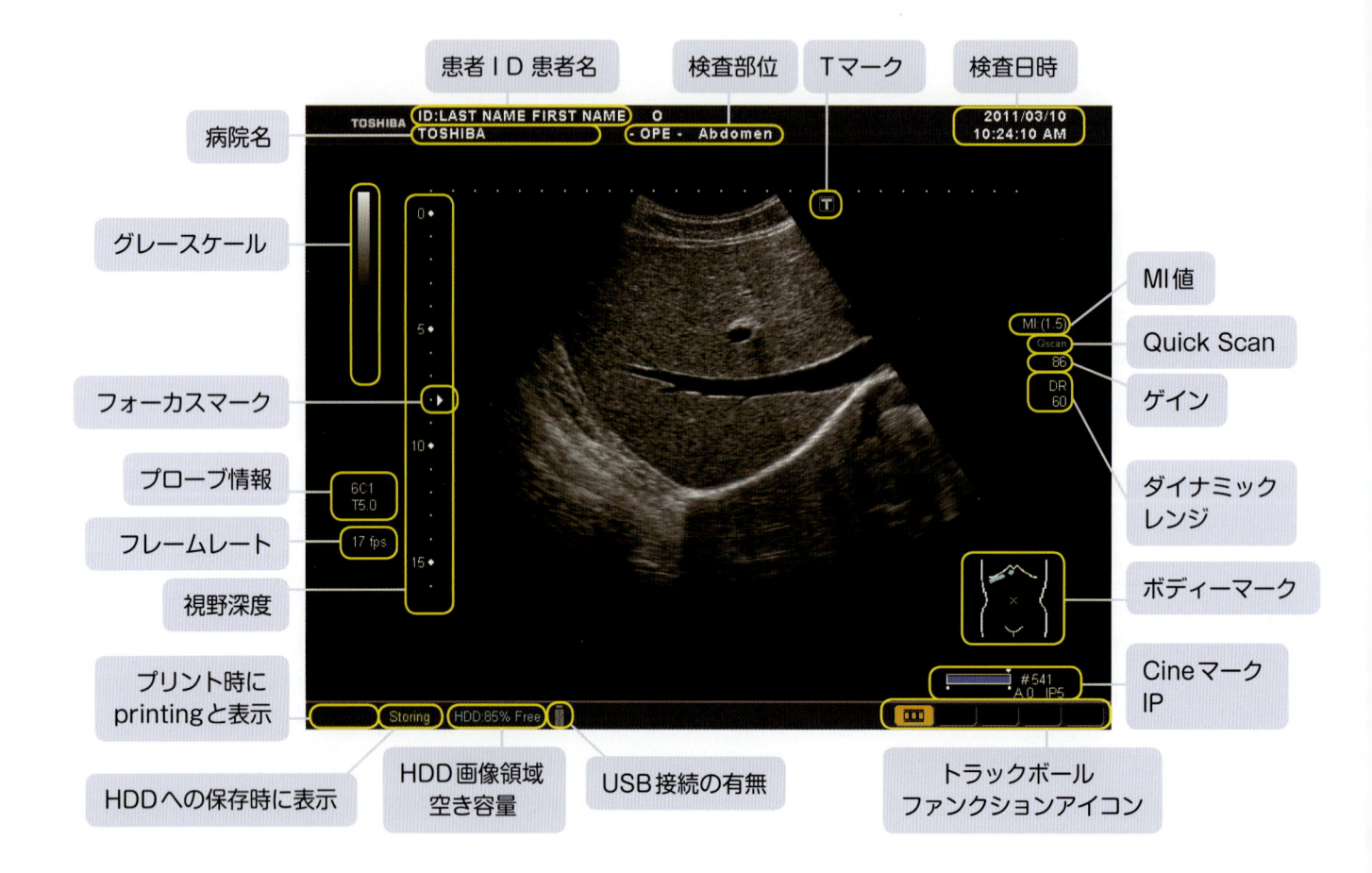

図中ラベル：
- 病院名
- グレースケール
- フォーカスマーク
- プローブ情報
- フレームレート
- 視野深度
- プリント時にprintingと表示
- HDDへの保存時に表示
- HDD画像領域空き容量
- USB接続の有無
- 患者ID 患者名
- 検査部位
- Tマーク
- 検査日時
- MI値
- Quick Scan
- ゲイン
- ダイナミックレンジ
- ボディーマーク
- CineマークIP
- トラックボールファンクションアイコン

● プローブ情報

使用中のプローブ情報の表示は以下のとおりです。
　マルチ周波数上限値 / プローブの種類 / マルチ周波数下限値
1本のプローブで周波数を複数切り替えて使用することができます。そのため，切り替えることが可能な周波数の上限値と下限値を表示しています。
また，プローブは種類によって以下のように表示されます。
　S：セクタプローブ
　C：コンベックスプローブ
　L：リニアプローブ
　P：ペンシルプローブ
使用中のプローブ情報の下には現在の周波数が表示されています。周波数の値の前に表示されるローマ字は以下を示しています。
　T：THI（ハーモニックイメージング）が設定されていることを示す
　H：CHI（造影剤を用いたハーモニックイメージング）が設定されていることを示す

● Tマーク

標準状態ではTマークは超音波画像の右上に表示されます。タッチパネルにある画像を左右反転させるボタンを押すと，このマークは反対側（左上）に移動します。標準状態では，横断スキャンはプローブグリップにある細長い隆起が患者の左側になるようにプローブを置きます。縦断スキャンは隆起側を尾側（足側）に置きます。なお，TはToshibaの頭文字です。

● IP（イメージプロセス）

IPは，あらかじめダイナミックレンジやエッジ強調，Precision Imagingなどの画質条件を設定，保存しておく機能です。IPを複数個保存することができるので，検査の途中や患者ごとに画質条件を変更するときに，瞬時に条件を変更できる便利な機能です。画面には現在使用しているIPの番号が表示されています。

● Cine マーク

画像をフリーズすると，フリーズ直前の画像を再生することができます。この機能を Cine 機能と呼びます。Cine機能により，フリーズ時に画像が少しぶれてしまっても，直前のきれいに描出できた時点での画像を保存することができます。Cineマークは現在表示されている画像のフレーム番号を表示しています。

● トラックボールファンクションアイコン

トラックボールでは周囲のリング部分の回転機能も用いることで，数種類の機能を操作できます。現時点で操作可能になっている機能が，画面右下にあるトラックボールファンクションアイコンに表示されます。
トラックボールファンクションアイコンの一例を以下に示します。
・Cine機能：コマ送り再生や連続再生といった操作をすることができます。
・カラードプラの表示範囲（ROI）：カラードプラを表示させる範囲の位置やサイズを変更することができます。
・ボディマーク：ボディマークの位置を変更できます。
・サンプルゲート：ドプラモードのサンプリングゲートのサイズを変更することができます。

● ボディーマークの操作法

画像上にボディマークとプローブマークを示しておくことで，検査部位がわかりやすくなります。ボディマークはタッチパネル上で選択し，Mark Moveボタンを押すと，トラックボールで画面上の表示位置を移動することができます。学会発表などでスライドを作成することを考えると，Tマークの近くに移動したほうがいいでしょう。プローブマークはトラックボールで位置を移動させ，トラックボールの左側にあるダイヤルで向きを回転させます。

● Quick Scan

均一な濃度の画像を得るためにはゲイン，STCの調整が必要です。また，カラードプラ検査で流速情報を得るときは流速レンジ，基線を調整（ゼロシフト）しないと折り返し現象が生じて観察しづらくなります。Quick Scanはこれらの操作をワンタッチで最適化するしくみです。

用語の解説 -1

医学用語のうち，この本で頻繁に用いている解剖に関する用語と超音波に関する用語についてまとめて説明します。誤解を避けるために特殊な言い回しをするものもあります。解剖用語は医師には常識の用語ですが，本書はパラメディカルの人も対象にしていますので，ここにまとめてみます。

● **頭側（とうそく）・尾側（びそく）**

世間一般の日本語では「あたまがわ・あしがわ」です。頭側は頭に近い方向と言う意味です。似たような表現で上側（うえがわ）というのがあります。上側というと，立った状態では頭側と同じ意味になりますが，寝た状態では次に説明する腹側と混同します。頭側というと体位に関係なく，「あたまがわ」とわかります。

尾側は頭側の反対です。足側といわずに尾側といいます。皮膚の知覚分布から考えると，人間で最も下は足先ではなくて，臀部の先端だそうです。

手足では「近位側（きんいそく）」「遠位側（えんいそく）」という表現をします。

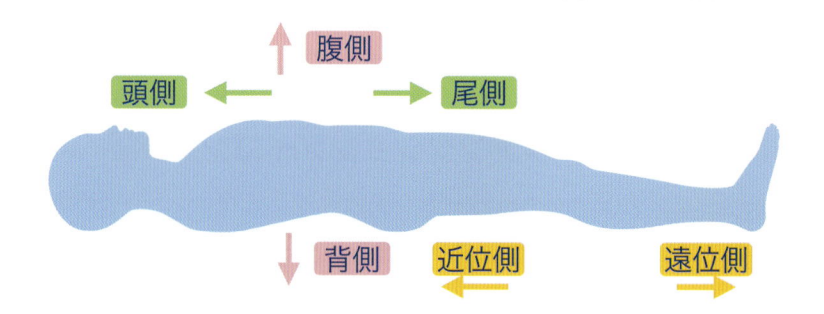

● **腹側（ふくそく）・背側（はいそく）**

「おなかがわ・せなかがわ」です。仰向けに寝た状態（仰臥位）では腹側は上側と言っても同じことになりますが，立った状態では上側は頭側を指します。体位に関係なく表現するために腹側・背側と表現します。

● **仰臥位（ぎょうがい）・腹臥位（ふくがい）**

「あおむけ・うつぶせ」です。「よこむき」は側臥位です。「左側臥位」とは左を下にした横向きです。最近は「仰向けに寝てください」というと，うつ伏せに寝ようとする人がいます。こちらも慌てて「上向き，天井向きです！」などと叫んでしまいます。

● **心窩部（しんかぶ）・季肋部（きろくぶ）・正中（せいちゅう）**

「心窩部」と「右季肋部」，「左季肋部」は部位を表わし，「正中」は体の中心線という位置を表わします。

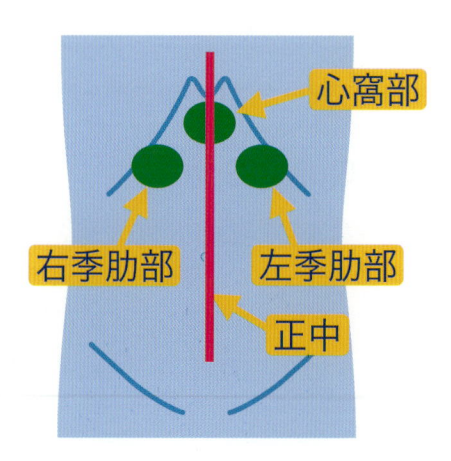

● 口側・肛側（肛門側）

英語ではoral, analです。消化管内での位置関係を表わすときに用います。たとえば大腸内にポリープが2個あると，「大きいほうは小さいほうの5cm口側にある」などといいます。日本語の発音はどちらも同じなので注意が必要です。

● 末梢側

肝内胆管に結石があるときに「S_3の肝内胆管に5mmの結石があり，末梢側の胆管は拡張している」などといいます。肝外胆管で末梢というと「十二指腸乳頭部」と間違われることがあります。私は胆汁の流れに主眼をおいて，「上流側」という表現をすることがあります。これだと肝内でも肝外でも間違われません。

● 横断像・矢状断像・前額断像

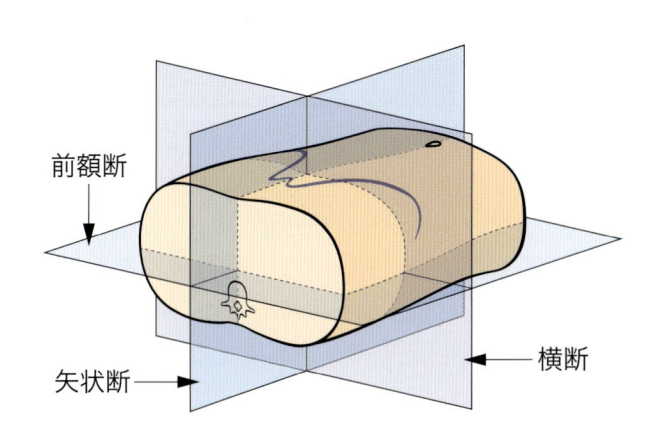

前額断
矢状断
横断

超音波検査は骨やガスに邪魔されなければ，あらゆる方向の断面像を描出できます。以前のCTは横断像しか得られなかったので，あらゆる方向の断面像が得られることは超音波検査の利点の1つに数えられていたのですが，最近のマルチスライス方式のCTでは再構成することであらゆる方向の断面が得られるので，この点においては超音波の優位性はなくなりました。

CTでは広範囲の画像が得られるのに対し，超音波ではプローブの形態に応じて視野が狭いのが欠点です。また，CTでは骨やガスの影響を受けないという長所があります。

超音波検査で前額断を撮るのは腎臓や脾臓を脇腹からスキャンするときですが，肋骨を避けるために角度を付けるので完全な前額断像ではありません。

セクタ電子プローブを使えば，右側腹部から肝臓の正確な前額断像が得られます（左下図）。

前額断像

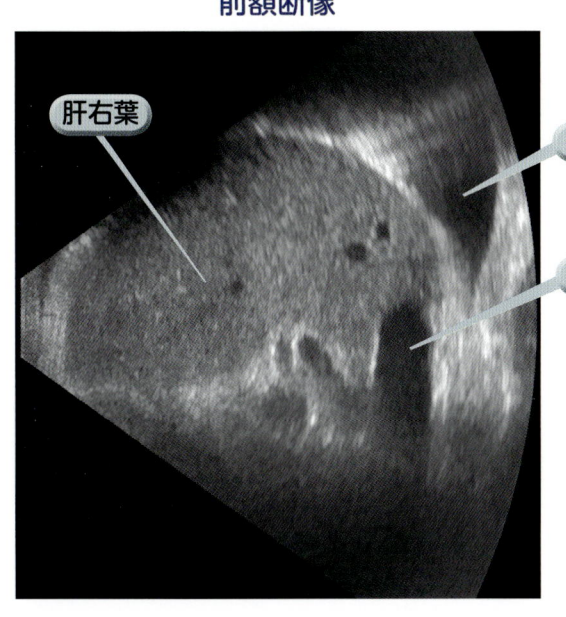

肝右葉
右胸水
下大静脈

セクタプローブで右側腹部からスキャンして得られた前額断像です。通常の表示法を変更して，マルチスライスCTで再構成して得られる前額断と同じ向きにしています。この方向のスキャンは，先端が細くて肋間腔に入るセクタ方式のプローブでしかできません。

右胸部に少量の胸水が貯まっています。

🔵 強エコー

英語ではstrong echoです。文字どおりに強いエコーを示す用語です。具体的には胆石，腎結石，肝内の石灰化などに使います。画面上では真っ白に見えます。最も強い「強エコー」は空気からのエコーです。具体的には，肝内胆管内に空気がある（胆道気腫）と点状に真っ白く見えます。弱エコーという用語はありません。

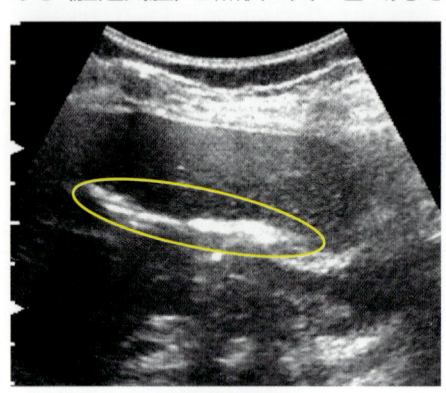

胆道気腫 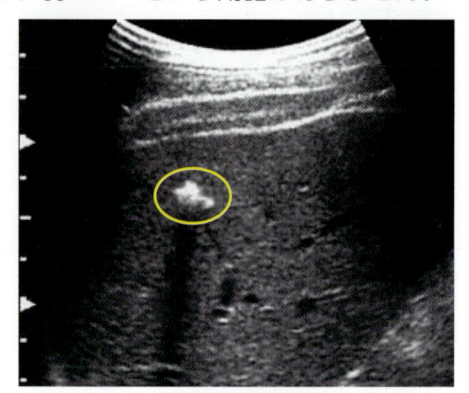　　　　　　　　　　肝内石灰化

🔵 高エコー

英語ではhyperechoic, high echo, echo richです。周囲の組織よりは明るく（白く）見えるものの頭につける形容詞です。たとえば「高エコーの腫瘍がある」といいます。具体的には肝臓の血管腫の大部分は高エコーの腫瘍です。腎臓にみられる血管筋脂肪腫も高エコーに見え，転移性肝臓癌の一部も高エコーに見えます。稀な症例ですが，副腎にできる骨髄脂肪腫も高エコーに見えます。

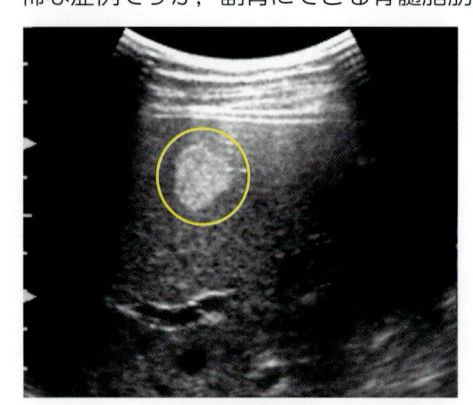

肝血管腫 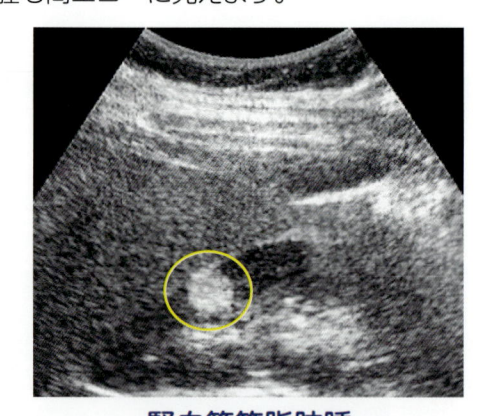　　　　　　　　　　腎血管筋脂肪腫

🔵 等エコー

英語ではisoechoicです。周囲の組織とエコーの強さが等しいものの頭につける形容詞です。しかし，完全に等エコーであれば，腫瘍の存在に気付きません。「辺縁低エコー帯」を伴っていると腫瘍の存在がわかります（199ページ参照）。腫瘍の大部分が周囲の正常部分と同じエコー強度であれば「辺縁低エコーを伴った等エコーの腫瘍」と表現します。

脾門部に副脾が見えることがあります。副脾は脾の分身ですから，エコーレベルやエコーパターンは脾と全く同じです。この場合は「脾と等エコーの腫瘤が脾門部にあるので副脾と診断する」と表現します。

低エコー

英語ではhypoechoic, low echo, echo poorです。周囲の正常組織と比較してエコーの強さが弱ければ低エコーと表現します。弱エコーとはいいません。

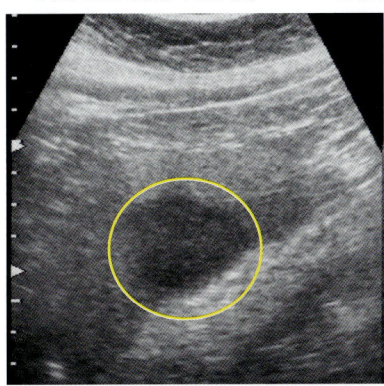

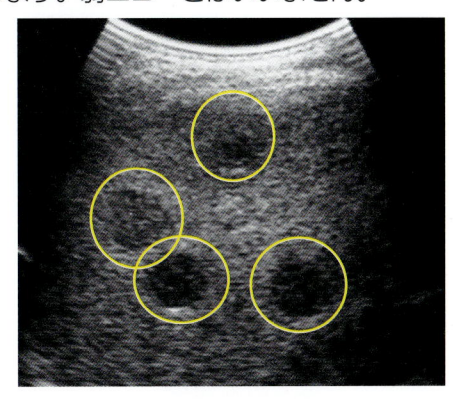

脂肪肝のspared area　　　　膵癌の肝転移

無エコー

英語ではecho free, anechoic, sonolucentです。日本語でエコーフリーと書くことが多いです。嚢胞は中身が液体でできているので内部から超音波の反射がなくて真っ黒に見えます。これを無エコーと表現します。嚢胞であっても，内部に出血していたりして濁っていると，微弱なエコーが見えます。つまり，無エコーに見えない嚢胞があります。嚢胞内部に多重反射アーチファクト（175ページ参照）が重なっていても無エコーには見えません。腹水・胸水も無エコーです。

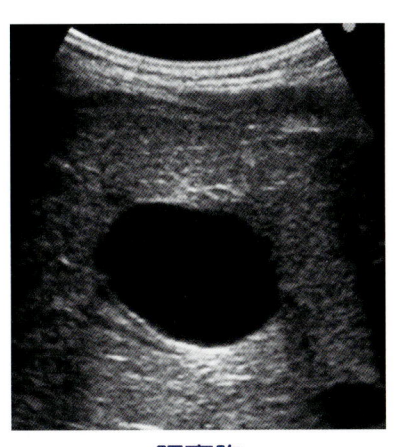

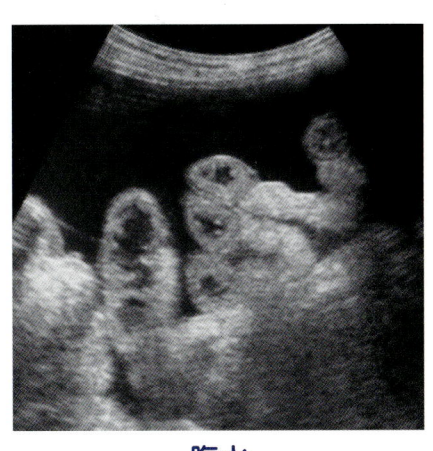

肝嚢胞　　　　腹水

充実性

腫瘍の成分が液体以外のときに充実性腫瘍といいます。悪性腫瘍（癌・肉腫）と良性腫瘍とがあります。良性でも悪性でも大きくなると内部は血流不足になって変性します。出血を起こすと，その部分が嚢胞のように無エコーになります。

嚢胞性

腫瘍の成分が液体のときに嚢胞性腫瘍といいます。原則的に良性腫瘍です。例外は嚢胞の壁が肥厚していて，そこに癌がある嚢胞腺癌です。嚢胞は急激にサイズが変化することはありませんが，徐々に増大することはあります。

用語の解説-2

超音波検査で所見を表現する用語を超音波画像上に表示してみました。かなり簡略化し，また実際より明瞭に描いています。ほとんどの用語は本文中で解説していますので，そのページ番号を横に示しています。
青色で書いてあるのは診断名や解剖名です。

辺縁低エコー帯　p.191
腫瘍の辺縁にある暗い帯。膨張性に発育する腫瘍に見られる

brighit liver　p.202
脂肪肝で肝臓のエコーレベルが高くなり，白く輝く状態

コメット様エコー　p.147
彗星の尾のような形のエコー。微細な壁内結石やポリープの後方にみられる

多重反射　p.36
腹筋で超音波が往復してできる人工産物

サイドローブアーチファクト　p.38
プローブから斜めに出る超音波が作る像。胆嚢に接している腸管ガスに当たったサイドローブは強いエコーを作り，それが胆嚢内に虚像を作るのが代表

bull's eye　p.200
厚い被膜が縁取っている腫瘍で見られる。転移性癌に多い

parallel channel　p.250
拡張した肝内胆管と門脈が並走してできる

ガスシャドー　p.142
消化管ガスの後方にみられるシャドー。徐々に弱まり無エコーになる

肝内胆管結石　p.216

胆石　p.110

無エコー　p.67
エコーがなくて真っ黒に見えること

音響陰影　p.110
結石が超音波をさえぎるので背後が無エコーになる

高エコー　p.66
エコーが強くて周囲より明るく見えること

腎髄質　p.260
腫瘍と間違いやすい

腎結石　p.270

鏡面効果　p.44
肝内の腫瘍が横隔膜をはさんで肺内に投影される。横隔膜で超音波が反射されてできる

後方エコーの増強　p.174
嚢胞内では超音波が減衰しないので，嚢胞の背後のエコーが相対的に強くなり，白っぽく見える

ベルタン柱　p.280
腎皮質が腎洞部に向けて突出したもの。腫瘍と間違われる

傍腎盂嚢胞　p.266
腎洞部にあるので，軽い水腎症と間違われる

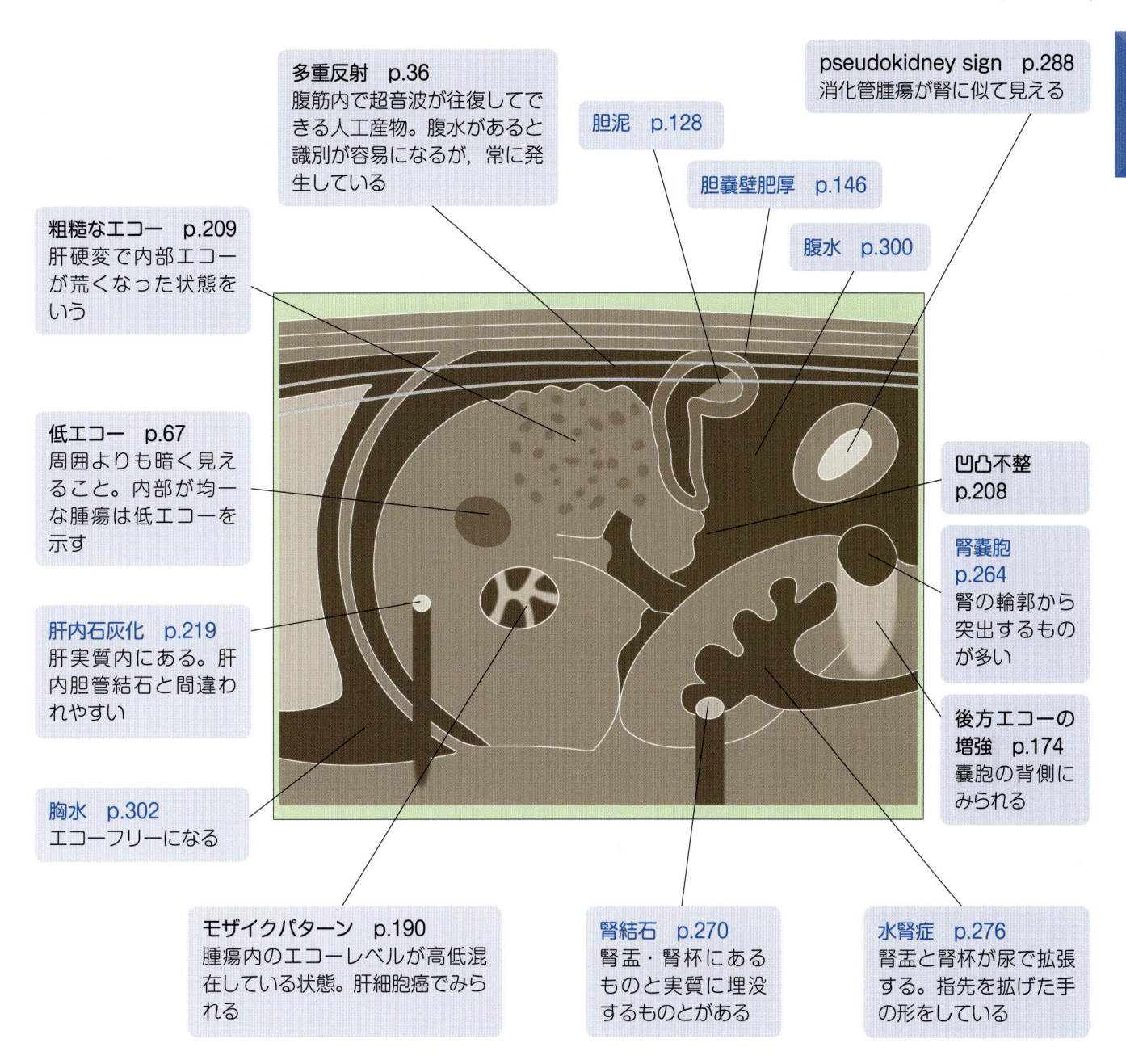

総論

所見	ページ	説明
粗糙なエコー	p.209	肝硬変で内部エコーが荒くなった状態をいう
多重反射	p.36	腹筋内で超音波が往復してできる人工産物。腹水があると識別が容易になるが、常に発生している
胆泥	p.128	
胆嚢壁肥厚	p.146	
pseudokidney sign	p.288	消化管腫瘍が腎に似て見える
低エコー	p.67	周囲よりも暗く見えること。内部が均一な腫瘍は低エコーを示す
腹水	p.300	
凹凸不整	p.208	
腎囊胞	p.264	腎の輪郭から突出するものが多い
肝内石灰化	p.219	肝実質内にある。肝内胆管結石と間違われやすい
後方エコーの増強	p.174	囊胞の背側にみられる
胸水	p.302	エコーフリーになる
モザイクパターン	p.190	腫瘍内のエコーレベルが高低混在している状態。肝細胞癌でみられる
腎結石	p.270	腎盂・腎杯にあるものと実質に埋没するものとがある
水腎症	p.276	腎盂と腎杯が尿で拡張する。指先を拡げた手の形をしている

MEMO　所見名で診断名の代用

たとえば「肝外胆管の拡張」というのは所見であって、病名ではありません。発熱というのが徴候であって病名ではないのと同じです。肝外胆管の拡張を起こす疾患としては膵頭部癌、総胆管癌、胆管結石などがありますが、右季肋部にガスが多ければ、超音波ではこれらの診断を確定できません。ガスが多くても上部肝外胆管（総肝管）は観察できるので、肝外胆管が拡張していることは判断できます。超音波検査では診断名を書かずに所見でとどめることは珍しくありません。超音波で胆管の拡張があることがわかれば、次にガスの影響を受けないCTやMRで検査をするので十分です。最終診断がわからなくても可能性を絞れることは重要です。

超音波造影法

超音波造影法は特殊な分野です。造影剤として超音波を強く反射する空気の細粒（気泡）を使います。通常のBモード法の装置でもある程度の結果は得られますが，コントラストハーモニックイメージング法ができる最近の装置でないと満足できる検査はできません。

私が多用している診断装置ではハーモニックイメージングができません。造影エコーが必要な領域は造影CTやMRがある程度カバーしてくれますが，使用している診断装置が更新されたら，トライしてみたい分野です。

本書は対象を初心者に限っているので，必要ない項目ではありますが，文献上で知り得たことを紹介してみたいと思います。

① 検査装置

ハーモニックイメージング法が行える装置が流通し始めたのは2000年頃からです。その後，ハーモニックイメージング法には多くの改良・工夫が加えられ，より高解像・高感度になっています。

② 造影剤

1999年に認可された第一世代の超音波造影剤であるレボビストは不安定な物質で，超音波を照射すると気泡が弾けて消失するものでした。これはX線を用いた血管造影にたとえれば，透視しようとX線を出すと造影剤がみるみる分解して消えてしまうということです。

2007年に保険で使用が認められた第二世代の超音波造影剤であるソナゾイドは安定性が向上して，はるかに使いやすくなりました。照射する超音波の強さを調整すると気泡が壊れずにハーモニックエコーを出し続けるので，長時間の観察が可能です。肝臓のクッパー（Kupffer）細胞に貪食される性質があることもわかっています。ただしソナゾイドは高額です。上腹部の超音波検査料金の2.5倍します。

推奨投与量は添付文書では体重60kgの成人で0.9mLですが，0.5mLでも十分な造影効果が得られるようです。

③ 腹部での造影検査の意義

心臓エコーではカラードプラ法で血流の状態を観察しています。腹部領域ではカラードプラ法で太い血管の血流情報は得られますが，腫瘍の栄養血管の情報は血管が細いために得られません。そこで，腫瘍の内外の血流を可視化する造影剤が求められていました。悪性腫瘍は一般的に腫瘍を栄養する動脈が発達しており，その流速が早いことが知られています。ですから，肝細胞癌の場合は超音波造影剤を投与すると早期に腫瘍全体に造影剤が取り込まれます。周囲の肝臓組織にも取り込まれる頃には腫瘍内の造影剤は流出して，周囲よりも造影剤によるエコーが少なくなります。良性腫瘍の代表である血管腫では血流が遅いので，造影効果は辺縁部から徐々に始まり，腫瘍内に長い時間とどまります。

この血行動態はX線を用いた血管造影では古くから知られていたことです。それをほとんど侵襲なしに，断層像で知ることができるのが超音波造影法です。ただ，血管造影では腫瘍内の血管が癌により侵食を受けてギザギザになっている状態までわかりますが，超音波造影法ではそこまでの細かい血管の形態はわかりません。

超音波造影法と似たような所見はマルチスキャンができるCTでも得られます。超音波造影法はX線の被曝がないことやヨード系造影剤のような副作用がないのはメリットですが，肋骨やガスの影響を受ける部位では検査できません。

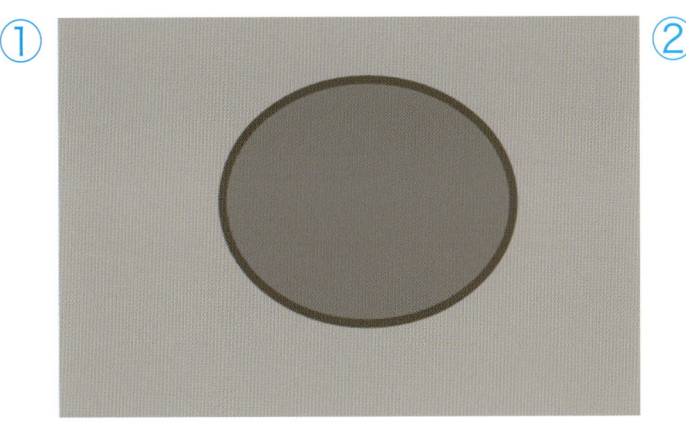

① 造影剤を注入する前の肝細胞癌です。もちろん，血管は見えません。

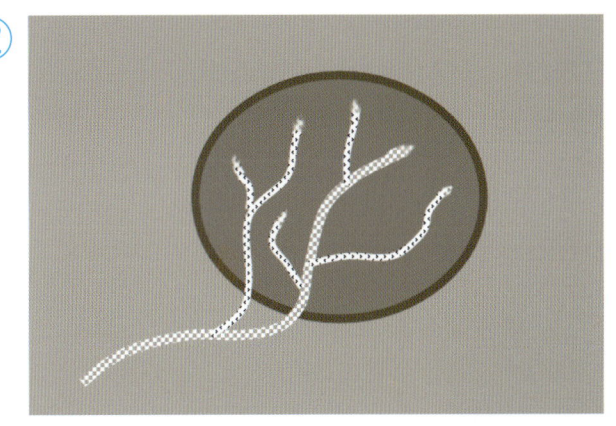

② 造影剤の注入開始後15〜20秒に肝細胞癌を栄養する動脈および腫瘍内の新生血管（腫瘍血管）が白く見えてきます。

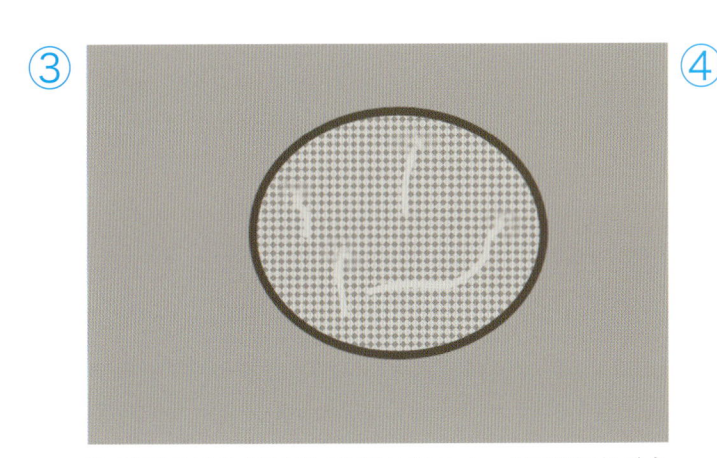

③ 造影剤の注入開始後20秒位経つと，肝細胞癌が全体的に染まり始め，高輝度のエコーで塗りつぶされます。このときに壊死部や隔壁は造影されずに残ります。

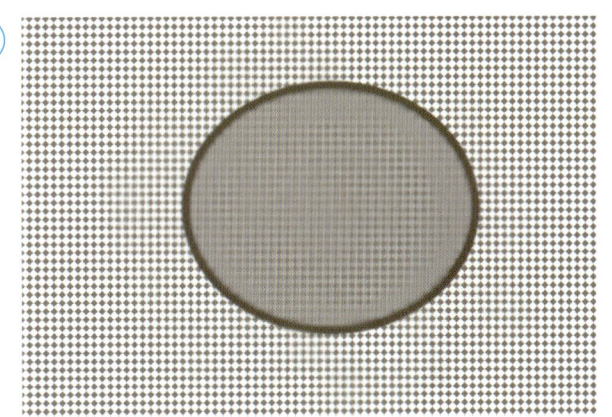

④ 10分位経つと，腫瘍内は淡い造影剤を残して不均一な造影欠損に見えます。周囲の正常肝のクッパー細胞に取り込まれた造影剤が高輝度に見えてきます。

ソナゾイドで造影エコーを行うときは超音波の出力を絞って（MI値で0.2〜0.3），気泡を壊さないように観察します。

a．肝細胞癌では造影剤の注入開始後15秒位から腫瘍全体が濃染（早期濃染）されます。60秒後位から気泡は流出し始め，10分後のクッパーイメージングでは一部に淡い造影を残して不均一な造影欠損になります。

b．転移性肝癌では辺縁に微細な新生血管が増生しているのがみられますが，中心部は辺縁よりも造影が弱いままです。腫瘍が10mm以下と小さいと動脈相や門脈相では存在がわかりません。10分以降のクッパーイメージングでは造影欠損領域として検出されるので，この時相では2mmの転移性肝癌もわかるという文献があります。

c．血管腫では辺縁から中心部に向けて徐々に濃染されていきます。これは血管腫内の血流が緩徐なためです。気泡の流出にも時間がかかります。10分後のクッパーイメージングでも，まだ内部は周囲の肝と同じように造影されたままです。この所見から癌と区別できます。

腫瘍内に造影剤が充満して全体が真っ白になったときは音圧を高めて（MI値で1.0以上）スキャンすると，気泡が一気に高エコーを出して（フラッシュ）壊れ，暗くなります。そして，その後に流入してくる気泡で，ふたたび腫瘍内部を観察することができます。

プローブ操作のコツ

圧迫

横隔膜直下を肋骨弓下から観察するためには，肋骨弓にプローブを押し込むように圧迫して，超音波ビームが頭側に向かうように強く傾けます。この操作は患者が太っているとできません。膵の検査では少量の消化管ガスが邪魔しているときに圧迫すると，ガスが移動して視野から消えて膵が見えることもあります。

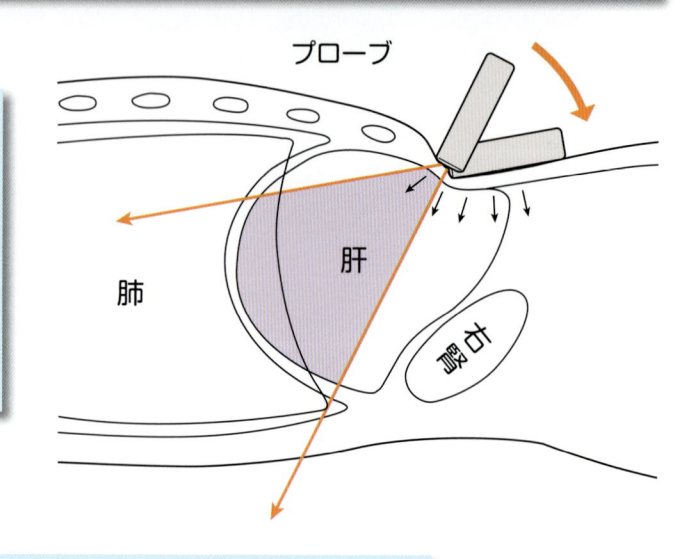

扇動操作

プローブを扇ぐように動かすことによって，画面に表示される体内構造物の連続性を観察します。たとえば，画面に丸い像が出現しているとき，それが血管みたいな円柱状のものの断面であれば，扇動操作をすると円形の連続として追えます。また，円形の位置の変化から円柱の長軸方向が推測されます。嚢胞のように球形をしたものの断面であれば，プローブを少しでも傾けると丸い像は消えてしまいます。

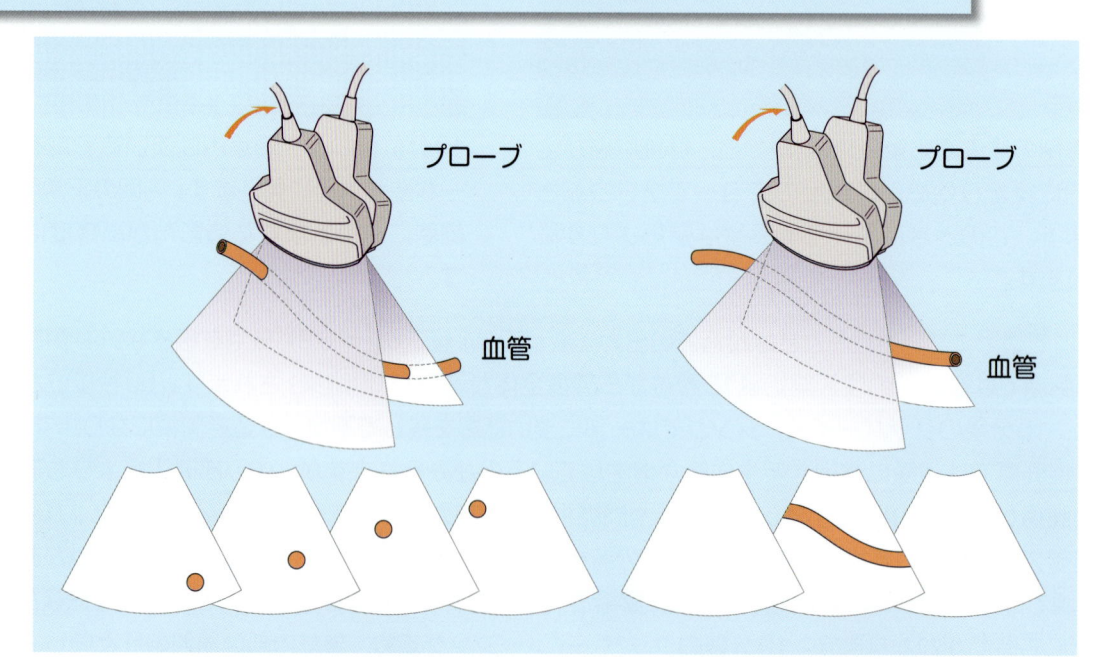

プローブと血管が交差
プローブの長軸が血管の走行と交差すると，扇動操作の間，血管の断面が連続的に少しずつ移動します。

プローブと血管が並行
プローブの長軸が血管の走行と平行だと，扇動操作の途中で血管が細長く描出される場面があります。

超音波画像の表示方向

超音波画像を記録するときに，画像のどちらをフィルムの右側に表示するかについては2通りが考えられます。各自が勝手に表示しては混乱するので，統一すべきです。

胸部X線フィルムは患者と向かい合うように見る（向かって右が患者の左肺）のが約束です。心電図は左から右に記録します。しかし，超音波画像の表示方向は今でも混乱しています。

私が行っている表示法（最もスタンダードな方法です）を次に紹介します。

横断スキャン像はCTと同様に被検者の足のほうから見上げたように表示します。

縦断スキャン像は被検者の頭側を画面の左に表示します。なぜなら，検者の位置から被検者を見ると，頭が左側にあるからです。

左腎は右腎と対称的に表示し，脾も肝と対称的に表示します。反対に表示する人もいます。このことは次ページで解説します。

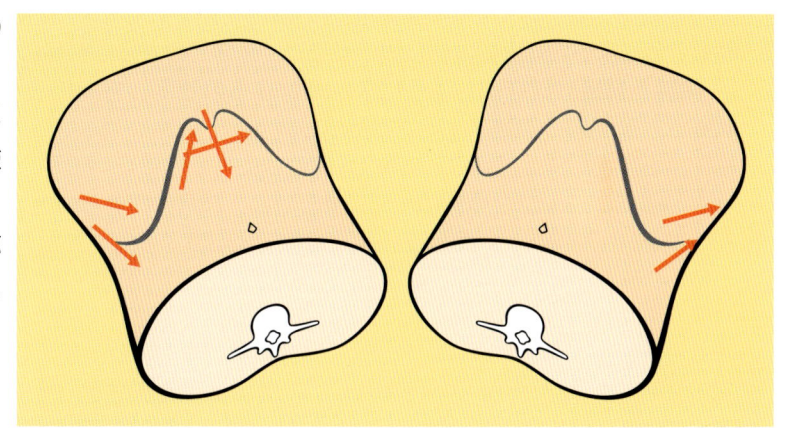

上図の赤い矢印は代表的なスキャン方向を示しています。矢印の先端が画面の右になるような向きに表示します。私は腹臥位（うつ伏せ）ではスキャンしていません。腎臓の検査も仰臥位で行います。ときに脇腹を少し持ち上げてもらうだけで十分検査できます。

肝臓の肋間スキャンの断面はCTの横断面を時計方向に約40度回転させたものと考え，肝臓の肋骨弓下スキャンの断面は反時計方向に約30度回転させたものと考えます。つまり，横断像の応用（変法）と解釈します。

CTの横断像は被検者の左側を画面の右に表示しますから，肋間スキャンや肋骨弓下スキャンも被検者の左側に近いほうが画面の右側になるように表示するのです。

腎臓や脾臓の肋間スキャンも同じように考えます。基本は横断像の表示方法です。

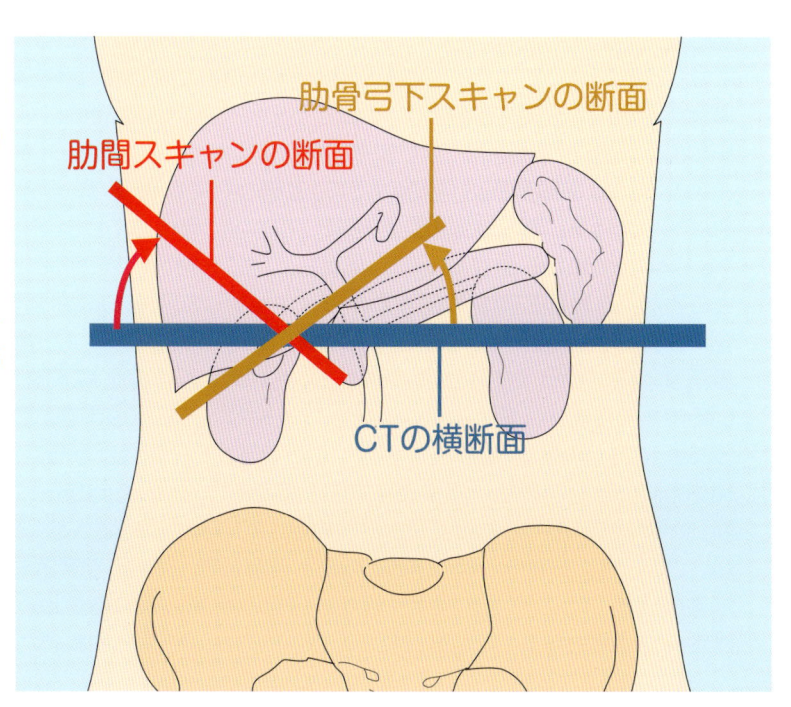

左腎と脾臓の表示方向について

左腎と脾臓の超音波画像の表示方向に関しては，私が解説した方法とは左右反対に表示する超音波解説書や医学雑誌があります。特に左腎に関しては上極を画面の左側に表示しているものがほとんどです。
まず，私が現在の方法を採用している理由から説明します。

① 腎臓は左右に対称に存在するので，画像を表示するときは対称にする

左右対称の臓器は対称に表示する。この考えはマンモグラフィでも採用されています。側面画像も上下画像も1枚のフィルム（あるいはモニタ画面）に左右の乳房を対称に並べて表示します。腎臓を側腹部からスキャンして得られる長軸像は画面上で軽く傾いており，どちらの腎臓も下極側が浅くなっています。これは両腎とも下極側が外側を向くように開いている（ハの字型をしている）からです。この長軸像を左右対称に表示すると，たとえボディーマークが付いていなくても腎臓の長軸の傾きを見ることで，左右どちらの腎臓か判断できます。左腎の上極側を右腎と同じように画面の左側に表示すると，画像だけからは腎臓の左右を判断できません。

② 脾臓と腎臓はほぼ同じようにスキャンするので同じ方向に表示したい

脾臓は左肋間腔の肋間スキャンで描出します。その時点でしばしば左腎の上極が見えています。脾臓は肝臓と対称に存在するので，肝臓と，対称（肝臓とは反対の向き）に表示するのが自然で理解しやすいと思います。脾臓の検査の後でプローブを尾側の肋間にずらすと，左腎の長軸像が見えてきます。左腎は脾臓の肋間スキャンの延長でスキャンしています。脾臓を肝臓と対称に表示するので，左腎も右腎と対称に表示することになり，①の考えと一致します。

日本超音波医学会が1994年に出版した『超音波診断』第2版には「2．超音波断層像の表示方法」という項目があり，915ページで「縦断面像（矢状面像）については被験者の右側から見る形，すなわち被験者の尾側が画像の右に位置するように表示する」と書かれています。また，「前額断面（前面平行画像）については，前，後面いずれの面よりの場合も被験者の頭部は上に，左側が図の右に位置するように表示する。なお斜め方向の断層面に関しては特に規定しないが，横断面像に近い角度のものは横断面像に，より縦断面像に近いときは縦断面像のそれに準じて行う」とも書かれています。左腎や脾臓といった具体的な臓器名の記載はありません。この表示方法は2000年に刊行された日本超音波医学会編の『新超音波医学 第1巻 医用超音波の基礎』の211ページにそのまま引き継がれています。

私は左腎や脾臓は肋間スキャン（左腎は前額断面の要素が加わる）で検査すると考えており，縦断面像（矢状面像）ではないと理解しています。縦断面像（矢状面像）とは胆嚢と肝左葉ならびに膵臓の縦断スキャン像のことです。脾臓の検査は『超音波診断』のいうところの斜め方向の断層面になります。左腎は側腹部からスキャンするときは斜め方向に近い前額断面になります。腹臥位になって背側からスキャンするときだけ縦断面像になります。

上の記載では前額断面は「頭部は上に」と書かれていますが，頭部を上にするためには画像を90度回転させなければなりません。回転する機能を搭載していない機種もあります（上の記載のように表示した左腎の前額断像を右ページの上方に示します）。また，搭載していても腎臓の検査のときだけ画像を回転させるのは不便です。

ところが，左腎の長軸像は側腹部からスキャンした画像も縦断面像と考えて，右腎と同じように画面（画像）の左側に左腎の上極を表示する解説本が増えています。さらに，『超音波診断』に従って，左腎の上極を画面の左側に表示するのだから，左腎とほぼ同様にスキャンする脾臓も横隔膜側を画面の左側に表示するという考えを述べている本もあります。そのような例を右ページの下方に示します。これは縦断面像の解釈を間違えています。『超音波診断』のいう縦断面像は矢状面像のことですから，側腹部からスキャンする左腎は含まれません。

斜め方向の断層面は超音波検査特有のものであり，どの方向が正しいと決められるものではありません。『超音波診断』や『新超音波医学』も臓器ごとには規定していません。従って，どの方法が正しいと主張できるものではありません。このように2通りの考えがあるのだと理解して，どちらで表示されても理解できるようにすればいいでしょう。本書の読者がどの方法を採用するかは各自の所属しているグループが採用している方法に従うのがベストです。グループに属さず1人で勉強される方は，私の方法で習熟されることをお勧めします。

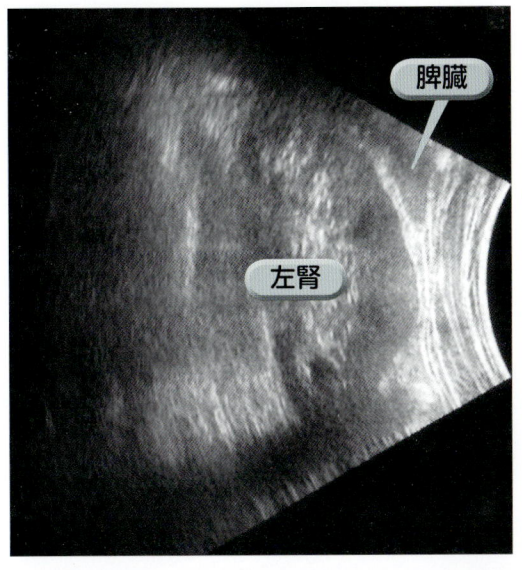

『超音波診断』における「前額断面で被験者の頭部を画面の上に表示する」とは左図のように表示することです。これは左側腹部にプローブを置いて左腎をスキャンしています。コンベックス型のプローブでは肋骨が邪魔するので，完全な前額断面ではなくて，少し肋間スキャンの要素が加わっています。

肝臓の完全な前額断面像は65ページに示しています。
左の画像はパソコンソフトで回転させていますが，画像の回転機能をもった超音波診断装置もあります。しかし，腎臓の検査で回転させるのは実際的ではありません。

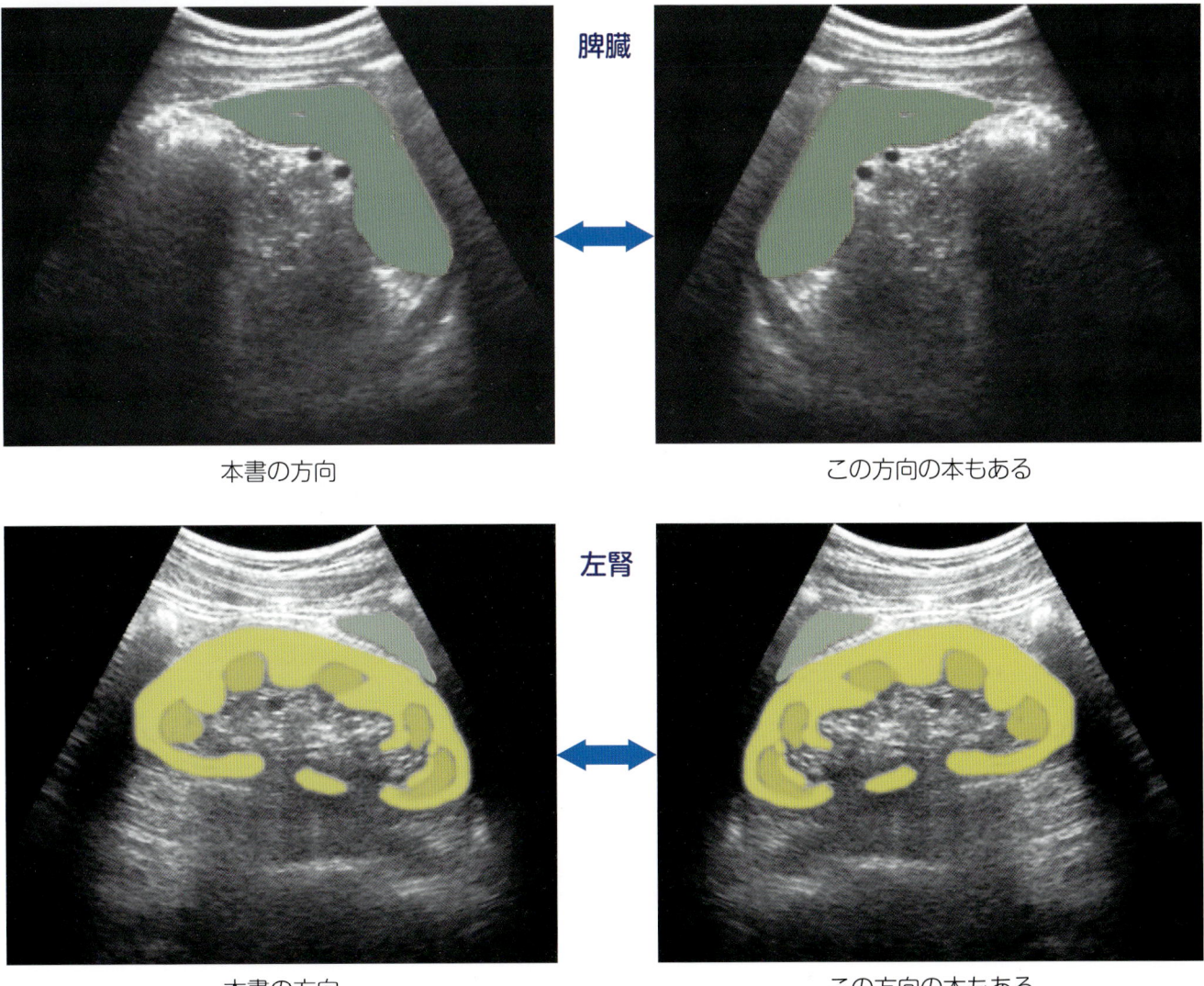

脾臓

本書の方向 ↔ この方向の本もある

左腎

本書の方向 ↔ この方向の本もある

スキャン面と表示像の関係

超音波検査の初心者がとまどうのは超音波独特の斜めの断層面（肋間スキャン）です。モニタに表示されている画像と体内臓器との関連が理解できません。ここではまず横断スキャンと表示画像の関連を理解して，次に肋間スキャンと表示画像の関連を理解するという手順を踏みます。プローブの先に断層面を設定したダミープローブを作ってみました。まず，プローブを正しい方向に持つことから始めます。

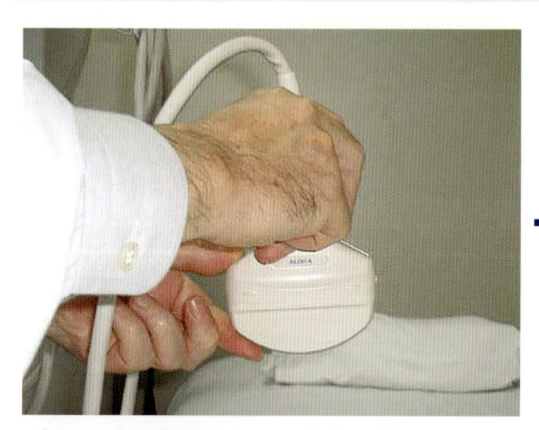

プローブを横断スキャン方向に持ちます。次に左手の人差し指でプローブ表面の手前の端を触わります。

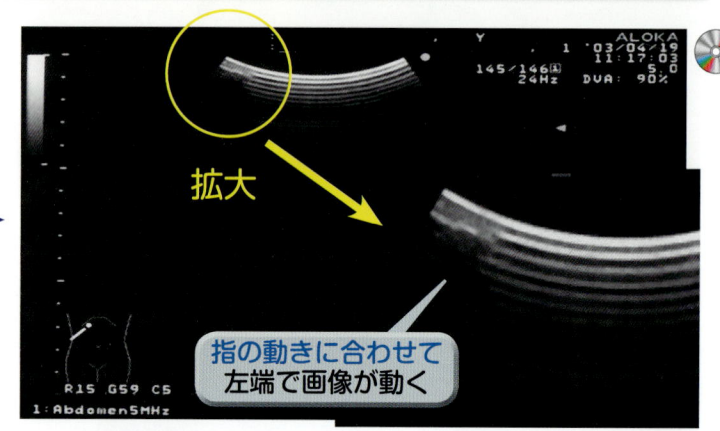

モニタ画面です。プローブを持つ方向が正しいとプローブ表面の左端で画像が動きます。
もし，右端で動きがみられたらプローブの持ち方が左右逆です。プローブを持ち替えるか，装置のパネル面のツマミで画像を左右反転させます。

拡大

指の動きに合わせて左端で画像が動く

● 横断スキャンと表示像

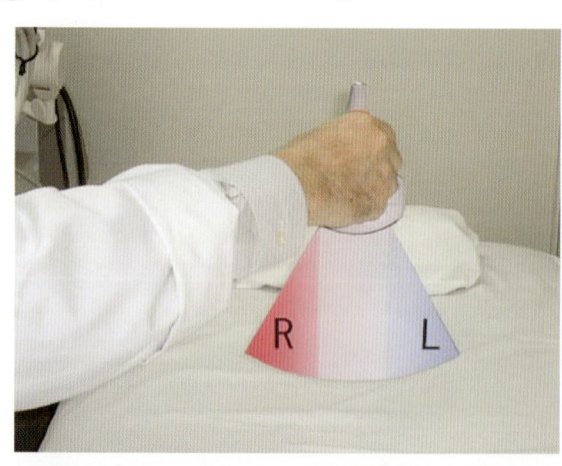

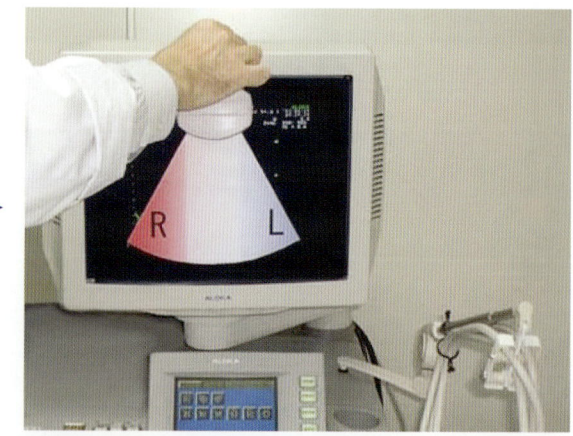

心窩部で肝臓の横断スキャンをするということは，超音波ビームで扇形をした肉片を切り取ると考えればわかりやすいと思います。この肉片にはわかりやすいように，「R, L」の方向を示す文字が刻まれていますし，色までついています！ プローブを持つ方向が正しければ，切り取られた肉片はモニタ画面には右図のように貼り付けられます。超音波診断装置はこの肉切り作業を1秒間に30回以上もしてくれますので，体の内部の動きまでも観察できるのです。

🔵 右肋間スキャン

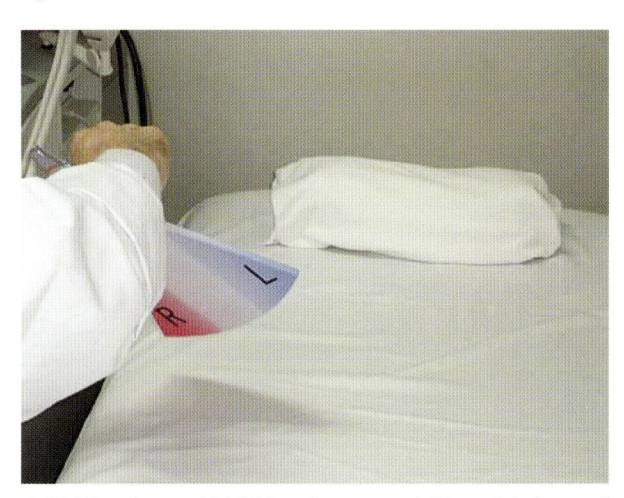

🔵 左肋間スキャン

右肋間スキャンは横断スキャンの応用ですから，プローブを時計方向に40度位回転させて先端を肋骨の隙間にあてがいます。左肋間スキャンも同様にプローブを反時計方向に40度位回転させ，腸管ガスを避けるために背側からアプローチします。ダミープローブの断層面の色に注目してください。赤色がいつも検者に近いほうにあるのがわかりますか？　横断スキャンのときも赤色が検者に近いほうにありました。

🔵 肋骨弓下スキャン

🔵 縦断スキャン

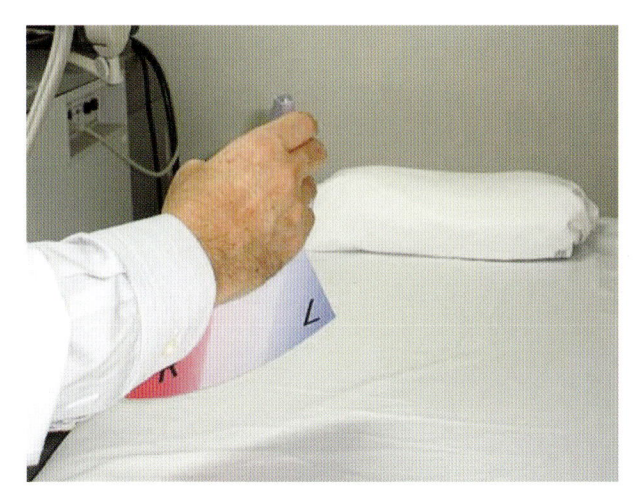

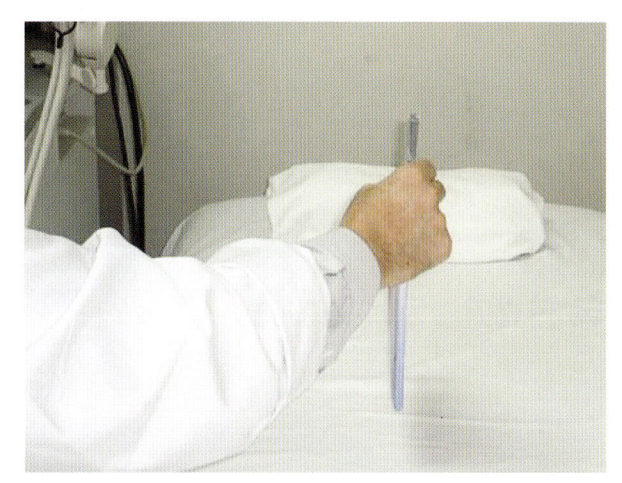

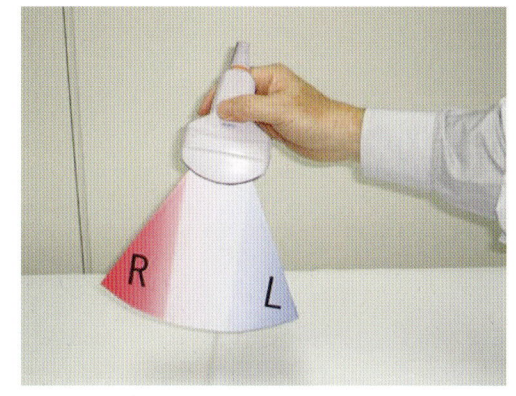

肋骨弓下スキャン（肋骨弓下スキャンは右側しかないので，右肋骨弓下スキャンとはいわない）も横断スキャンの応用です。反時計方向に30度前後回します。回転方向は左肋間スキャンと同じです。

縦断スキャンではダミープローブの赤色が検者から遠いほうにあります。唯一の例外です。横断スキャンの位置からプローブを時計方向に90度回転させます。右下の図は検者側からみたダミープローブです。

プローブの左右識別マーク

プローブを持つ方向については76ページで具体的に解説しましたが，プローブについている識別マークを判断材料にしてプローブの方向を判断している人もいるようです。このマークで方向を判断すると，装置本体で画像表示を反転する機能が選択されていたときに間違えてしまう危険性があります。このマークは装置メーカーによって微妙に異なります。そこで，4社のコンベックス方式のプローブを調べてみました。参考にしてください。

基本的にはプローブの一方の側面だけに縦長の突起か丸い突起が付けてあります。また，同じ側のプローブの握り部分には細長い隆起が縦につけてあります。これは4社に共通しています。

● 日立メディコのプローブ

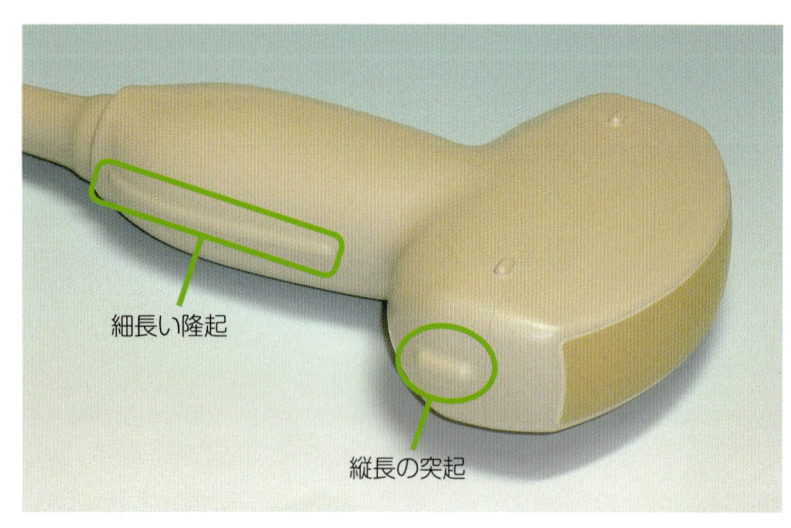

細長い隆起
縦長の突起

プローブ先端近くの太い部分の一方の側面だけに縦長の突起が付いています。
同側の握り部分には縦に細長い隆起がつけてあります。ここは検査中に人差し指や中指が触れていると思います。
心窩部で横断スキャンをするときは，この突起が患者の左側（検者から遠いほう）になるようにします。

● 日立アロカのプローブ

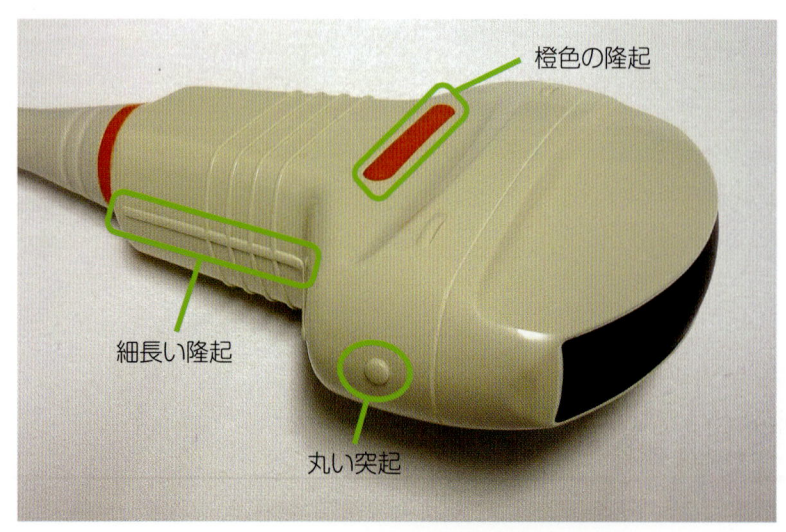

橙色の隆起
細長い隆起
丸い突起

基本的に日立メディコのプローブと同じです。
プローブ先端近くの太い部分の一方の側面だけに丸い突起が付いています。
同側の握り部分には縦に細長い隆起が付けてあります。
表面にある横長の橙色の隆起は日立アロカのプローブだけにあります。この橙色の突起は目立つので，日立アロカのユーザーにはこの隆起を目印にしてプローブの向きを判断している人もいるようです。

● 東芝のプローブ

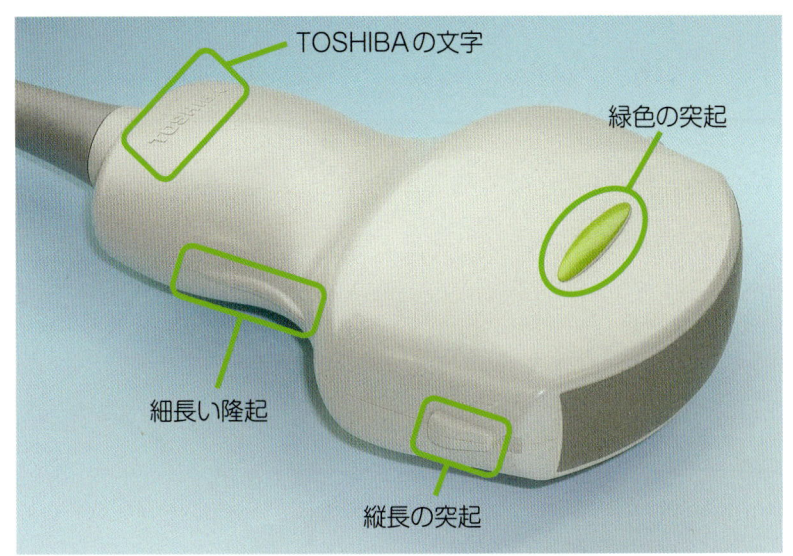

- TOSHIBAの文字
- 緑色の突起
- 細長い隆起
- 縦長の突起

日立メディコや日立アロカのプローブと同様に、先端部分の一方の側面に突起が付いています。握り部分の細長い隆起はあまり目立ちません。プローブの表面に緑色の突起がありますが、これは両面にあるので、方向を判断する目印にはなりません。
握りの手元の部分にある「TOSHIBA」という浮彫文字はこの面だけにあります。

● GE ヘルスケアのプローブ

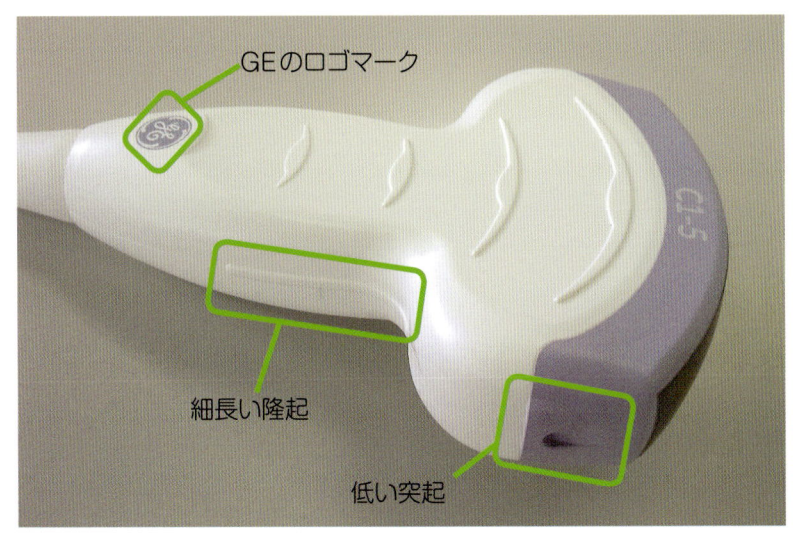

- GEのロゴマーク
- 細長い隆起
- 低い突起

プローブ先端近くの側面にある突起は低いので、握り部分の細長い隆起を目印にするとよいでしょう。
表面にあるGEのロゴマークは両面にあります。

スキャン方向の名称

● 肋骨弓下スキャン

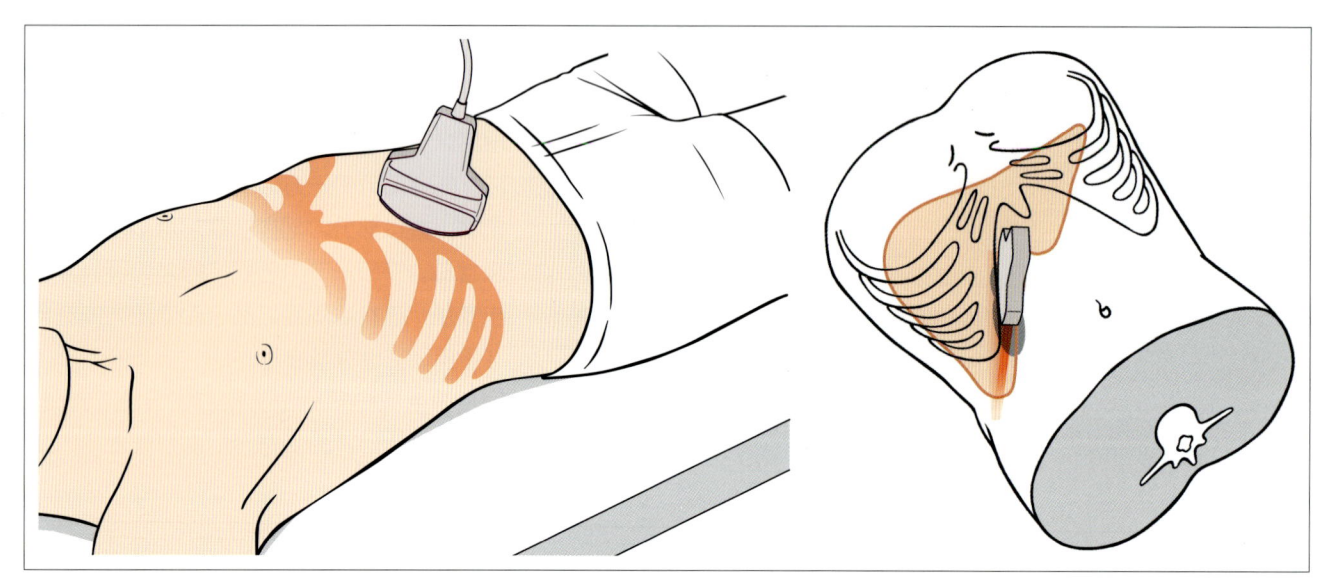

右肋骨弓の下縁にプローブを押し当てる方法です。肝臓の下部や胆嚢を検査するときに用います。やせた患者では右腎の観察にも適しています。患者が**深吸気で息を止めた状態**でプローブの先端が頭側を向くように強く傾けると、肝臓のかなり頭側まで観察できます。

● 右季肋部縦断スキャン

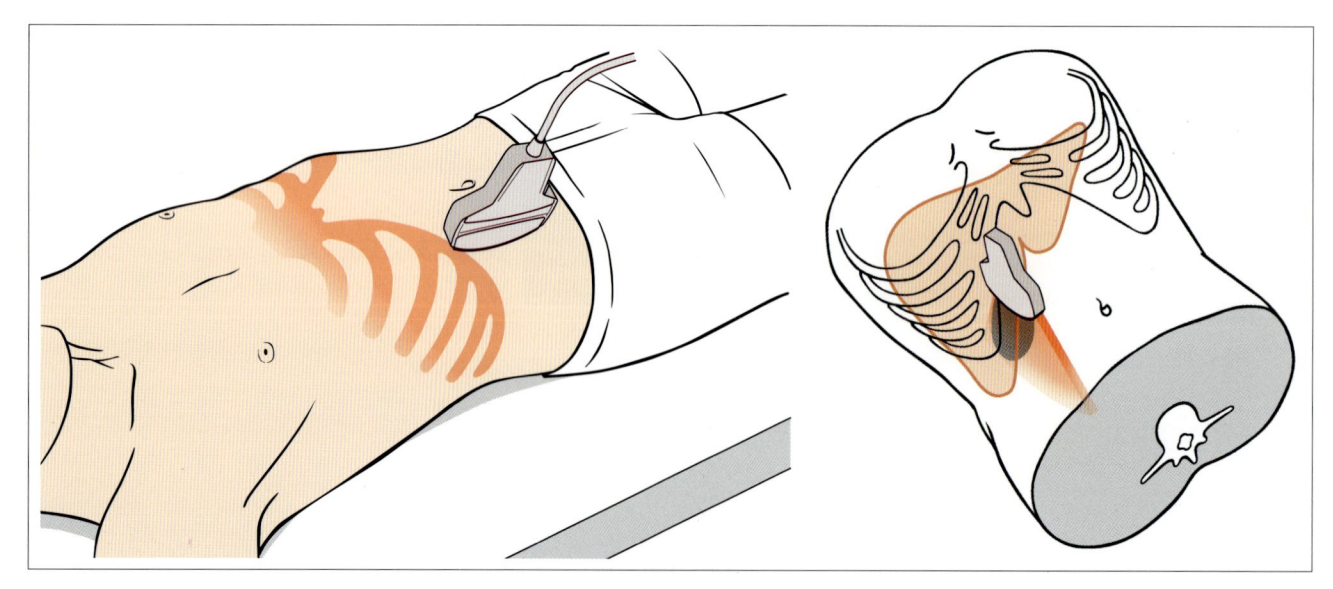

プローブを身体の長軸に平行に置いて、胆嚢や肝臓の矢状断像を得る方法です。プローブを肋骨の上に置くと、肋骨の後方は音響陰影のために観察できないので、**肋骨弓よりも尾側に置きます。**
肝臓が萎縮している場合や、肥満体で肝臓が押し上げられている場合はこのスキャンは使えません。

右肋間スキャン

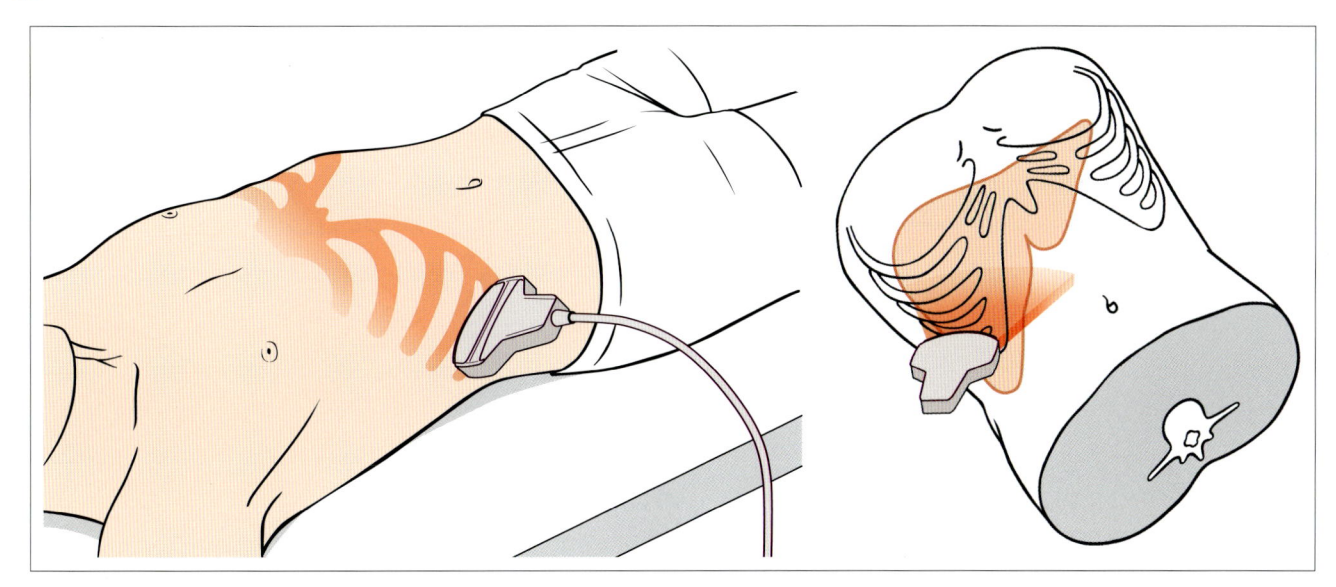

右肋間腔にプローブの先端を置いて主に肝右葉を観察します。胆嚢頸部の観察にも用いられます。肝臓が萎縮している場合や，肥満体で胆嚢が高位置に押し上げられているときは，この方法でしか胆嚢は観察できません。後方の肋間腔で用いると，右腎や右副腎も観察できます。

正中縦断スキャン

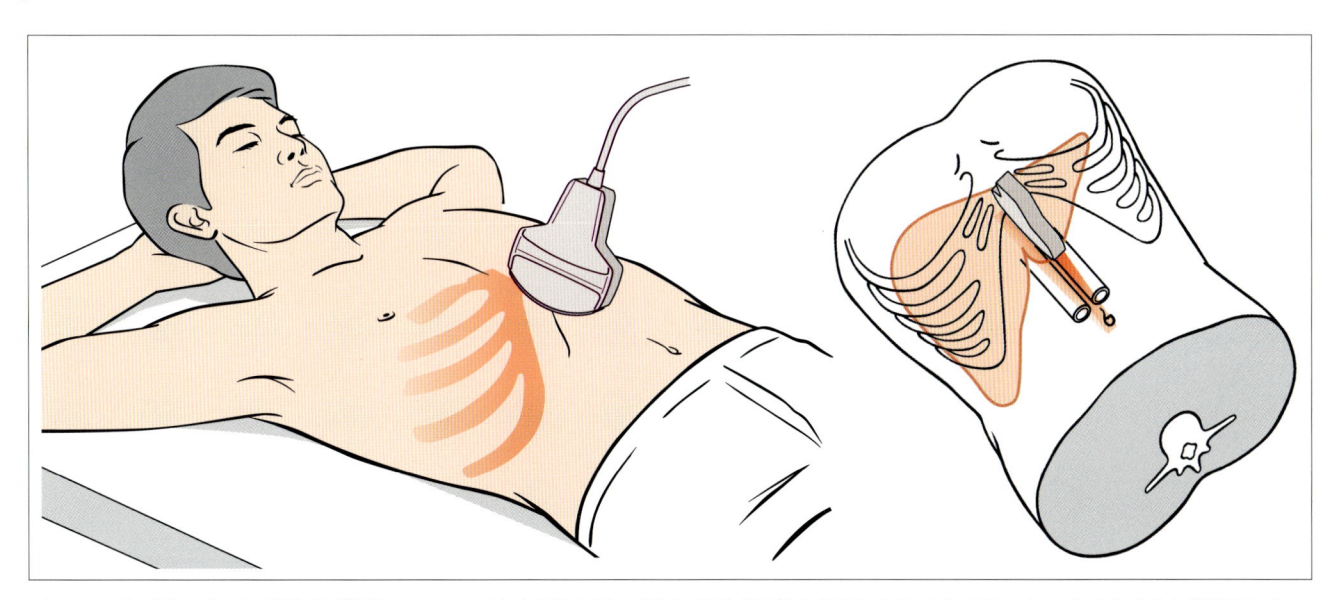

前ページで述べた右季肋部縦断スキャンは右季肋部で肝右葉や胆嚢を観察するのに用いましたが，正中縦断スキャンでは心窩部で肝左葉や膵臓を観察するのに用います。肝臓の後方には下大静脈や大動脈も描出されます。肝臓が肋骨に覆われないように深吸気状態でスキャンします。

横断スキャン

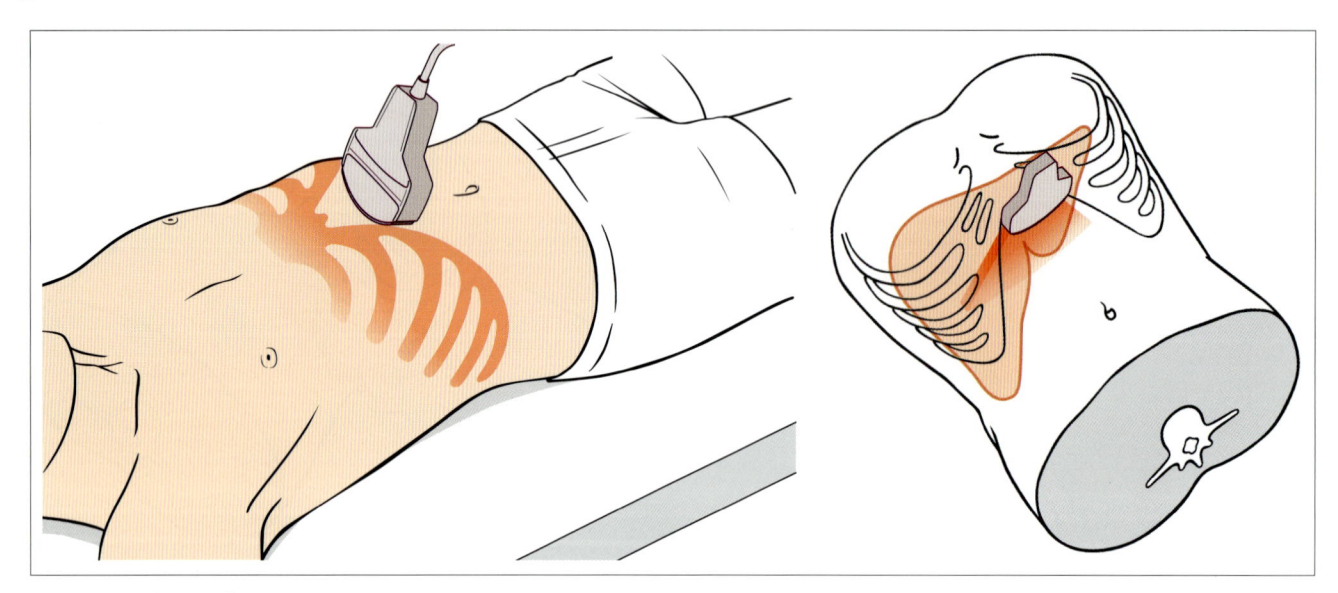

心窩部にプローブを真横に置いて，肝左葉や膵臓を観察します。膵臓を観察するときは膵臓の長軸に合わせてプローブの長軸を少し反時計方向に回転させます。

左肋間スキャン

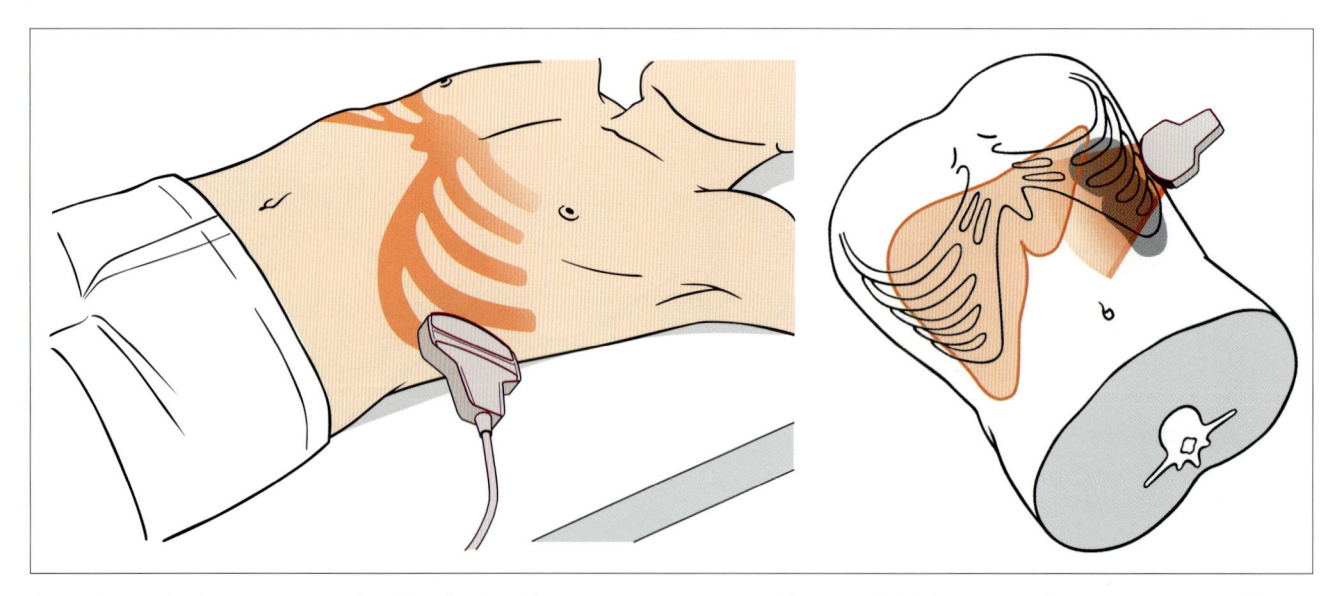

前に述べた右肋間スキャンが肝臓や右腎に対して用いられたのに対し，左側腹部での左肋間スキャンは脾臓や左腎の検査に用います。この場合，**プローブの端が検査ベッドに接するくらいに後方にプローブを置かないと脾臓の最大像を描出できません。また，左腎は消化管ガスに妨げられて全体像が得られません。**

坐位での横断スキャン

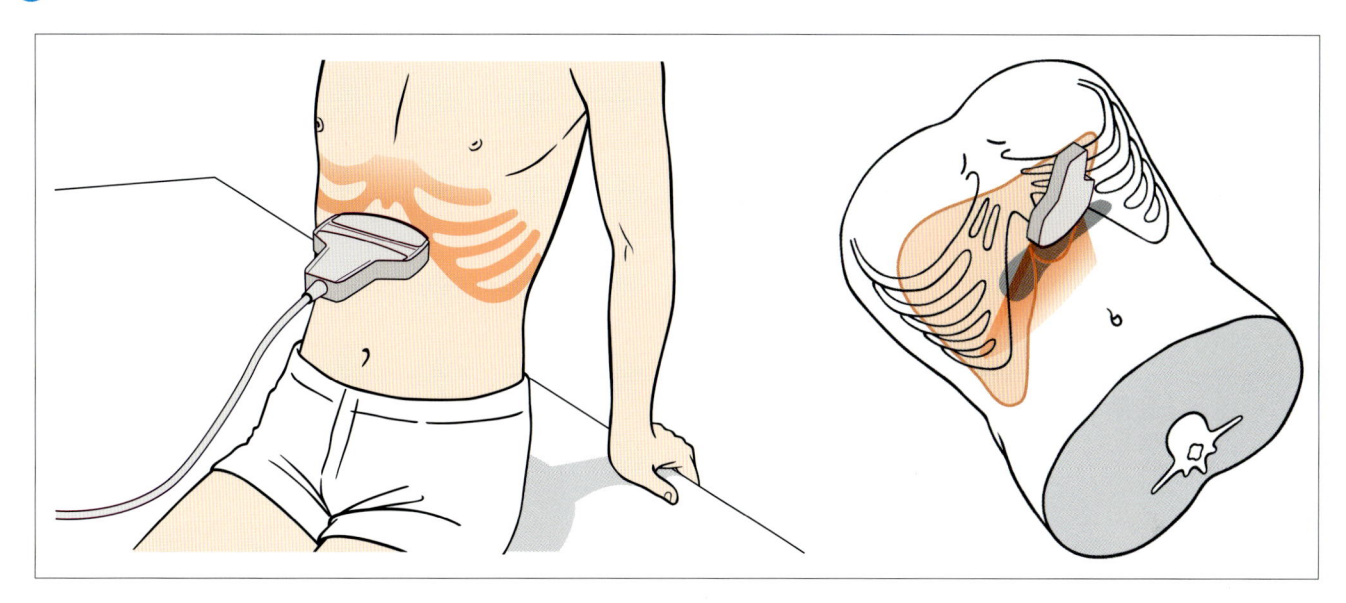

膵臓を観察するときに用います．坐位になる方法としては座椅子を用いる方法もありますが，それよりも図のようにベッドの縁に腰かけてもらうと，座椅子を用意する面倒がなく，患者は膝を曲げられるので楽です．

左側臥位でのスキャン

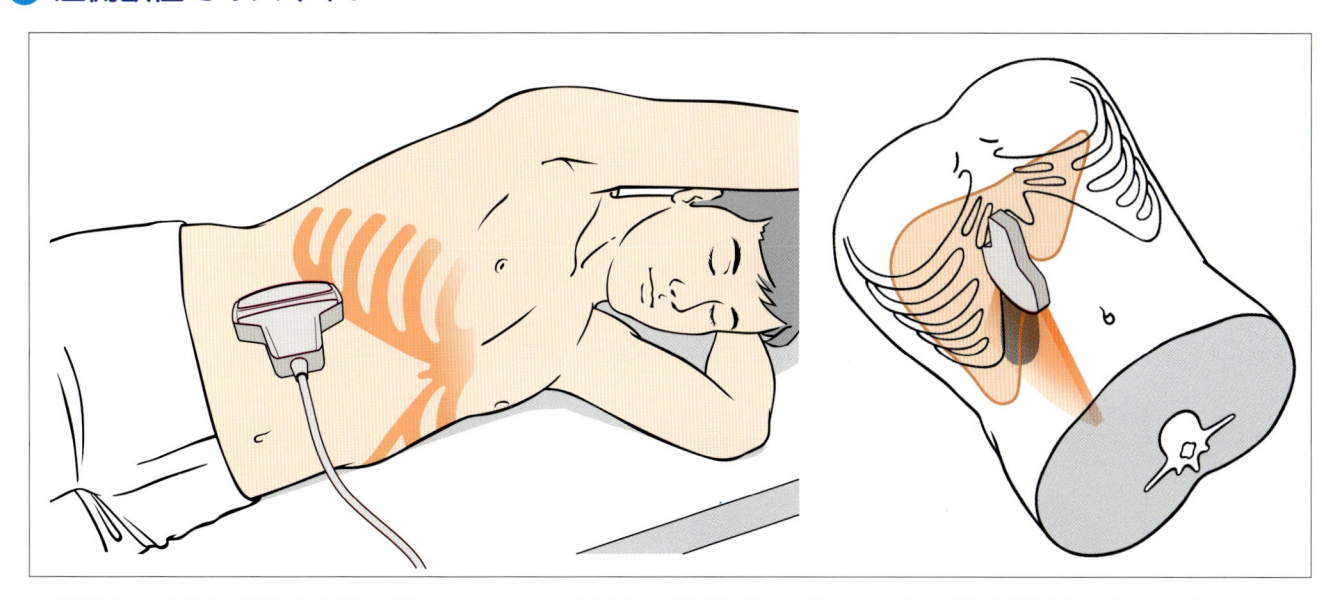

左側臥位では肝外胆管を明瞭に描出できます．仰臥位で腸管ガスと重なっていた胆嚢が観察しやすくなることもあります．**胆石の体位変化による移動性をみる場合にも有用です．**その場合はプローブは横向き（横断スキャン）にしたほうが胆石の移動を確認しやすいと思います．

私のルーチン検査

私のルーチン検査の順番を紹介します。胆嚢から始めるのは，頸部に落ち込む前に胆石を捕まえるためです。記録に残すのは14画面です。モニタ画面を2分割にして2画面をまとめて記録しているので，フイルム枚数は7枚です。1画面表示ではフィルム枚数が倍になって読影や保存に不便です。肝右葉の肋間スキャンは漏れがないように3画面撮ります。肝左葉の縦断スキャンでは1画面目で下大静脈を写し込み，2画面目で大動脈を写し込んでいます。最後の7枚目では肝右葉の肋骨弓下スキャン像をとりますが，1画面目で肝静脈を写し込み，2画面目で門脈水平（横行）部を写し込んでいます。

① 胆嚢の肋骨弓下スキャン

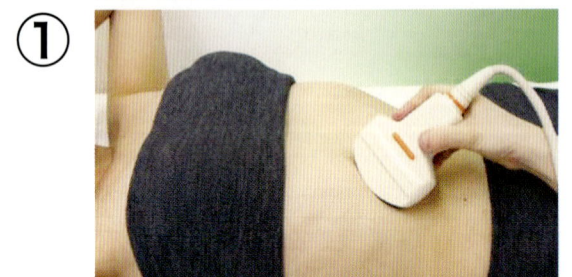

② 胆嚢の縦断スキャン

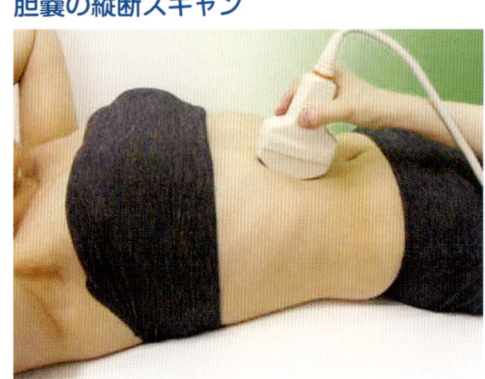

③ 右腎の肋間スキャン

④ 肝臓の肋間スキャン①

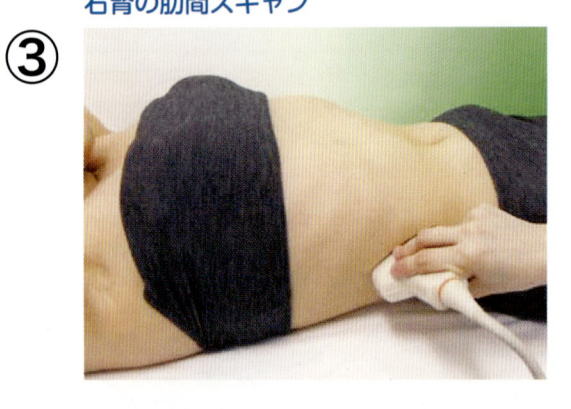

⑤ 肝臓の肋間スキャン②

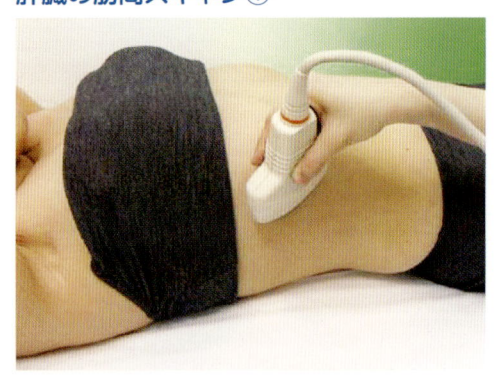

⑥ 肝臓の肋間スキャン③

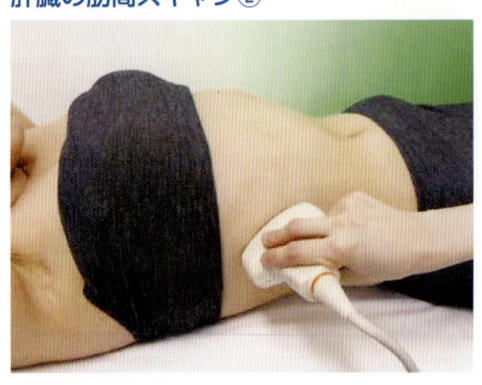

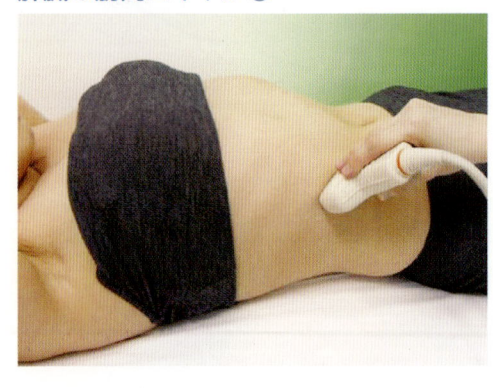

⑦ 肝臓の縦断スキャン①

⑧ 肝臓の縦断スキャン②

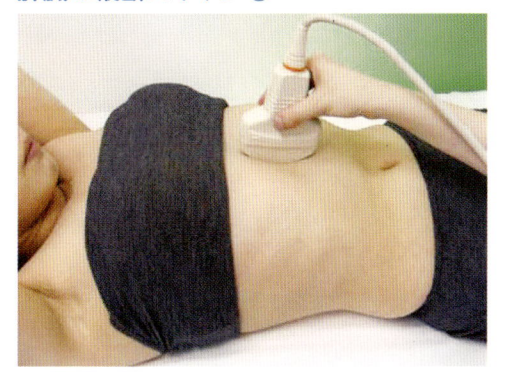

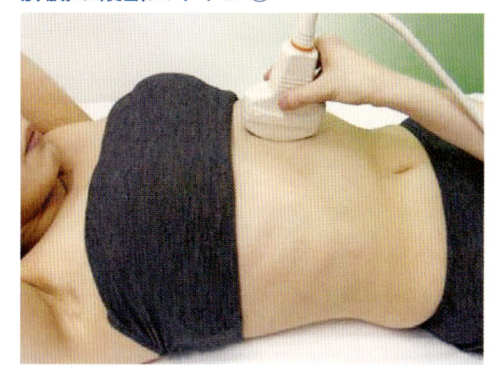

⑨ 肝臓の横断スキャン

⑩ 膵臓の横断スキャン

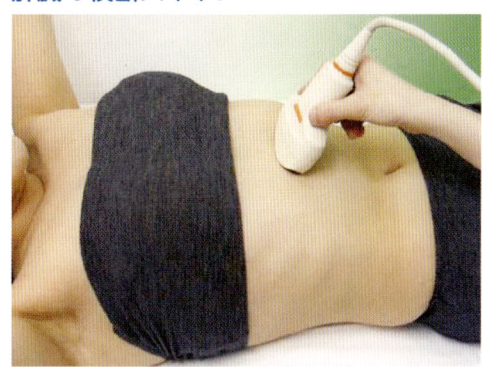

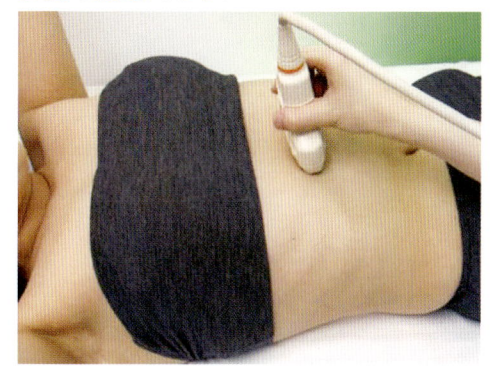

⑪ 脾臓の肋間スキャン

⑫ 左腎の肋間スキャン

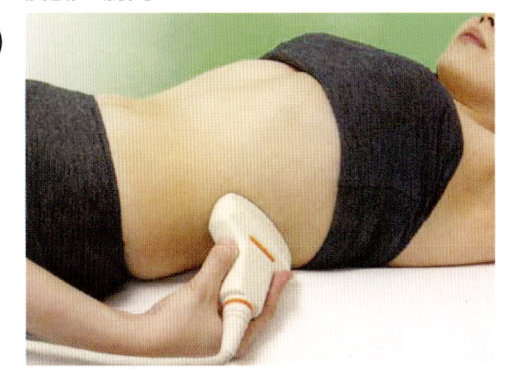

⑬ 肝臓の肋骨弓下スキャン①

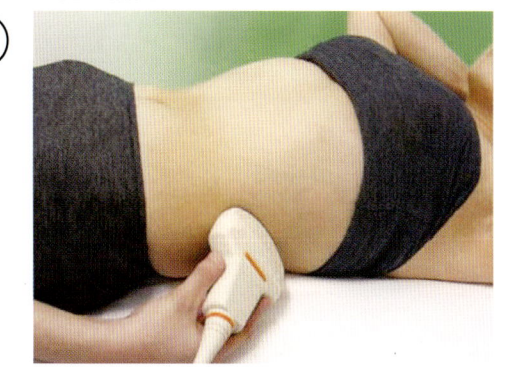

⑭ 肝臓の肋骨弓下スキャン②

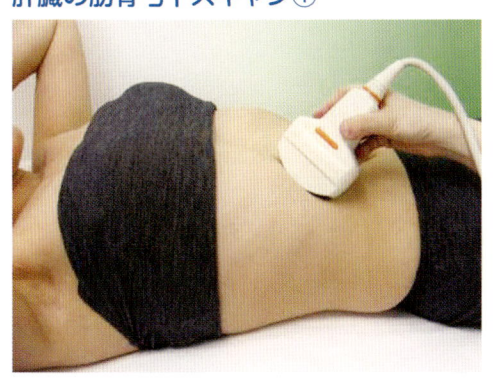

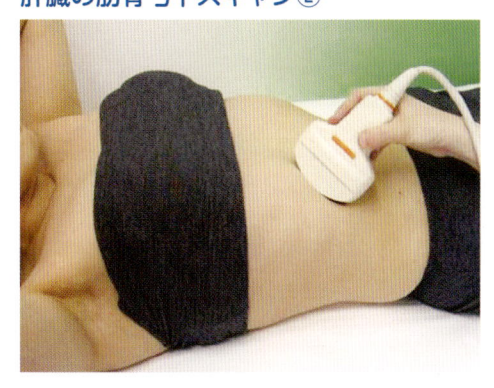

正常超音波画像

ここでは実際の超音波画像を用いて解剖を説明します。表示する順番は私が行っているルーチン検査の順番です。画像内の左上に表示している数字は前項の「私のルーチン検査」に表示している番号と同じです。腹部臓器は大まかな点では万人共通していますが，細かい点では被検者により千差万別です。ですから，ここに示す画像と全く同じ像が得られる人はいません。この画像と異なる場合に，どこまでが正常範囲のバラツキで，どこから先が異常なのかは難しい判断になります。

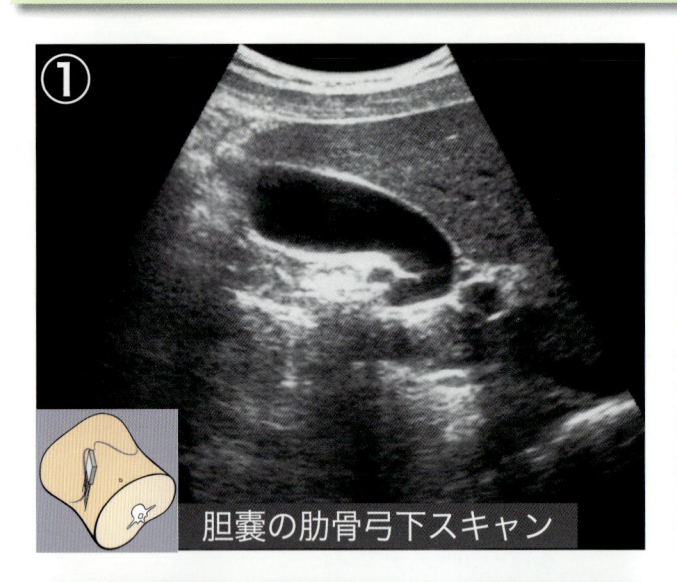

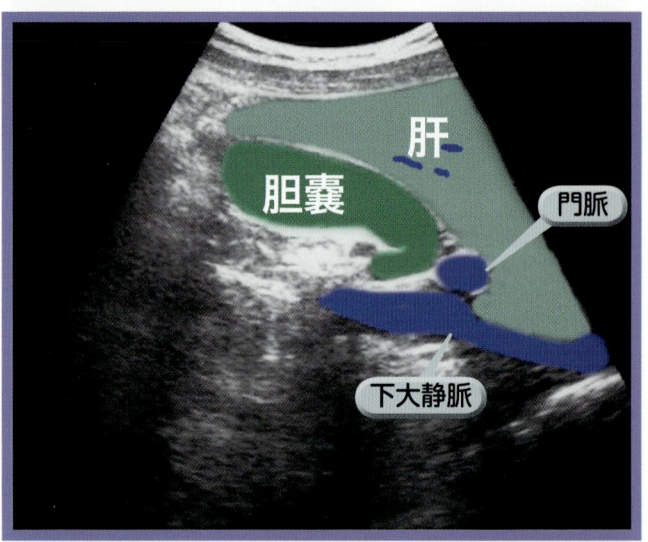

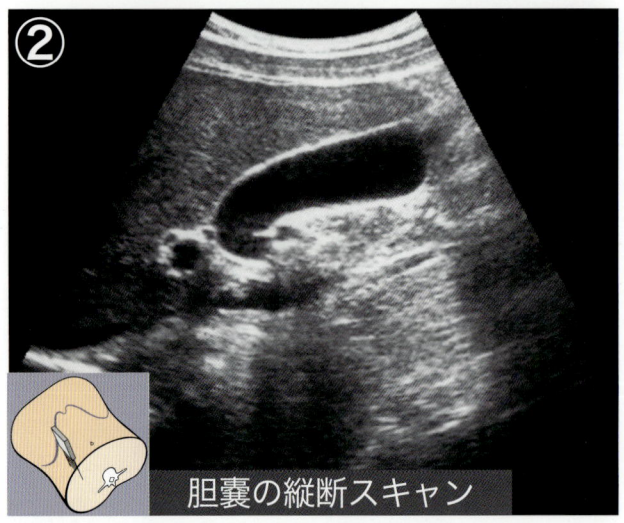

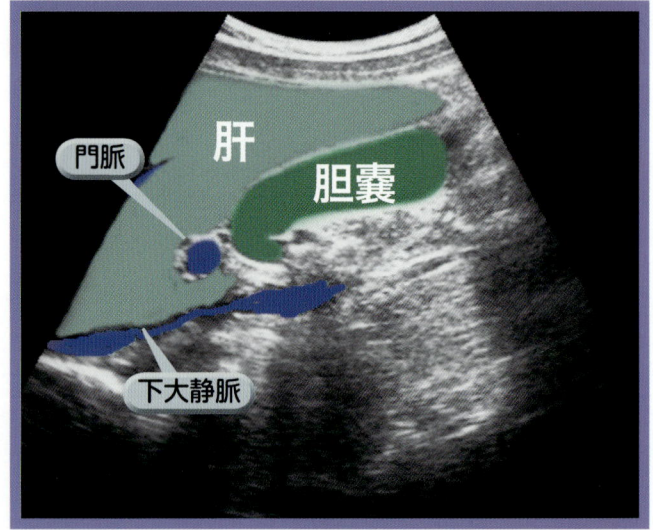

① 胆嚢の肋骨弓下スキャン

② 胆嚢の縦断スキャン

MEMO　胆嚢の肋骨弓下スキャンは特殊

胆嚢の肋骨弓下スキャンは胆嚢の長軸を出すのを目標にするので，正確には肋骨弓に平行になってないことが多くあります。胆嚢の長軸が体の長軸に平行であれば，肋骨弓下スキャンは実際は縦断方向のスキャンになってしまいます。上の2枚の画像がほぼ左右対称になっているのはそのためです。

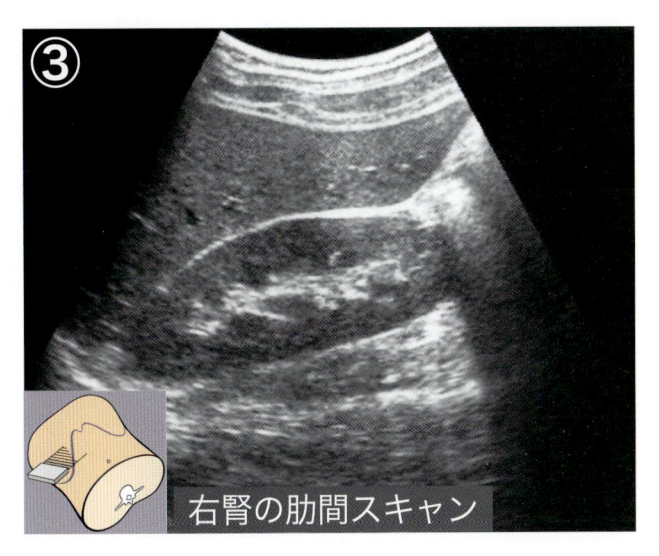

③ 右腎の肋間スキャン

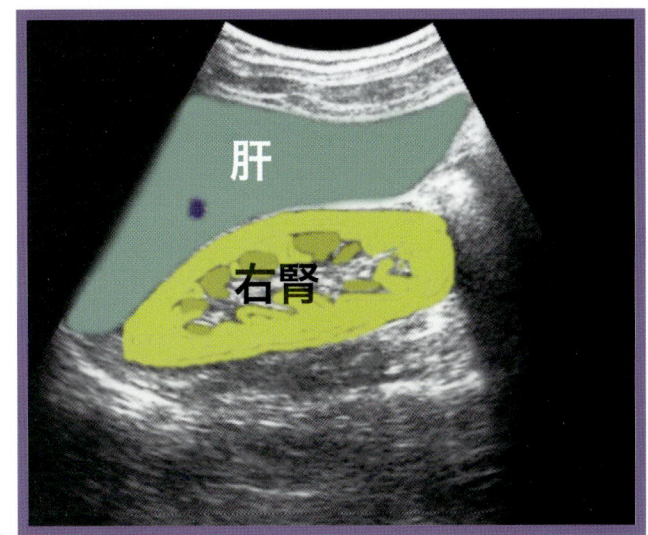

肝 / 右腎

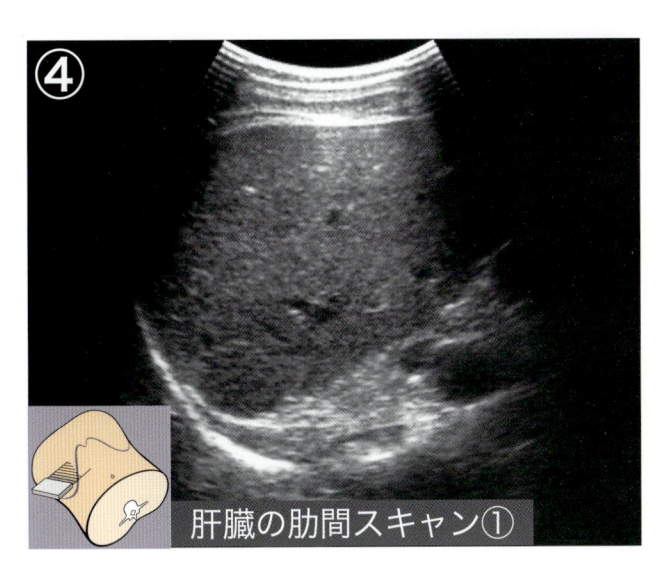

④ 肝臓の肋間スキャン①

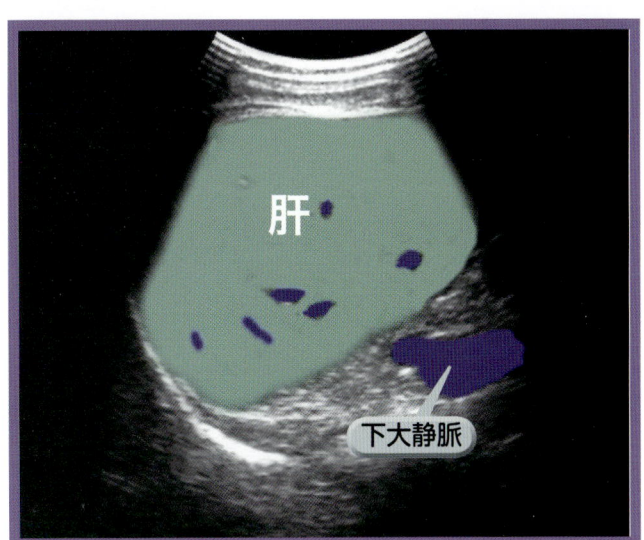

肝 / 下大静脈

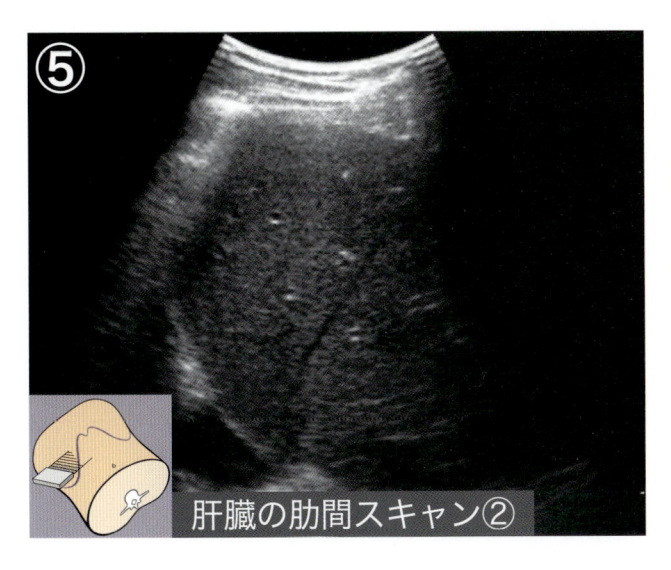

⑤ 肝臓の肋間スキャン②

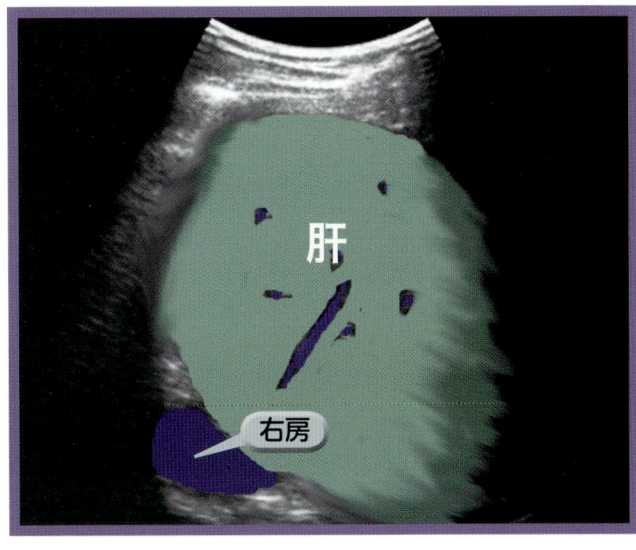

肝 / 右房

総論

87

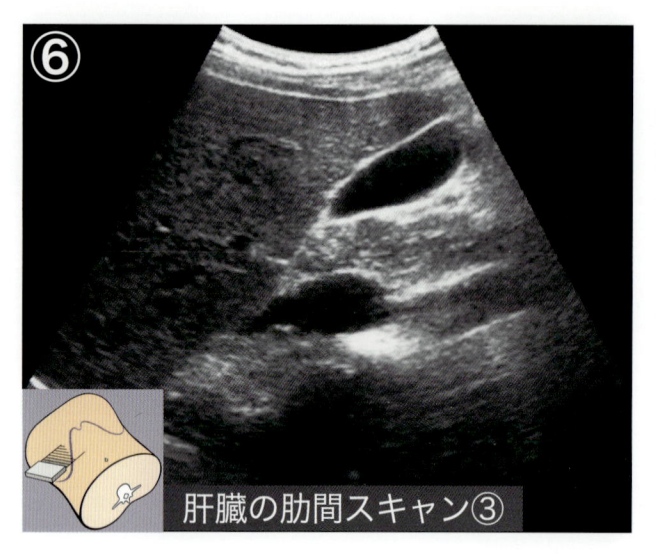

⑥ 肝臓の肋間スキャン③

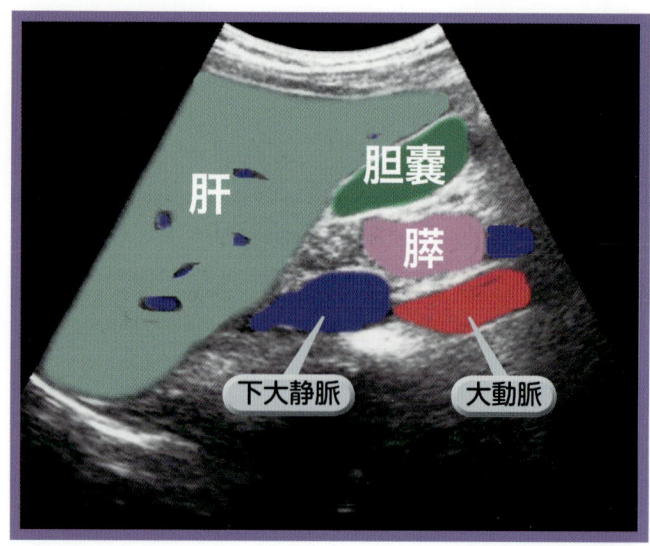

肝　胆嚢　膵
下大静脈　大動脈

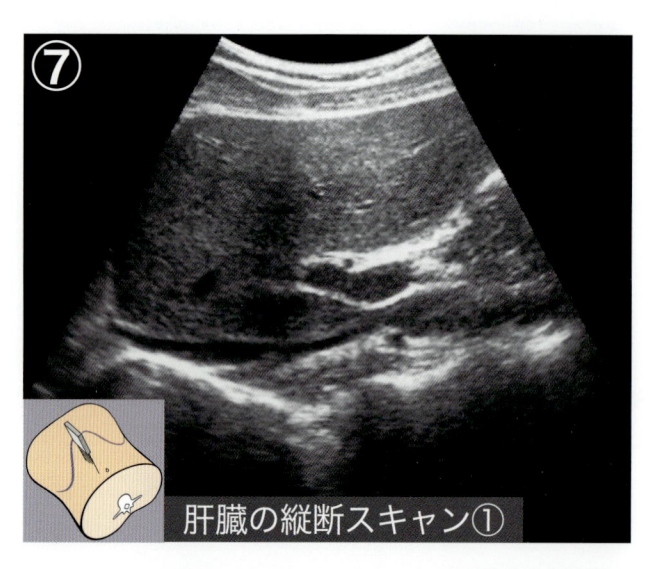

⑦ 肝臓の縦断スキャン①

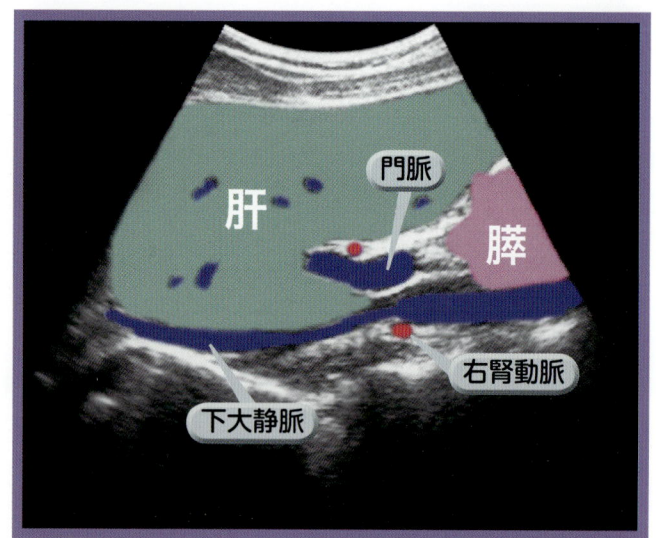

肝　門脈　膵
下大静脈　右腎動脈

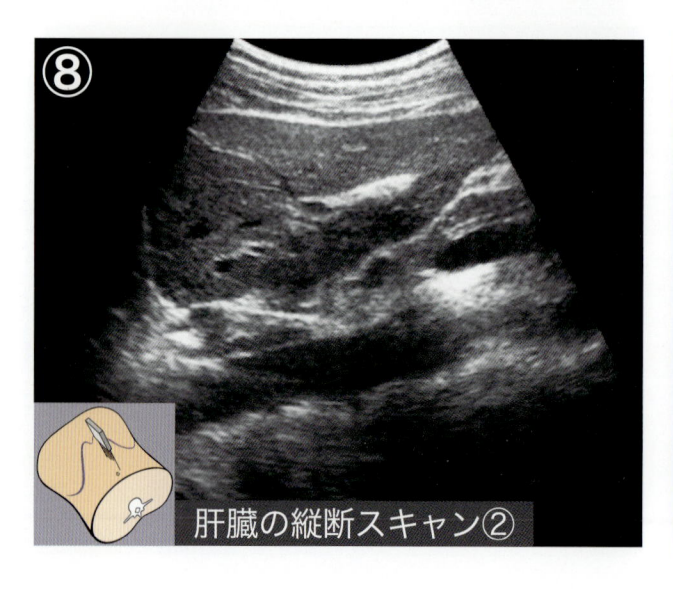

⑧ 肝臓の縦断スキャン②

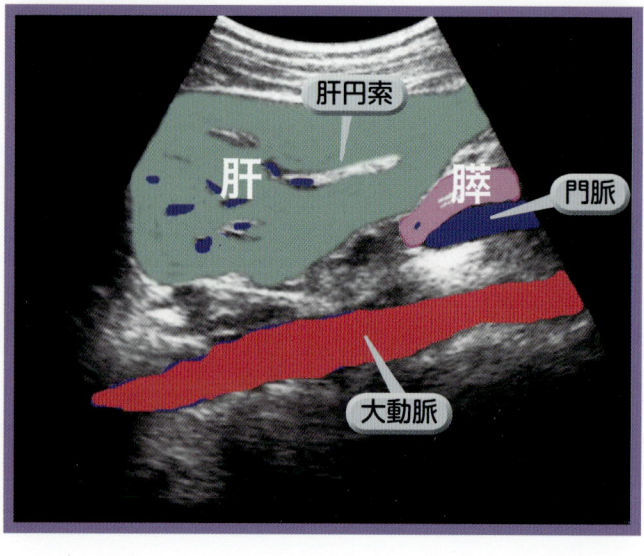

肝円索　肝　膵　門脈
大動脈

⑨ 肝臓の横断スキャン

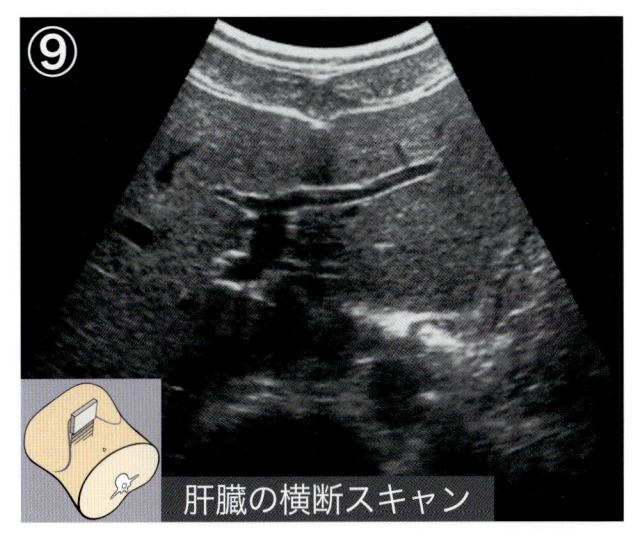

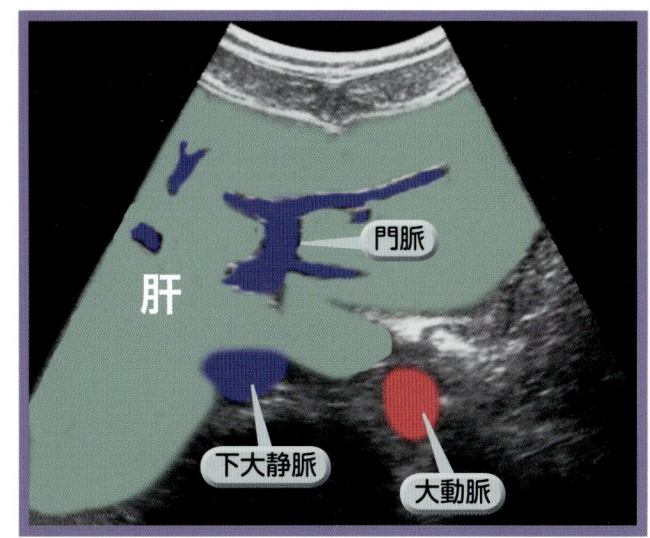

肝 / 門脈 / 下大静脈 / 大動脈

⑩ 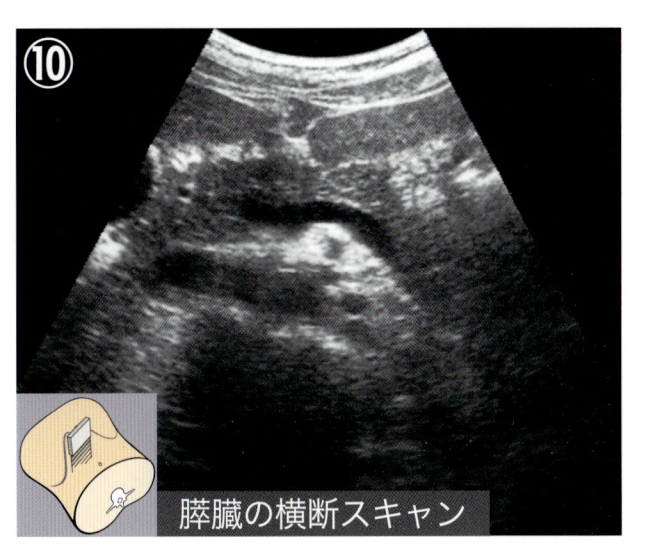 膵臓の横断スキャン

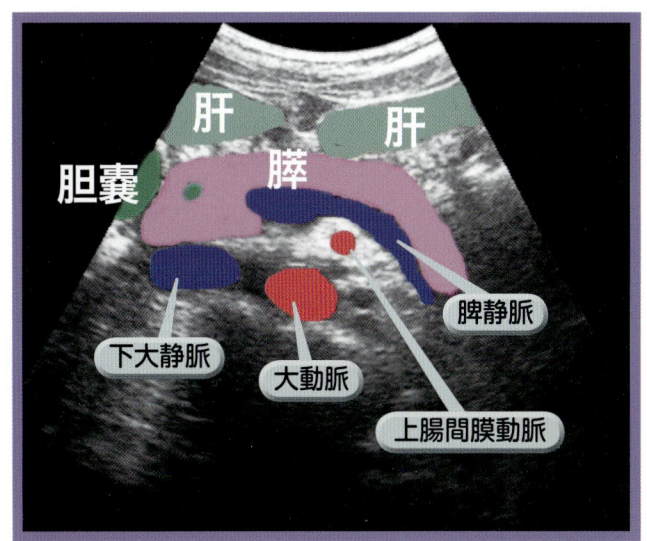

肝 / 肝 / 胆嚢 / 膵 / 下大静脈 / 大動脈 / 脾静脈 / 上腸間膜動脈

⑪ 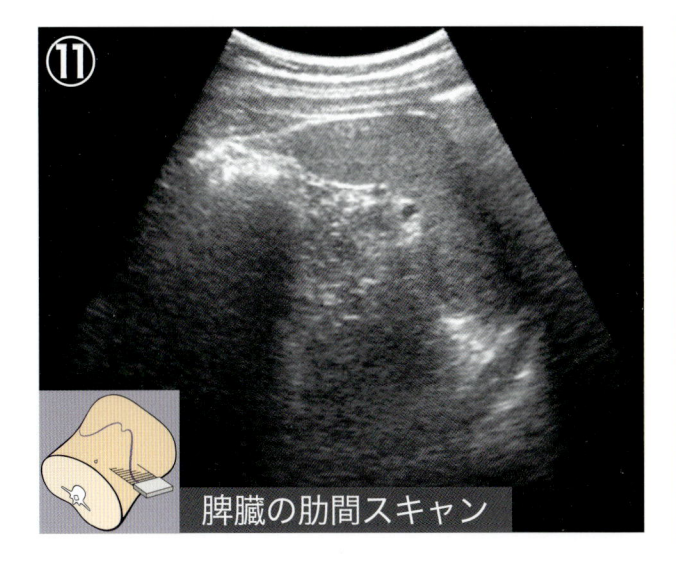 脾臓の肋間スキャン

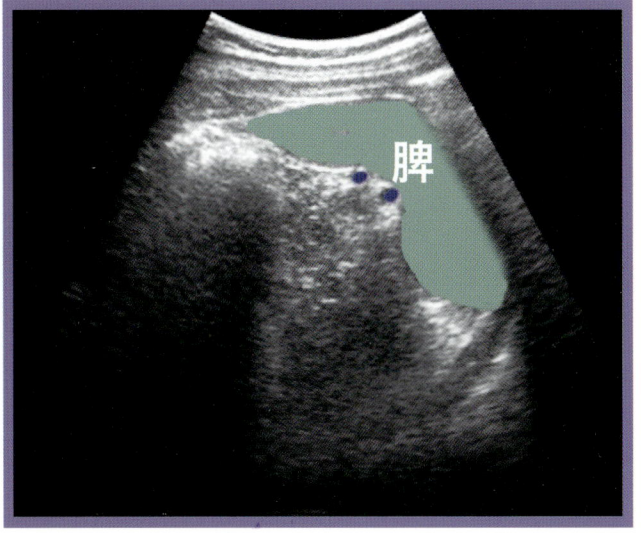

脾

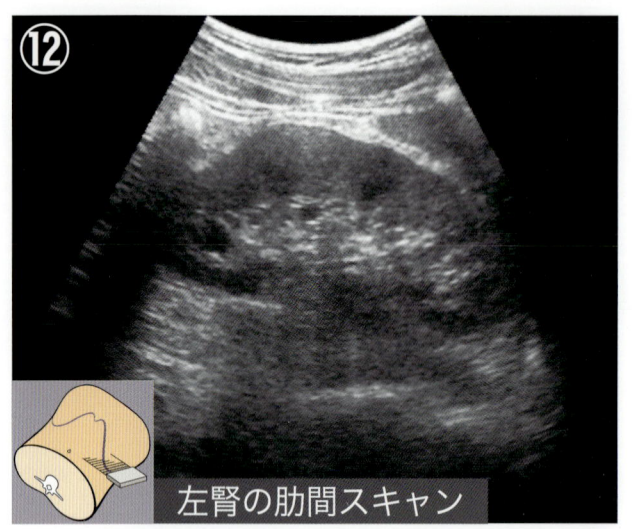

⑫ 左腎の肋間スキャン

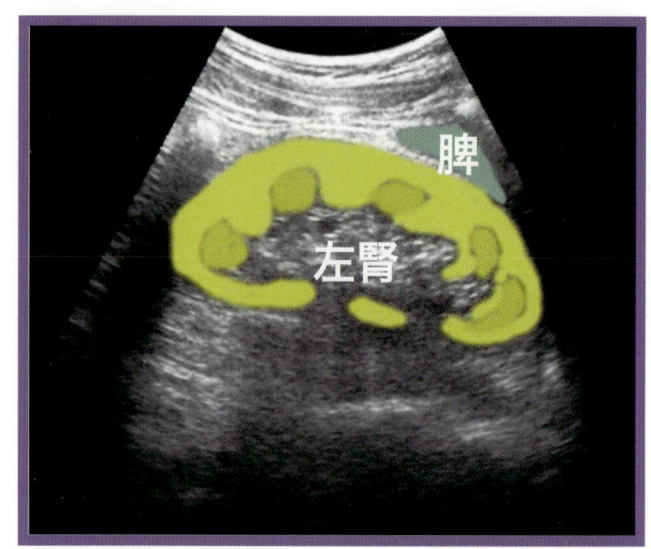

脾
左腎

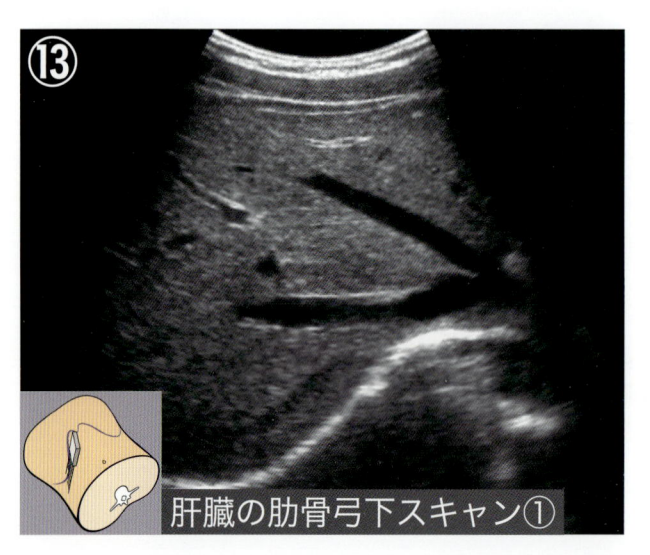

⑬ 肝臓の肋骨弓下スキャン①

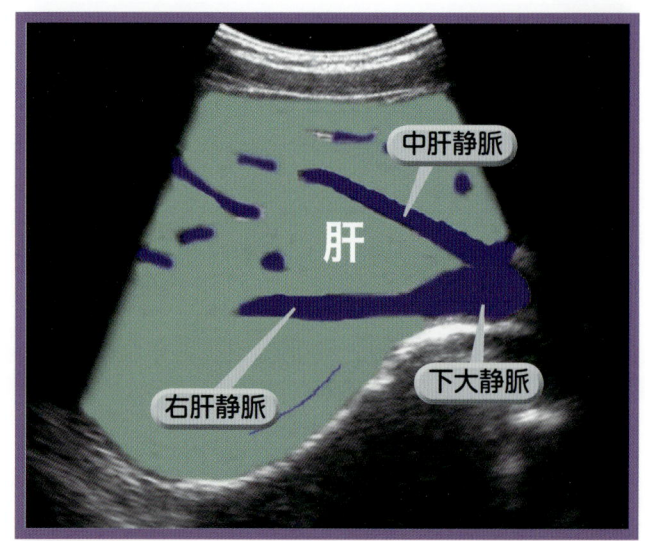

肝
中肝静脈
右肝静脈
下大静脈

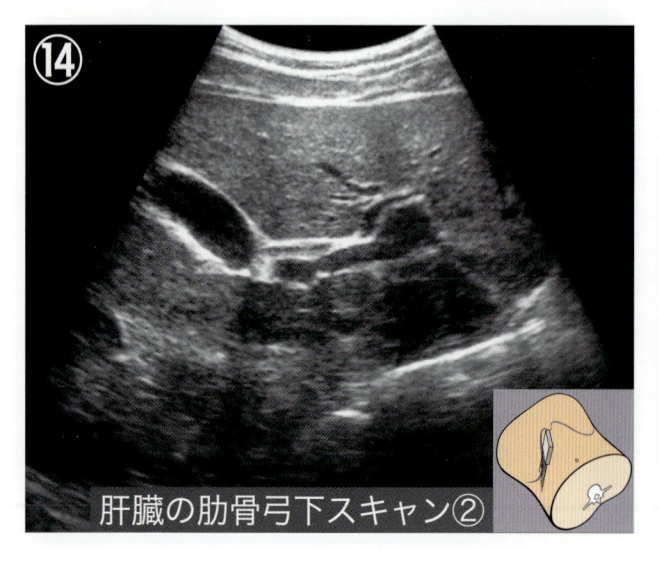

⑭ 肝臓の肋骨弓下スキャン②

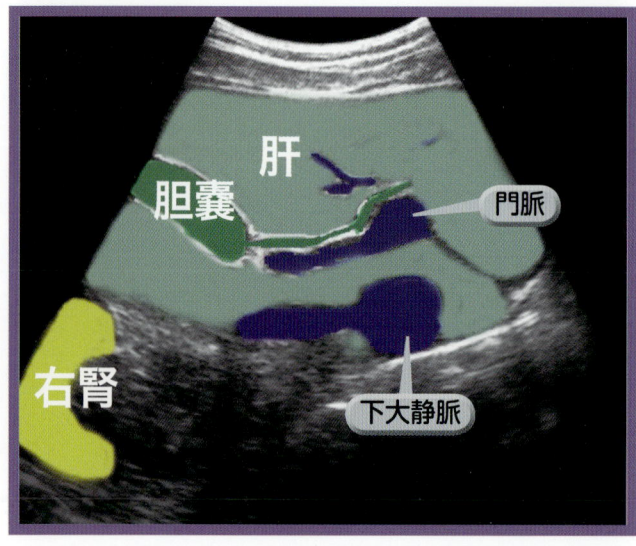

肝
胆囊
門脈
右腎
下大静脈

横断解剖

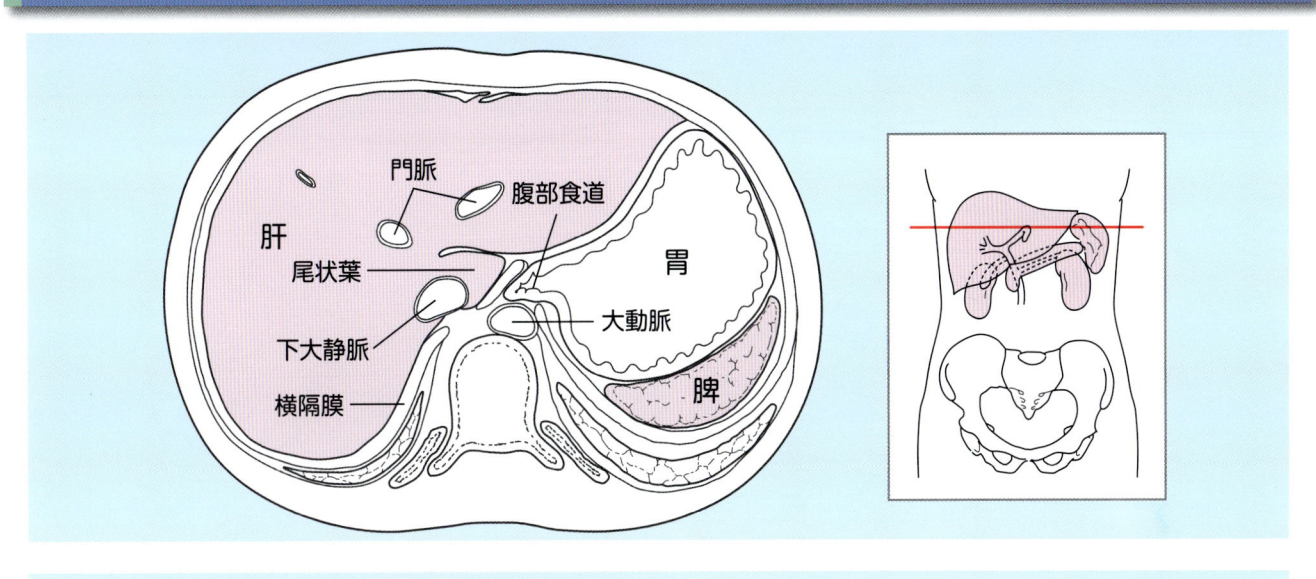

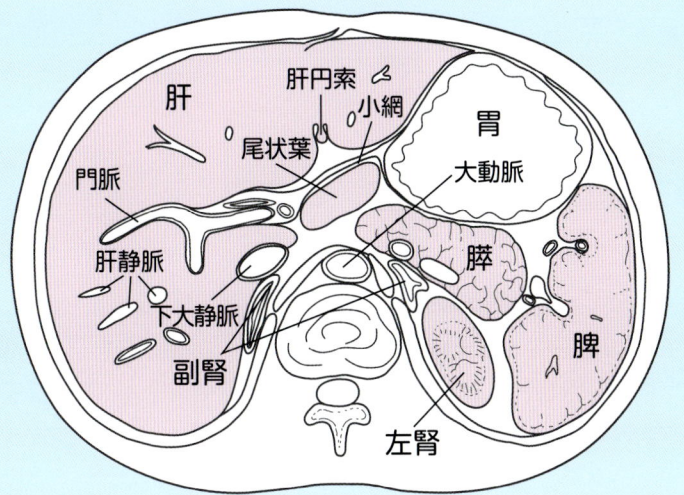

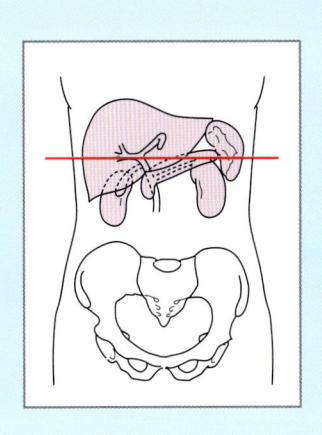

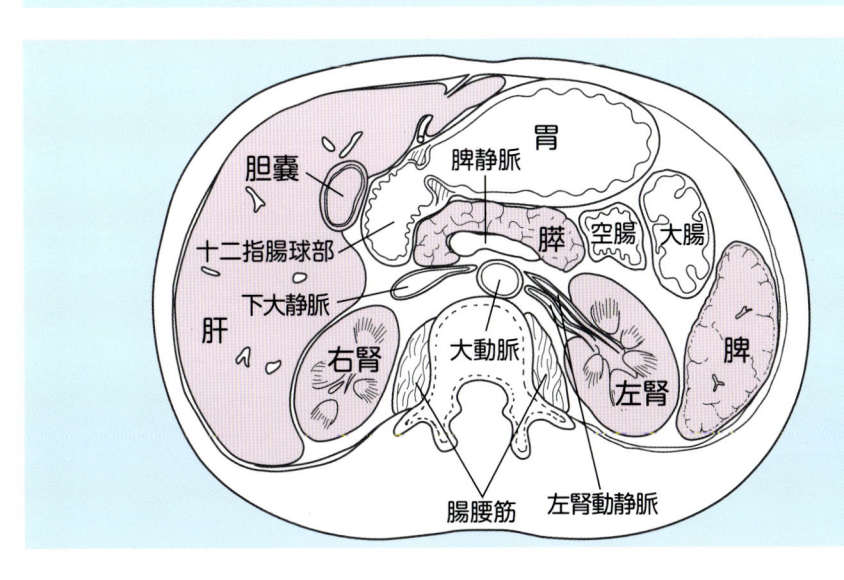

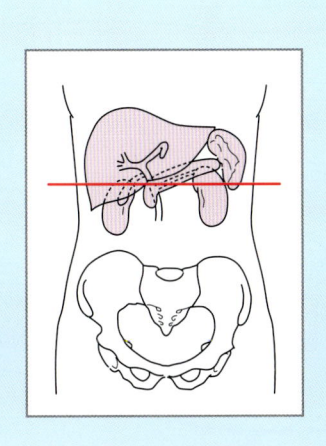

縦断解剖

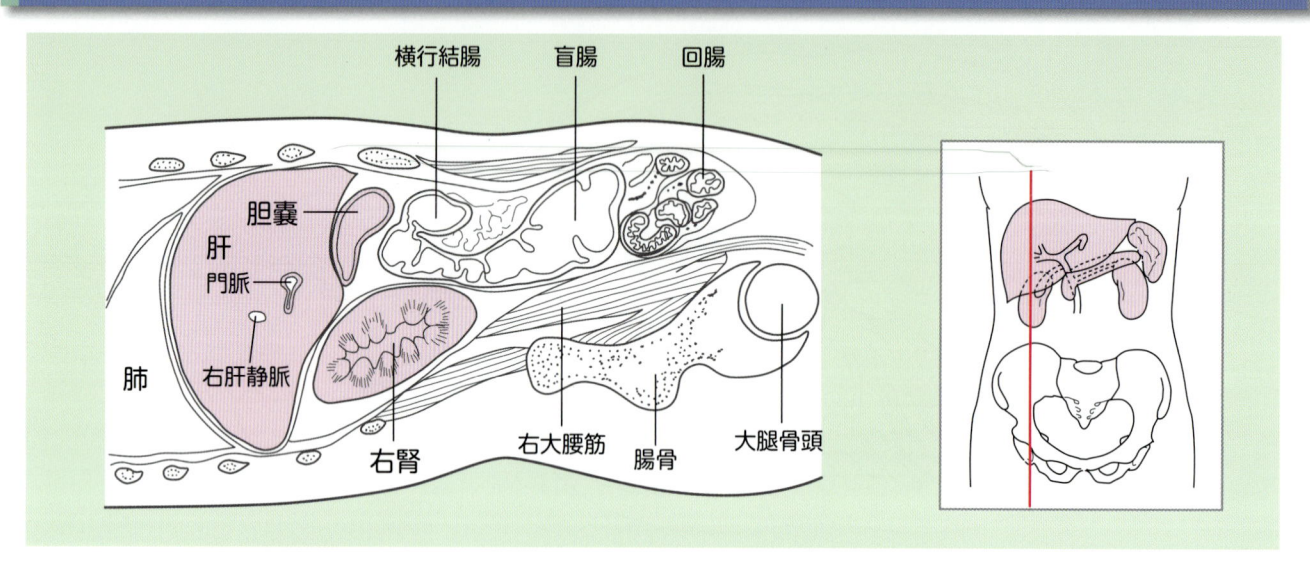

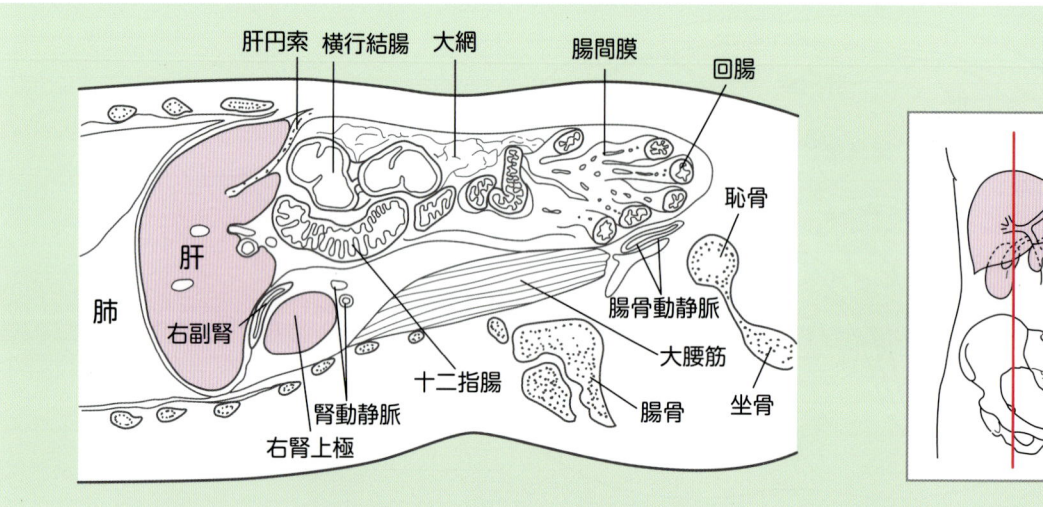

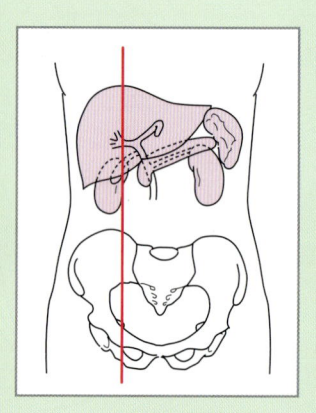

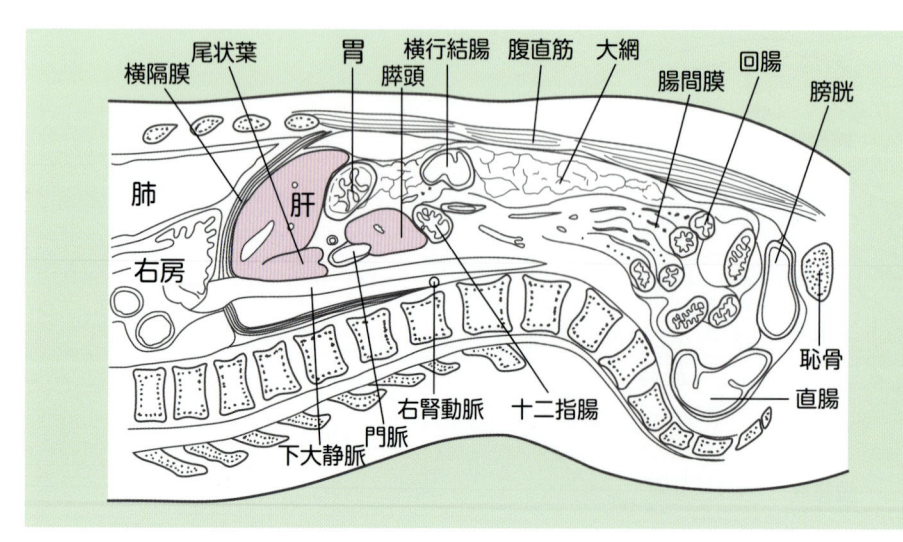

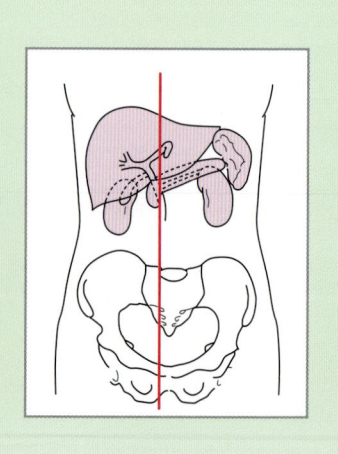

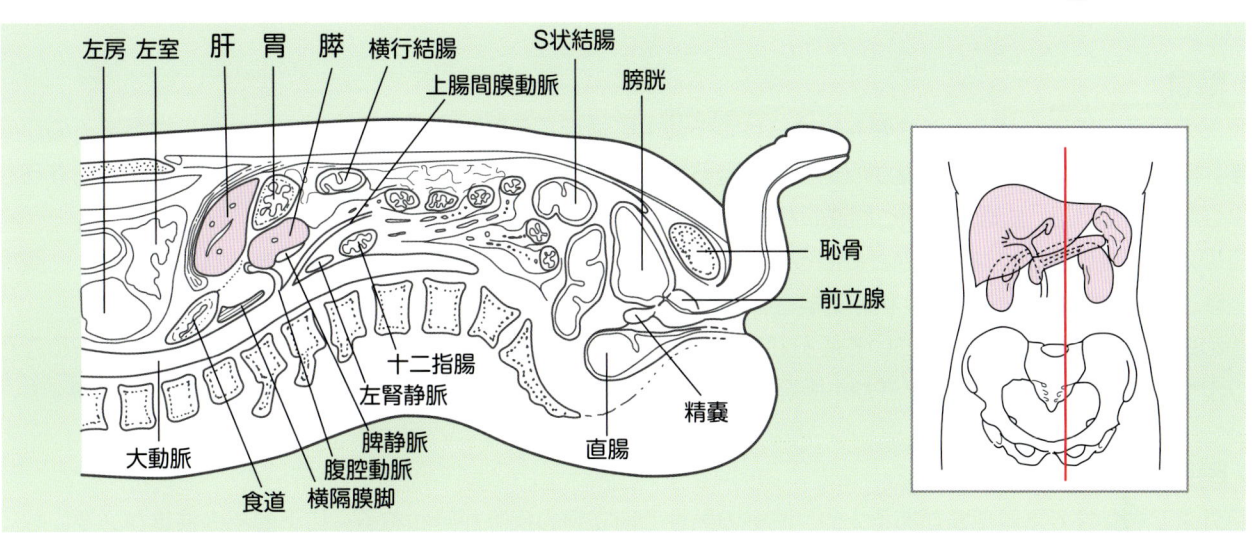

図1（上）

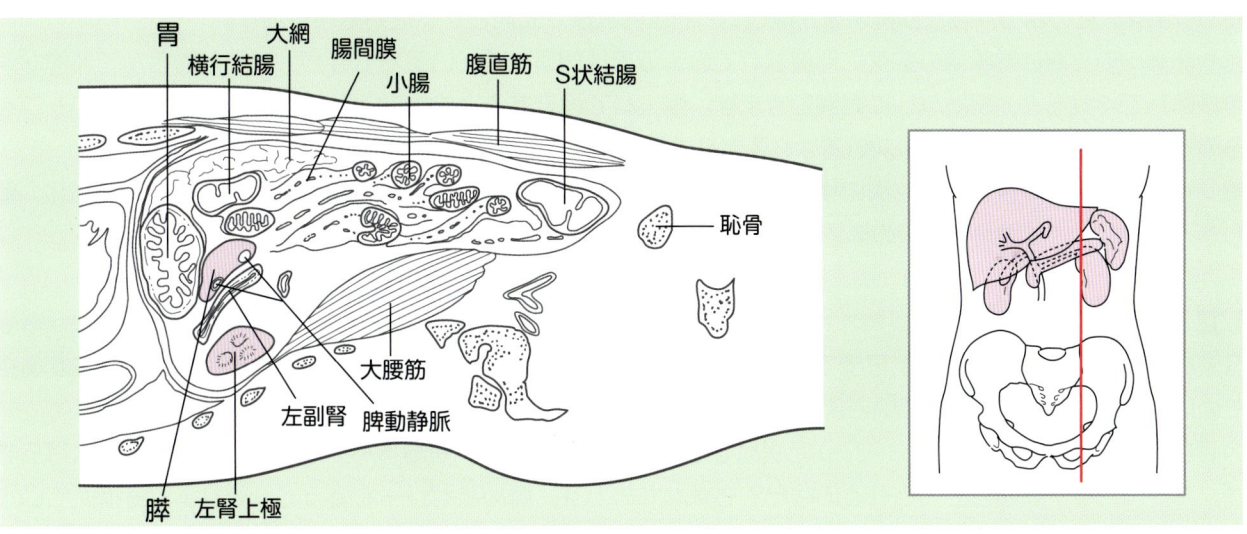

左房　左室　肝　胃　膵　横行結腸　S状結腸　膀胱

上腸間膜動脈

恥骨
前立腺
精囊
直腸
十二指腸
左腎静脈
脾静脈
腹腔動脈
横隔膜脚
食道
大動脈

図2（中）

胃　横行結腸　大網　腸間膜　小腸　腹直筋　S状結腸

恥骨
大腰筋
脾動静脈
左副腎
膵　左腎上極

図3（下）

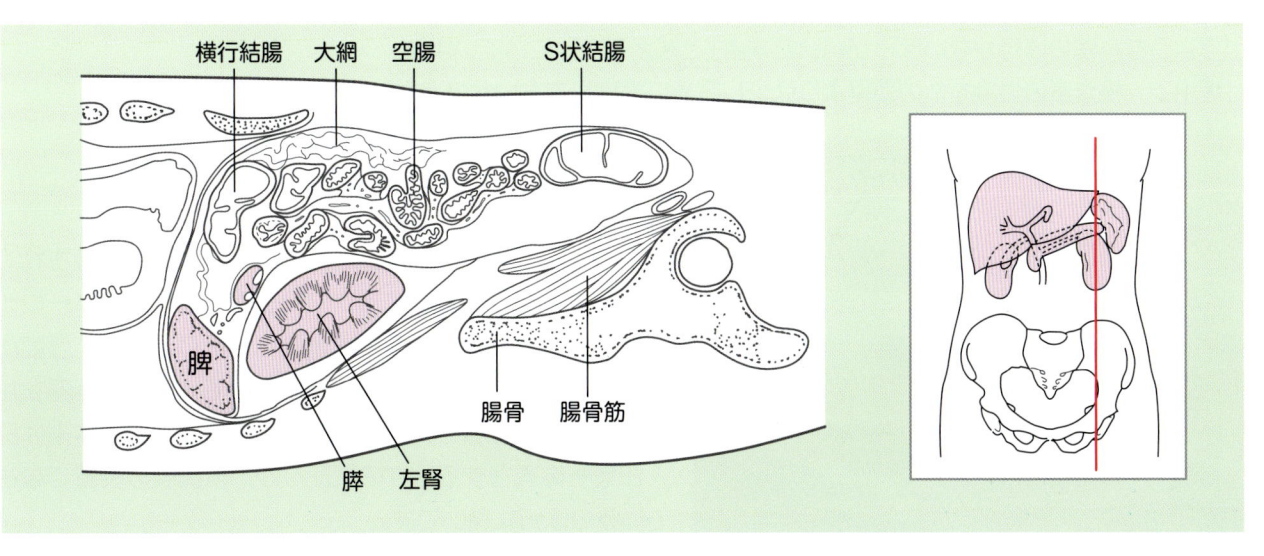

横行結腸　大網　空腸　S状結腸

脾
腸骨　腸骨筋
膵　左腎

検査の前処置・後処理

絶食

上腹部の超音波検査を行うときは朝を絶食にして午前中に検査するか，昼を絶食にして午後から検査するのが原則です。絶食の理由は，食事で胆嚢が収縮すると胆石などの疾患がわかりにくくなるからです。胆嚢は収縮すると壁が少し厚くなるので，胆嚢壁肥厚と間違われてしまうこともあります。

検査の対象が肝硬変の経過観察などに限られているときは，必ずしも絶食は必要ないかもしれませんが，肝臓疾患と胆嚢とは関連があるので，絶食状態で検査するのが望ましいと思います。

初診の患者が右季肋部痛を訴えていて胆石が疑われたときに，食事をすませていても超音波検査をためらうことはありません。胆嚢は収縮していますが，胆石の有無や胆嚢炎の有無くらいはほとんどの場合に判断できます。

膀胱充満

内科外来でも女性で下腹部痛がある人や，高齢の男性で前立腺の疾患が疑われる人に下腹部の検査が必要になることがあります。そのような場合は排尿を我慢して，膀胱内を尿で充満させる前処置をします。

子宮や卵巣，前立腺は腸管内の空気に邪魔されて超音波では観察しにくい臓器ですが，膀胱が膨らんで邪魔な消化管を排除してくれると，膀胱越しに観察できます。婦人科で検査するときはほとんどのケースで経膣プローブを用いるので，その場合は膀胱充満の前処置は必要ありません。

人間ドックでは超音波検査の前に尿の検査のために排尿しているので，下腹部の検査はできません。ただし，触診でわかるような大きな腫瘍は腸管の影響を受けない（腸管は腫瘍によって圧排されている）ので例外です。

ゼリーと部屋の保温

超音波検査の時は必ずゼリーを塗ります。塗らずにプローブを当てると，皮膚とプローブ先端の間に介在する空気のために，超音波は体内に入っていきません。

このゼリーを保温器（ゼリーウォーマー）で暖めておく必要があります。もちろん，冷たいままでも画像は得られますが，冷たいゼリーを腹部に塗られるのはとても嫌なものです。暖めたゼリーを塗ると，それまで身構えていた患者さんが「ここのゼリーは暖かいのですね」とホッとした声で話しかけてきます。私は「今頃，冷たいゼリーで検査しているような病院には行かないほうがいいですよ」と答えることにしています。

同じ理由で，検査室の温度を他の部屋よりは少し高めに設定しておいたほうがいいでしょう。

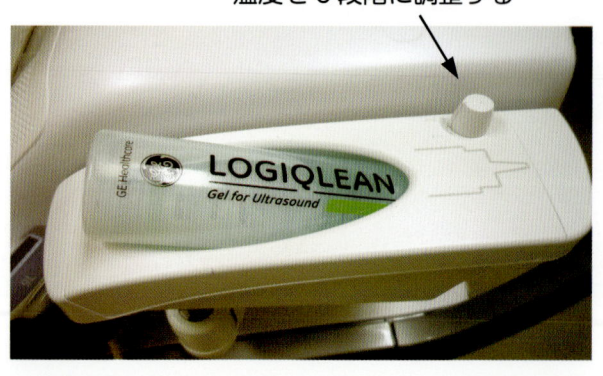

温度を3段階に調整する

ゼリーウォーマー

GEヘルスケアの装置にはゼリーウォーマーが装着されており，しかも温度を調整するツマミがあります。ゼリーウォーマーが装着されている装置は他社にもありますが，温度調整機能がないので，冬場はお湯を用意して，ゼリー容器を加温する必要があるなど使い勝手がよくありません。本来は日本人が最も得意とするはずの気配りが，米国製の装置でなされているのは興味深いです。

🔵 部屋の照明

CRT（ブラウン管）方式のモニタを搭載した超音波診断装置では室内を暗くして検査を行っていました。このほうがモニタの細かな情報を読み取れるからです。

ところが，2005年頃から液晶モニタを搭載した装置が市販されるようになっています。液晶モニタは部屋を暗くすると輝度・コントラストの満足いく調整ができません。考えてみれば，液晶テレビを観たり液晶モニタをつないだパソコンを操作するときは部屋を暗くしません。液晶モニタは明るい部屋で使うことを前提にしています。ただ，事務室などと同じ明るさだと，乳腺の検査時などに患者は羞恥心を覚えることもあるので，天井灯を調光式にして少し明かりを落として検査するのがいいでしょう。

CRT モニタ 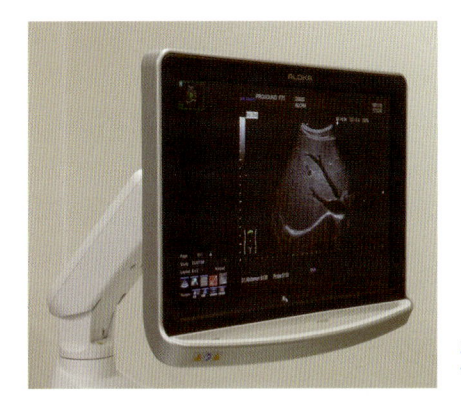　　　　　　**液晶モニタ**

🔵 ゼリーの拭き取り

ゼリーの拭き取りはおざなりの施設が多いように感じています。ティシュペーパーで拭いたり（患者にペーパーをわたして拭かせているところもありました），厚めのトイレ手拭き用のペーパーを使っているのも見ました。何か虚しさを覚えます。検査した人か助手の人がタオルか，できれば蒸しタオルでゼリーを拭き取ってあげるべきと思います。蒸しタオルで拭いてもらった患者は気持ちいいと感謝の気持ちを表します。

検査ベッドのシーツが汚れているのも嫌なものです。ゼリーが付着して汚れやすい所にはバスタオルを敷いて，頻繁に取り替えるようにしたいものです。新幹線は椅子の頭部分のカバーを始発駅で交換していますが，超音波検査室のベッドのシーツは何日で新しくなっているのでしょう。

🔵 プローブの清掃

検査後の超音波プローブには大量のゼリーが付着しています。検査を受けた患者の皮膚の垢が雑菌と一緒に付着しているはずです。検査が終わって次の人に変わるときに，このゼリーはきれいに拭きとっていますか？

私が胃カメラの研修を受けた37年前は，患者から抜去したファイバースコープは外側をアルコール綿球で拭くだけで，内部の洗浄はせずに次の患者に使っていました。現在は専用の洗浄装置があります。超音波プローブの洗浄が問題になることはないのでしょうか。

今までにプローブから伝染性の疾患に感染した話は聞きませんが，プローブに付着したゼリーはタオルで拭きとってから，次の人に使いましょう。

超音波診断の精度を上げるコツ

超音波診断は人体内部をメスを使わずに切り出して，その状態から病名を求める検査法です。主治医あるいは手術を担当する外科医にも納得してもらえる画像を残さなくてはなりません。場合によっては主治医に検査の現場に立ち会ってもらい，説明をしなくてはならないときもあります。その場合は手際よく，わかりやすい画像を示す必要があります。

この本では，いろいろなコツをそれぞれの状況で説明していきますが，第1章の最後に，全体に共通する心構えを書いてみたいと思います。

① 階調が整った画像を記録する

本書の画像の大半は12年前に導入した装置で記録していますが，最新の装置で記録した画像を多く載せた他の超音波解説書に画質では見劣りしないと自負しています。
画像の中で最も信号が強い部分が真っ白く，信号がない所が真っ黒に近く見えるように装置を調整すると，わずかなエコー強度の差を識別できます。これは超音波検査に限らず，画像診断全般に共通する基本です。全体的に黒かったり，白かったりする画像では正確な診断はできません。

② 検査中に患者さんと会話する

検査中に患者さんから情報を聞き出すことが重要です。たとえば，申込書に心窩部痛と書いてあったら，痛みはいつからあるのか。持続する痛みか間欠性の痛みか，食事との関係はあるのか。下痢はしているのか，あるいは，暴飲・暴食などの誘因はないかなどを尋ねます。超音波検査は単に画像を眺めて診断できるものではありません。患者の症状から病気の予想を立てて，所見が合うかどうかを確認していく作業です。患者さんから上手に聞き出すために話しやすい雰囲気をつくりましょう。

③ 利用できる情報はすべて利用する

すでにCTやMRなどが施行されていれば，検査の前にフィルムやモニタで確認しましょう。「CTで肝右葉に低吸収域がある。これの精査」と申込書に書いてあったら，必ずCT画像で確認してから，検査を始めるべきです。すでに数回の超音波検査を受けていれば，今までの超音波画像の所見を確認しなくてはなりません。この手間を省くと，今までの結果とは矛盾するレポートを書くことになり，主治医の信頼を失います。人間ドックを行っている施設で前年の画像を見ることができずに困ったことがあります。

④ 人体解剖を理解する

超音波を使って切り出した断面像が正常なのか異常なのかは，人体解剖を知らなくては判断できません。大切なのは正常範囲でのばらつき（正常変異）です。この本で示している正常超音波画像と全く同じ画像が得られる人はいません。正常であっても少しずつ異なっています。どこまでが正常範囲で，どこから先が異常（病的）なのかの判断をするのは相当の経験が必要です。肝臓の形態・サイズの判断はかなりのベテランでも間違えることがあります。

⑤ 病気を理解する

胆嚢炎は右季肋部に持続性の痛みを感じます。胆嚢壁は肥厚し，内腔は大きくなるのが普通です。胆石があるケースが多いですが，胆石がない胆嚢炎もあります。胆石があって，胆嚢壁が部分的に肥厚していても，痛みが全くなければ，それは胆嚢炎ではありません。胆嚢腺筋症に胆石があるだけです。血液検査では炎症反応がないはずです。病気を知らなければ正確な診断はできません。

第2章

胆嚢

CTやMRなどが発達しても胆嚢疾患の診断に最も有用なのは超音波検査です。そこで，この本では胆嚢の検査について真っ先に解説します。

胆石に関しては，ずば抜けて高い診断率を誇る超音波検査ですが，胆石を100％描出できるわけではありません。胆嚢には様々な形態や条件があり，超音波検査に習熟しても，胆石を見逃してしまうことがあります。

いろいろなアーチファクト（人工産物）がみられるのも胆嚢の特徴です。

医学書では胆嚢を説明するのに西洋なし型と表現してあります。西洋なしも品種改良されて，いろいろ形はあるようですが，私にはピンときません。この写真のような胆嚢だったら，閉塞性黄疸で拡張・緊満していると考えます。

胆嚢と周囲臓器

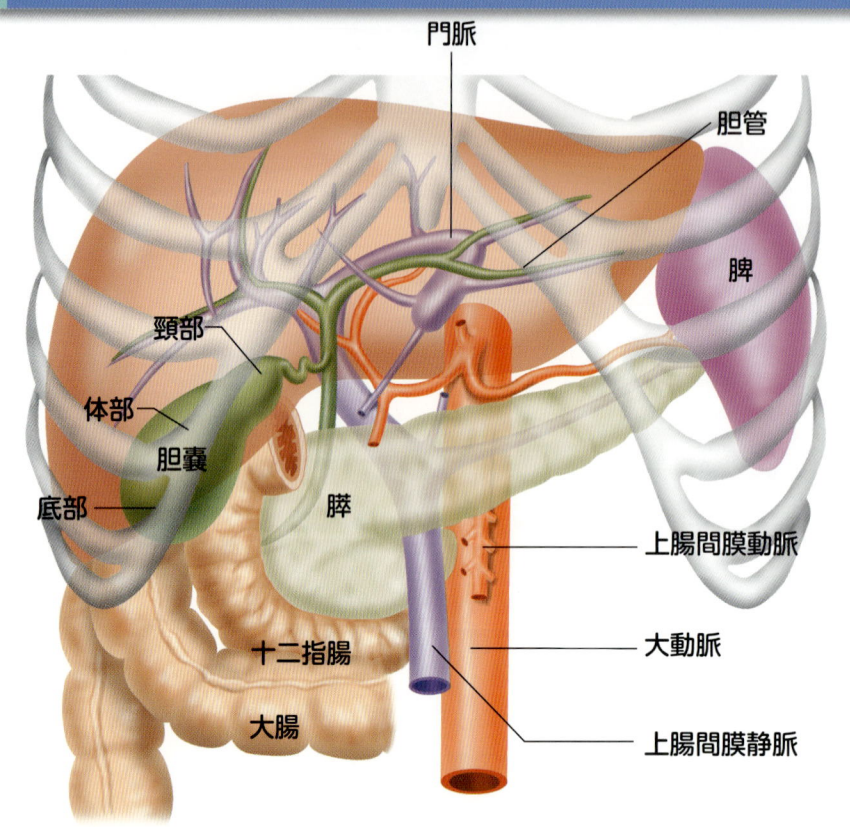

胆嚢前壁は肝右葉の下面に接しており，後壁は消化管に接しています。つまり，前方から，肝・胆嚢・消化管の順に並んでいます。

胆嚢頸部と底部を結ぶ長軸は右下を向いており，かつ肝下面の傾きに合わせて前方へ傾いています。この傾きは肥満体や肝硬変の人では大きく，消化管ガスの影響を受けやすくなります（106ページ参照）。

肋骨と消化管ガスの影響をいかに避けて検査できるかが，診断成績を左右します。

● 正常胆嚢の超音波像

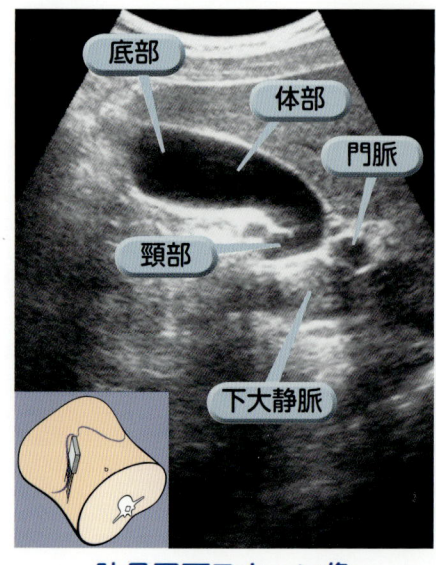

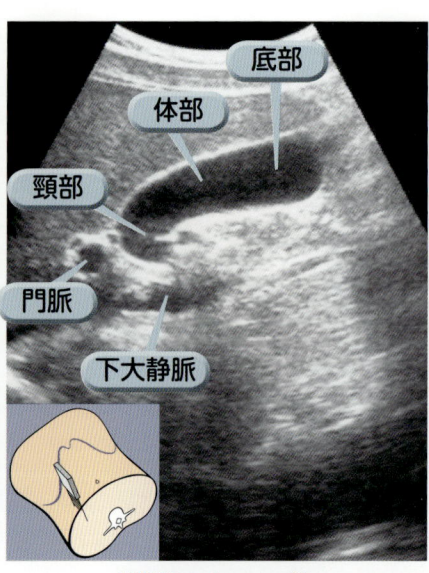

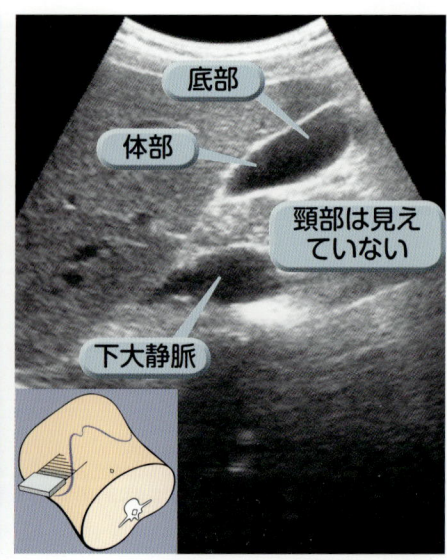

肋骨弓下スキャン像　　　縦断スキャン像　　　肋間スキャン像

● プローブの置き方

肋骨弓下スキャン

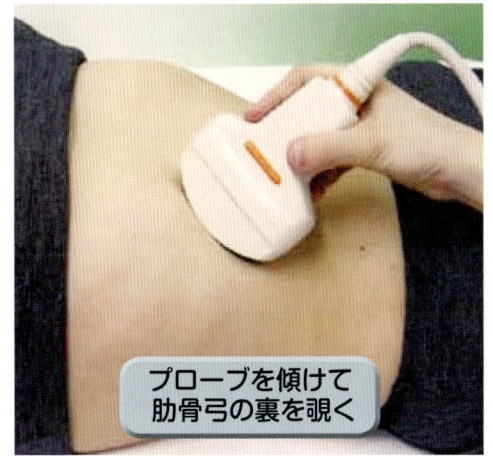

プローブを傾けて肋骨弓の裏を覗く

プローブの先端は肋骨弓に沿って，その尾側に置きます。さらにプローブは肋骨弓の裏側を覗き見るように傾けます。肋骨弓は斜めに存在するので，斜めの断面を観察することになります。

患者に吸気を指示して胆嚢が肝と一緒に肋骨弓の尾側まで降りてくるのを待ちます。痩せた人では吸気を指示しなくても，初めから胆嚢は肋骨弓の尾側にあります。逆に肥満体や肝硬変などで肝が小さい人では最大吸気状態でも胆嚢が肋骨弓より尾側に降りてこないので，このスキャンでは胆嚢を検査できません。

縦断スキャン

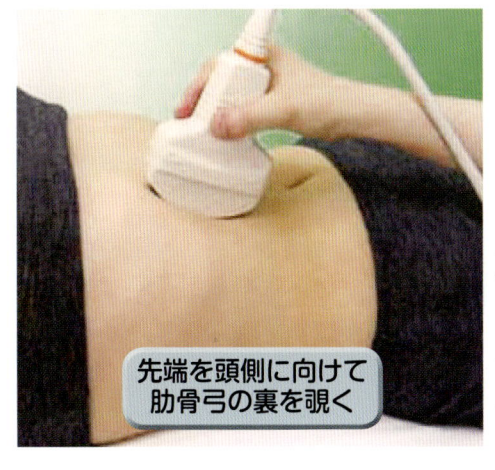

先端を頭側に向けて肋骨弓の裏を覗く

プローブを肋骨弓より尾側で体の長軸に平行に置きます。こうすることで頭尾方向の断面（縦断像）が観察できます。この方向の断面のことを正式には矢状断といいます。

肋骨弓下スキャンと同様に吸気状態でスキャンしますが，胆嚢が肋骨弓までしか下垂してこないケースでは，プローブ先端を頭側に向けて，肋骨弓の裏側を覗き見るようにします。

肥満体や肝硬変などで肝が小さくて高い位置にある人では胆嚢は肋骨に隠れるので，このスキャンでは胆嚢を検査できません。

肋間スキャン

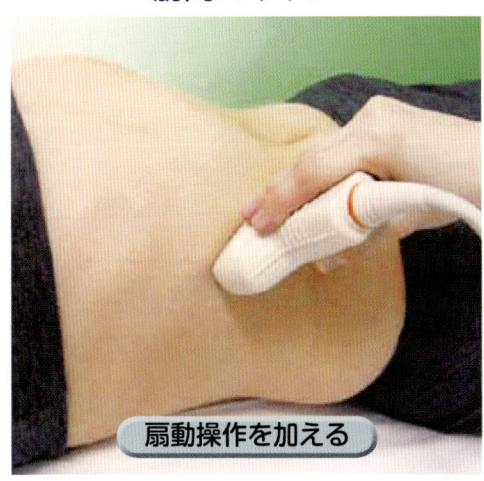

扇動操作を加える

肋間スキャンは肝右葉の検査に用いますが，胆嚢の検査でも重要です。肥満体や肝硬変などで肝が完全に肋骨に覆われている人では肋骨弓下スキャンや縦断スキャンでは胆嚢を描出できませんが，肋間スキャンだと描出できます。ですから絶対にマスターしなくてはならないスキャン法です。

通常のCTやMRでは見ることのない超音波検査特有の断面なので，初めのうちは馴染めません。苦手意識をもつ人がいます。

安静呼吸か呼気状態で肋間腔から胆嚢を観察します。肋骨弓下スキャンとは直交する断面が見えます。

胆嚢の全体像を1画面には収められないかもしれませんが，扇動操作（72ページ参照）で全体の観察は可能です。

胆嚢

● 肋軟骨の上にプローブを置くと……

多くの人では胆嚢は右肋骨弓の真裏にあります。そこで腹式呼吸をしてもらって，胆嚢を肋骨弓の尾側まで移動させて検査するのですが，すべての人が腹式呼吸を上手にできるとは限りません。
太った人では胆嚢は肋骨弓のはるか頭側にあって，最大吸気でも肋骨弓の高さに降りてくるだけという場合もあります。

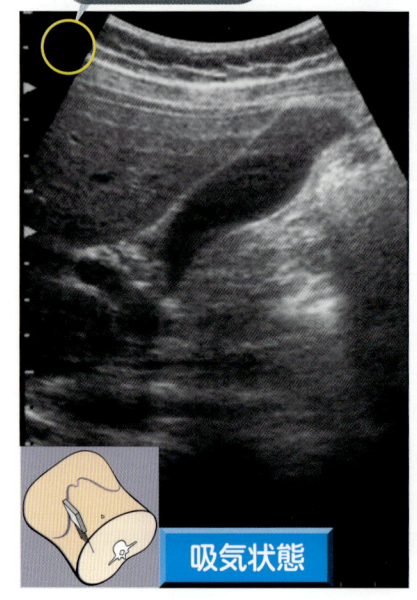

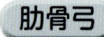

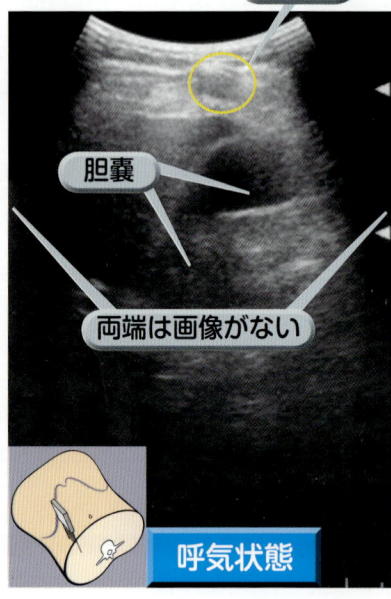

縦断スキャンは左図のように吸気状態で肋骨弓の尾側にプローブを置いて行いますが，右図は試しに呼気状態で，胆嚢が肋骨弓（肋軟骨）の裏側にある状態でスキャンしました。
超音波は肋軟骨を減衰しながらも透過します。しかし，肋骨弓にプローブが乗り上げているので，腹壁は凹まずに，プローブの一部だけが皮膚に接します。両端は浮いて画像を描かないので視野が狭い画像になります。
得られる画像は暗くて，ゲインを上げないと診断には適しません。

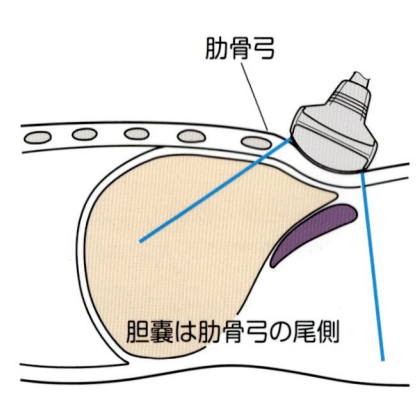

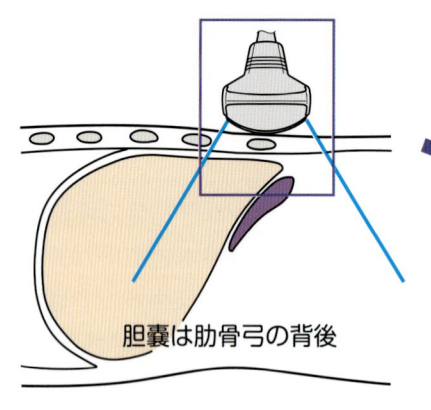

これは上図の2枚の超音波検査をしたときの模式図です。吸気時に肋骨弓の尾側でスキャンするときは左図のようにプローブを頭側に傾けますが，画面上はプローブを傾けているのがわかりません。プローブを傾けてもプローブ先端を表す円弧はいつも水平です。これは超音波の理解を難しくしている理由の1つです。

胆嚢の超音波検査の特殊性

痩せた人を除くと，ほとんどの胆嚢は安静呼吸時には肋骨や肋骨弓の背後に存在します。
肋骨や肋骨弓を避けるのに有効な方法は深く息を吸って横隔膜を下げ，それに従って肝臓とともに胆嚢を肋骨弓より尾側（下側）に移動させることです。そのためには深呼吸を適切に指示することが重要になります。深吸気状態で胆嚢は尾側に移動するだけでなく，屈曲がとれて長くなるなど形が変わって観察しやすくなることもあります。ですから，難聴の人や吸気の指示を理解できない乳幼児や認知症患者を検査するのは困難です。
胆嚢の尾側には腸管が接しており，中にはほとんどのケースでガスがあります。腸管から発生するアーチファクト（サイドローブ）が胆嚢内腔に胆泥と紛らわしいエコーを描きます。ただし，胆嚢の背後にある腸管は影響ありません。
これらのことを理解して，肋骨，肋骨弓，消化管ガスを避けて胆嚢内を複数の方向から観察するように工夫します。
次のような理由から，胆嚢は最も超音波検査が難しい臓器です。

① 肥満体では肋骨弓下スキャンができない
肥満体の人では大量にある腹腔内の脂肪が肝臓を頭側に押し上げています。肝下面に接している胆嚢も頭側に移動しており，肋骨に完全に覆われています。いくら深く息を吸っても内臓の呼吸性移動は少なくて，胆嚢は肋骨弓より下に降りてきません。その結果，胆嚢は肋間スキャンでしか検査できないので病変を見逃しやすくなります。

② 肥満体では胆石は頸部に隠れる
肥満体の人では胆嚢の長軸は腹壁に垂直近くになっている（106ページ参照）ので，超音波検査を受ける際にベッドに仰向けになると，それまで胆嚢底部にあった胆石は頸部に移動します。胆石が頸部に落ち込んで見えなくなる前に画像を撮るため，私は超音波検査は胆嚢から始めます。検査開始時に頸部に移動中の胆石を何回も目撃しています。

③ 女性には腹式呼吸ができない人がいる
女性には腹式呼吸が苦手な人が多くいます。検査中に腹式呼吸の要領を指導することもあります。また，認知症の患者は，検者の指示に反する呼吸をすることがあるので，呼吸の指示はせずに黙って検査することがあります。肋骨や肋軟骨の影響を避けて検査するのが難しくなりますが，時間をかけて数多くトライすることで，ある程度カバーしています。

④ 少なくとも2方向以上から観察する
病変の見落としを少なくするためには1方向からの検査だけでは不十分です。肋間スキャンは必ず行いますが，胆嚢が深吸気状態でも完全に肋骨に覆われていて肋骨弓下でスキャンができないときは，プローブは肋骨弓下スキャンの向きで，肋骨にクロスさせて置いて，肋骨の隙間から胆嚢を観察します（107ページ上図参照）。

MEMO　超音波検査は胆嚢から始める

胆嚢は検査中に所見が変化する唯一の臓器です。胆石は立位では胆嚢底部にありますが，検査に備えて仰向けに寝ると胆嚢内の低い部分（仰臥位では頸部）に移動します。肥満体の人では胆嚢長軸が腹壁に垂直なので胆石は頸部に落ちやすく，落ちてしまうと，頸部は深い所にあるのでフォーカスが合わずに不明瞭になるだけではなく，周囲の消化管ガスが作るアーチファクトに隠されてしまう可能性が大です。
上腹部の検査は胆石の有無に注意して胆嚢から開始するべきです。検査の最後に再び胆嚢を検査すると，形や周囲の腸管との位置関係が変化していて観察しやすくなっていることがあります。胆嚢は最初と最後の2回スキャンしましょう。
上腹部の超音波検査は脾や肝左葉あるいは膵から始めると記述している超音波解説書を散見しますが，この方法では肥満体患者の小さな胆石を見逃している可能性があります。

胆嚢の形のいろいろ

痩身の細長い胆嚢

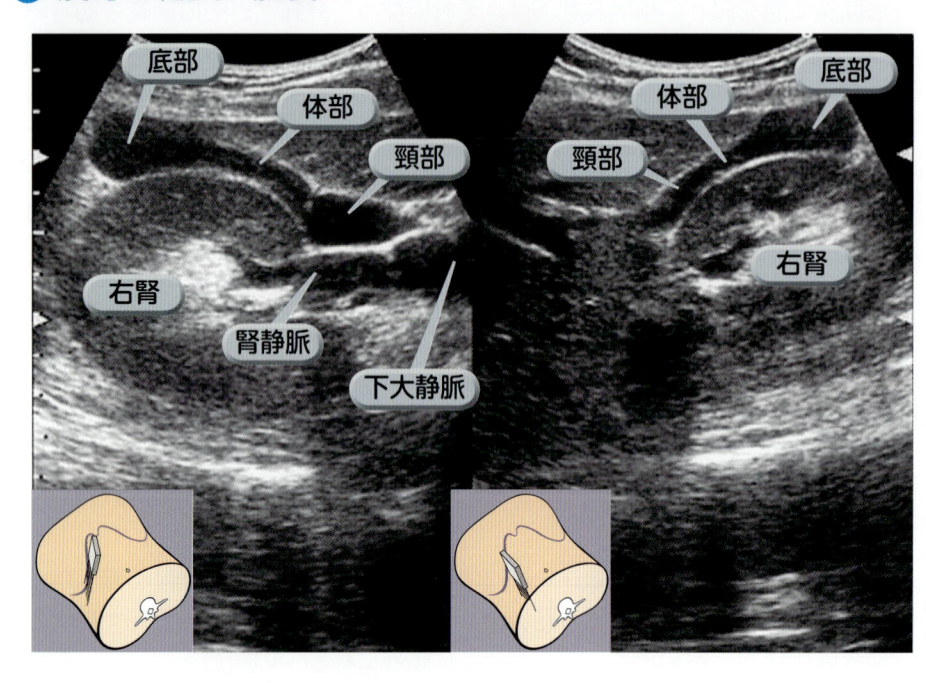

痩せた人では胆嚢が右腎に接していることがあります。細長くて内腔が狭いことが多く，下大静脈や右腎静脈と紛らわしくて，どこに胆嚢があるのかわかりません。痩せた高齢者に多くみられます。

高齢者や肝硬変で反転した胆嚢底部

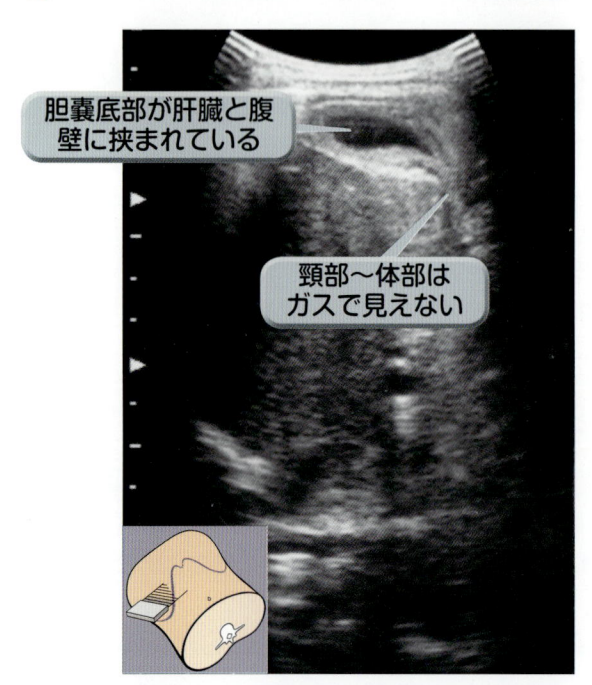

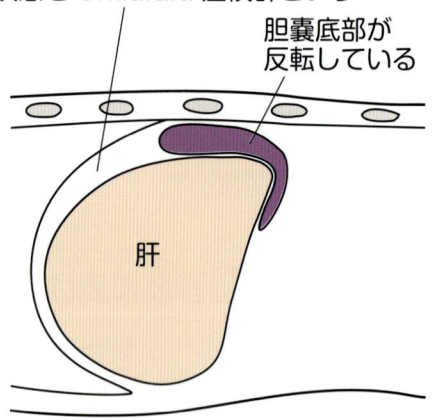

高齢者や肝硬変の人では肝右葉が萎縮して肝と腹壁が離れることがあります。できた隙間に胆嚢底部が反転して挟まっています。この状態では底部は狭くなり，腹壁で発生する多重エコーで塗りつぶされる可能性が大きくなります。

● くびれがある胆嚢

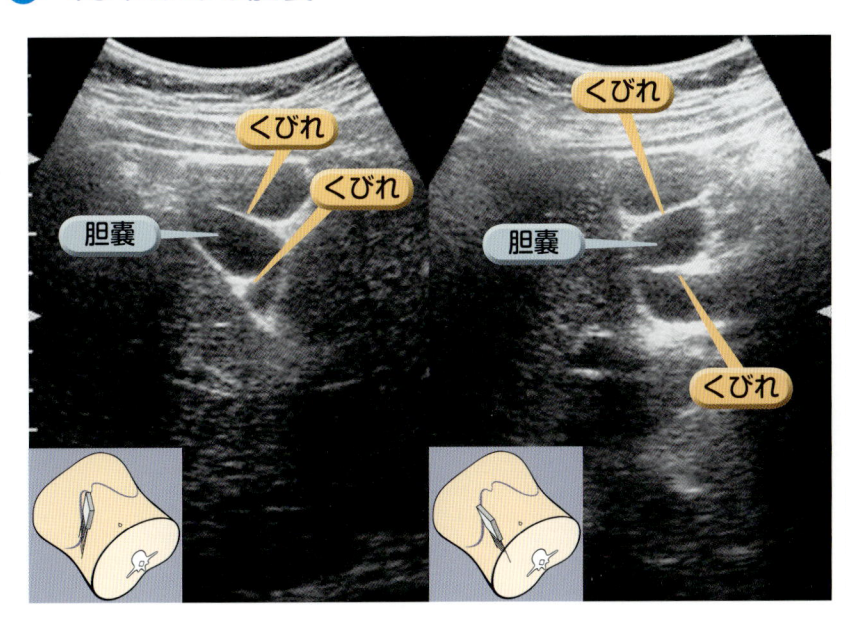

胆嚢が「S」型に屈曲していると，くびれが生じて全体を観察するのが難しくなります。また，小胆石とポリープを区別する目的で移動性の有無を確かめたいときに，くびれが移動を邪魔して強エコーの動きが確認しにくくなります。

● 左側胆嚢

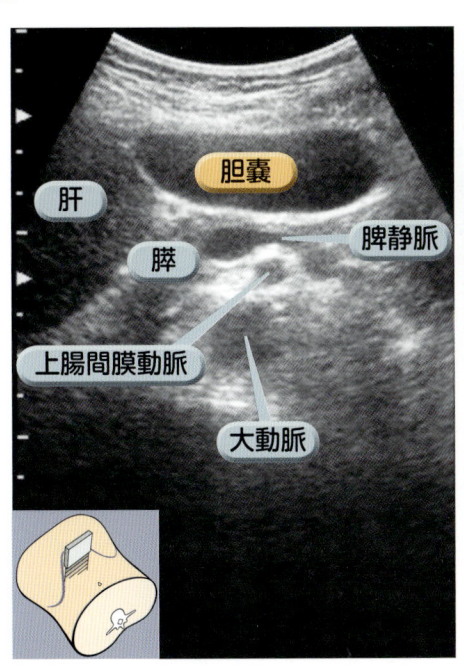

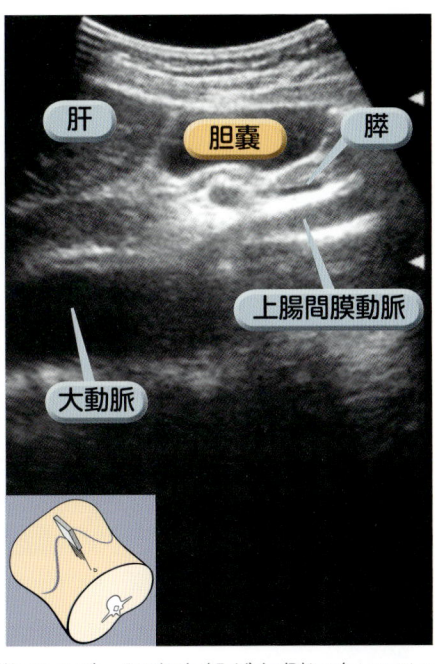

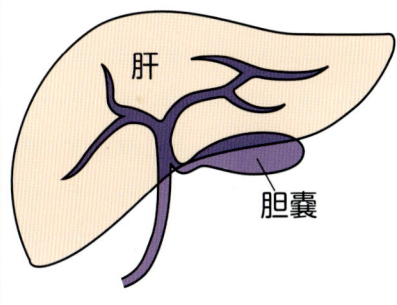

肝外胆管や胆嚢管の分岐部の位置は正常ですが，胆嚢底部が左側に向いている異常です。通常は右季肋部にある胆嚢が心窩部正中で見えます。このような位置異常があることを知らないと胆嚢の描出に時間がかかったり，胆嚢は萎縮している可能性があると誤診してしまいます。

肝左葉から突出した肝嚢胞が似たような所見を示すことがありますが，そのときは胆嚢は通常の位置に描出されます。

拡張・緊満した胆嚢

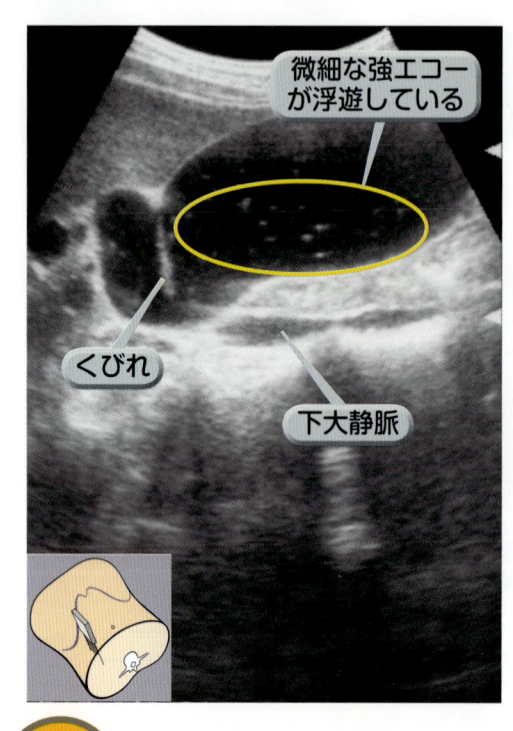

画像内ラベル：微細な強エコーが浮遊している／くびれ／下大静脈

閉塞性黄疸（膵頭部癌）の症例です。胆汁が十二指腸に流れにくい状態が続いているので，胆嚢内の胆汁が異常に増えて胆嚢は拡張しています。内部の圧が高まり，周囲に向かって容積を増やそうとしている状態（緊満）です。

胆汁は濃縮されるので内部に微細な強エコーが浮遊します。

この胆嚢では頸部と体部の境がくびれているので，長さが増大しているのがわかりにくいです。114ページの「嵌頓した胆石 1」のように，くびれがなくて胆嚢が長く見える例は多くありません。

拡張が軽い例では病的な拡張なのか，胆嚢が元々大きいのか判断に迷うことがあります。以前の画像があれば比較して判断します。

> **ひとくちコメント**
> 腎臓や膵臓のような充実性の臓器が炎症で大きくなっているときに「腫大」と表現しますが，胆嚢の容積が病的に増大している状態も腫大と表現しているレポートを多くみます。これは嚢胞性臓器である胆嚢では違和感を覚えます。胆嚢は拡張とか拡大というべきではないでしょうか。英語で言えばenlargementです。私は，上図のような胆嚢を見たときは「胆嚢は拡張・緊満しています」とレポートすることにしています。

フリジア人帽子様変形

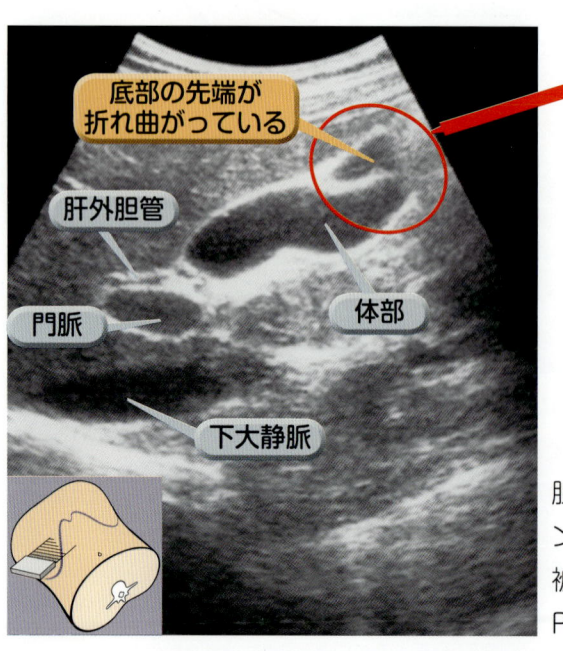

画像内ラベル：底部の先端が折れ曲がっている／肝外胆管／門脈／体部／下大静脈

胆嚢底部の先端が折れ曲がっています。昔のオリエント（現在のトルコ地方）に住んでいたフリジア人が被っていた先端の曲がった帽子に似ていることからPhrygian cap deformityと呼ばれています。

🔵 肝硬変の胆嚢

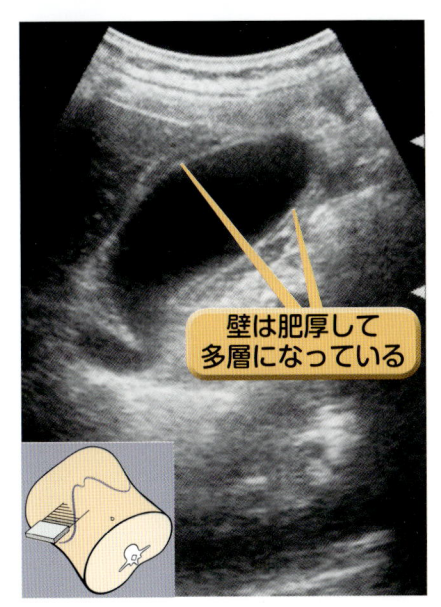

壁は肥厚して多層になっている

肝硬変の中には胆嚢壁が肥厚する症例があります。胆嚢壁に流入した血液は肝床を通って肝臓に滲み出します。血液が流れていく先の肝臓の門脈圧が上昇していると，血液は胆嚢壁にうっ滞して胆嚢壁が肥厚する原因になります。
同様な機序で，うっ血肝でも胆嚢壁が肥厚する例があります。

🔵 急性肝炎の胆嚢

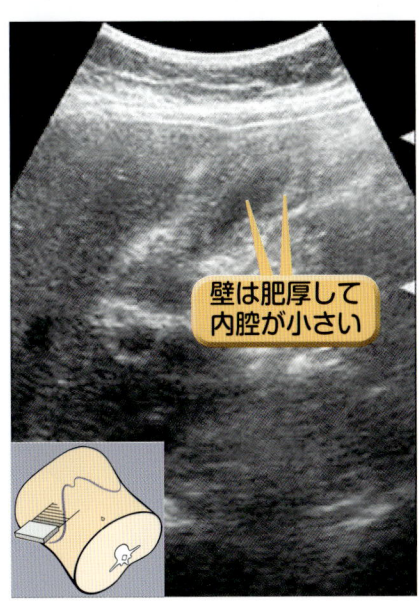

壁は肥厚して内腔が小さい

胆嚢壁が肥厚していて，内腔が小さいときは急性肝炎の可能性があります。胆嚢炎ではないので痛みはありません。吐き気があって食事ができる状態ではないのに，胆嚢内腔は食後のように小さくなっています。
この症例では，臨床上は薬剤性の急性肝炎が考えられていました。

🔵 胆嚢摘出後なのに……

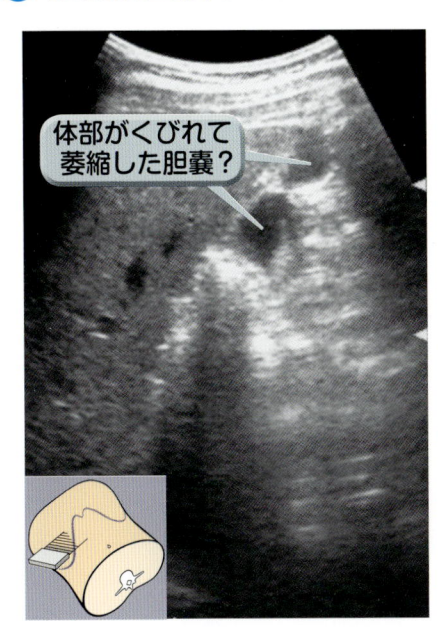

体部がくびれて萎縮した胆嚢？

胆嚢は摘出しているのに右季肋部に胆嚢を思わせるエコーフリーな形態を認めることがあります。これを見て「胆嚢は内腔が小さく，くびれている。慢性胆嚢炎疑い」とレポートすると，恥をかきます。たまたま小腸の一部に液体があって内腔が開いているのを見ているのでしょう。しばらく観察すると蠕動運動が見られたり，内部を移動する気泡が見えたりします。

体型と胆嚢の形

体型と胆嚢の形や位置には関連があります。最も検査がしやすいのは普通の体型か少し痩せた人です。肥満体の胆嚢は頭側にあって肋骨に覆われるので，肋間スキャンでしか描出できません。痩せすぎた人（特にお年寄りで痩せた人）の胆嚢は腹壁直下にあって細長く，腹壁で生じるアーチファクト（多重反射）が胆嚢底部に重なってエコーフリーに見えません。

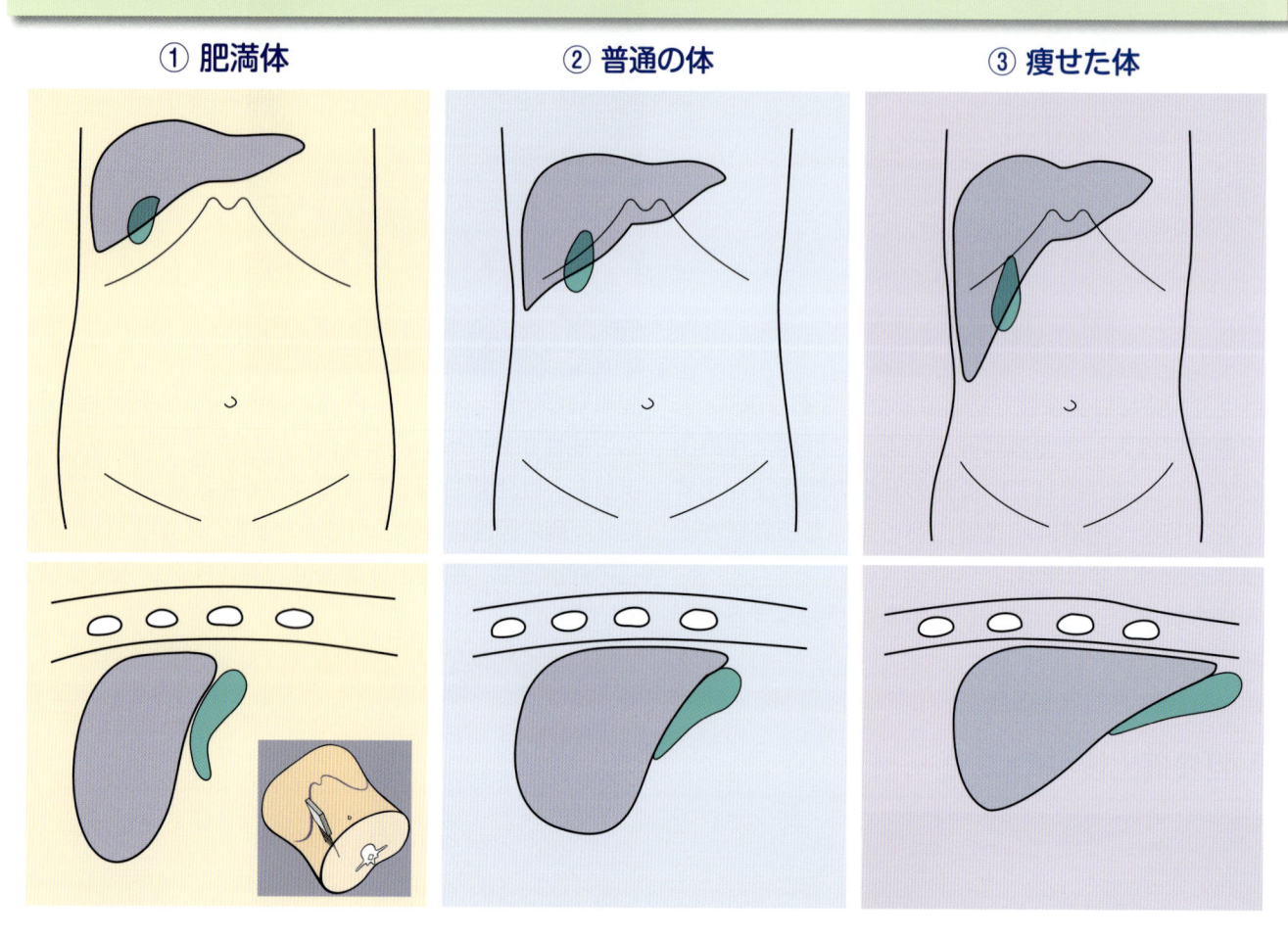

① 肥満体　　　　② 普通の体　　　　③ 痩せた体

① 肥満体
皮下脂肪が厚いので，超音波が届きにくい。仰向けに寝た状態では胆嚢の長軸は立っており，胆嚢頸部は深い位置にある。仰向けになると胆石は底部から頸部に移動する。消化管ガスから発生するサイドローブ（38ページ参照）の影響を受けやすい。胆嚢は深吸気を指示してもわずかしか移動しない。

② 普通の体
最もアーチファクトの影響を受けにくい。深吸気では胆嚢は肋骨弓より尾側に移動するので肋骨や肋軟骨に邪魔されずにスキャンできる。

③ 痩せた体
胆嚢の長軸は腹壁に平行で，内腔は狭いことが多い。胆嚢は全体的に浅い所にあるので，腹壁から発生する多重反射（36ページ参照）が底部に重なって，小さな異常所見を見落とすことがある。

● 胆嚢が高位置にある

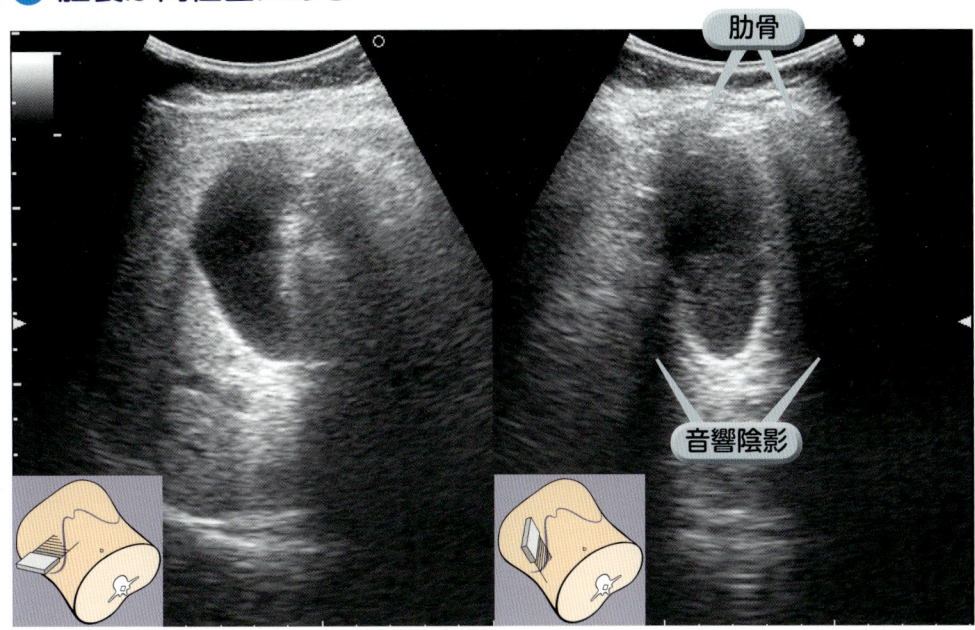

胆嚢が高位置にあるために肋骨弓下からの検査ができません。肋間スキャン（左図）だけでは病変を見落とすので、プローブを肋骨弓下スキャンと同じ向きにして、肋骨の上に置いてスキャンします（右図）。肋骨の音響陰影が胆嚢に重ならないように工夫します。
胆嚢が高位置にあるのは肥満体や高齢者あるいは右肺の病気で横隔膜が高位の場合などです。

● 高齢者の検査

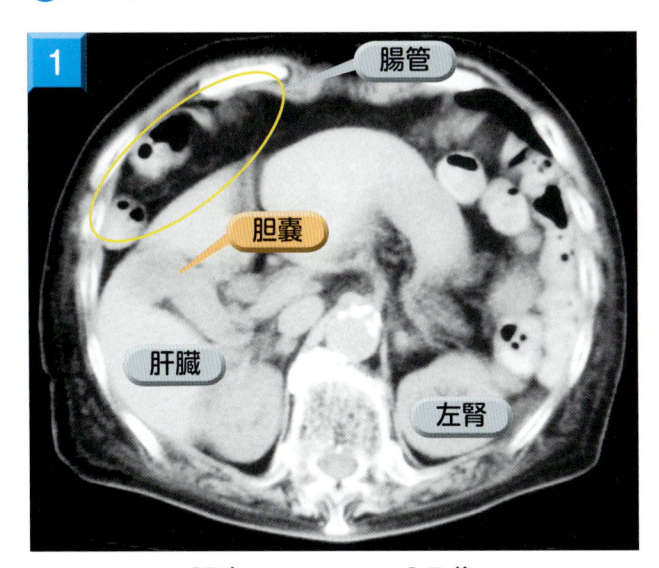

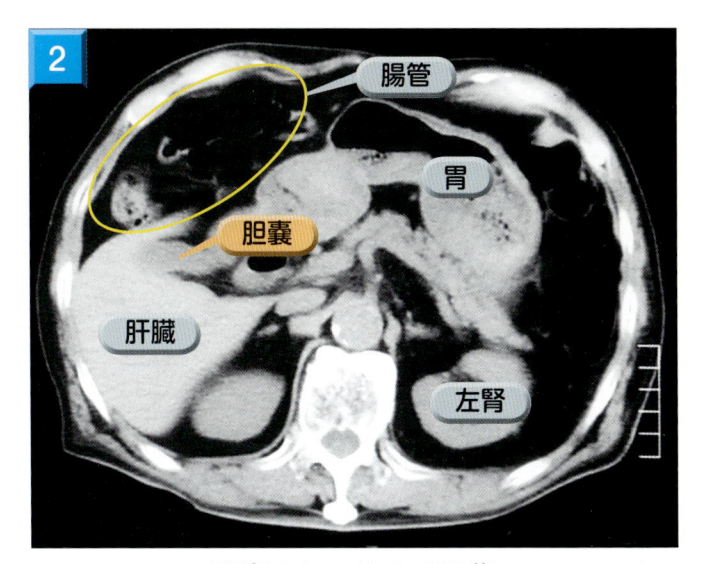

胆嚢のレベルの CT 像　　　　胆嚢のレベルの CT 像

この本は超音波検査の解説書なのにCT画像を提示するのはなぜか？　それはCTを見れば、この高齢者の胆嚢や肝臓の超音波検査が難しい理由がわかるからです。
高齢者の多くで肝臓が萎縮しています。そうすると肝臓の前面と腹壁との間に隙間ができて、そこに腸管や大網などの脂肪組織が入り込んできます。この状態をChilaiditi症候群といいます（102ページ参照）。肝臓も胆嚢も腸管ガスの影響を受けて腹側（前方）からのスキャンはできません。かろうじて、右側腹部の背中よりからスキャンするしかありません。
最近は80歳代、90歳代の検査をすることが多くなってきて、このような症例に遭遇します。超音波検査の時点でCT画像があれば、積極的に参照して超音波検査のアプローチルートを決める参考にするべきです。

検査しやすい胆嚢

前ページでは胆嚢の検査が難しい症例を紹介しましたが，ここでは反対に初心者でも簡単に胆嚢画像が抽出できる症例を提示します。
簡単に胆嚢が描出できる条件は，安静呼吸時に胆嚢が肋骨弓の尾側にあり，腹壁との間に肝臓が介在しており，消化管ガスに邪魔されないことです。
胆嚢が屈曲していないことも条件です。
全くの初心者は，このような人を探して練習するのがいいでしょう。

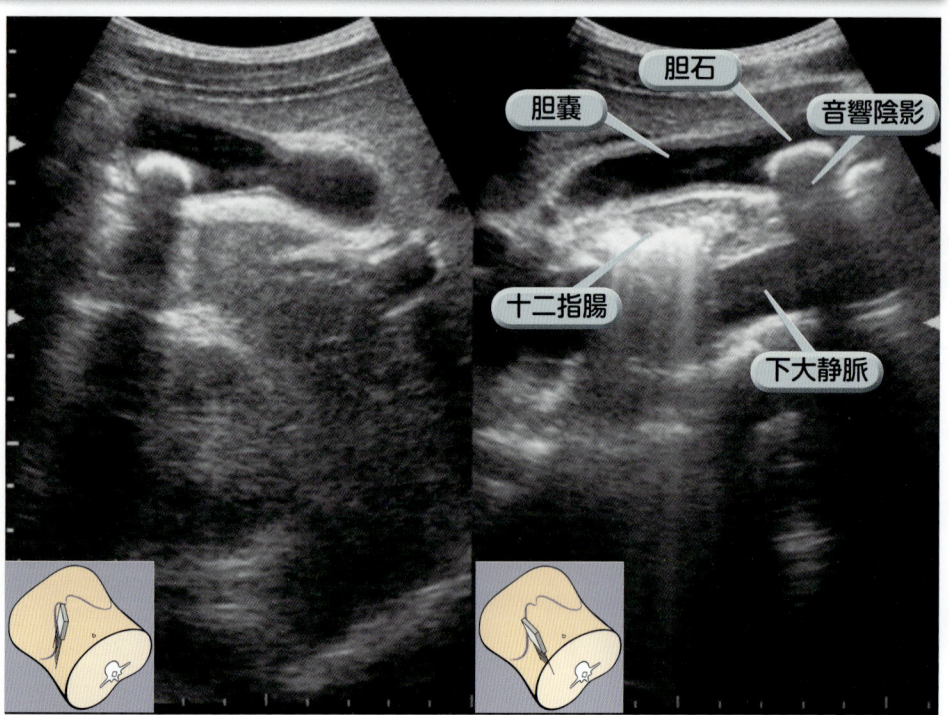

胆嚢のほぼ全体が比較的浅い所（腹壁に近い所）にあり，超音波の解像度の点で有利です。皮下脂肪が薄いので，皮下脂肪内で超音波音場が乱されることもありません。
腹壁と胆嚢の間には肝臓が適当な厚さで介在しており，消化管ガスの影響を受けません。また，多重反射が胆嚢内に投影されるのはわずかですし，消化管は背後にあるので腸管ガスからのサイドローブに邪魔されることはありません。

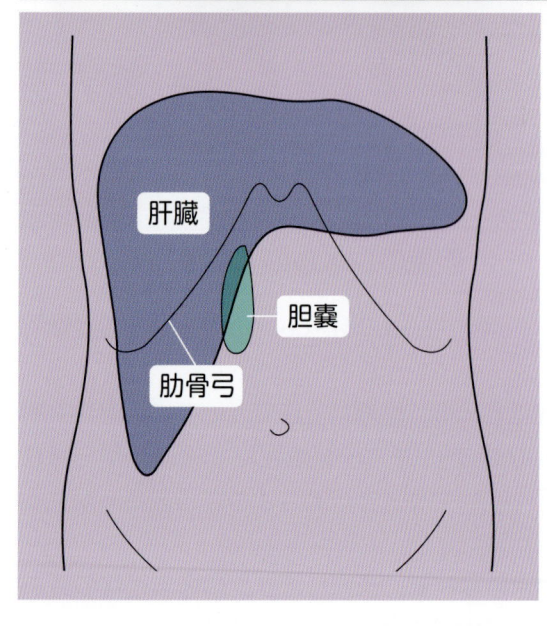

この症例の肋骨弓と肝臓，胆嚢の位置関係は，このようになっていると思います。これは右ページの腹部単純X線像とCT画像を参照して描いたものです。

胆石

腹部単純X線像

CT 前額断像

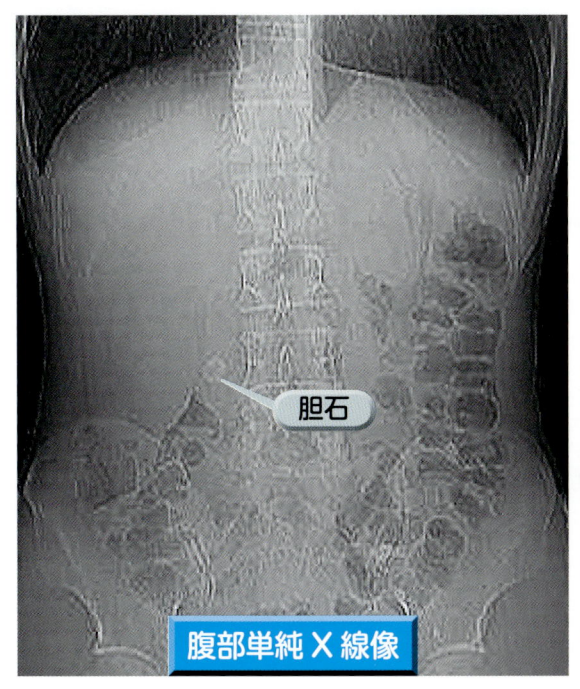

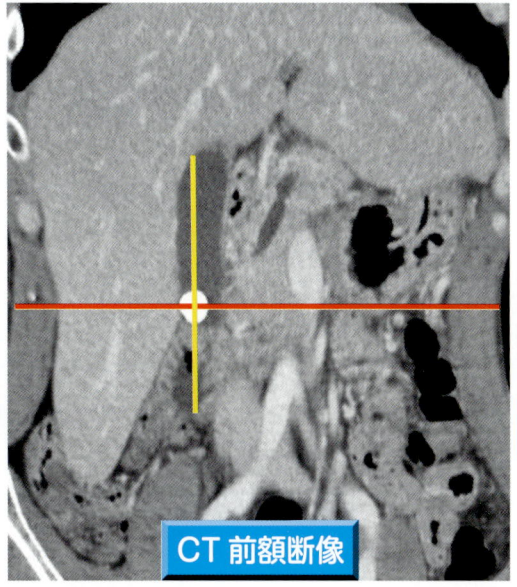

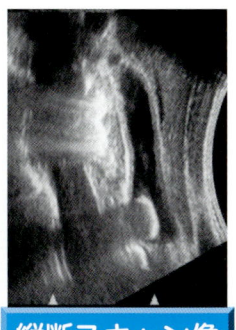

縦断スキャン像

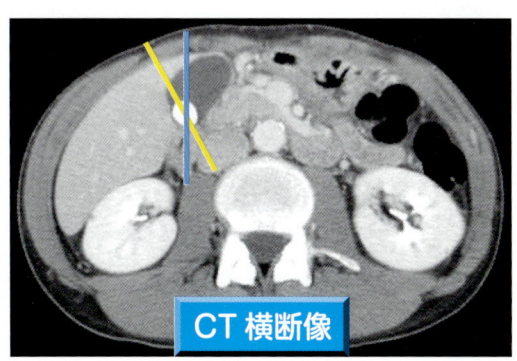

CT 横断像

胆嚢

　この症例では，たまたまX線を通さない石灰化した胆石があるので，腹部単純X線像で胆嚢の位置が簡単に推測できます。CTで再構成した前額断像が肝臓の形や胆嚢の位置を一目瞭然に示しています。
　前額断像に赤線で示した位置で撮影したCTの横断像を下に示しています。CT前額断像に示した黄色線の位置で，かつCT横断像に示すように少しプローブを傾けて（腹壁には垂直）スキャンしたのが，右上に示す超音波の縦断スキャン像です。この超音波像はわざと画像を時計方向に90度回転させています。
　超音波検査のときにCT横断像の青線のルートでスキャンせずに少し右横からスキャンしているのは，プローブを皮膚に垂直に当てて密着させたいのと，腹壁による多重反射が胆嚢に重なるのを避けるために，少しでも長く肝臓を経由して胆嚢に超音波ビームを当てたいからです。
　超音波検査は目標に正確に超音波を当てるのは当然ですが，アーチファクトの影響を受けにくいルートを通して，目標に超音波を誘導するのが重要です。

胆石

胆石とは胆嚢結石，肝内胆管結石，肝外胆管結石の総称ですが，日常臨床では胆嚢結石のことを胆石と呼ぶことが多いので，本書でも胆嚢結石を胆石といいます。胆石の診断に関しては超音波検査に優る検査法はありません。超音波検査を取り入れた人間ドックが普及して，今までわからなかった痛まない胆石（silent stone）が多く見つかっています。

胆石は超音波を強く跳ね返すので，強エコー（strong echo）に見えます。その結果，胆石を通り抜けて後方に到達する超音波はないので，胆石の後方からのエコーはありません。これを音響陰影（acoustic shadow）といいます。

右季肋部痛で来院した患者に超音波検査をして胆石が見つかっても，胆嚢壁肥厚や胆嚢拡張などの炎症を示唆する所見がなければ，痛みの原因が胆石だと断定はできません。ほかに右季肋部痛を引き起こす疾患がないか慎重に検査をするべきでしょう。

文献では超音波検査で胆石の成分を推測する方法が紹介されていますが，私は超音波で胆石の成分を細かく判断するのは不可能と考えています。日常診療では胆石の成分を知る必要はほとんどありません。コレステロール系石には経口的胆石溶解薬が有効とされていますが，実際は効果があまり期待できません。腹腔鏡下の胆嚢摘出術が特殊な技術ではなくなった現在では，胆石溶解薬に頼らずに胆石の成分に関係なしに手術するので，胆石の成分を知る必要はありません。

● 胆石のパターン

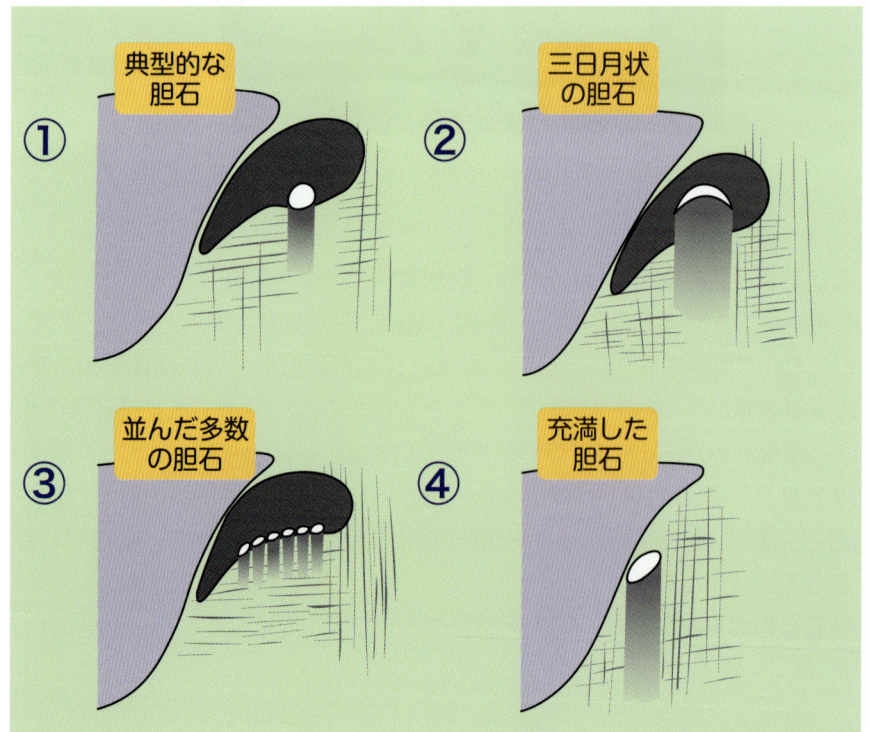

① 典型的な胆石
② 三日月状の胆石
③ 並んだ多数の胆石
④ 充満した胆石

① 典型的な胆石
胆嚢後壁に円形〜楕円形の強エコーがあり，音響陰影を伴う。胆石全体が白く見えるのは10mm以下の小さい胆石に限られる。

② 三日月状の胆石
大きい胆石は表面だけが三日月状に描出され，後壁から離れて浮いて見える。

③ 並んだ多数の小胆石
音響陰影が弱く，見落としやすい。

④ 充満した胆石
胆嚢内腔が見えないので，消化管ガスと紛らわしい。胆嚢自体は慢性胆嚢炎で萎縮していることが多い。

🔵 典型的な胆石

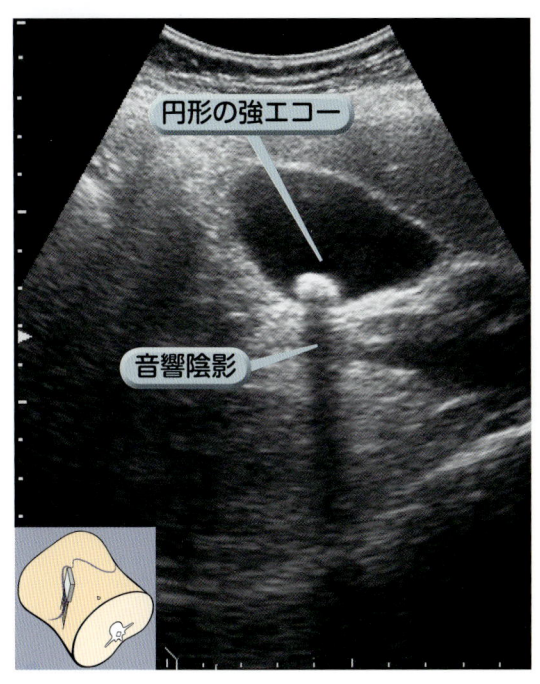

円形の強エコー

音響陰影

大きさが10mmの胆石です。この程度の大きさまでは胆石の全体像がほぼ円形に見えますが，さらに大きくなると，胆石の背側の半分はエコーが弱くなり，胆石は腹側だけが半月状に見えるようになります。胆石の後方には音響陰影を伴っています。
最近の装置が取り入れているコンパウンドスキャン（34ページ参照）で見ると，音響陰影は不明瞭になります。

🔵 三日月状の胆石

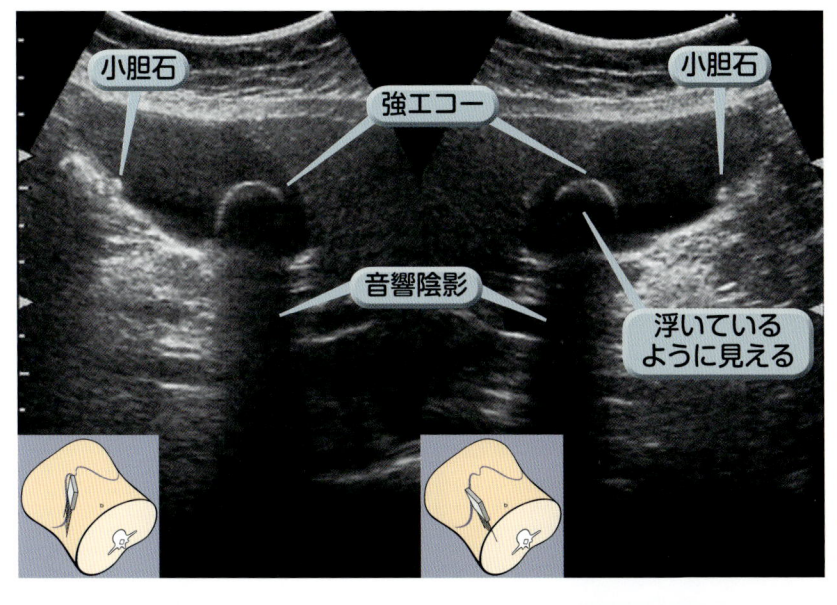

小胆石　強エコー　小胆石

音響陰影

浮いているように見える

胆石の表面で超音波のほとんどが反射しています。胆石の輪郭は前面だけが三日月状に見えて，後面は不明です。胆石の後方の情報は深い所まで欠損しています。音響陰影です。

MEMO　三日月状の胆石

胆石が三日月状に浮いて見えるのは胆石が大きいときです。三日月型をした胆石があるわけではありません。ましてや胆石が浮いているのでもありません。

月は球形ですが，地球と太陽の位置関係で満月に見えたり，三日月に見えたりします。超音波検査は超音波の反射情報で画像を作るので，このような現象が生じます。

🔵 多数の微細胆石

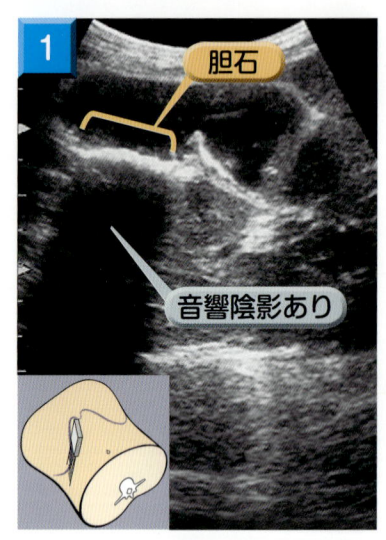

1 胆石／音響陰影あり

2 胆石／音響陰影なし

1〜2mmの微細な胆石が敷石を敷きつめたように並んでいると，気付かないことがあります。この胆石は音響陰影を伴っているので，異常に気付きやすいと思います。

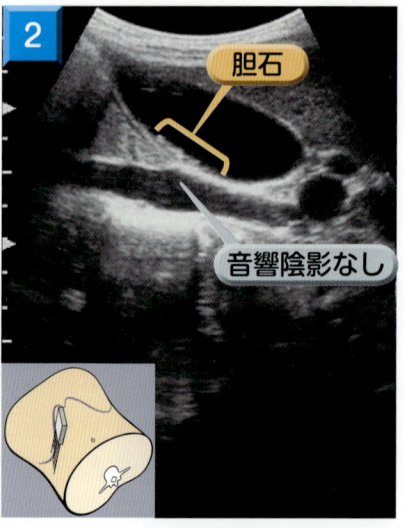

こちらの胆石は音響陰影を伴っていません。左図のように微細な胆石で明瞭な音響陰影を伴うのは例外です。胆囊後壁が部分的に凸凹していることから微細な胆石の存在に気付かなくてはなりません。

🔵 充満した胆石

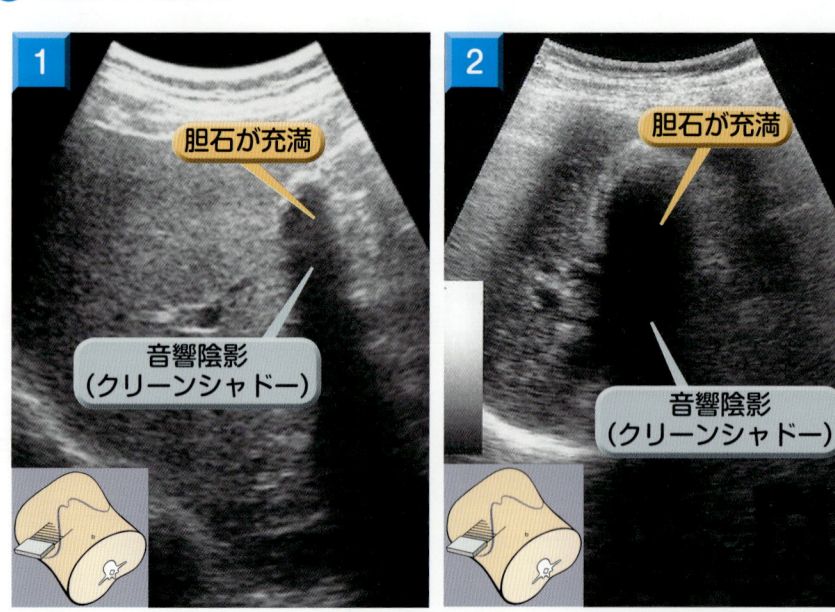

1 胆石が充満／音響陰影（クリーンシャドー）

2 胆石が充満／音響陰影（クリーンシャドー）

胆囊内腔に胆石が充満しており，胆汁は存在しません。消化管ガスと間違えることがあります。このように強エコーの直下から見える明瞭な音響陰影をクリーンシャドー（clean shadow）といいます。それに対して消化管ガスの後方の音響陰影はダーティーシャドー（dirty shadow）といいます（142ページ参照）。

見落としがちな胆石　1

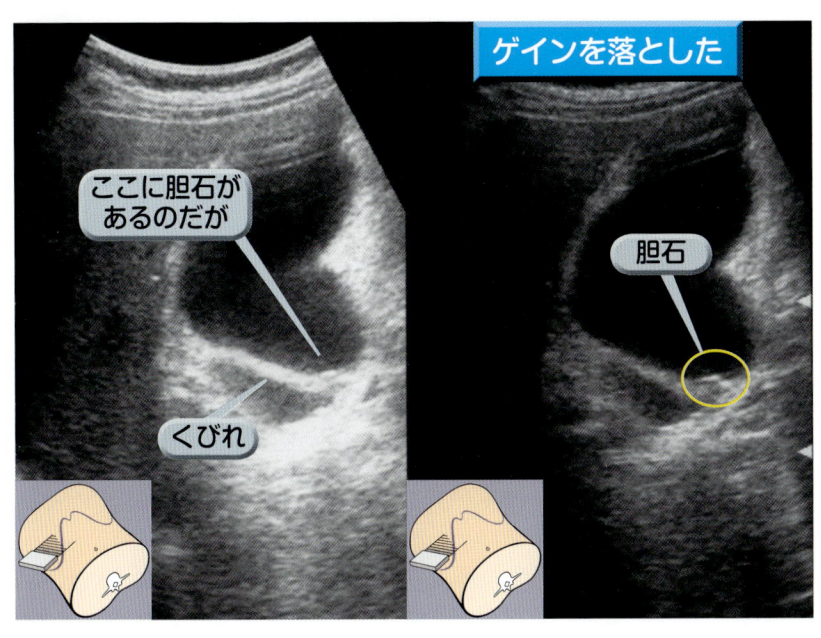

ゲインを落とした

ここに胆石があるのだが
くびれ
胆石

胆嚢頸部に大きなくびれがあって，内腔は大小2つに分かれてみえます。このくびれの上に微細な胆石が2個あります。超音波は胆汁を通過する間は減衰しないので，左図のような通常のゲイン設定だと，胆石やくびれに対してはオーバゲインになって白く潰れてしまいます。そこで右図のようにゲインを落とすと小胆石が明瞭になります。あるいはSTC（51ページ参照）を調整して，胆嚢頸部付近だけゲインを落としてもいいです。

胆嚢

見落としがちな胆石　2

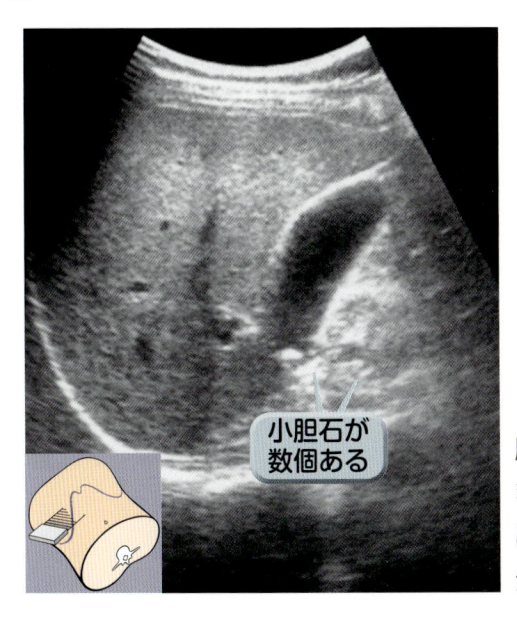

小胆石が数個ある

胆嚢頸部と体部とが直角に折れ曲がっています。頸部に2～5mmの胆石が6～7個あります。はっきり見えているのは屈曲部分にある7mmの1個（矢印）だけです。

MEMO　　胆石の個数を知る必要は……

胆石を見つけると，その個数やサイズを知りたくなります。1個から3個までは正確にカウントできますが，5個位になると少しあやふやになります。はたして胆石の個数を正確に知る必要があるのでしょうか？
私は5～6個とか，10個前後，20数個，多数，無数などとレポートしています。
昔，胆石の個数を正確に当てることができると自慢している論文を読んだことがあります。

● 嵌頓した胆石 1

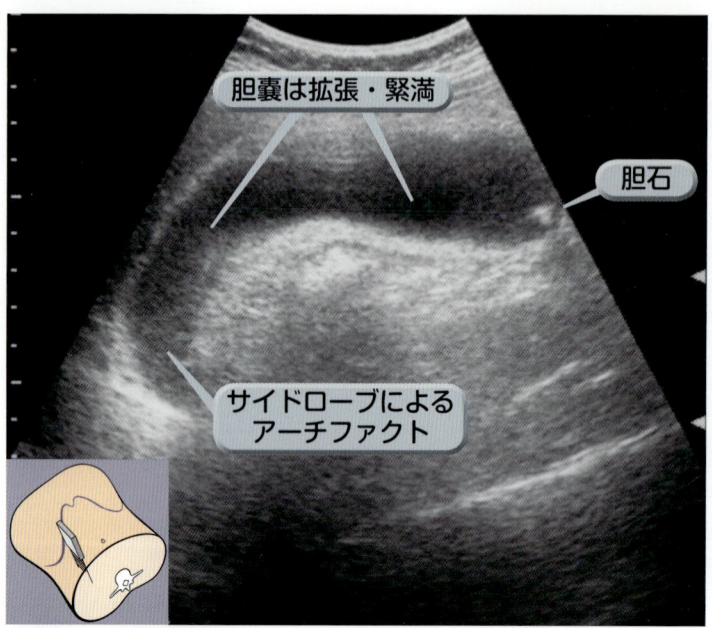

画像内ラベル（上）:
- 胆嚢は拡張・緊満
- 胆石
- サイドローブによるアーチファクト

胆嚢は異常に細長く、円弧を描いています。円弧に沿って長軸の長さを測ると12cmを超えています。これは病的に拡張・緊満した状態です。
胆嚢底部に7mm位の胆石が1個ありますが、これは胆嚢が拡張・緊満している理由になりません。
この画像では胆嚢頸部の状態はサイドローブによるアーチファクトに覆われてよくわかりません。

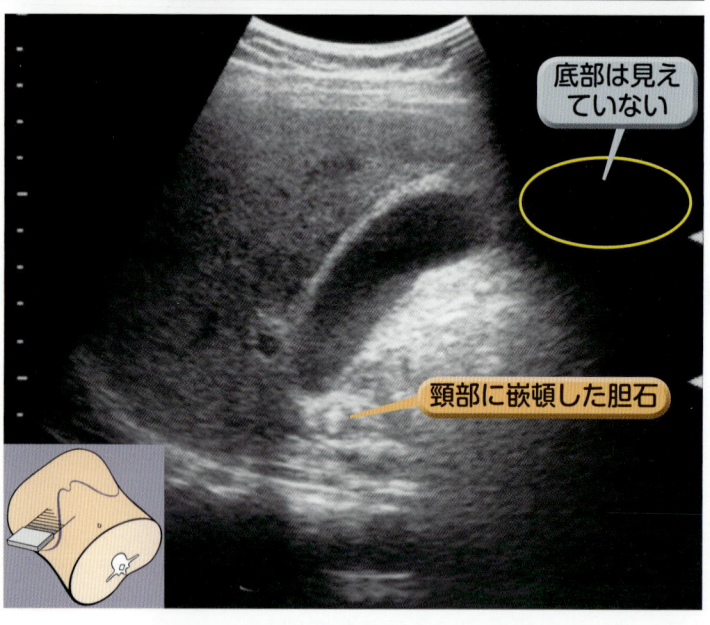

画像内ラベル（下）:
- 底部は見えていない
- 頸部に嵌頓した胆石

肋間スキャンで胆嚢頸部を詳しく観察しました。このスキャンでは胆嚢底部は見えていません。頸部に嵌頓した8mmの胆石があります。胆嚢が拡張・緊満している原因はこれです。

MEMO　本当に嵌頓しているのか？

嵌頓というのは狭い所にはまり込んで動かない状態を指す言葉です。胆石の嵌頓とは胆嚢頸部か胆嚢管に胆石があって、栓をしているので胆汁が出入りできない状態です。単に胆石が頸部にあるだけでは嵌頓とはいいませんが、超音波で頸部を観察しただけでは両者の区別は困難です。胆嚢が拡張・緊満しており、患者は右季肋部に痛みを感じていると嵌頓と考えていいでしょう。単に胆石が頸部にあるだけなら、体位変換で胆石は移動するはずですが、必ずしも移動性を証明できるとは限りません。

● 嵌頓した胆石 2

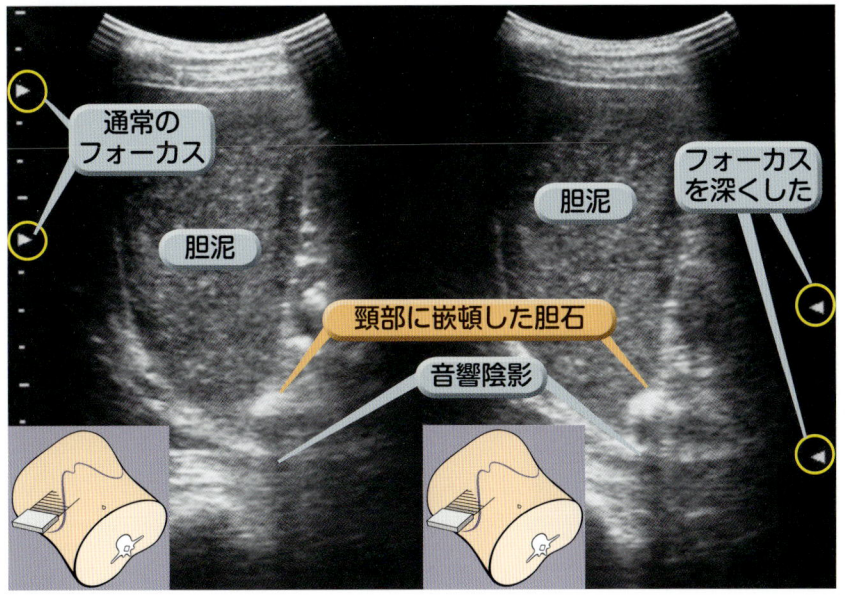

画像ラベル:
- 通常のフォーカス
- 胆泥
- 頸部に嵌頓した胆石
- 音響陰影
- フォーカスを深くした
- 胆泥

数日前から右季肋部痛が続いている患者です。胆嚢は拡張・緊満しており、胆泥が充満しています。
胆嚢頸部は腹壁から10cmの深い位置にあるので注意しないと見落としますが、頸部に相当する部位に約10mmの胆石があります。
同じ肋間スキャンでも、右図のようにフォーカスを深く設定したほうが胆石と後方の音響陰影は明瞭になります。

MEMO 胆石の嵌頓で胆嚢が拡張するのは？

胆石が栓をして胆汁が流入しなくなれば胆嚢は小さくなるはずですが、実際は拡張・緊満します。胆嚢壁からは粘液が分泌されており、これが胆嚢から排出されなくなるので胆嚢は拡張するのです（胆嚢水腫）。炎症が加わると炎症性の分泌液や膿汁も加わるので、ますます拡張します。抗生剤で治療した後に日時が経つと、粘膜が剥離して粘液の分泌能は落ちるので胆嚢は小さくなります。いわゆる萎縮胆嚢です。

● 底部に嵌頓した胆石

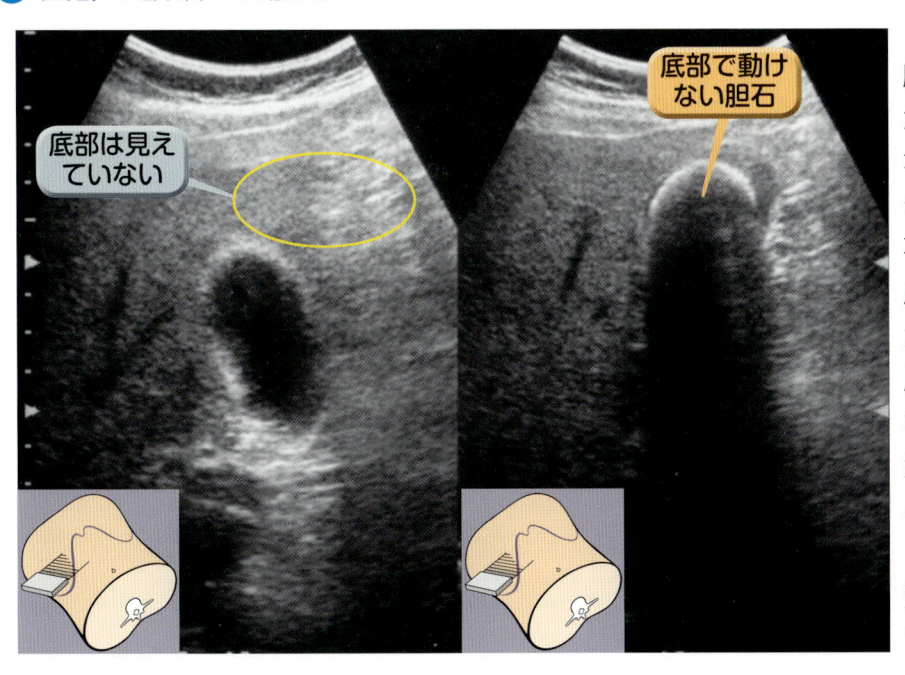

画像ラベル:
- 底部は見えていない
- 底部で動けない胆石

胆石の嵌頓というと、普通は胆石が細い胆嚢管にはまり込んで動かない状態をいいますが、胆石が大きいと胆嚢内の最も広い底部で胆石が動けなくなる場合があります。底部は消化管ガスで見えないことがあります。この際は底部にある胆石を見落とします。また、大きな胆石はこの症例のように三日月型に見えて、丸くないので、胆石を見過ごすこともあり得ます。
この症例は、肋間スキャンで胆嚢頸部と胆嚢底部とを同時には観察できませんでした。

見落とされた嵌頓胆石

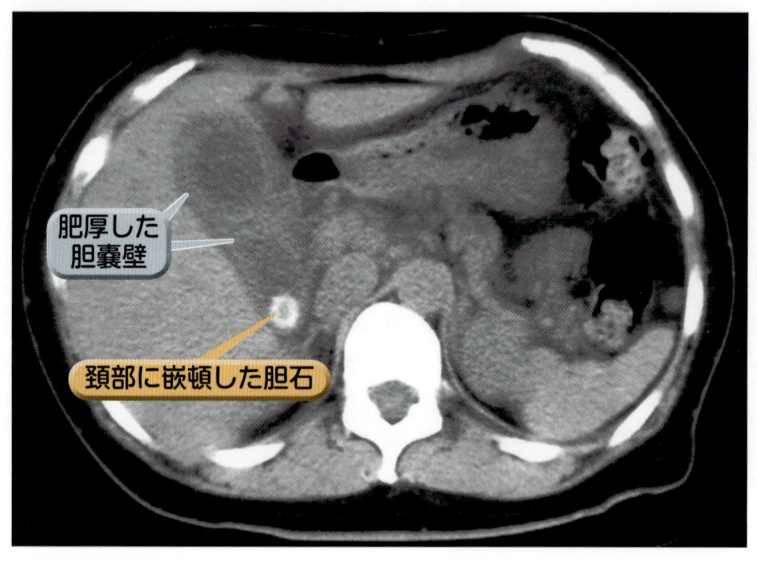

画像内ラベル：肥厚した胆囊壁／頸部に嵌頓した胆石

CTの読影を依頼された症例です。申し込みには「右上腹部痛，USでは胆囊は腫大しており，胆囊壁が厚い」とだけ書かれていました。
ということは，超音波検査ではこの見事な胆石は診断されていないということです。
肋骨弓下スキャンでは，この胆囊頸部は消化管ガスに妨げられて描出されないかもしれませんが，肋間スキャンを丁寧にすれば容易に描出できたはずです。肋間スキャンが苦手な人がいます。

胆泥に混在する微小胆石

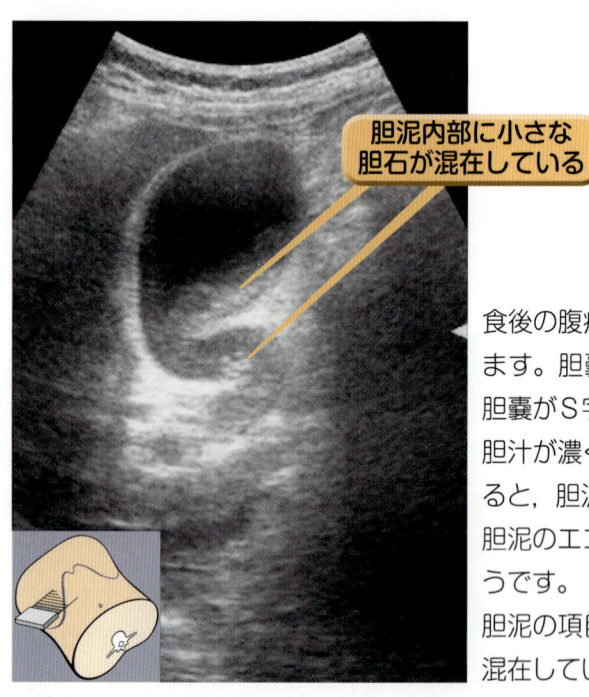

画像内ラベル：胆泥内部に小さな胆石が混在している

食後の腹痛と悪寒・発熱がある患者です。胆泥内に小胆石が混在しています。胆囊壁には部分的に3層構造が見られ，胆囊炎と診断しました。胆囊がS字状に屈折しています。
胆汁が濃くなって結晶化したのが胆泥で，その大きなものが胆石だとすると，胆泥と胆石が混在するのはごく当たり前のことです。
胆泥のエコーにはアーチファクト（サイドローブ）も少し加わっているようです。
胆泥の項目（130 ページ）でも，胆泥に胆石（音響陰影を伴う大きさ）が混在している症例を紹介しています。

> **ひとくちコメント**
> 胆囊頸部から体部にかけて，この例のようにS字状に屈曲している胆囊は結構多く経験します。この屈曲部に胆石が入り込むと，立位でも底部に移動しません。ですから，検査開始時から胆石は頸部に留まっています。この症例のように肋間スキャンでS字の全体が観察できれば見落としの可能性は少なくなりますが，通常はS字の一部しか見えないので，胆石を見落としがちです。

胆石と間違える消化管ガス

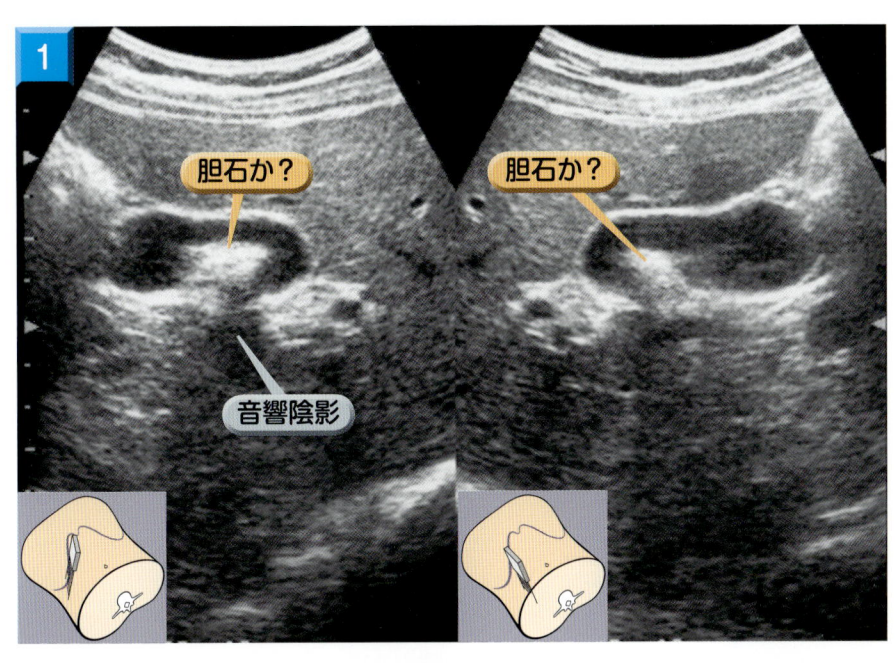

胆嚢に接した消化管の空気が胆石と紛らわしい所見を示すことがあります。そのほとんどは胆嚢底部や体部にみられますが。プローブを細かく動かしてみると，この強エコーは胆嚢外のものと判断できます。また，しばらく観察していると蠕動が始まって動き始めることもあります。

体位変換（左側臥位）をしてスキャンすると胆石ではないので移動はしませんが，胆嚢と腸管との重なりがとれて紛らわしさがなくなる可能性はあります。

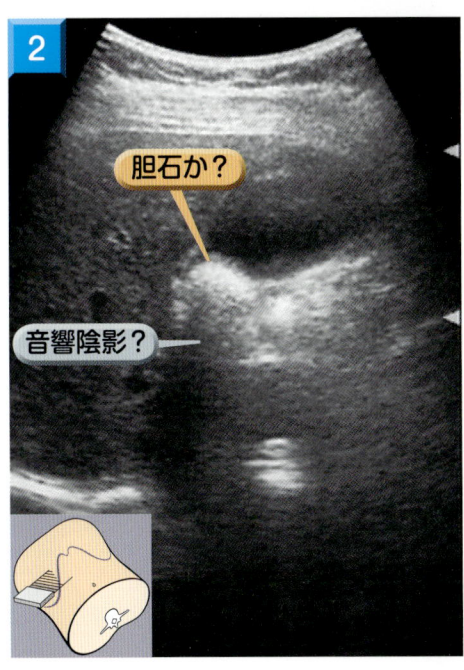

胆嚢頸部に強エコーがあるので頸部に嵌頓した胆石と考えたくなります。ただ，音響陰影が胆石にみられるクリーンシャドーではなくて，消化管ガスに特有のダーティーシャドー（142ページ参照）のようです。これも胆嚢の背後にある十二指腸を見ていて胆石ではありません。

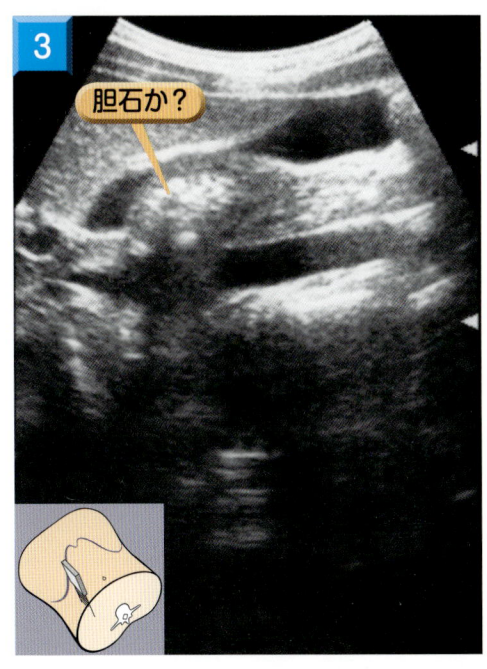

この画像を見ると，胆嚢の背後に十二指腸があるのが理解できると思います。内部にはわずかしかガスがないので音響陰影はほとんど伴っていません。十二指腸壁が少し厚いようです。
これだと胆石と間違えることはありません。

左側臥位で検査する

胆嚢後壁に音響陰影を伴わない小さな強エコーがみられたときに，それが患者の体位を変えて移動すれば胆石で，移動しなければポリープと判断します。私は移動性を確認したいときは左側臥位（左を下にした横向き）で検査します。

左側臥位になると胆嚢の形が少し変わってくるので，胆石の移動量が少ないと，本当に移動したかどうかを判断するのはやさしくありません。

音響陰影を伴う大きな強エコーは，それだけで胆石と考えていいので，この方法は必要ありません。左側臥位で移動性の確認が困難なときは，腹臥位になって体を揺すったり，坐位（ベッドの縁に腰掛ける）で検査したり，ときには床に立って，軽く数回ジャンプしてもらうこともあります。

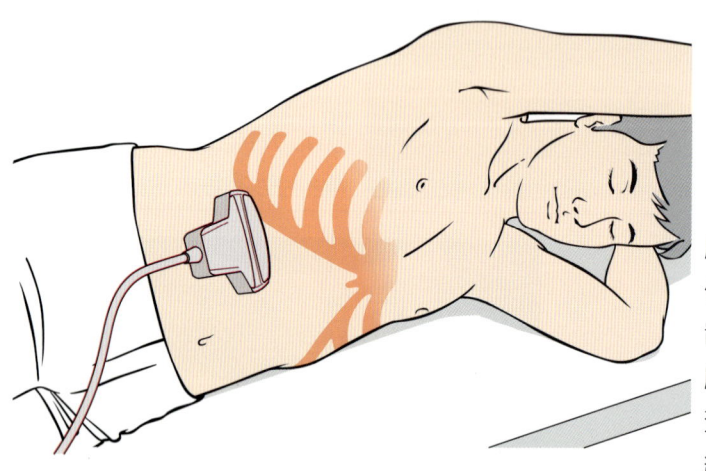

胆嚢内の強エコーの移動を確認するのに左側臥位が有効です。プローブは横断スキャン方向に置きます。

肝外胆管の検査にも役立ちます。肝外胆管を検査するときはプローブは胆管の走行に沿って，縦断スキャン方向に置きます。

● 体位変換で移動した胆石　1

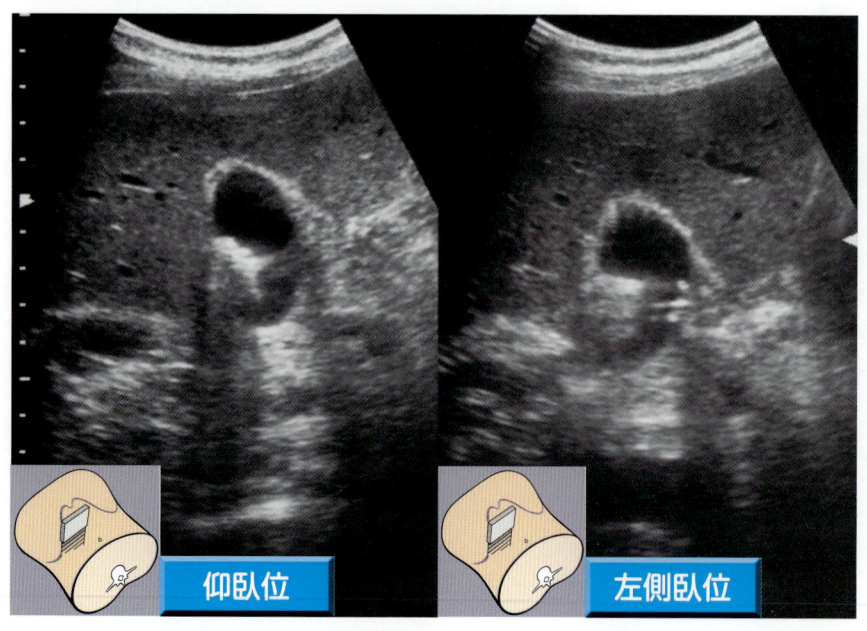

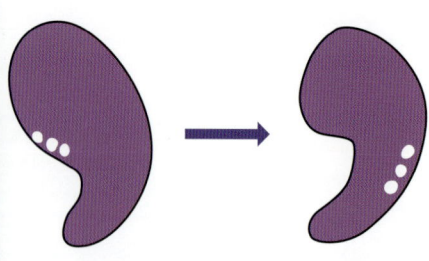

仰臥位　　左側臥位

左図の仰臥位では体部のくびれの上にあった数個の小さな強エコーが，右図のように左側臥位にすると反対側（左側臥位ではこちらが下）に移動しています。これで胆石であることが判明します。

● 再び仰臥位に戻したら……

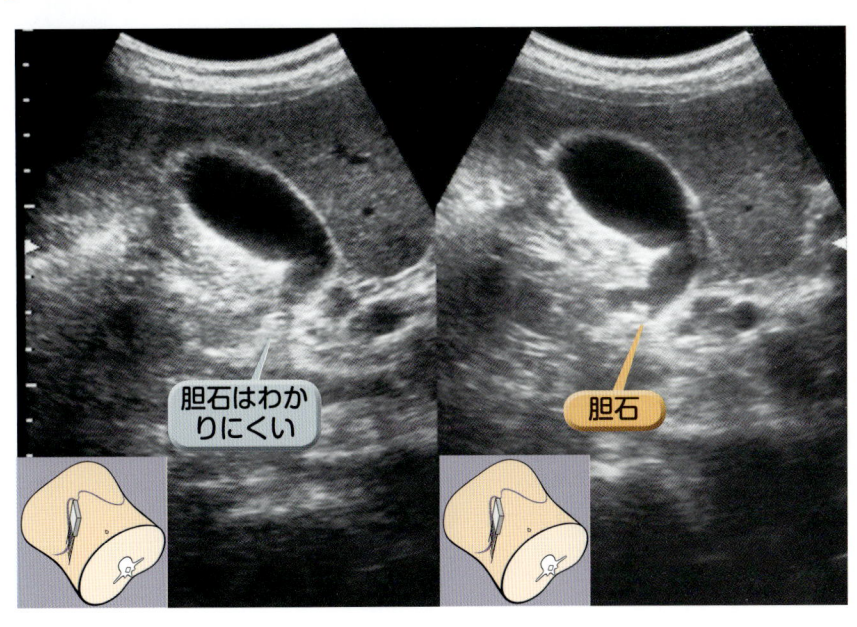

胆石はわかりにくい

胆石

左ページの下のように左側臥位で移動性を確認した後に，また仰臥位に戻して検査したら，胆石は頸部に落ちていきました。右図のように頸部を注意深く観察すると胆石を描出できますが，通常は左図のスキャンで済ましてしまいます。

超音波検査を胆嚢から始めると，このようなくびれに引っかかった小さな胆石を診断できます。脾臓や肝左葉から検査を始めると，胆嚢を検査するまでに何回も深吸気を繰り返しているので，その間に胆石は頸部に落ちてしまっている可能性があります。

胆嚢

● 体位変換で移動した胆石　2

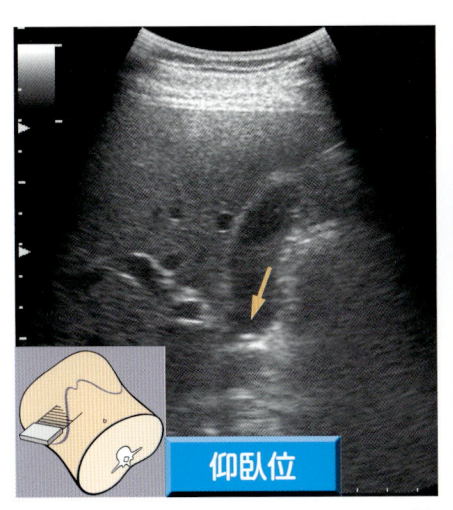

仰臥位 / 左側臥位 / 左側臥位

仰臥位で胆嚢頸部に3mmの強エコーがあるのがわかりました。この画像だけでは胆石なのか，ポリープなのか判断できません。

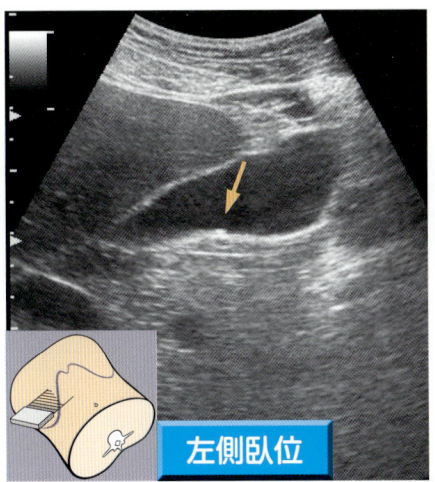

左側臥位にして肋間スキャンをしたところ，この強エコーは体部後壁に移動しました。

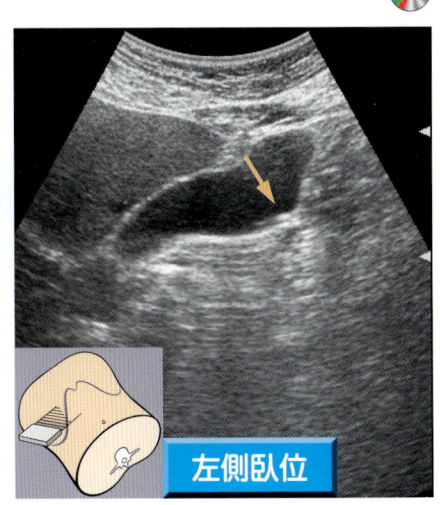

さらに体位に角度をつけて腹臥位近くまでしたところ，胆嚢底部付近まで移動しました。胆石であることは明らかです。

> **ひとくちコメント**　この症例のように小さな胆石の場合は，カルテに貼られているレポートで前回の検査結果を調べてみると，胆石が指摘されていなかったり，体位変換をせずに胆嚢ポリープと診断されています。胆石と正確に診断されているのは稀です。このことでもわかるように，胆嚢の超音波検査はけっしてやさしくありません。胆石を見落としているうちは超音波検査ができるとはいえません。

稀な症例

私はほぼ毎日超音波検査を行っていますが，その私でも数年に1例しか経験しない疾患があります。そのような稀な疾患を紹介するのは初心者を読者にする本書の主旨に添いませんが，コーヒーブレイクのつもりで読んでください。頭の片隅に入れておくと，いつか遭遇したときに役立ちます。ここに紹介する2疾患とも超音波検査の原理・性質を理解するうえで興味があります。

● 浮遊胆石

体位変換をした直後に胆嚢内腔に舞い上がり，十数秒間胆汁内を漂う小さな胆石はときどき経験しますが，検査開始時から浮いていたり，胆嚢前壁側にある結石は非常に珍しいと思います。

胆石に「石」という字を用いることから，道端に落ちている石ころを想像してしまいがちですが，胆石は周囲の胆汁と成分はほとんど同じなので，比重差はほとんどありません。何らかの原因で胆汁が粘稠になると，比重が逆転して胆石が浮かぶのでしょう。大きな胆石で内部にガスを含んでいて浮かんだという症例報告もあります。

X線で胆嚢造影検査をしていた時代は，重い造影剤の上にコレステロール石が層状に浮いているのを多く見ましたが，これも比重差が原因でした。

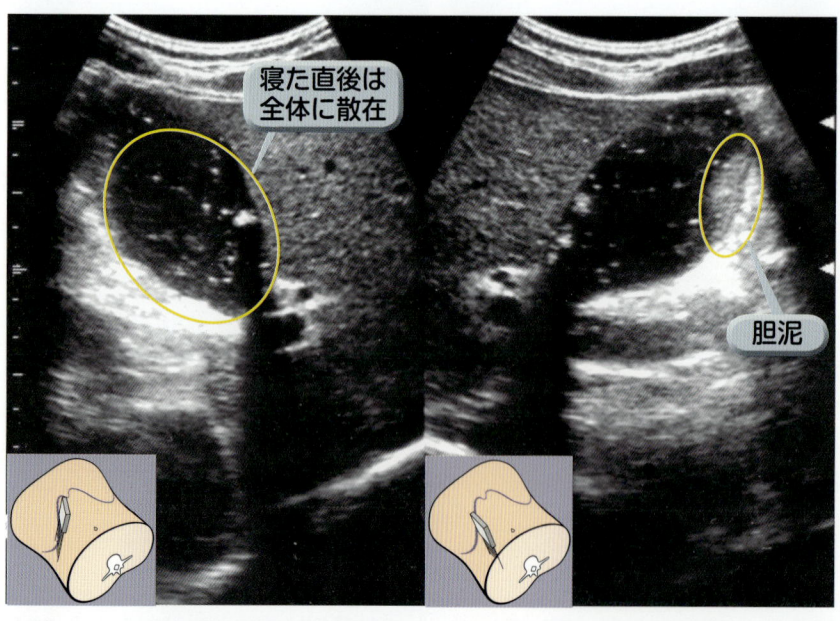

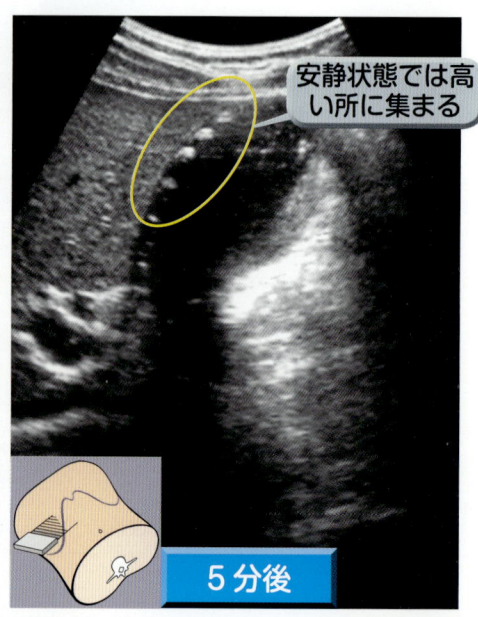

内腔に1mm位の強エコーが点在しています（左図）。中図の縦断スキャンで前壁に沿って5mm前後の強エコーが数個みられます。前壁に沿った強エコーは5分後の右図では底部側に移動しています。つまり，安静状態では胆嚢の高い部分に集まります。この強エコーは胆汁よりも軽いのです。胆嚢底部近くには胆泥と考えられる異常エコーもみられます。人間ドックの症例ですが，前々年，前年とも同様の所見が観察されています。

● 陶器様胆嚢

陶器様胆嚢（porcelain gallbladder）は胆嚢壁のほぼ全体に石灰化が生じた状態です。壺に似た形態と陶器のように硬いということから名付けられたようです。磁器様胆嚢ともいいます。胆石を合併している症例が多いという文献もあります。原因として考えられているのは胆嚢管の閉塞，慢性炎症，カルシウム代謝異常などです。

胃X線検査などの上腹部のX線検査で偶然に見つかるケースが多いと思いますが，単純X線検査では胆嚢内腔を占拠する巨大胆石と解釈されてしまいそうです。

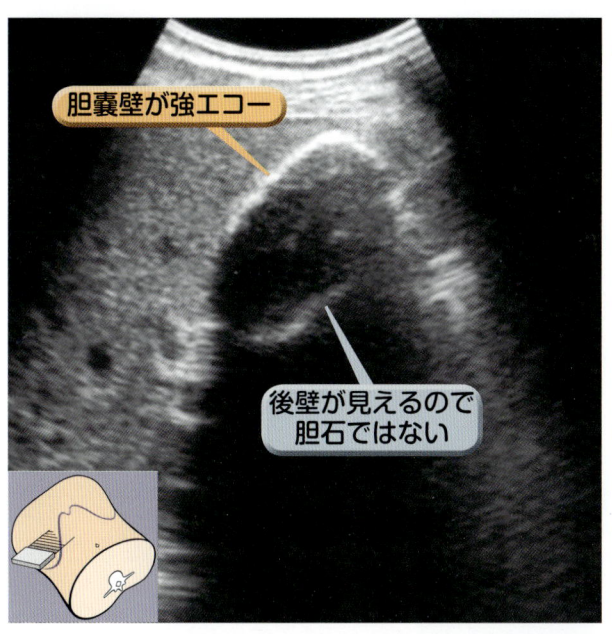

胆嚢に相当する部位に円弧状の強エコーあり，音響陰影を伴っています。普通に考えれば底部に嵌頓した胆石（115ページ参照）か，多数の胆石が胆嚢に充満している状態ですが，その診断では矛盾する所見があります。

胆嚢後壁に相当する線が円弧状に見えています。これは巨大胆石や胆石充満では起こりえない現象です。

この所見を説明できるのは胆嚢の壁が全周性に石灰化している状態，すなわち陶器様胆嚢だけです。

陶器様胆嚢でいつもこのように胆嚢後壁が認められるとは限りませんが，この例では胆嚢前壁の石灰化をすり抜けた超音波が胆嚢後壁の石灰化で跳ね返されて，このような像を描いたのでしょう。

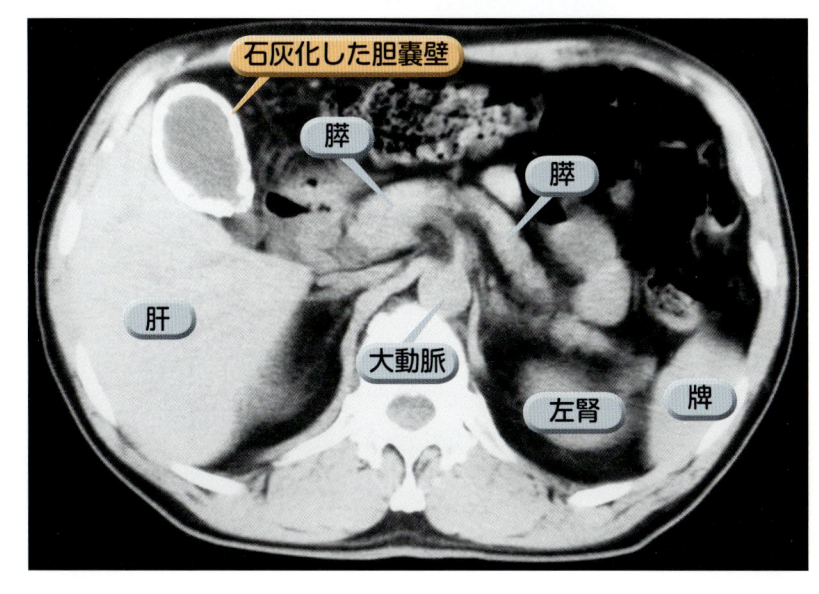

単純CT像です。胆嚢壁が全周性に石灰化しています。いわゆる陶器様胆嚢です。

この症例では内部に胆石はないようです。ただ，胆汁の濃度は異常に高くなっています。

胆嚢ポリープ

胆嚢ポリープのほとんどはコレステロールポリープです。これは胆汁に含まれているコレステロールが胆嚢壁に存在する泡沫細胞によって貪食されたものです。細い茎で胆嚢壁に付着しています。胃や大腸のポリープみたいに粘膜が盛り上がったものではありません。疣みたいな形をした異物で、血液中のコレステロールが血管壁に取り込まれてできる粥状腫と同類の変化です。これをポリープと呼ぶことから大腸ポリープと混同して癌になると心配する人がいます。

私は患者には「脂の塊が胆嚢表面にくっついているのだから、ニキビみたいなもの」とか「鼻くそみたいなものです。鼻くそは癌にはならないでしょう」と説明しています。

胆嚢にも本来のポリープは稀に存在します。良性のものは胆嚢腺腫、悪性のものが胆嚢癌ですが、コレステロールポリープと紛らわしい形をした早期の胆嚢癌は非常に稀です。

ポリープと小胆石との鑑別は移動性の有無ですが、仰臥位で胆嚢前壁にあるのはポリープです。

コレステロールポリープ　1

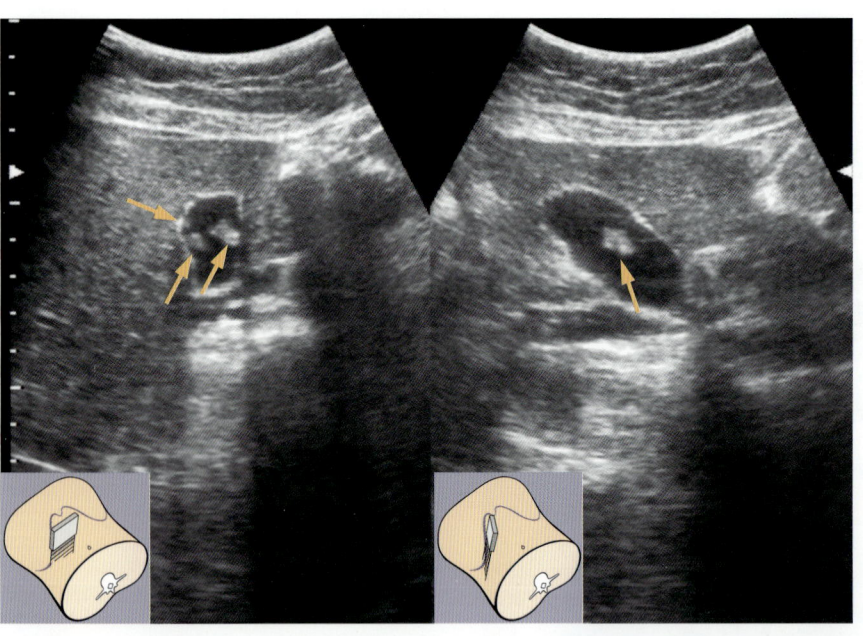

左図には、重力に逆らって胆嚢壁にぶら下がるポリープが大小3個あります。エコー強度は肝臓よりわずかに強い。このようにコレステロールポリープは多発する傾向があります。

右図では最も大きいポリープが胆嚢内に浮遊しているかのように見えています。ポリープが胆嚢内腔に突き出しているとスキャン方向によっては壁への付着部（茎）が見えません。

MEMO　計測誤差について

小さいものほど計測誤差は大きくなります。右図の胆嚢ポリープを計測した人はキャリパの数値を基に4mmとレポートしています。私は2mmと判断します。

キャリパマークの間隔がポリープに比べて広すぎます。2mm前後の対象に正確にキャリパマークを置くのは確かに困難です。いちいち測らなくても、この程度は見ただけで2mmと判断できます。1回目は正しく2mmと計測し、半年後に誤って4mmと判断されると、2倍に増大したから癌だといわれかねません。

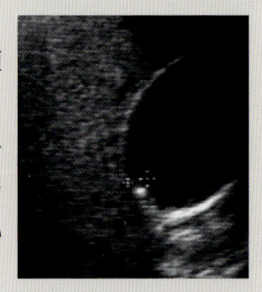

● コレステロールポリープ 2

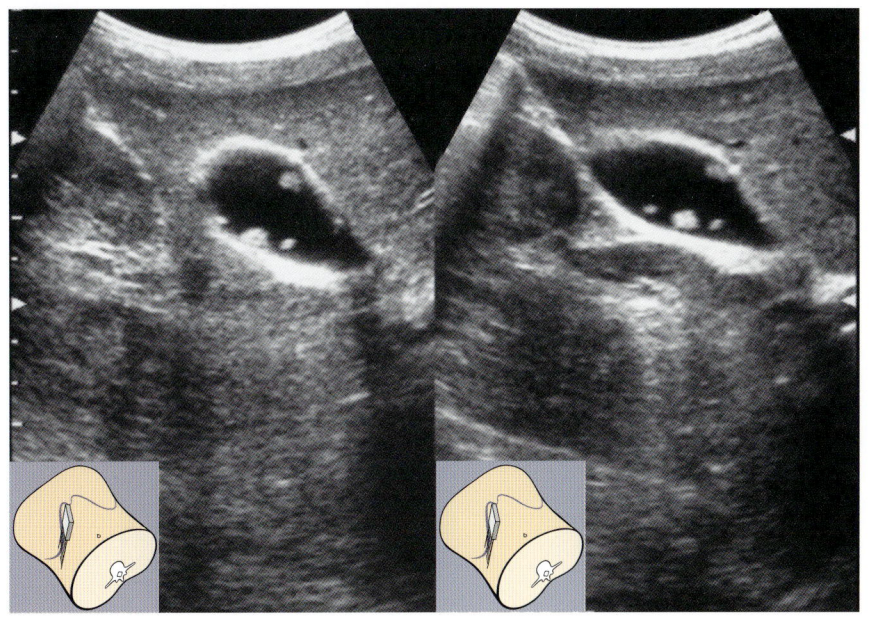

胆嚢前壁にぶら下がる強エコーと，後壁から突出する強エコーとがあります。
同じような形態をしているので，全部が同じ病変と考えますが，前壁に付着していてポリープの特徴を示すものがあるので，これらの病変は胆石ではなく，すべてコレステロールポリープと判断します。
稀に後壁に小さな胆石が混在していることがあって，体位変換をして検査すると移動します。

● コレステロールポリープ 3

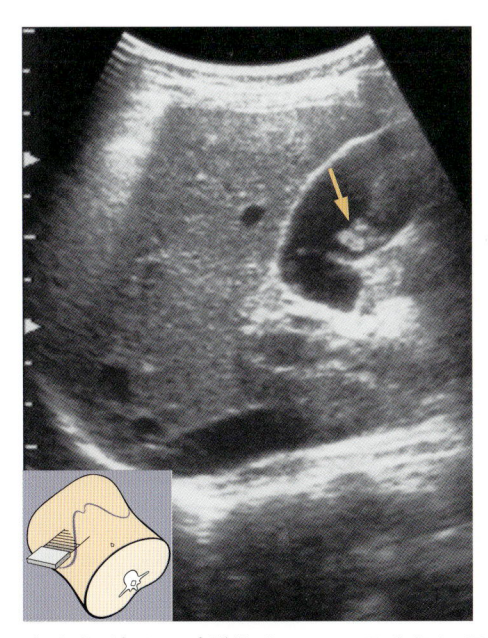

桑の実には表面に小結節が沢山ついています。コレステロールポリープの表面にある小さな凹凸に似ています。

小さなポリープが集まっているように見えますが，1個のポリープです。胆嚢ポリープの形態を「桑の実状」とたとえることがあるのは，表面に凹凸があるからでしょう。細い茎で胆嚢壁に繋がっており，検査中はユラユラ揺れていました。心臓の拍動が肝を経由して伝わるからです。

● コレステロールポリープ 4

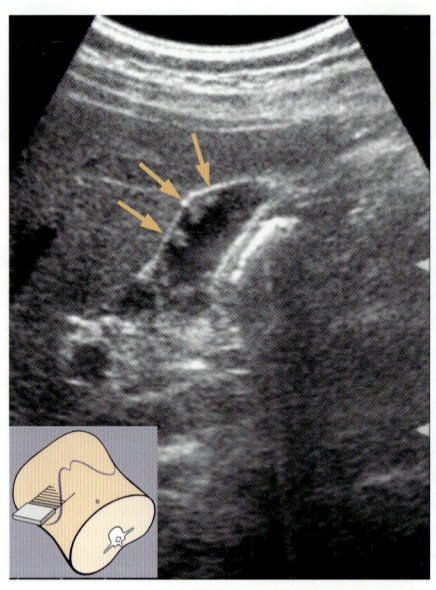

胆嚢体部の肝床側にある3個のポリープが目につきますが，頸部寄りにも1～2mmのポリープが密集しています。
胆嚢頸部は屈曲しているので，この体部を中心にした画像では一部しか見えていません。

● コレステロールポリープ 5

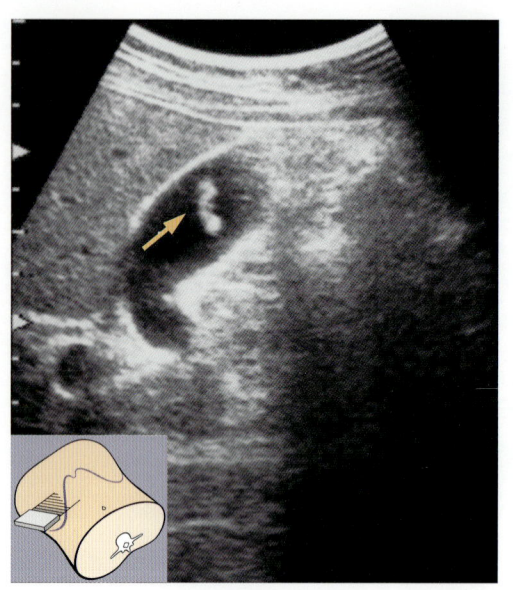

長さが18mmある細長いポリープです。これは肋間スキャンですが，直交する関係にある肋骨弓下スキャンでみても，ほぼ同じ形態です。

● コレステロールポリープ 6

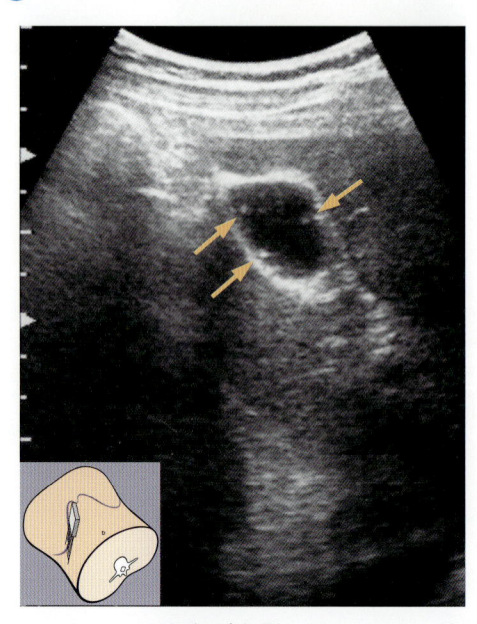

典型的なコレステロールポリープの摘出標本です。粘膜面に黄色をした大小の「桑の実」が散在しています。これを見ると，脂肪の塊が付着しているのだと理解できます。
（社団法人　日本病理学会教育委員会の許諾を得て掲載）

1～2mmの病変が多発しています。前壁にもあるので胆石ではありません。
私自身はこの症例のように小さなコレステロールポリープは無視したいと考えていますが，見落としたと思われても困るので，仕方なしにレポートしています。

🔵 胆嚢ポリープと紛らわしい胆嚢のくびれ　1

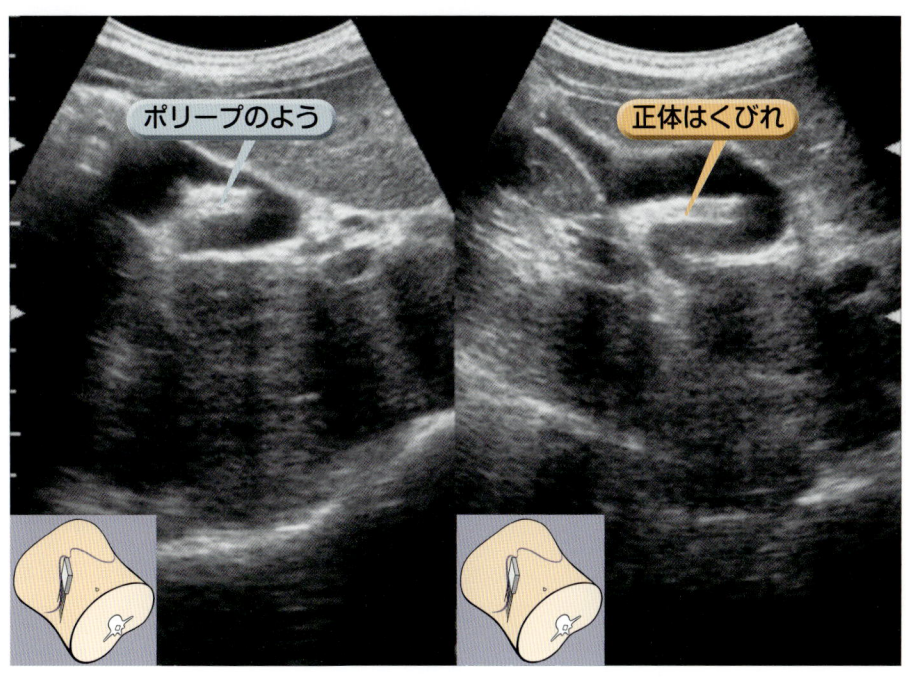

胆嚢がくびれていると，そのくびれの部分がポリープのように見えることがあります。そのほとんどは内腔に突き出す部分が大きいので，「10mmを超える大きなポリープだから胆嚢癌の可能性が高い」と判断されてしまいます。
他院から紹介されてくる胆嚢癌疑い症例には，このような例が多くあります。

🔵 胆嚢ポリープと紛らわしい胆嚢のくびれ　2

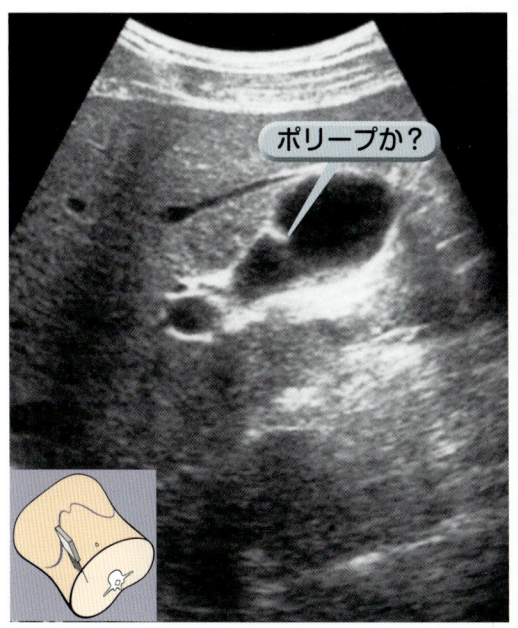

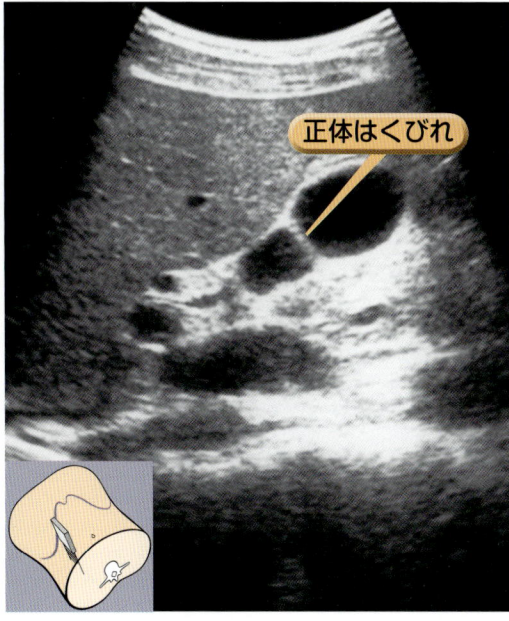

これも胆嚢のくびれが胆嚢壁の隆起性病変のように見える症例です。
胆嚢全体をくまなく複数の方向から観察すると，この正体がくびれであるとわかりますが，太っていて肋間スキャンでしか観察できないと，間違えるかもしれません。
また，見た瞬間にポリープと思い込んでしまうと，ポリープらしい画像を記録に残そうとするので間違いに気付きません。

胆嚢ポリープに見える胆泥

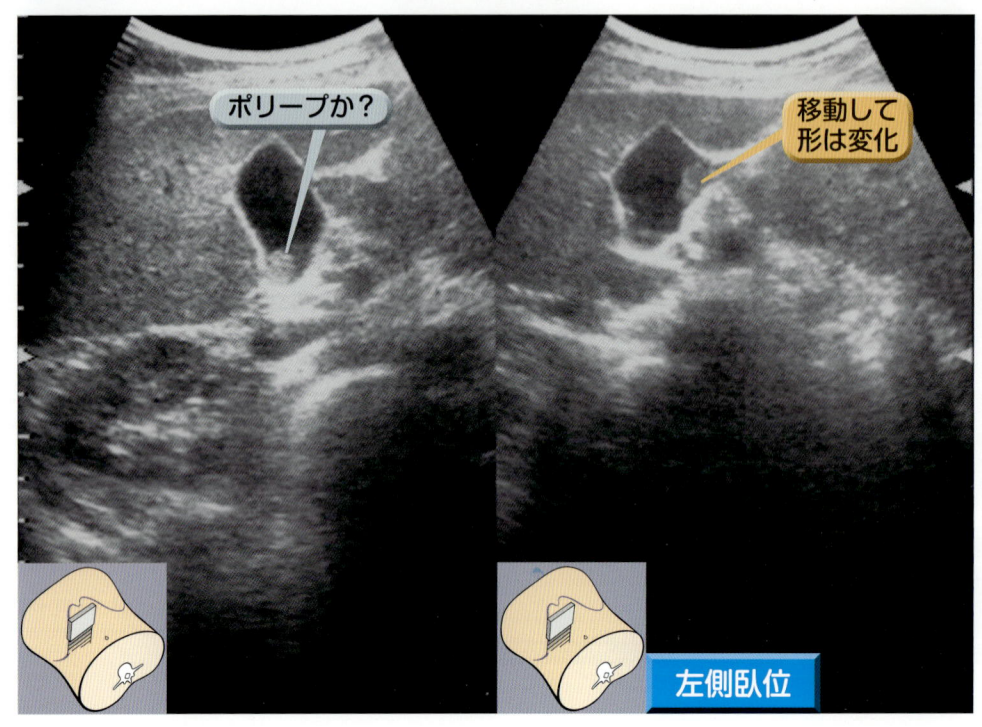

（ポリープか？／移動して形は変化／左側臥位）

左図で胆嚢頸部に8mm位のポリープを思わせる丸いものがあります。
移動性の有無を見るために右図のように左側臥位にして検査したところ、ポリープのようなものは時間をかけて左側壁に移動し、形も変わりました。胆泥が腫瘤様をしている状態です。
この患者はC型慢性肝炎があります。肝炎の患者では胆汁の組成が変化するのか、胆石や胆泥の頻度が高くなります。

MEMO　コレステロールポリープの経過観察

超音波検査で胆嚢ポリープと診断されている症例の99％以上はコレステロールポリープです。コレステロールポリープが途中から癌に変化することは絶対にありません。ところが癌になると思い込んでいる医療関係者がいるようです。

胆嚢のポリープ性病変を数千例も集めると、なかにはコレステロールポリープと紛らわしい形をした隆起型の胆嚢癌が紛れ込んでいるかもしれません。このようなポリープの形態をした癌は経過観察をすると増大します。したがってコレステロールポリープと断定できない症例は、3カ月に1回位の割合で数回は経過をみる必要があります。しかし、1年間も観察して増大傾向がなければ、コレステロールポリープと断定してかまいません（コレステロールポリープでも少し増大することはありますが）。

胆嚢癌が多発する可能性は非常に低いので、同じようなサイズのポリープが多発している場合は、最初の検査の時点でコレステロールポリープと診断してもいいと思います。

現実には、5～6年間にわたって胆嚢ポリープ（それも2,3mmの典型的なコレステロールポリープ）の経過観察を定期的に受けている患者が大勢います。良性ポリープと断ったうえで人間ドック的に上腹部全体を年に1回検査しているのならば理解できますが、患者には「1cm以上になったら手術をしなくてはならないので経過をみる」と説明しているようです。これは明らかに間違いです。検査を受ける時間と費用の無駄はかなりのものでしょう。

小胆石とポリープの鑑別は？

- 胆嚢の前壁にあればポリープ。
- 体位を変えて移動すれば胆石。具体的には左側臥位にしたり、うつ伏せにしたり、座らせたりする。
- 小さな胆石はすぐには移動しないので、十分な時間をかける。

● ポリープは体位変換で動かない

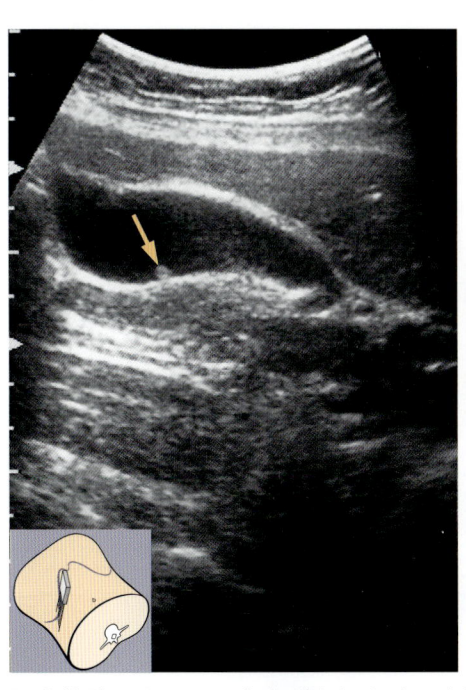

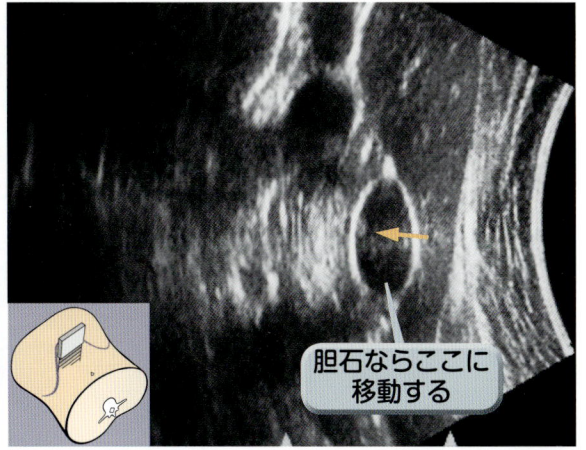

わざと横向きに表示

胆石ならここに移動する

胆嚢後壁に2mmの病変があります。音響陰影はありません。胆石でも小さい場合は音響陰影を伴わないので、音響陰影がないからポリープとはいえません。そこで左側臥位で検査してみましたが、この病変は移動しませんでした。胆石なら低いほうに移動するはずです（119ページ参照）。このことより、この病変はポリープと判断します。

胆泥・胆砂

閉塞性黄疸や胆嚢炎で胆嚢内に水平面を形成する微細な異常エコーがみられることがあります。これを胆泥とか胆砂と呼んでいます。肝硬変でも少量の胆泥が貯まっていることがあります。胆泥は胆石と違って音響陰影は伴わず，体位変換でゆっくりと移動します。
サイドローブによるアーチファクトが胆泥と間違われることもあります。

● 胆泥の移動1

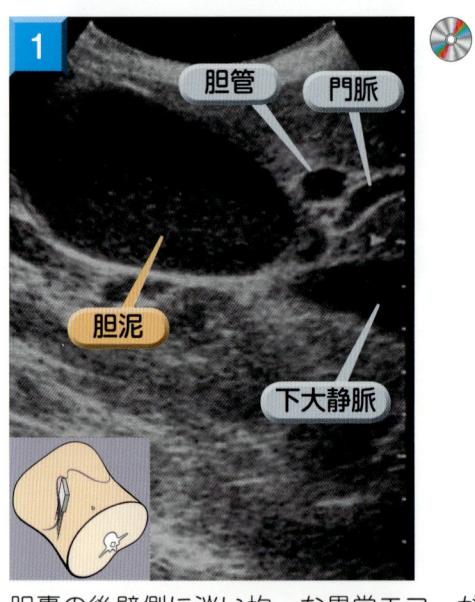

1 胆管／門脈／胆泥／下大静脈

2 胆泥

胆嚢の後壁側に淡い均一な異常エコーがみられます。
立位では胆泥は胆嚢底部にありますが，ベッドに寝てしばらくすると胆泥は頸部側に移動してベッドに平行になります。

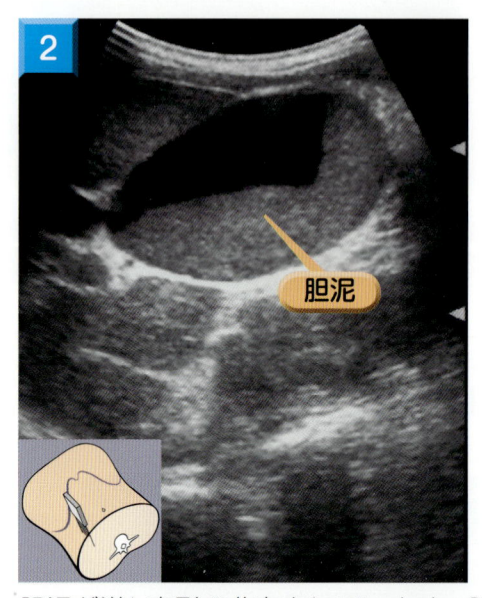

胆泥が逆L字形の分布をしています。胆嚢底部にあった胆泥が，仰向けに寝たために頸部側に移動して，新たにベッドに平行な水平面を作ろうと移動している途中です。

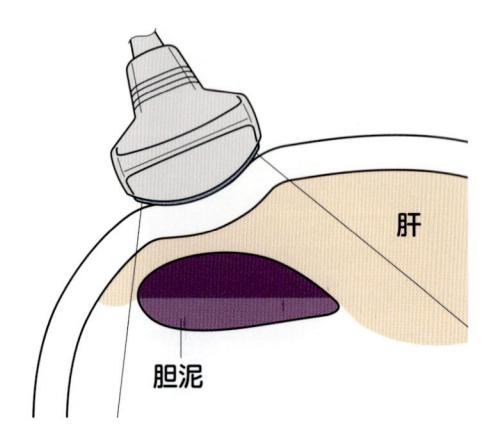

肋骨弓下スキャン　肝／胆泥

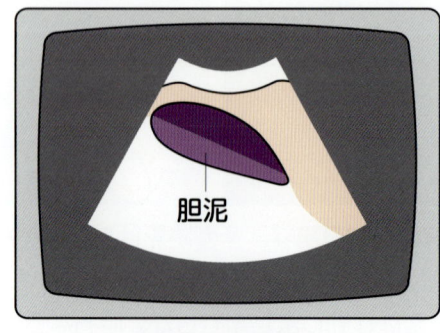

モニタの画像　胆泥

左図では胆嚢内で胆泥が水平面を形成しています。肋骨弓下スキャンではプローブの先端は斜めになっていますので，このスキャンで得られた画像では胆嚢内の胆泥は斜めに境界を形成しています。

● 胆泥の移動 2

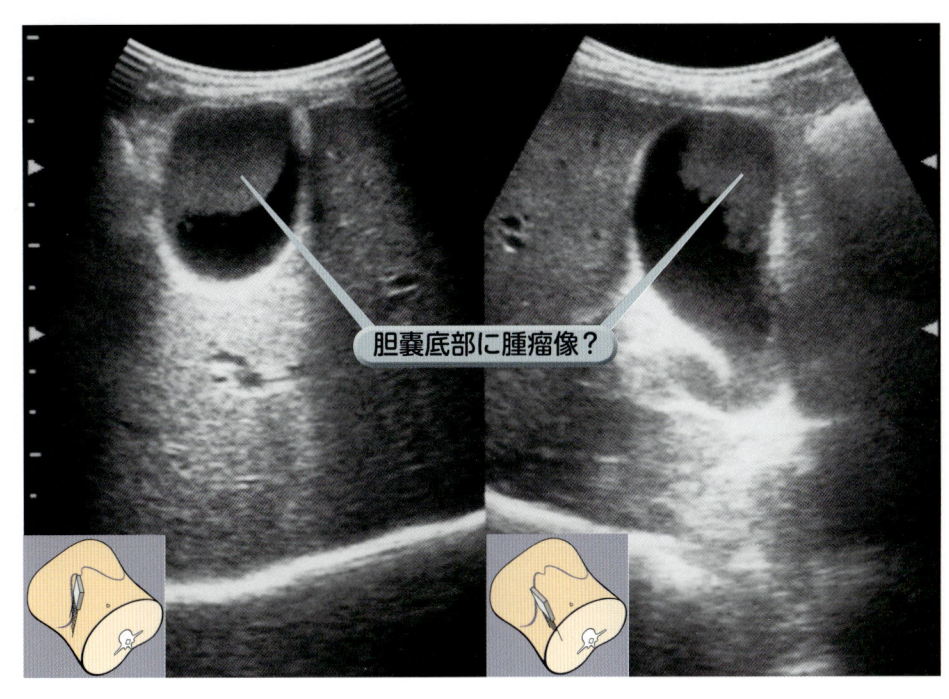

胆嚢底部に腫瘤像？

胆嚢底部に内部が均一な腫瘤性病変のような異常エコーがあります。この画像を見て胆嚢癌と診断する人がいますが，胆嚢癌の内部がこれほど均一に描出されることはありません。これは胆泥が半ば固形化したもの（sludge ball）です。
小さいとポリープみたいに見えます（126 ページ参照）。

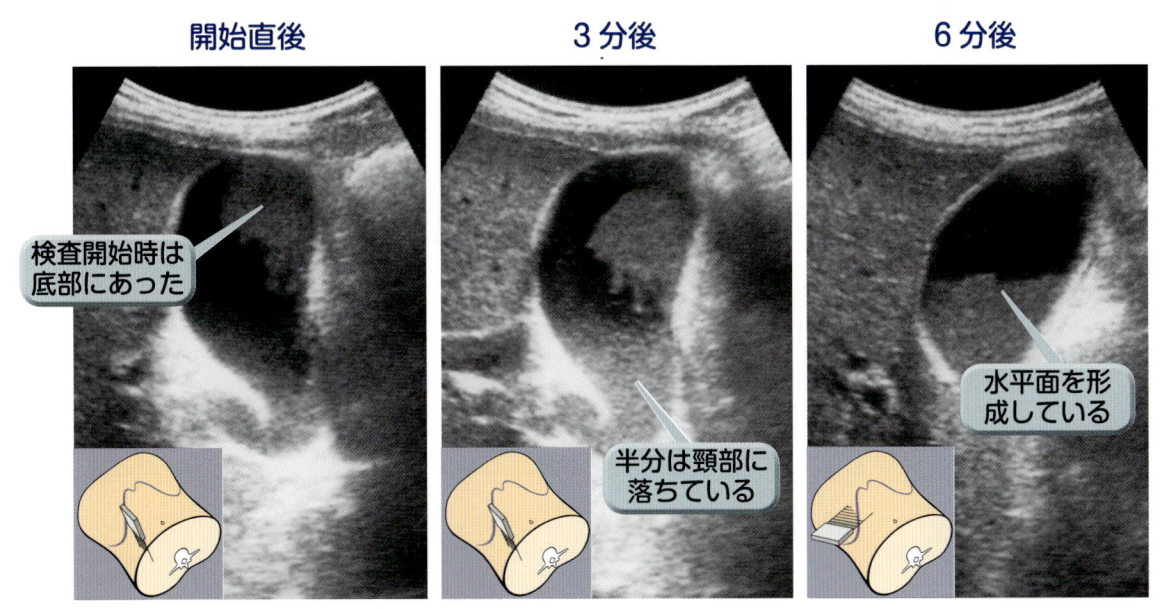

開始直後 / **3 分後** / **6 分後**

検査開始時は底部にあった

半分は頸部に落ちている

水平面を形成している

上の症例の胆泥が移動する状態を観察しました。胆泥は検査を開始した直後にはほとんどが胆嚢底部にありました。3 分後には半分が頸部に移動しています。6 分後には完全に頸部に移動して胆汁との間で水平面を形成しています。
前のページの症例は仰臥位で胆嚢長軸が斜めになるので，胆泥はゆっくりと移動しましたが，こちらの症例は仰臥位では胆嚢長軸が垂直になるので，胆泥は水飴が垂れ落ちるように落下しました。

腫瘍と紛らわしい胆泥 1

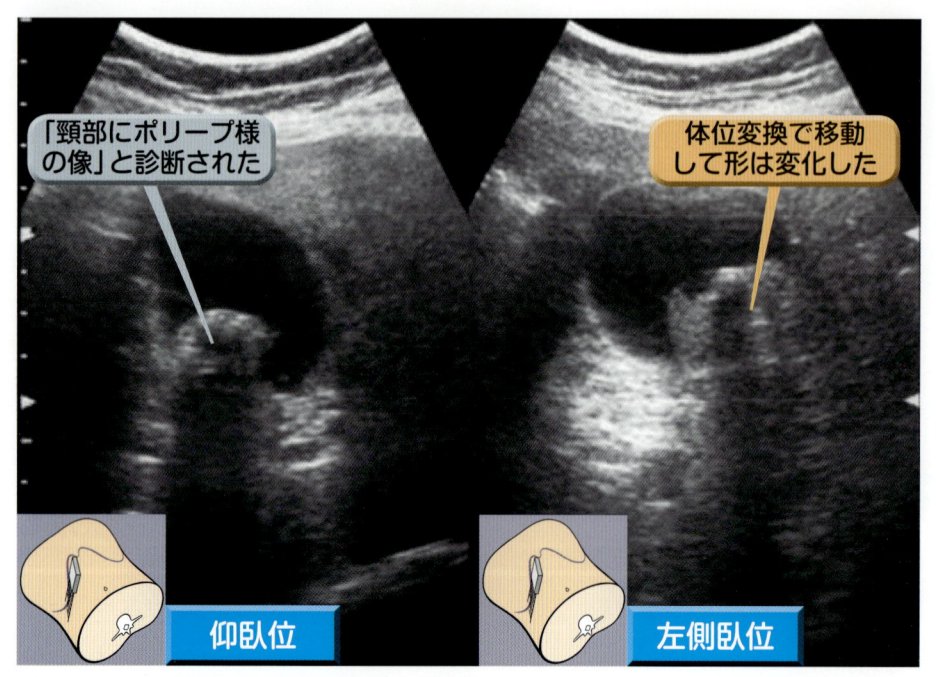

「頸部にポリープ様の像」と診断された

体位変換で移動して形は変化した

仰臥位　　左側臥位

某医の超音波検査で「胆嚢は腫大し，頸部にポリープ様の像，音響陰影はstoneのように硬くない。同部に圧痛あり」と診断されて，他の病院でCTによる精査を受けています。

CTを読影した放射線科の医師は「CTでは胆石もポリープも認めません。DIC-CTを施行してください」とレポートしています。

紹介された別の施設で私が超音波で再検査してみると，胆石と胆泥が混在しているだけでポリープはありません。左図の仰臥位では異常エコーは胆嚢頸部の右側壁にありますが，左側臥位で検査すると，この異常エコーは左側壁にズルズルと移動しました。このことから完全にポリープは否定でき，胆泥と診断できますが，胆泥の中に音響陰影を伴うものがあるので，胆石が混在しているのは明らかです。ポリープ内に石灰化が起きることはありません。

MEMO　CTでなく超音波で再検査するべき

上の症例のような腫瘤様の胆泥（固形化した胆泥）がポリープと間違われるのはよくあることです。サイズが10mmを超えるものは，胆嚢癌を心配して大きな病院に精密検査（ほとんどはCT）を依頼することが多いのが実情です。

現在の日本のシステムでは受診願いを書いた医師の要望をそのまま受け入れるので，依頼を受けた病院ではCTを行い，その結果「CTでは胆石もポリープも認めません。DIC-CTを施行してください」というレポートになるわけです。

胆嚢に関しては超音波の精度がはるかに高いのですから，このケースでは「超音波の専門家に再検査してもらうことをお勧めします」とレポートすべきですが，CTを依頼した医師の超音波検査にクレームをつけることになるので，遠慮して言えなかったのでしょう。

DIC-CTをしても胆嚢内に占拠性病変があることがわかるだけで，それが胆石なのかポリープなのかは判断できません。体位変換の前後でCTを撮れば判断できますが，CT検査でそこまでしてくれるのでしょうか？

● 腫瘍と紛らわしい胆泥　2

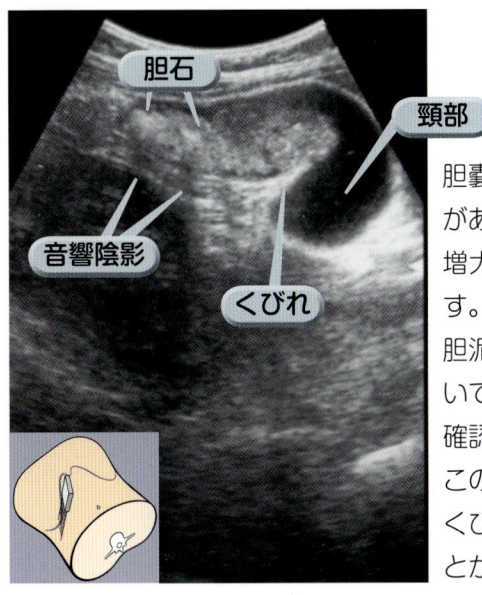

胆嚢底部から体部にかけて腫瘍を思わせる異常エコーがあります。胆嚢壁は明瞭で肥厚はどこにもないので，増大したポリープ型の胆嚢癌と解釈されてしまいます。

胆泥である決定的な証拠は，内部に小胆石が混在していることです。音響陰影を伴う小さな強エコーが確認できます。

この胆泥はかなり固形化しているうえに，途中にあるくびれに支えられて，体位変換で頸部に移動させることができませんでした。

● 肝硬変でみられた胆泥

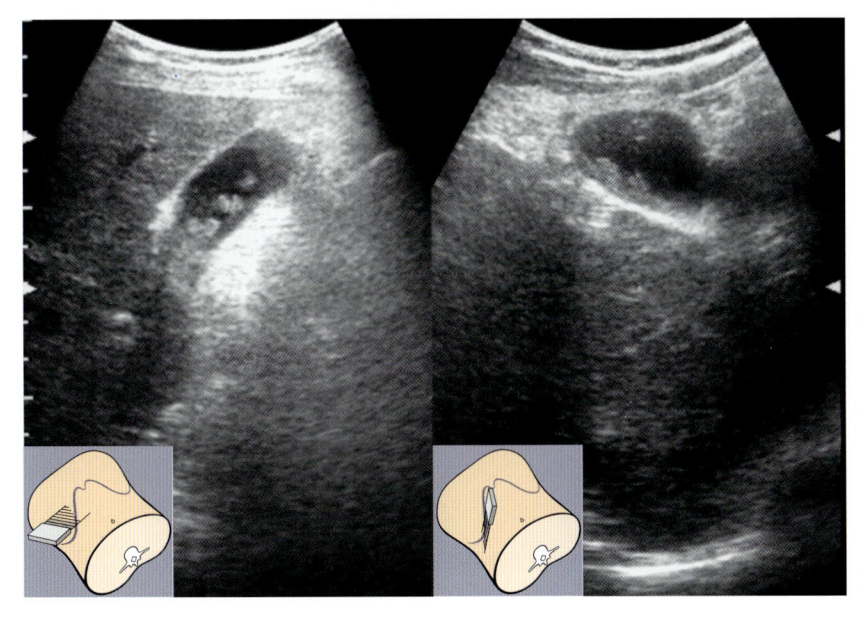

肝硬変では胆汁の組成に変化が起こるのか，胆石や胆泥がみられる割合が高いです。

この症例でも胆泥がありますが，検査のためにベッドに寝たときに，それまで底部にあった胆泥がバラけて頸部側に移動しています。

MEMO　　胆泥・胆砂の正体

胆泥の原因として最も多いのは胆汁が濃縮された状態ですが，胆嚢炎でみられる場合は炎症で剥離した胆嚢粘膜や粘膜から出血した血液，膿汁がその成分です。正常な胆汁は超音波を反射しないので胆嚢内腔は無エコーですが，上記の状態では超音波をわずかに反射するので比較的均一な微弱エコーとして見えます。胆嚢内腔全体に淡いエコーがみられるときは「濃縮胆汁」と表現することもあります。濃縮された胆汁が少し粒状になったものを胆砂と呼ぶことがあります。胆砂と微細胆石との区別は曖昧です。

絶食が原因の胆泥

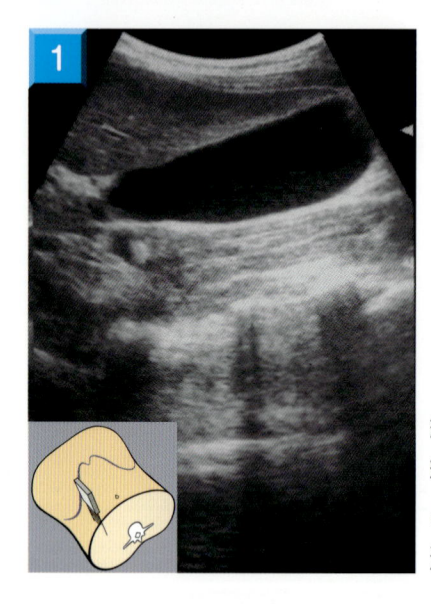

1

絶食を始めて6日目です。胆泥の粘稠度が低いのか，仰臥位になるとすぐにベッドに平行な水平面を形成しています。

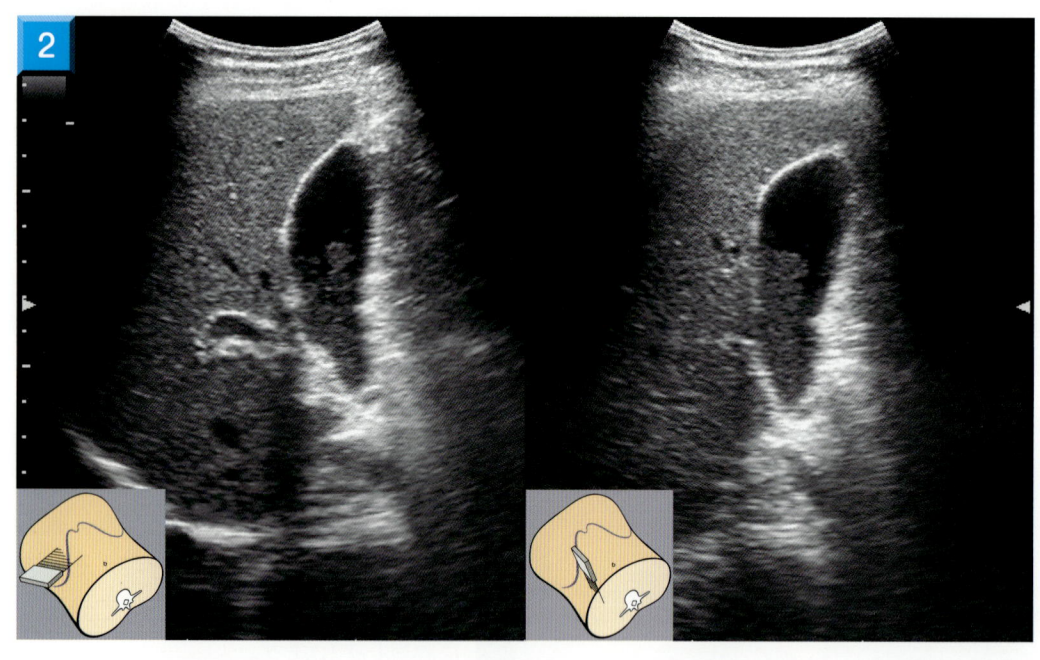

2

絶食を始めて3日目です。上の症例では胆泥が均一な層を形成しているのに対し，この症例では胆泥がバラけています。わずかな角度の違いで胆泥の形態が異なるのは，底部側にあった胆泥が寝たことで低くなった頸部に移動するときにバラバラに崩れたからです。

MEMO　絶食と胆石の関係

胆汁は肝臓で24時間作られています。ところが，消化液の一種である胆汁が必要とされるのは食事したときだけです。そこで，食事のとき以外の胆汁は肝外胆管の途中から胆嚢に運ばれ，濃縮されながら出番を待ちます。胃や大腸の手術を受けるなどして，経口摂取ができないと胆汁は濃縮されすぎて超音波画像に見えるようになります。これが胆泥の成因のひとつで「濃縮胆汁」といわれているものです。この状態が続くと，胆石ができることがあります。消化管の術後に経過観察をすると胆石ができている人がいます。

胆泥と紛らわしいアーチファクト

アーチファクト（人工産物）というのは理解しにくい現象です。超音波検査の場合は生体内の真の解剖情報ではなくて，原理的な理由から避けられない偽の情報のことを指しています。

診断装置が進歩して，アーチファクトを目立たないようにすることは期待できても，完全になくすことはできません。

第1章の総論（36～45ページ）で詳しく説明しているので参照してください。

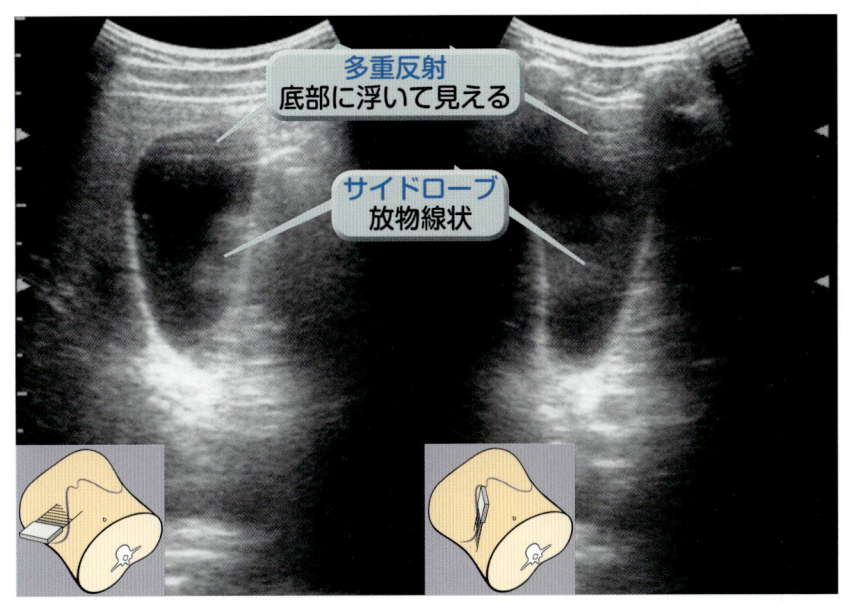

胆嚢

左図には消化管側から胆嚢内腔に流れ込むような放射線状の異常エコー（サイドローブによるアーチファクト）と，腹壁に平行な階段状の異常エコー（多重反射によるアーチファクト）があります。

右図には体部にサイドローブらしき異常エコーがありますが，これはどこから発生したのでしょう？ 右の画像に答えは写っていませんが，やはり胆嚢の尾側にある消化管ガスです。

サイドローブは円錐状に出ているので，画面には見えていない強エコー物（消化管ガスなど）からも発生します。

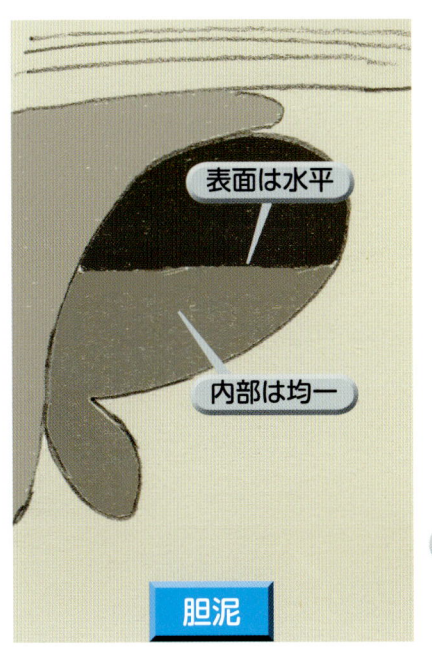

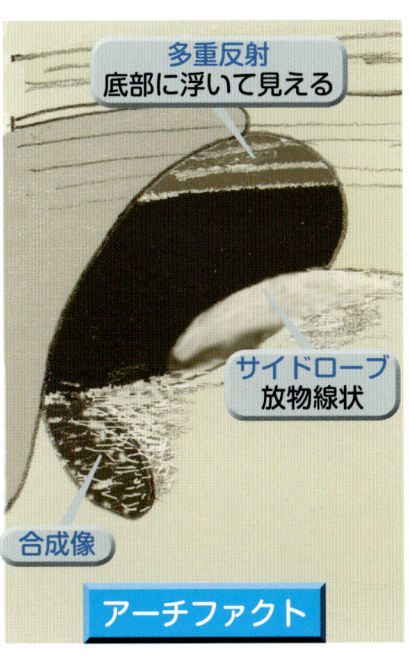

胆泥とアーチファクトの鑑別法です。

胆泥は仰臥位になってしばらくすると頸部側に移動して胆汁との間で水平な境界線を作ります。

多重反射は腹壁に平行な階段状の線を作り，画像上は胆嚢底部に浮いて層状に表示されます。

サイドローブは横にある消化管から胆嚢内に流れ込むように放物線状に表示されます。

胆嚢頸部の深さでは超音波の特性でスライス幅は厚くなるので，周囲の消化管の像を拾って，胆嚢内腔に合成されます。

胆嚢癌

胆嚢癌の疑いで超音波による再検査を依頼される件数が増えてきましたが，そのほとんどはコレステロールポリープや半ば固形化した胆泥で，早期の胆嚢癌は非常に稀です。第一線の病院で検査している限りでは，原発性肝臓癌や転移性肝臓癌に比べて胆嚢癌はかなり少ない疾患です。
医学生時代に「高齢者の胆石患者は胆嚢癌になりやすいので，積極的に手術を勧めたほうがいい」と外科の講義では習ったものですが，これは超音波検査のように胆石を診断する有力な武器がなくて，胆石症の患者の実数が把握されていなかった時代の誤った解釈です。現在は高齢者の胆石が多く見つかりますが，胆石の経過観察中に胆嚢癌が発生した例はいまだ経験したことがありません。今の外科の教科書は書き改められているのでしょうか？

● 胆嚢癌のタイプ

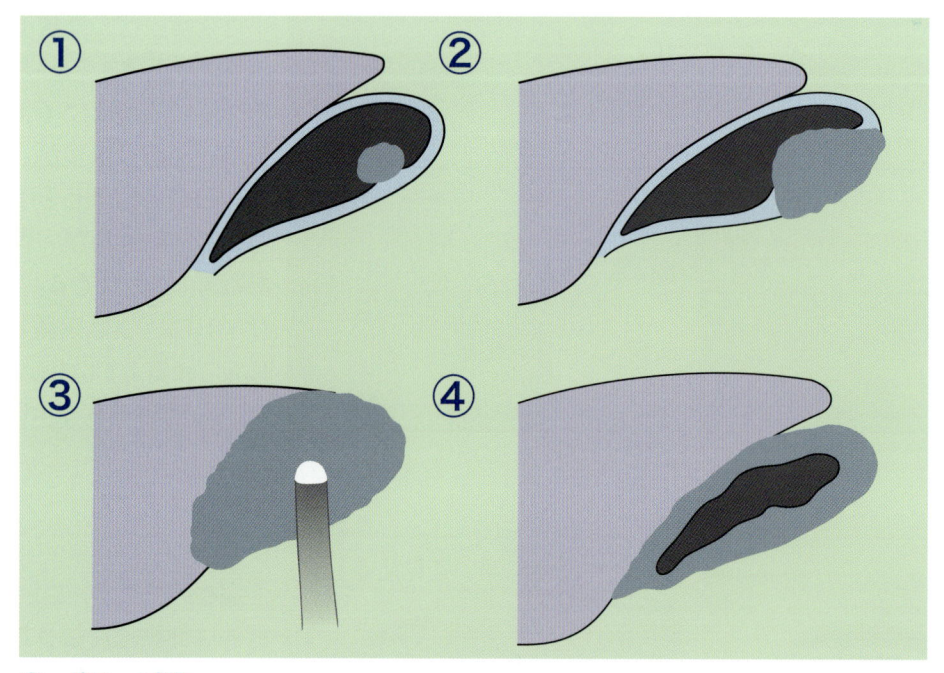

① **ポリープ型**
ポリープ全体あるいは一部が癌。コレステロールポリープに酷似。

② **限局腫瘤型**
胆嚢壁の一部に限局した癌。病変が肝床側にあると肝に浸潤していることも。

③ **全腫瘤型**
胆嚢が癌で充満していて，胆汁が貯まる内腔はない。

④ **びまん型**
胆嚢壁全体に癌が浸潤している。肝に浸潤があることも。

全腫瘤型にだけ胆石を描き込んでいますが，胆石はどのタイプでも合併することがあります。

🔵 ポリープ型胆嚢癌　1

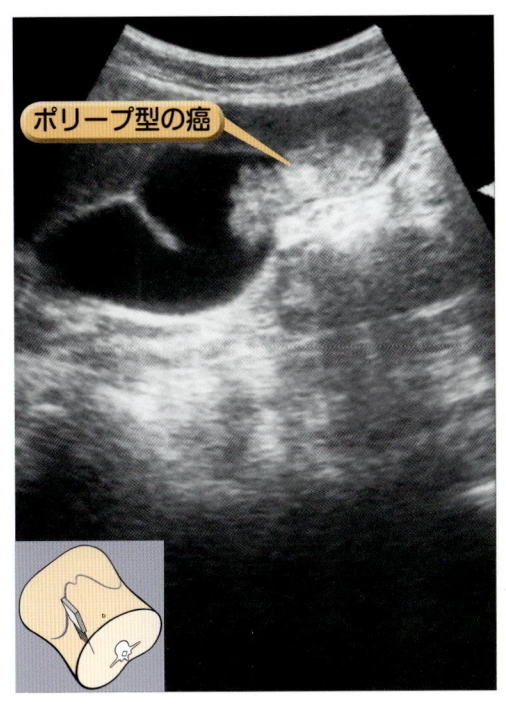

腫瘤の表面に乳頭状の凹凸があり，内部エコーは強弱不均一です。これが胆嚢の前壁にあると癌と考えますが，底部の後壁にあるので胆砂が混在している固形化した胆泥の可能性も考えます。この症例では体位変換をしても移動性はありませんでした。
腫瘍が接している胆嚢壁が明瞭に保たれていて，壁への浸潤がどこにもみられないのがポリープ型胆嚢癌の特徴のようです。
131ページの「腫瘍と紛らわしい胆泥2」と酷似しています。

🔵 ポリープ型胆嚢癌　2

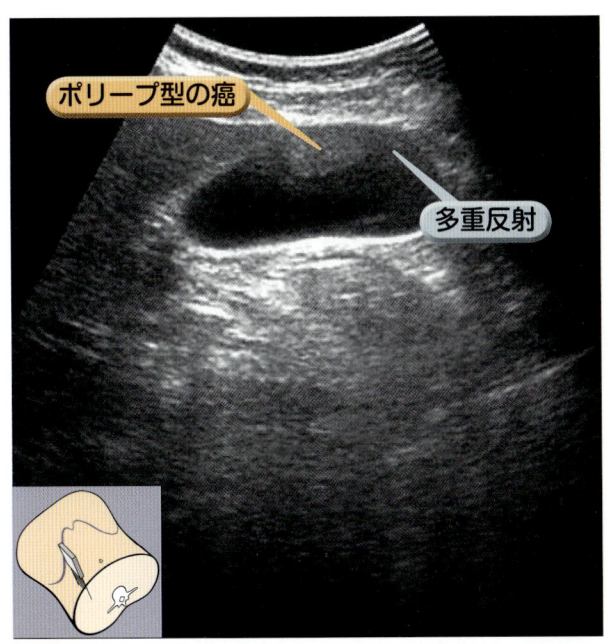

胆嚢底部の前壁にあるポリープです。19×11mmと計測しています。腹壁で発生したアーチファクト（多重反射）が重なっており，輪郭の一部が不明瞭です。
見えている範囲では表面平滑で内部エコーは均一です。これが初めての検査なので腫瘍の増大スピードは確認できていません。
私はコレステロールポリープと判断しましたが，手術目的で紹介されて入院した患者だったので手術が行われました。
執刀した医師は術後記録に「肉眼では悪性所見なし。コレステロールポリープ」と記載しています。病理のレポートでは胆嚢粘膜に限局して腺癌があったそうで，執刀医も驚いていました。

> **ひとくちコメント**
> このようなコレステロールポリープと区別できないポリープ型の癌は多くないはずです。私の32年の超音波検査で2例目です。毎日数十例の検査を行う都会の大病院でも4～5年に1例位ではないでしょうか。サイズが大きいことと，表面が平滑で桑実状ではない（凹凸不整がない）点が通常のコレステロールポリープとの違いのようです。

限局腫瘤型胆嚢癌

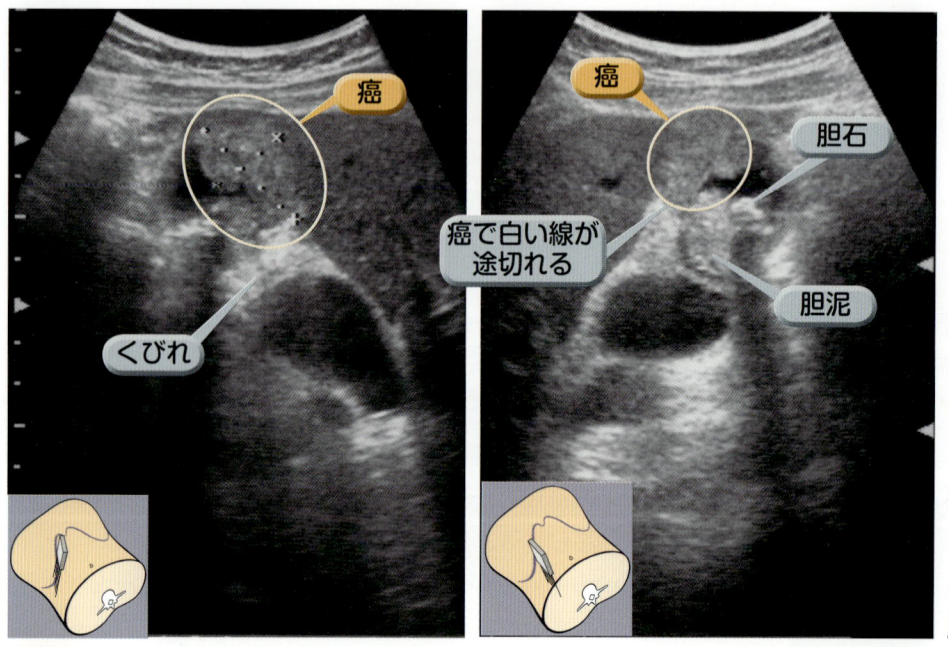

途中にあるくびれで内腔は大きく2つに分かれています。
胆嚢底部に比較的限局した腫瘤があります。腫瘤は胆嚢内腔に突出すると同時に肝臓に向けて浸潤しています。
癌の部分では胆嚢壁を示す高エコーの構造は途切れます。
この症例では胆嚢癌のほかに胆石と胆泥もあります。

ひとくちコメント　この症例は正常な胆嚢壁が途切れているうえに肝臓にまで病変が浸潤しているので，胆嚢癌の診断に全く迷いません。

全腫瘤型胆嚢癌　1

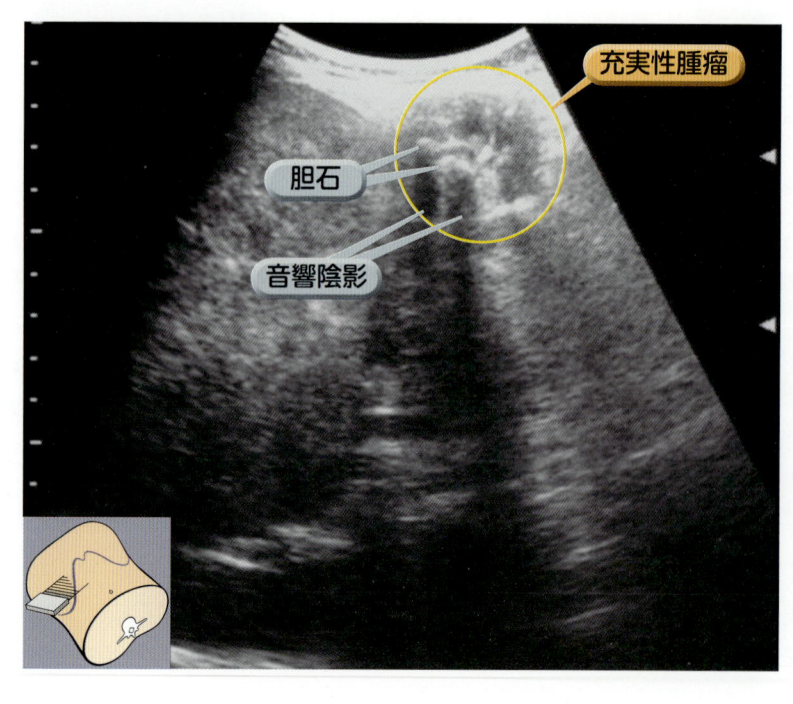

右季肋部で胆嚢を描出しようとしてもエコーフリーな構造がありません。
その代わりに正常ではみられない充実性の構造があります。全体が癌で占められた全腫瘤型の胆嚢癌です。腫瘤の内部に胆石を示唆する音響陰影を伴った強エコーが右季肋部にあると胆嚢癌以外は考えられません。

全腫瘤型胆嚢癌 2

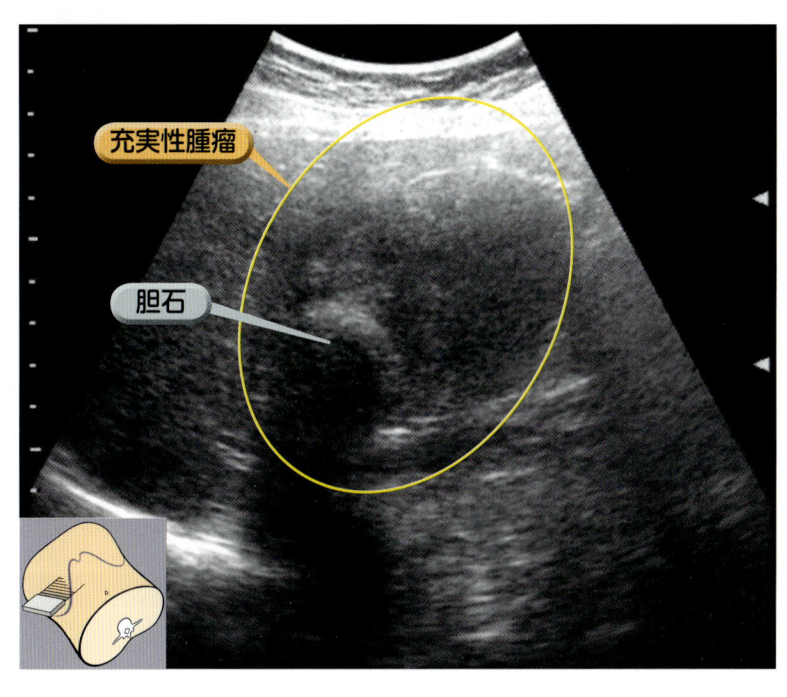

これも前の症例と同じ全腫瘤型の胆嚢癌です。やはり胆嚢があるはずの右季肋部に正常な胆嚢がありません。内部に大きい胆石を示唆する音響陰影を伴った三日月状の強エコーがあることで胆嚢の病変と気付きます。
胆泥や胆石が充満した胆嚢との相違は，どこにも胆嚢壁が見えないことです。

限局腫瘤型胆嚢癌とポリープの区別

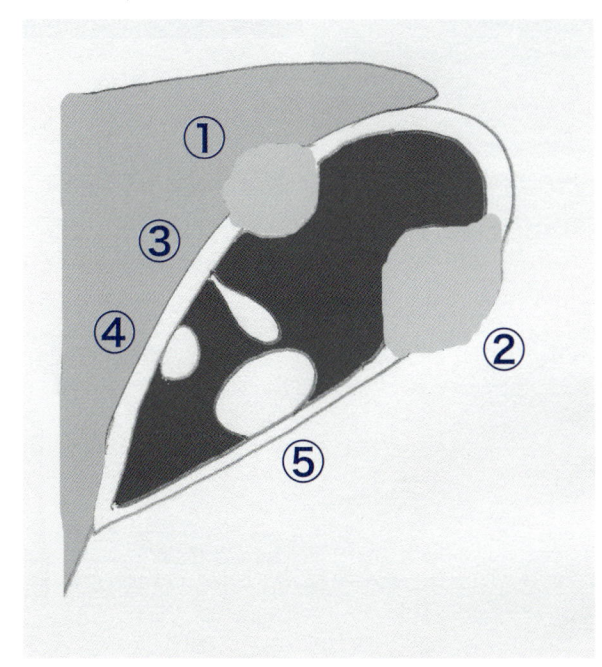

①や②のタイプの腫瘤は胆嚢壁に限局性の腫瘤を形成しているので，胆嚢癌であることは疑う余地がありません。
一方，③のように細長く突出するポリープが癌であるとは考えにくく，これが癌であったケースは見たことがありません。
④と⑤は大きさが違うだけで，胆嚢壁に球形あるいはラグビーボール形をしたポリープが接している状態です。10mmを超えると癌の可能性も否定はできません（確率は低い）が，10mm以下のサイズでは癌の可能性は非常に低いと思います。
私は④が癌である確率は，宝くじで1等賞金が当たる確率よりも低いと考えています。

胆囊炎

胆嚢炎では胆嚢壁が肥厚します。正常な胆嚢壁の厚みは2mm以下です。胆嚢壁が高度に肥厚したときは胆嚢壁の中央部分にエコーのない層（sonolucent layer）が観察されて、胆嚢壁全体が3層に描出されます（3層構造）。3層以上に見えることもあります（多層構造）。
急性期にはほとんどの胆嚢は拡張しており、内腔に剥離した胆嚢粘膜や膿・血液が混在した胆泥が観察されます。
慢性期になると胆嚢は萎縮傾向が強まります。
胆石がある有石胆嚢炎と胆石がみられない無石胆嚢炎とがあります。

● 急性胆嚢炎　1

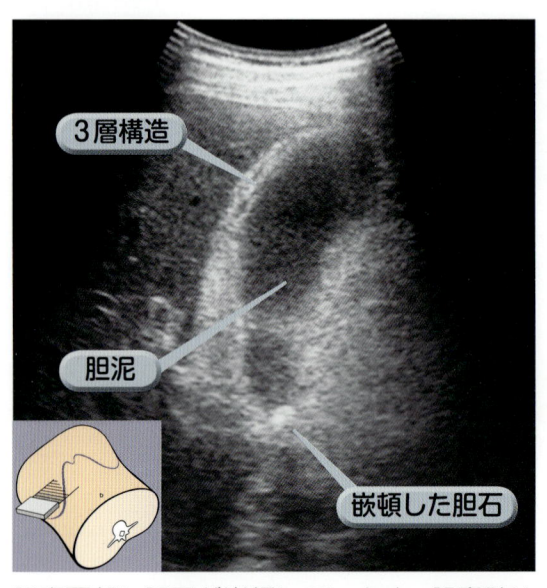

胆嚢頸部に胆石が嵌頓しています。胆嚢壁は全体的に肥厚し、部分的に3層構造をしています。内腔に胆泥による微細エコーがありますが、一部はサイドローブなどのアーチファクトと思われます。

● 急性胆嚢炎　2

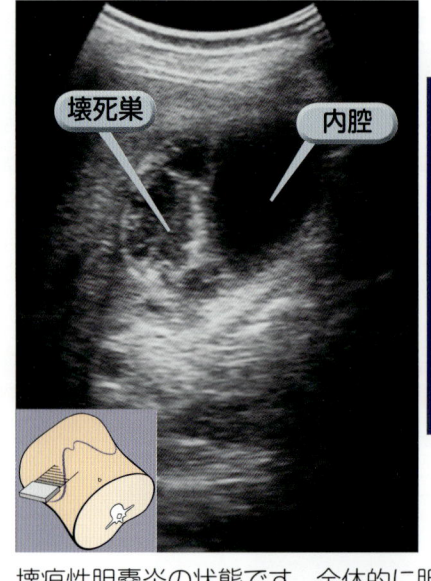

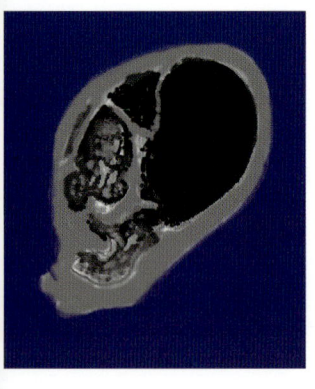

壊疽性胆嚢炎の状態です。全体的に胆嚢壁が肥厚していますが、特に肝床側の胆嚢壁は著明に肥厚して、内部は低エコーになっています。この低エコーの部分は胆嚢壁の壊死巣を表しています。
このような状態では胆石があるのかどうか判断できません。

MEMO　　胆嚢炎の原因

胆石が胆嚢壁に機械的な刺激を与えている状況下で、胆汁酸などの胆汁成分が加える刺激で炎症が発生し、さらに大腸菌などの常在菌の感染が炎症を増強させて胆嚢炎が発生すると考えられています。急性胆嚢炎は次の3つの段階に分けられます。
1) 漿液性胆嚢炎：粘膜固有層に軽い炎症所見をみる。2) 化膿性胆嚢炎：胆汁に膿汁が混在し、胆嚢壁は浮腫状に腫脹する。
3) 壊疽性胆嚢炎：炎症が高度で胆嚢壁に壊死巣がみられ、しばしば胆嚢穿孔をきたす。

● 無石胆嚢炎　1

胆嚢炎の直接原因は大腸菌などの腸内常在菌による感染です。胆石がある人に起こりやすいと考えられていますが，胆石患者のほとんどが無症候性であることからもわかるように，胆石が原因とは限りません。胆石がない人の胆嚢炎を無石胆嚢炎といいます。

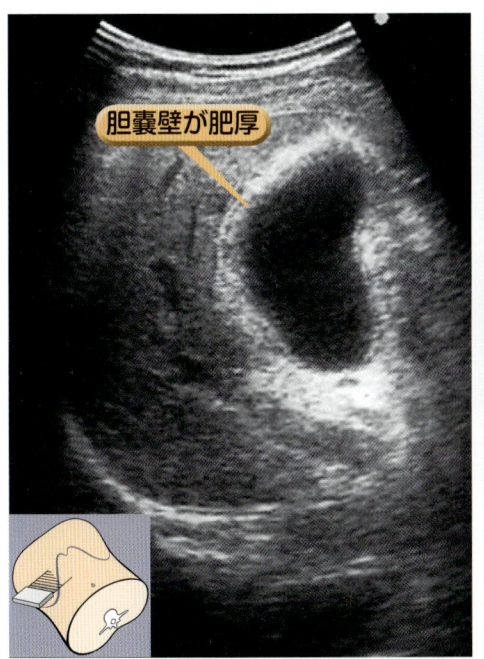

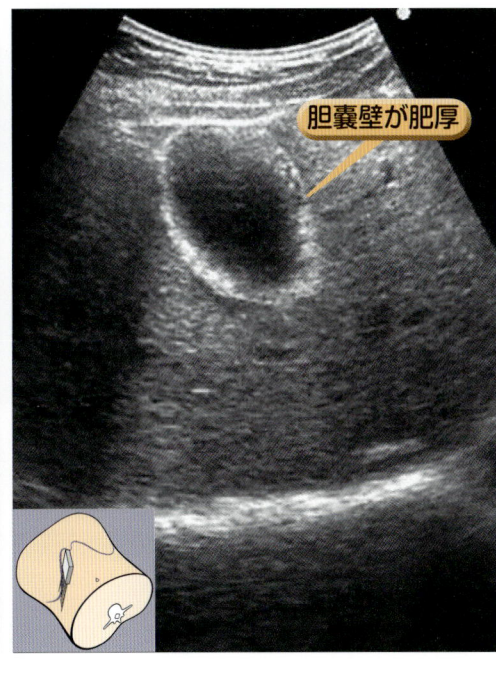

胆嚢

胆嚢壁が肥厚

胆嚢壁が肥厚

強い右季肋部痛がある患者です。胆嚢壁は軽く肥厚しています。胆石や胆泥はみられません。無石胆嚢炎と考えます。

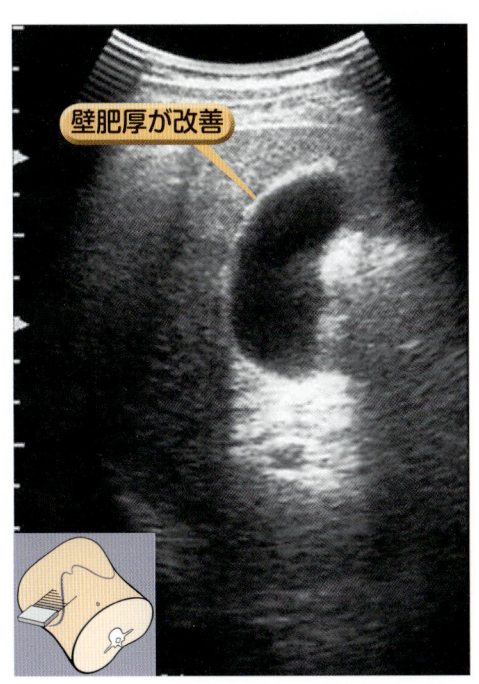

壁肥厚が改善

上の検査から14日後の再検査です。胆嚢壁の肥厚はほとんど消失しています。もちろん右季肋部痛もなくなっていました。この画像でも胆石はみられません。

● 無石胆嚢炎　2

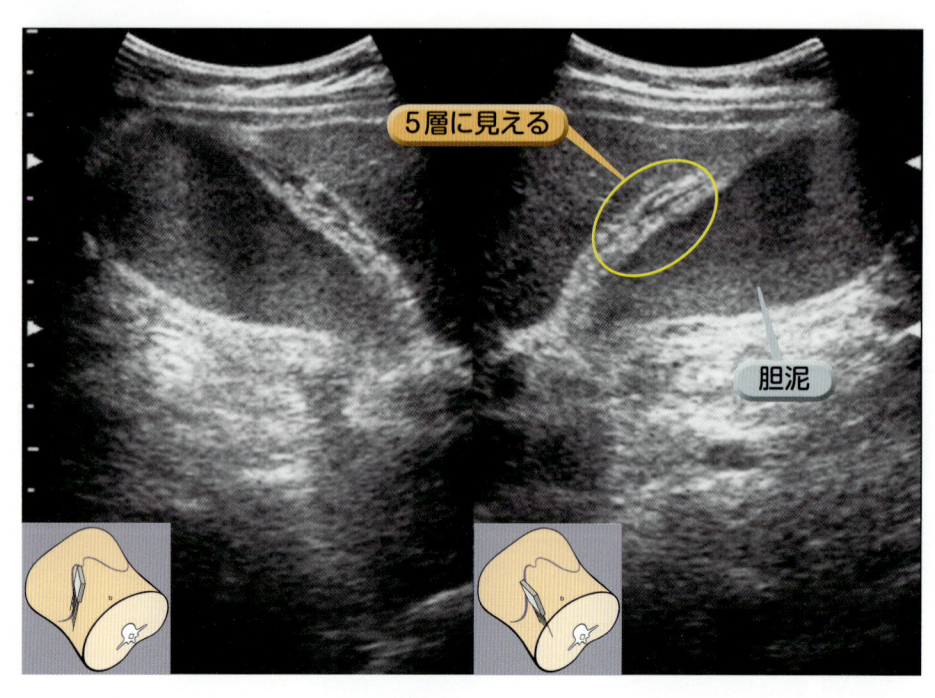

5層に見える
胆泥

胆嚢壁は肥厚して層構造を示しています。3層とは限りません。5層に見えるところもあります。胆嚢内腔には微細均一な異常エコーが充満しています。濃縮した胆汁や膿汁，粘液などが混在したものでしょう。

● 慢性胆嚢炎　1

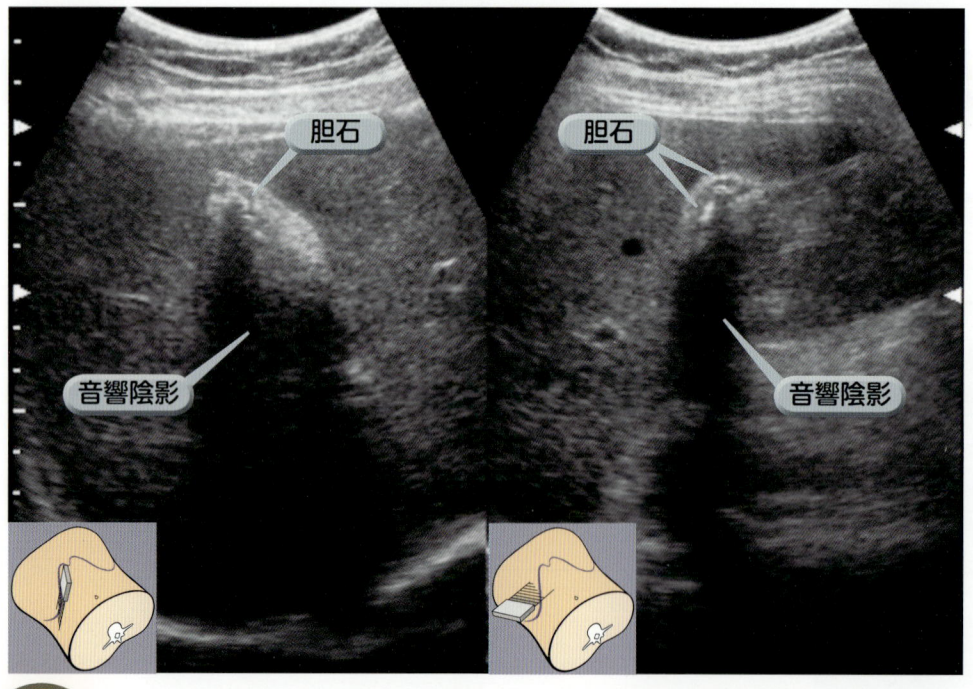

胆石
音響陰影

胆嚢は萎縮しており，内部に胆汁を示すエコーフリーな部分はありません。代わりに数個の強エコー（胆石）があり，音響陰影を伴っています。
胆嚢壁は軽く肥厚（3〜4mm）しています。
もはや胆嚢としての機能はありません。

> **ひとくちコメント**
> 112ページで紹介した「充満した胆石」も，病理学的には慢性胆嚢炎の状態になっていると思われます。121ページの「陶器様胆嚢」も慢性胆嚢炎が原因のひとつに挙げられています。
> 胆嚢炎といっても，慢性胆嚢炎では痛みがないのがほとんどです。

● 慢性胆囊炎　2

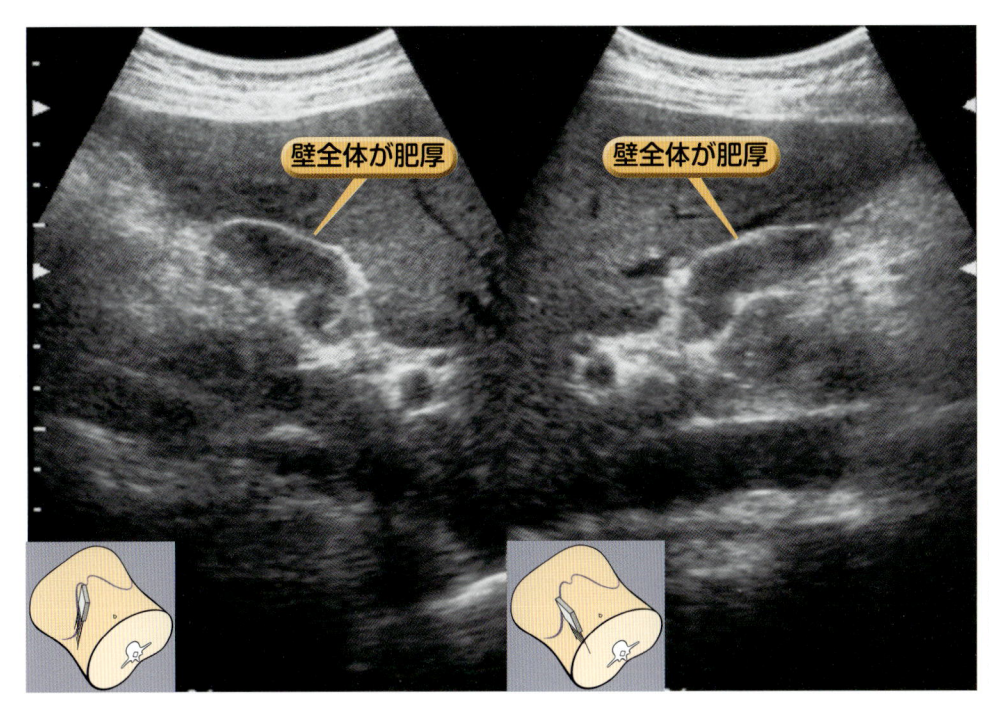

壁全体が肥厚

胆嚢は萎縮して長径が正常の6割位しかありません。胆嚢壁は軽く肥厚（4～5mm）していますが，粘膜面がはっきりしません。胆石はなさそうです。

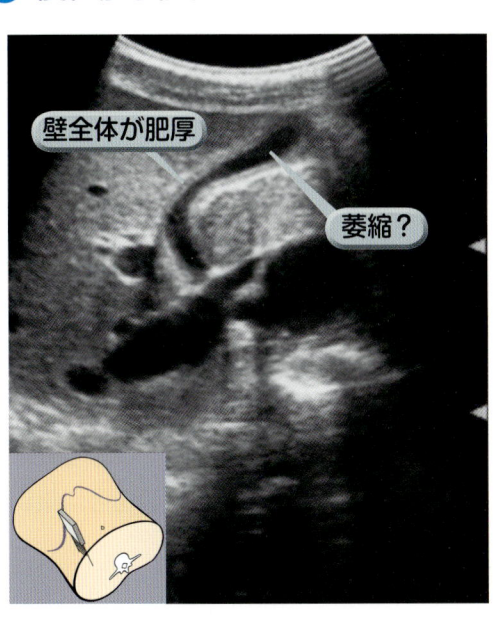

● 慢性胆囊炎　？

壁全体が肥厚　萎縮？

胆嚢は萎縮しており，胆嚢壁は3～4mmに肥厚しています。慢性胆嚢炎で胆嚢が萎縮した状態に見えます。上の症例と異なるのは粘膜と胆汁との境界面が明瞭なことです。
患者は1時間前に牛乳をコップ1杯飲んでいます。つまり，これは食事のせいで萎縮した胆嚢です。超音波検査は絶食が原則ですが，ときにうっかり食事をしている場合や，病院側が絶食の指示を忘れているときもあります。おかしいと思ったら患者に問いただす必要があります。

MEMO　　無石胆嚢炎

術前の診断は無石胆嚢炎でも，手術すると胆嚢頸部や胆嚢管に小さな胆石が嵌頓していることがあるということを外科のドクターから聞きました。139ページと140ページで紹介した症例は手術していないので結石の有無は証明されていませんが，抗生物質の投与だけで完治しています。

気腫性胆嚢炎

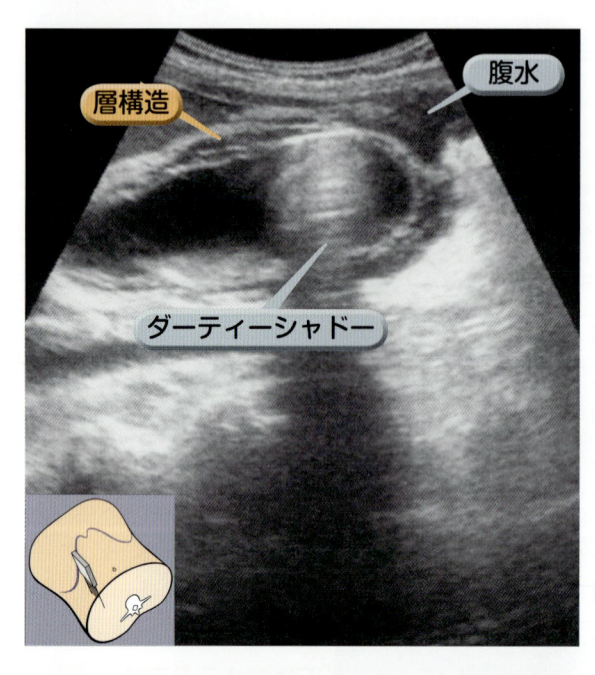

急性胆嚢炎の特殊な状態に気腫性胆嚢炎があります。胆嚢がガス産生菌に感染してガスが発生する稀な疾患です。ガスは胆嚢内腔，肥厚した壁内，胆嚢周囲のいずれかに存在します。
ここに示す画像は縦断像です。胆嚢壁は肥厚し層構造を示しています（部分的に5層）。胆嚢周囲には微量の腹水もあります。ガスがあるときにその後方に発生するダーティーシャドーが観察できます。ダーティーシャドーのことをガスシャドーということもあります。

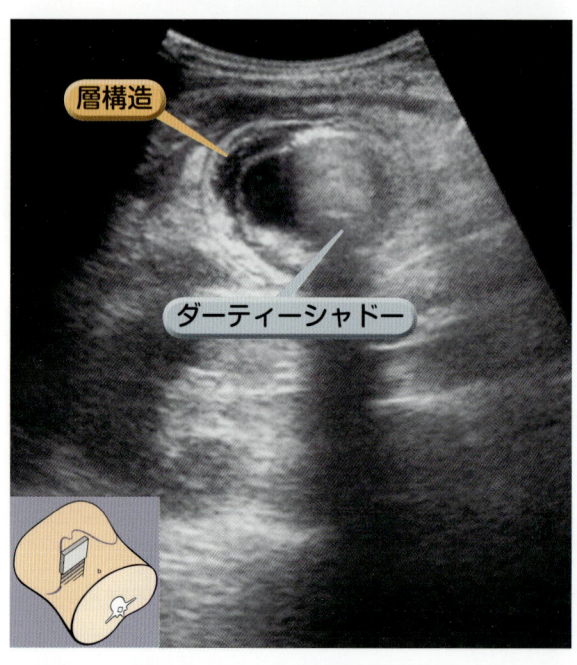

胆嚢底部の横断像です。縦断像だけでは胆嚢に接して存在する消化管ガスを見ている可能性もありますが，この直交する断面でも胆嚢の前壁からダーティーシャドーが発生しているので，隣接する消化管ガス説は否定されます。
この像ではガスはあたかも肥厚した胆嚢壁内にあるように見えますが，壁内にあるガスがここだけに限局するとは考えられないので，内腔にあるガスが胆嚢内の最も高い位置に集まっている状態と解釈します。

MEMO　気腫性胆嚢炎

気腫性胆嚢炎は高齢男性に多く，糖尿病の合併が多いという文献があります。胆嚢の壊死，穿孔の頻度も高いそうです。摘出標本を病理検査に出すと，ガスを発生していたとはわからないので，壊疽性胆嚢炎というレポートが返ってきます。胆石がある例は少なく，動脈硬化・高血圧・糖尿病が高率にみられることから，原因は胆嚢壁の虚血性変化が重要な因子であると考えられています。二次的にガス産生菌に感染すると思われます。

● 胆嚢炎と診断されたが……

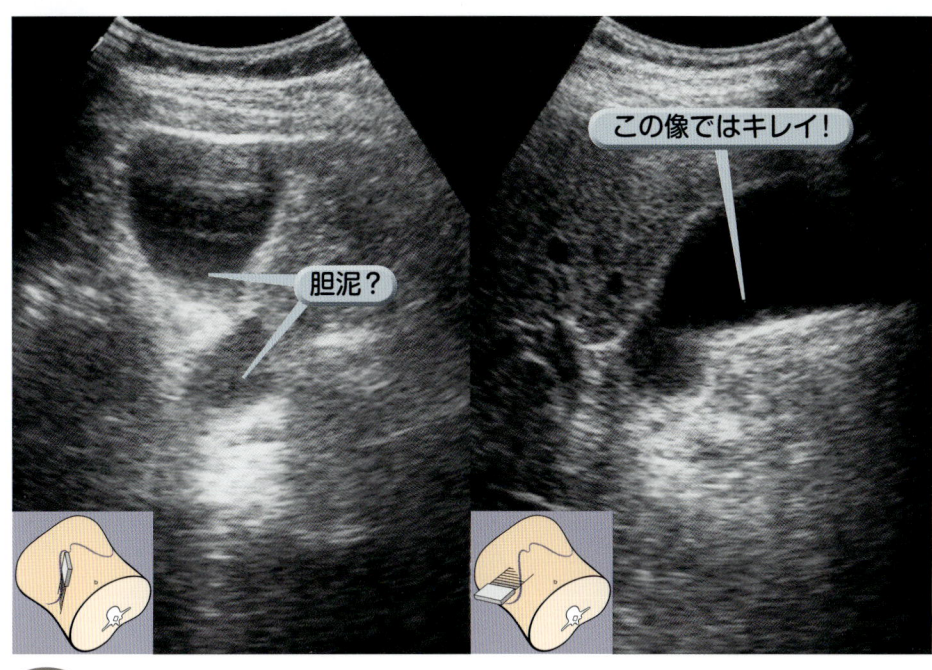

「この像ではキレイ！」
「胆泥？」

右季肋部痛があり，某医で超音波検査を受けました。左図で胆嚢内に胆泥があるので，胆嚢炎と診断されました。再検査してみると右図のように胆嚢内腔には胆泥の所見はありません。左図でみられたのはスライスの厚みが原因で生じるアーチファクト（下図参照）です。これは133ページで「合成像」と解説しているものです。

> **ひとくちコメント**
> 右季肋部痛を訴えている人を検査して胆嚢に異常所見がある（上の症例には異常所見はありません）と，それを胆嚢の病気と解釈して「胆嚢炎」と診断してしまいがちです。また，超音波で胆石が見つかると右季肋部痛の原因は胆石と即断する人がいますが，痛みの原因はガス貯留による腸管の拡張だったり，十二指腸潰瘍だったりということもあるので，慎重に判断するべきです。

● スライスの厚みは変化する

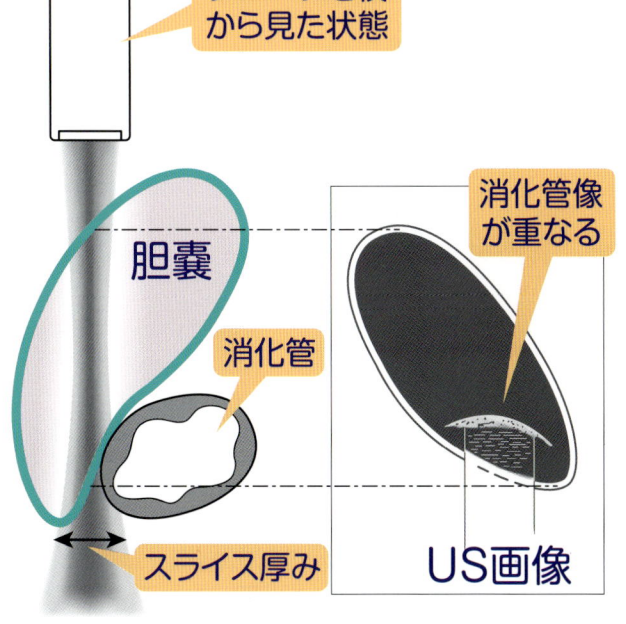

プローブを横から見た状態
胆嚢
消化管
スライス厚み
消化管像が重なる
US画像

プローブを横から見て超音波ビームを観察すると，その形から超音波検査で得られるスライスの厚みが判断できます。

CT検査のスライス厚みは深さに関係なく一定ですが，超音波検査では深い部分で厚みは増大します。診断装置のゲインを上げても，このスライス厚みは増します。

肥満体の人の胆嚢頸部は深いので，スライス厚みが増大しており，スライスの中心は胆嚢内腔にあっても，超音波ビームの一部は胆嚢に接した消化管にも当たっています。その結果，胆嚢内腔の像に外の消化管の像が重なって紛らわしい合成像ができます。サイドローブの影響も加わります。肝臓の腫瘍や拡張した胆管などを超音波ガイド下で穿刺するときに，穿刺針がスライス面から離れていてもスライス面上にあるように見えてしまうのも，この現象のためです。

胆嚢腺筋症

胆嚢腺筋腫症と書いている文献もあります。胆嚢腺筋症では胆嚢の粘膜上皮と筋組織が過形成を起こし，胆嚢壁が肥厚します。さらに，胆嚢上皮が憩室のように陥入したRAS（Rokitansky-Aschoff sinus）が増大して超音波画像で認識できることもあります。RASは正常胆嚢でもあります。RAS内に微小結石があってコメット様エコーをひくことがあります。
病変の存在部位によって底部型（限局型），分節型（輪状型，体部型），広範型（びまん型，全体型）に分けられます。底部型が圧倒的に多くみられます。
急性胆嚢炎で胆嚢壁に3層構造がみられないものは胆嚢腺筋症の広範型と所見が類似しています。

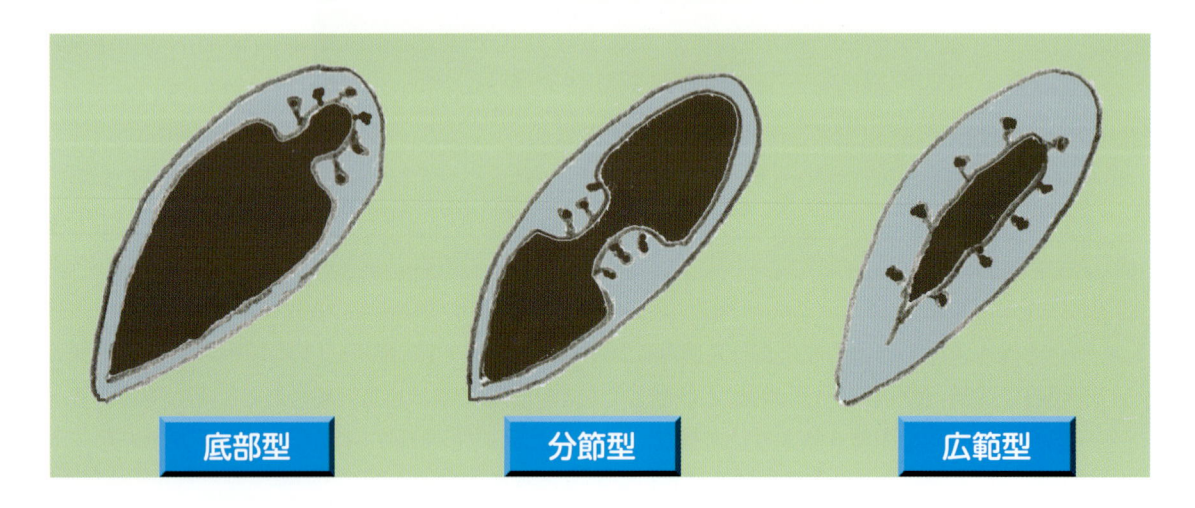

底部型　　分節型　　広範型

● 胆嚢腺筋症　底部型

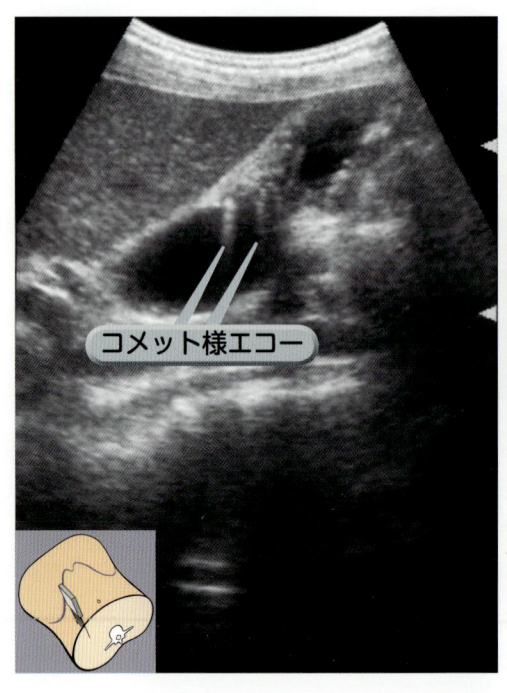

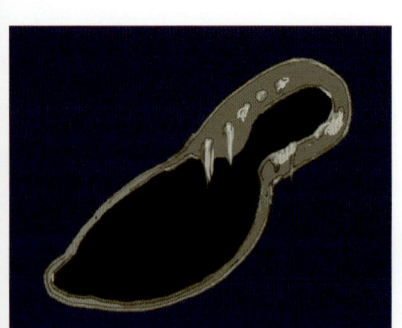

コメット様エコー

胆嚢底部側の壁が厚くなっています。肥厚した壁の中に1mm位の強エコー（RASにある壁内結石）があり，一部は胆嚢内腔に向けて氷柱（つらら）状の形態を示しています。コメット様エコー（147ページ参照）です。

🔵 胆嚢腺筋症　分節型

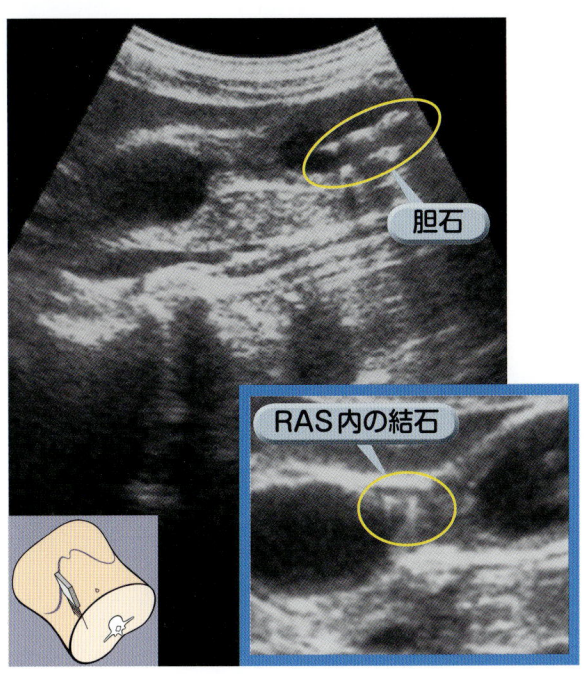

体部に限局して胆嚢壁が肥厚しています。この部分を少し角度を変えて観察すると右下の青枠に示すように，壁内結石から発生しているコメット様エコーを認めます。
底部の内腔には小結石が多数あります。

🔵 胆嚢腺筋症　広範型

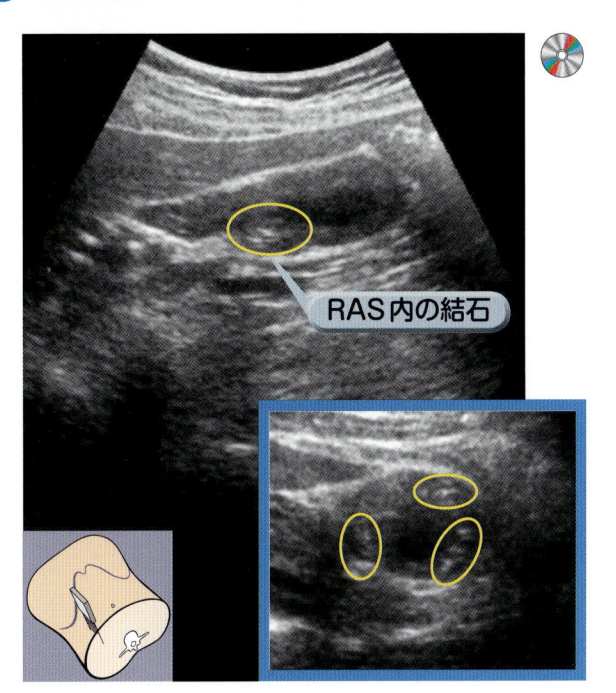

胆嚢壁が全体的に肥厚しています。一見，胆嚢炎かと思いますが，胆嚢炎でみられる層構造がなく，拡張・緊満もありません。胆泥も貯まっていません。胆嚢癌の「びまん型」との鑑別は難しいですが，腺筋症の決め手は厚い壁の内部に散在している微細な強エコーです。これはRAS内の微小結石です。右下の青枠にこの胆嚢の横断像を示します。壁内結石が明瞭に見えています。

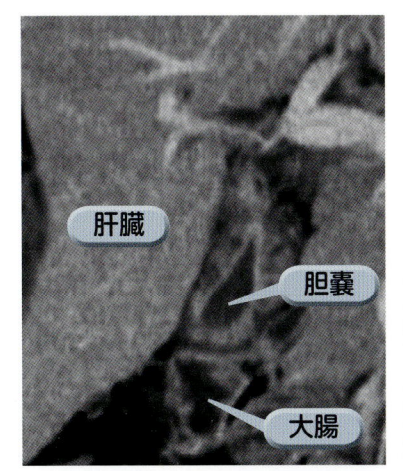

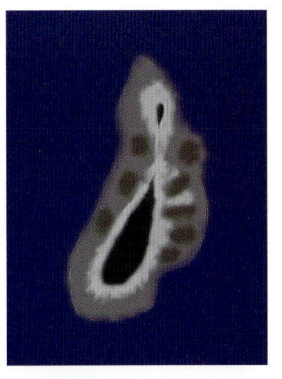

上の広範型の造影CT前額断像です。胆嚢壁が全体的に肥厚しています。所々にある黒っぽい丸は拡張したRASです。RAS内の壁内結石はCTでは描出されません。

胆嚢壁肥厚

胆嚢壁肥厚というのは所見であって診断名（病名）ではありません。しかし，超音波検査では診断名の代わりに所見名でレポートすることがあります（69ページ「MEMO」参照）。胆嚢壁肥厚もその1つです。もちろん，原因疾患がはっきりしているときは，そちらを使います。原因がはっきりしないが，ともかく胆嚢壁が厚い時に「胆嚢壁肥厚」とレポートします。

胆嚢壁が肥厚する疾患

全体
- 胆嚢炎
- 肝硬変
- 急性肝炎
- うっ血肝
- 胆嚢腺筋症

部分的
- 胆嚢腺筋症
- 胆嚢癌

● 胆嚢壁肥厚か？

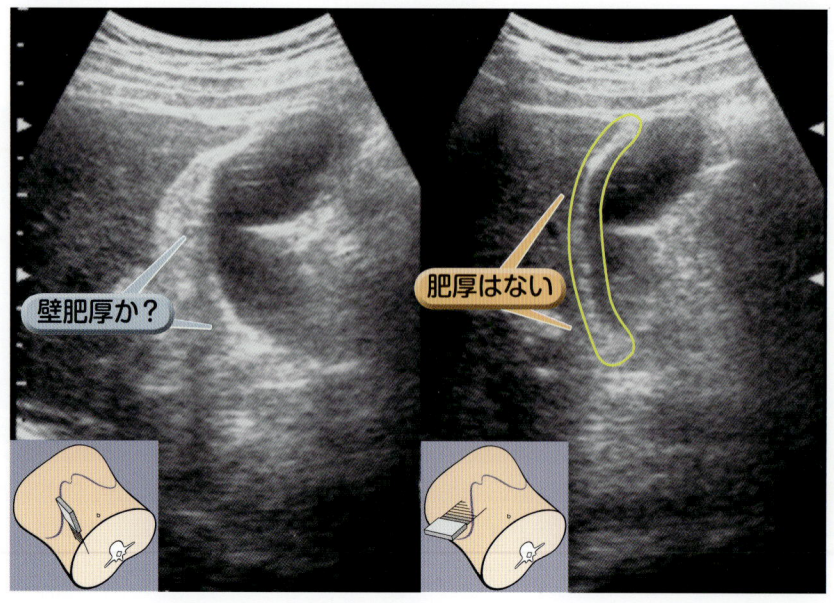

壁肥厚か？

肥厚はない

左の縦断スキャン像を見て，胆嚢壁が肥厚していると診断する人がいます。胆嚢壁が肥厚する原因で頻度が高いのは胆嚢炎と肝硬変です。この場合は胆嚢壁は全体的に肥厚します。
この症例のように胆嚢頸部近くの肝床側だけにみられる高エコー領域は胆嚢と肝臓の間の結合組織です。
右の肋間スキャン像をみると胆嚢壁は厚くありません。
胆嚢癌で部分的な胆嚢壁肥厚を起こすことがありますが，その場合のエコーレベルはこのように高くありません。

コメット様エコー

コメット様エコーは微細な粒子の中で起こる多重反射現象で発生します。表面が平滑な球形の粒子のなかで超音波が往復運動をするために，プローブに帰ってくる超音波が断続的に遅れます。その結果，粒子の後方に梯子状の虚像が描かれます。コメットとは夜空の彗星のことです。形が似ていることから名付けられました。胆嚢にみられるときは，その正体は壁内結石か微細なコレステロールポリープです。

原理的には腹壁からの多重反射現象によって引き起こされるアーチファクトと同じです。

コメット様エコーは胆嚢後壁にも発生しますが，通常は胆嚢の後方は消化管内の空気が作るガスエコーで白いので識別できません。腹水が貯留して胆嚢の後方がエコーフリーになっていると，後壁にコメット様エコーが発生しているのに気付きます。

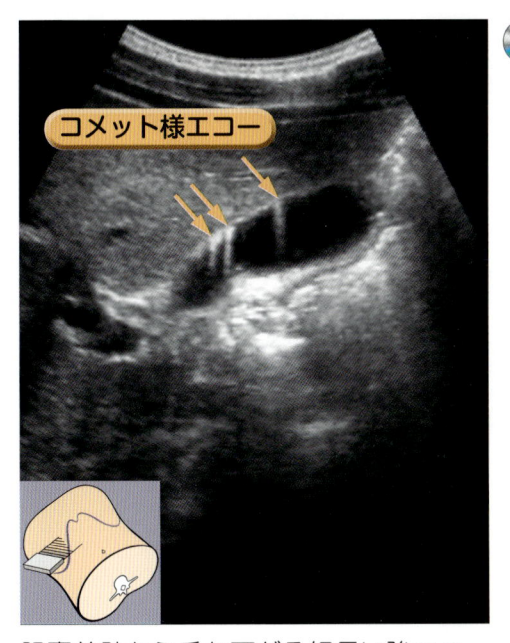

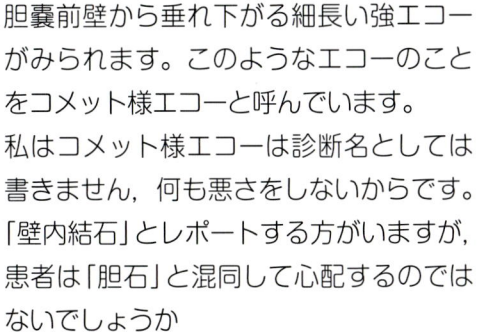

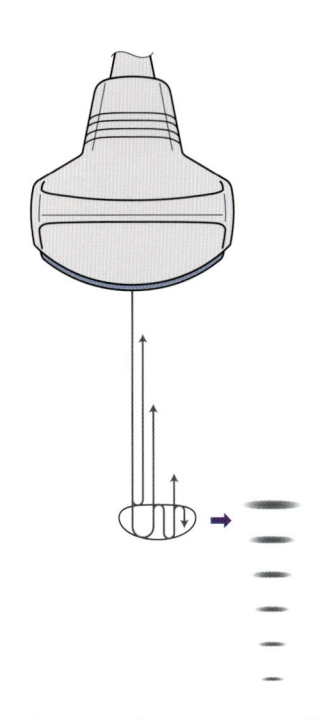

胆嚢前壁から垂れ下がる細長い強エコーがみられます。このようなエコーのことをコメット様エコーと呼んでいます。
私はコメット様エコーは診断名としては書きません，何も悪さをしないからです。「壁内結石」とレポートする方がいますが，患者は「胆石」と混同して心配するのではないでしょうか

コメット様エコーができる原理を説明しています。細かい粒子の前後壁間で多重反射が起こると，プローブに戻る音に断続的な遅れが発生します。それが階段状に表示されて，コメット様エコーになります。
太い粒子（小胆石など）では超音波は表面で反射するか内部で減衰するので，多重反射は起こりません。したがって，コメット様エコーはできません。

肝外胆管

肝門部では縦方向に4本の管腔構造が走行しています。

超音波検査で描出できるのは前方から肝外胆管，門脈本幹，下大静脈です。肝動脈は細いので超音波検査ではごく一部しか描出できません。

正常な肝外胆管の前後径は6mm以下です。10mmを超えていると拡張していると考えます。

赤い矢印①，②でスキャンした画像を下図に示します。

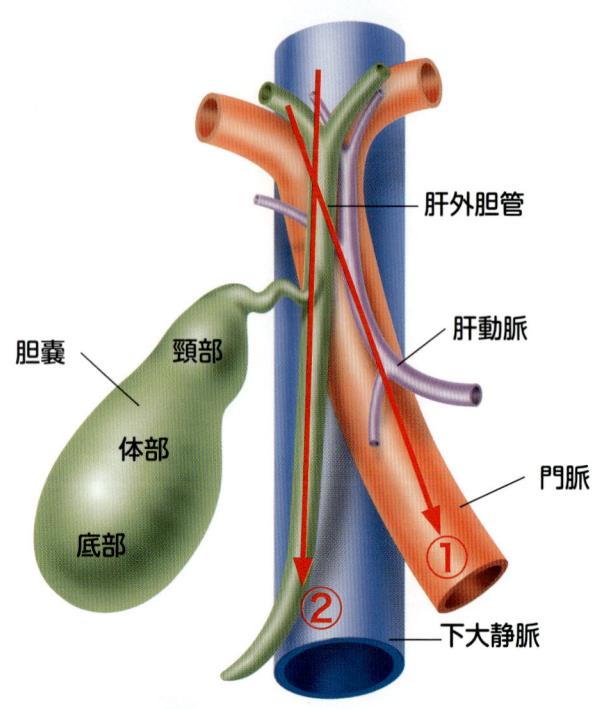

● 正常肝外胆管

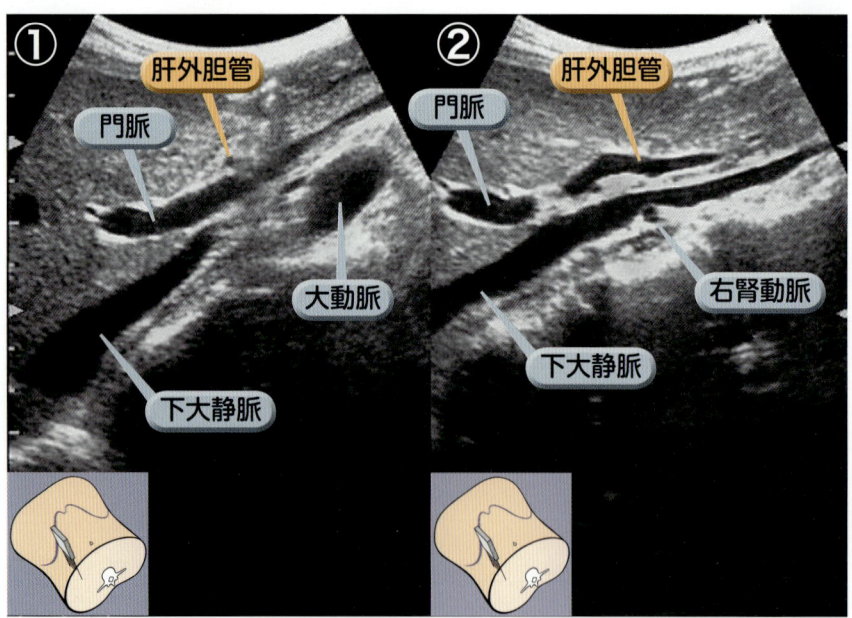

痩せた人で消化管ガスの影響が少ないと，右季肋部で上図の赤い矢印②のように縦断スキャンを行ったときに肝外胆管を明瞭に描出できることがあります。肝外胆管は3本の管腔構造のなかで最も前方にあり，その走行は下大静脈にほぼ平行です（右図）。それに対して，門脈は上図の赤い矢印①のようにプローブを反時計回りに20度位回転させたときに最も長く描出できます（左図）。肝外胆管を観察するときは左側臥位で検査すると見やすくなります。

● 正常膵内胆管　1

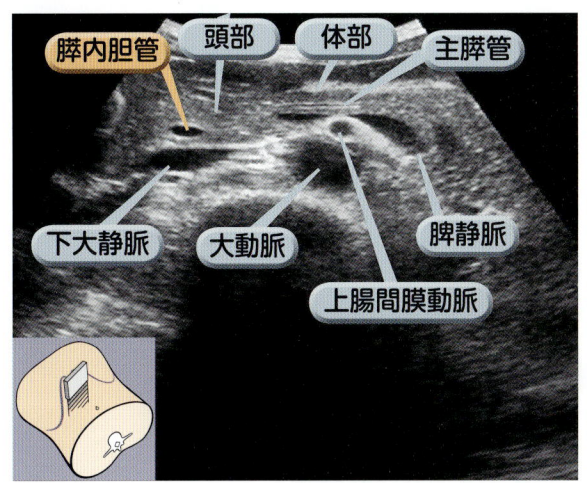

被検者が肥満体でなく，上腹部に消化管内のガスが少ないなどの条件が整うと，膵頭部を貫通する肝外胆管の下部（膵内胆管）が観察できます。
膵頭部癌で黄疸が出現するのは，膵頭部を貫通している膵内胆管が癌によって閉塞するからです。

● 正常膵内胆管　2

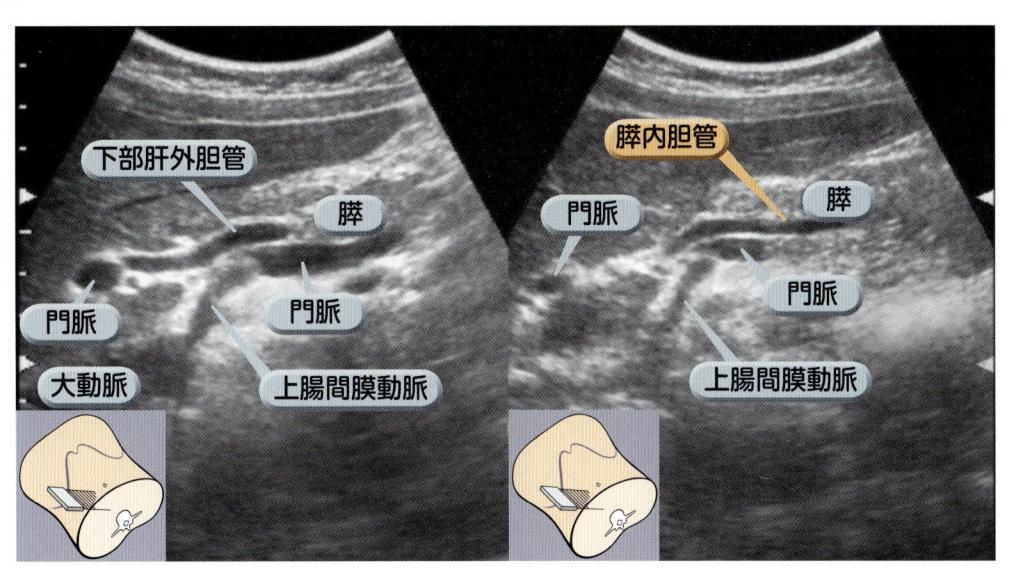

左ページの右図とほぼ同じような右季肋部での縦断スキャンですが，プローブを少し右に寄せて，さらに超音波が大動脈に向くように傾けています。縦断像と前額断の中間の像が得られます。
この断面では両図のように傾きを微妙に調整することで，膵の背面に接する門脈と，膵内を貫通する膵内胆管をほぼ同一面で観察することができます。

肝外胆管結石

肝外胆管結石は肝内胆管でできた結石が肝外胆管に落ちてきたものがほとんです。成分の多くはビリルビンカルシウムです。一方，胆囊内にできる胆石の多くはコレステロール石です。

肝外胆管は細長く，特に下部は消化管のガスに覆われるので超音波検査で直接観察するのは困難です。結石が下部肝外胆管にあると，その頭側（上側）の胆管は拡張するので，間接的に結石の存在を疑います。胆管結石が1個見えたときは，その尾側（下側）にも数個あることがあります。

● 胆管結石　1

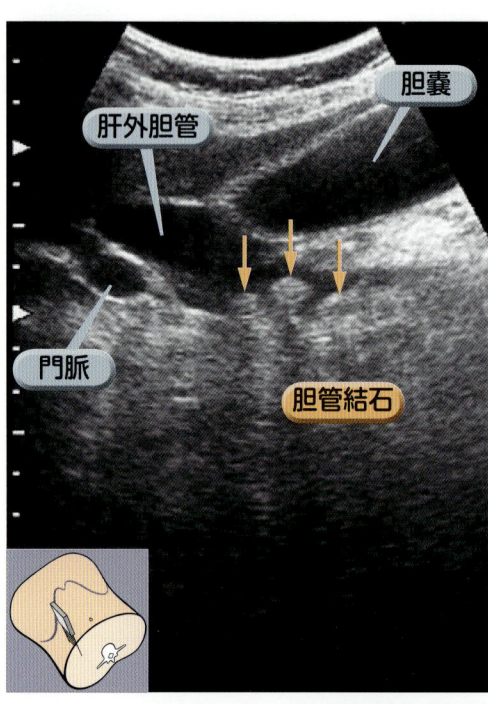

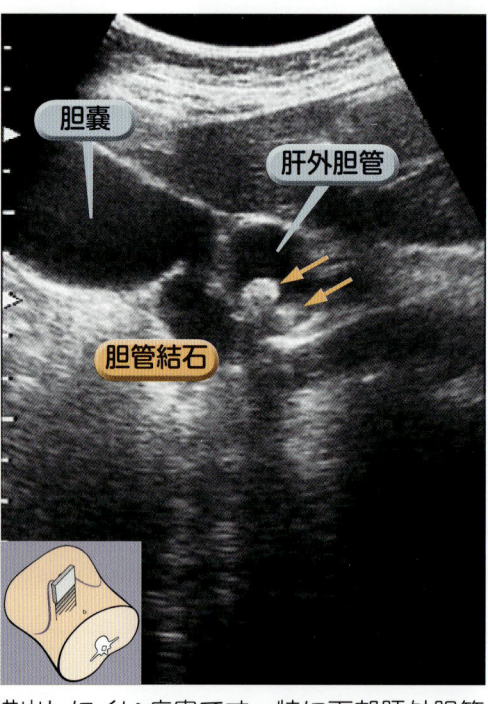

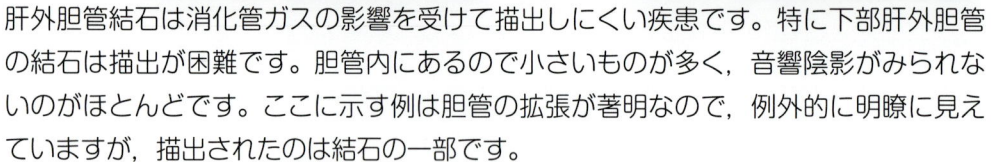

肝外胆管結石は消化管ガスの影響を受けて描出しにくい疾患です。特に下部肝外胆管の結石は描出が困難です。胆管内にあるので小さいものが多く，音響陰影がみられないのがほとんどです。ここに示す例は胆管の拡張が著明なので，例外的に明瞭に見えていますが，描出されたのは結石の一部です。

手術したところ，こんなに多くの結石がありました。

MEMO　胆管結石の診断は難しい

上の症例は大学病院の消化器を専門にする外科に手術をお願いしました。ところが，大学病院でいろいろ検査したうえで胆管結石はないと診断され戻されてきました。そこで今度は国立病院の外科に紹介しました。その後，患者が経過観察に訪れたとき，国立病院で「おみやげ」に頂いた胆管結石を小瓶に入れて持参してくれたので，資料としてデジカメで撮影したのが右上の画像です。

通常は大学病院で「異常なし」といわれれば，その言葉を信用して別の病院にはいきませんが，痛みが強かったので「胆管結石はない」という大学の診断が信じられなかったのでしょう。

胆管結石　2

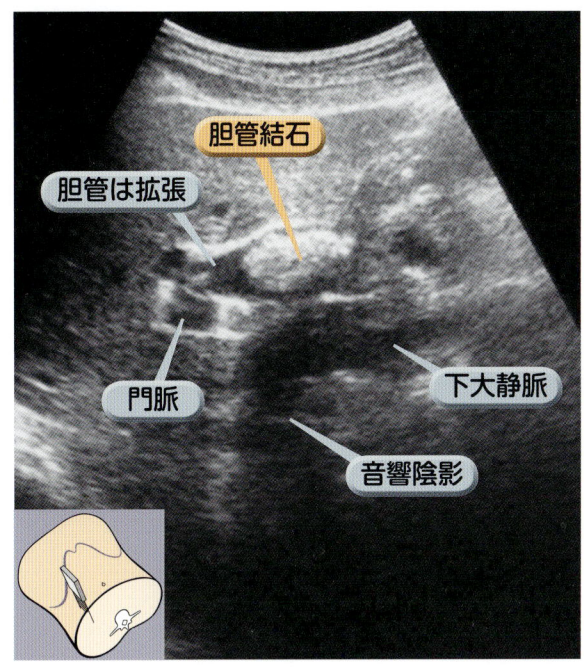

長径が2cmを超える楕円形の結石が肝外胆管の途中にあります。頭側の胆管は拡張しています。

胆管結石　3

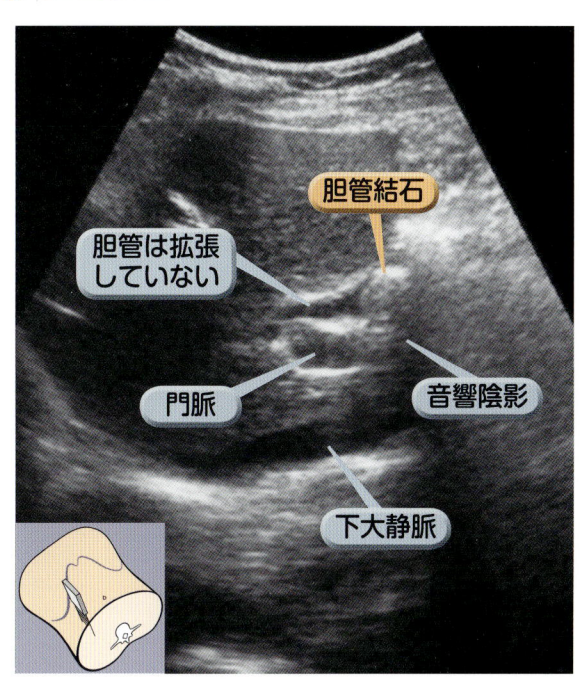

1cm位の結石が肝外胆管にあります。結石より頭側の胆管はこの症例では拡張していません。胆汁は流れているのでしょう。

胆管結石　4

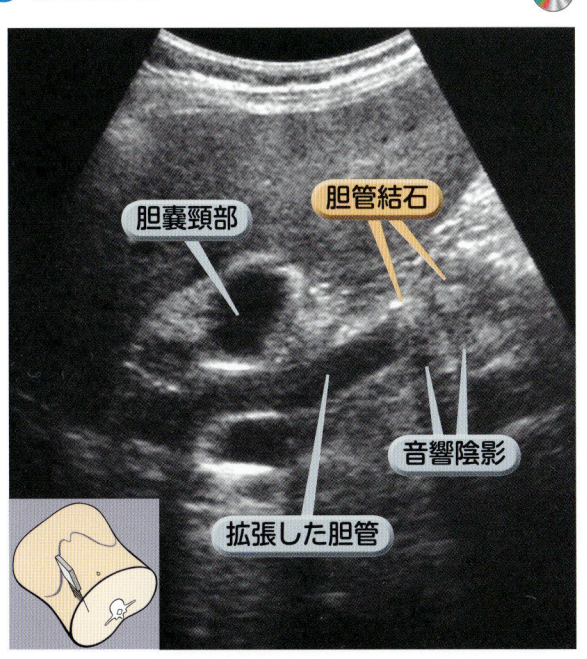

下部肝外胆管に結石が2個見えています。初めは1個だけしか見えませんでしたが，左側臥位で観察しているうちに2個見えました。

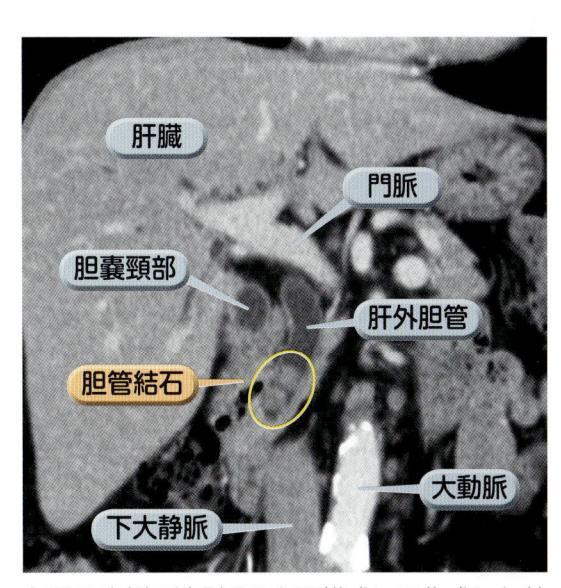

左図の症例の造影CTを再構成して作成した前額断像（65ページ参照）です。下部肝外胆管に結石が2個あります。

● 胆管結石　5

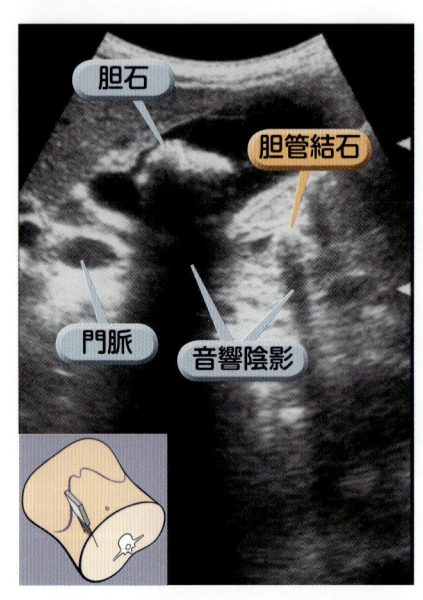

下部肝外胆管に10mmの結石があり，胆嚢内には30mmの胆石があります。肝外胆管の拡張は強くありません。

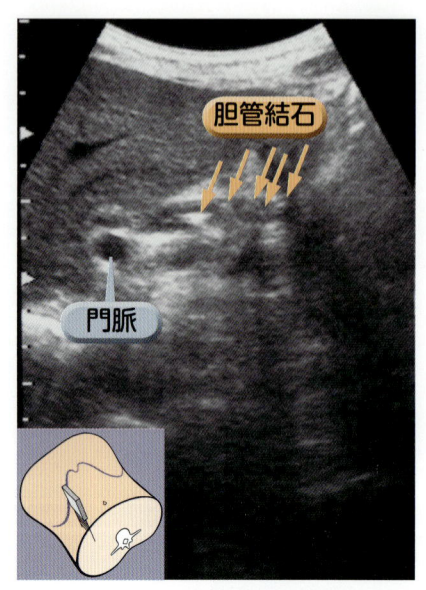

肝外胆管を注意深く観察すると5〜10mmの結石が5個あります。膵内胆管は見えていません。

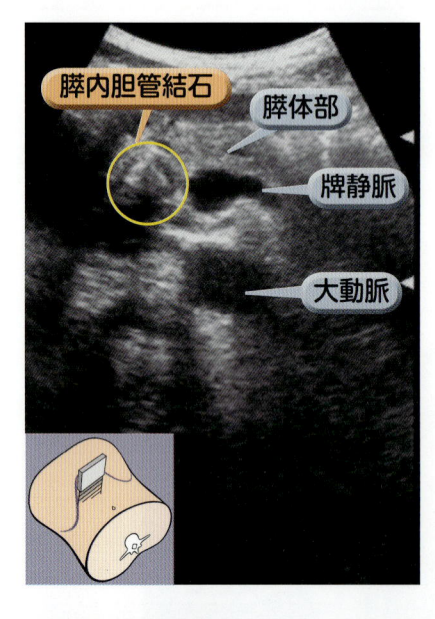

プローブの方向を変えて，膵頭部を通る横断スキャンで観察しました。膵頭部を貫通する膵内胆管に15mmの結石があります。

MEMO　胆摘後の肝外胆管結石

胆石で胆嚢を摘出すると，ほとんどの人で肝外胆管が拡張します。胆石の術後に今度は肝外胆管に結石ができる人がいます。胆石同様の痛みが出るので超音波検査を行いますが，しばしば下部肝外胆管が消化管ガスに邪魔されて描出できません。そうなると，胆管の拡張は胆嚢を摘出したためなのか，胆管結石が原因なのか区別できません。そのときは造影CTかMR（MRCP）で確認するのがいいと思います。

胆管癌

胆管には肝内胆管と肝外胆管がありますが，胆管癌は両方にできます。肝内胆管癌は肝臓の章で解説しますので，ここでは肝門部の胆管癌と肝外胆管癌について解説します。両者とも胆汁の流れを妨げるので，黄疸が現れます。いわゆる閉塞性黄疸の原因の1つです。

● 肝外胆管型胆管癌

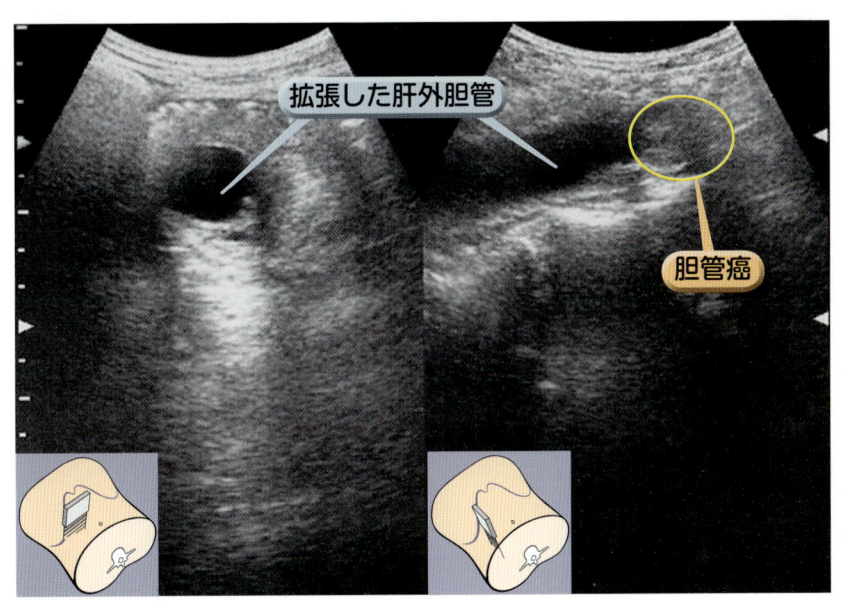

肝外胆管が20mm近くに拡張しています。拡張を下方へ辿っていくと，途中で内腔が途絶しています。この閉塞部の周囲に充実性腫瘤が観察できますが，周囲の消化管の影響を受けて輪郭は不明瞭です。

● 肝門部型胆管癌　1

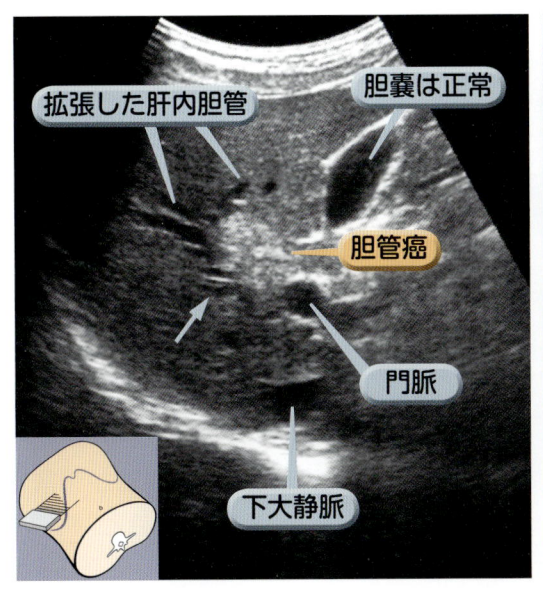

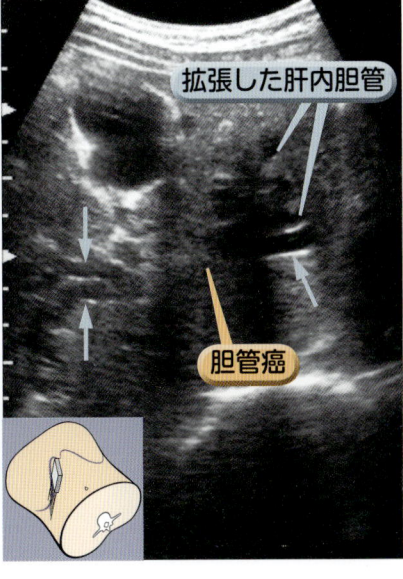

肝内胆管が全体的に拡張しています。胆管は肝門部に近づくにつれて合流して太くなり，最後は1本の肝外胆管になるはずですが，この症例では合流することなく，途中で内腔は見えなくなっています。途絶した先にやや高エコーで輪郭が不明瞭な腫瘍があります．

肝門部型胆管癌　2

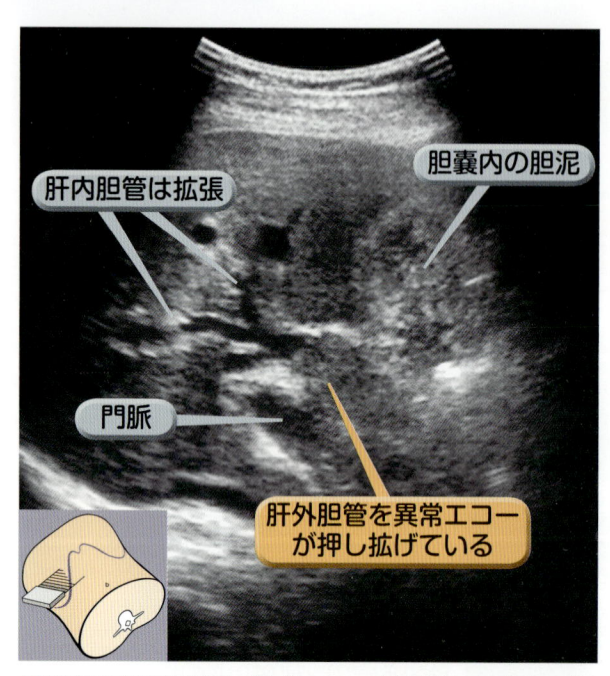

画像ラベル（左上超音波像）:
- 肝内胆管は拡張
- 胆嚢内の胆泥
- 門脈
- 肝外胆管を異常エコーが押し拡げている

肝門部の肝外胆管に異常エコーが充満しており，胆管を押し拡げています。肝内胆管も拡張しています。異常エコーのエコーレベルは肝とほぼ同じなので，腫瘍（胆管癌）と考えます。

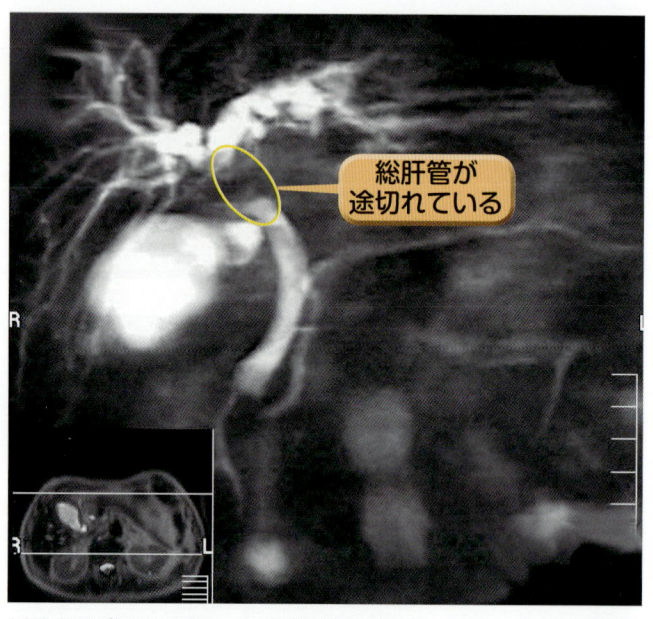

画像ラベル（右上MRCP像）:
- 総肝管が途切れている

MRCP（MRで撮った胆管膵管造影）です。左右の肝管の合流部付近から2cm前後の範囲が造影されていません。この部の肝外胆管（総肝管）の内腔に胆汁がないことを示しています。腫瘍，結石，狭窄などがあるときにみられます。

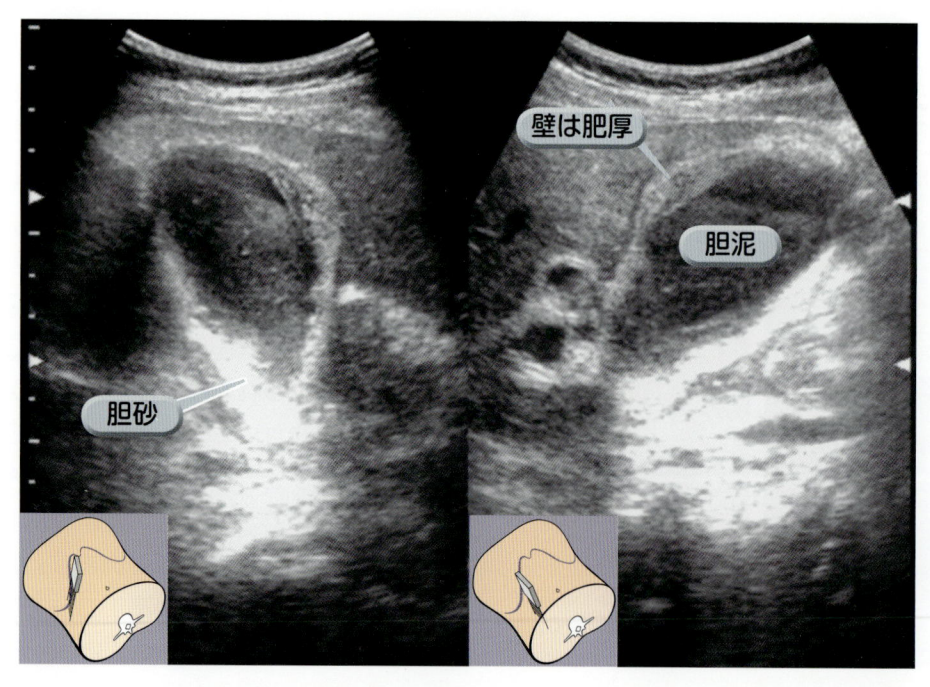

画像ラベル（下段超音波像）:
- 壁は肥厚
- 胆泥
- 胆砂

胆嚢壁は肥厚しており，内部には胆泥が貯まっていて液面を形成しています。頸部には胆砂もあります。これは胆嚢炎の所見と同じです。3管（総肝管，総胆管，胆嚢管）の合流部に癌が進展した時点で胆嚢管が閉塞し，胆石が嵌頓したときと同じように胆嚢炎を起こしたのでしょう。

第3章

肝臓

肝臓の画像診断法としては超音波の他にCT，MR，PETがあり，それぞれに長所・短所があります。超音波の長所は軟部組織の解像度が優れていることと，多方向から観察できることが挙げられます。後者に関しては最近のCTはマルチスライスが得られ，あらゆる方向の断面を高解像度で再構成できるので，超音波の優位性が薄らいでいます。

超音波検査の欠点は肝臓の中に狭いながらも盲点が存在することでしょう。この点を除けば，肝腫瘍の検出能力においては他の3つの検査法を凌駕しています。

肝血管腫が呼吸や体位変化，あるいは時間の経過で見え方が変わり，周囲の肝に溶け込んで識別しにくくなることをカメレオンサインといいます。

肝の区域分類

肝臓には肺の葉間線のような内部を分ける境目はありません。それでは肝臓の局在性病変の存在部位を特定するのに困るので，肝静脈や門脈などを指標にして，肝臓の中をいくつかの区域に分けています。架空の境界面を設定するわけですから，いろいろな分類方式があります。日本ではここに紹介するCouinaudの区域分類が広く採用されています。S_1からS_8までの8つの区域に分けます。
肝臓を右葉と左葉に分ける境界面は主葉間裂で，これは胆嚢と下大静脈を結ぶ面です。この中を中肝静脈が走っています。右葉の前区域と後区域の境界面には右肝静脈が走行しています。左葉の内側区域と外側区域の境界には鎌状間膜および肝円索が存在しています。

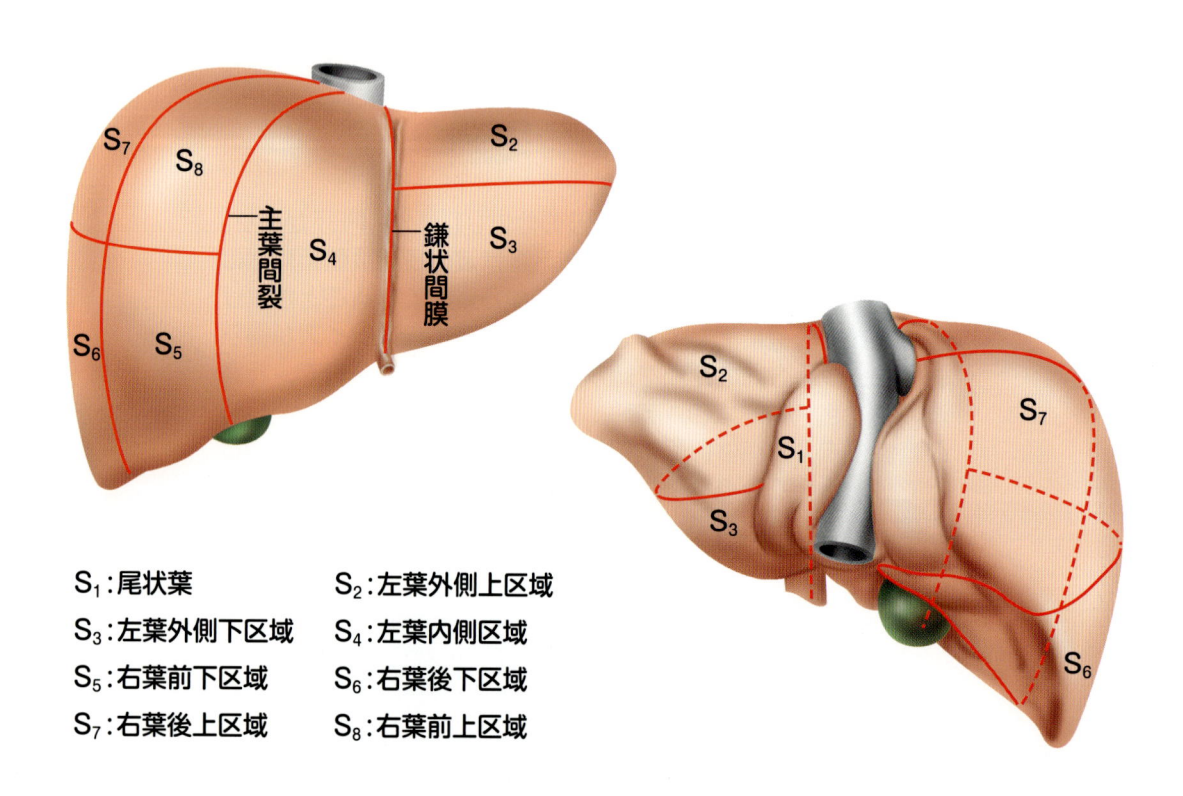

S_1：尾状葉　　　　S_2：左葉外側上区域
S_3：左葉外側下区域　S_4：左葉内側区域
S_5：右葉前下区域　　S_6：右葉後下区域
S_7：右葉後上区域　　S_8：右葉前上区域

MEMO　肝区域の知識は必須か？

肝臓の区域解剖は肝腫瘍を切除するときには重要ですが，外来の超音波検査で腫瘍の存在を診断する段階では，細かい知識はなくても対処できます。たとえば，胆嚢から右側へ2cmの場所とか，門脈臍部から左側へ3cmの場所といった程度の記載でもかまいません。
肝静脈や門脈を指標として決定する超音波検査での区域分類は，実際の門脈血の分布とは少し乖離があるので，あまり厳密に考える必要はありません。
3cm以下の肝臓癌はラジオ波焼灼術で治療するのがメインになっており，この際は超音波でモニタしながら穿刺するので，腫瘍の存在区域を細かく知る必要性は低下しています。

肝内脈管の分布

肝臓の中には肝動脈，肝静脈，門脈，胆管の4種類の脈管があります。このうち超音波検査で描出できるのは肝静脈と門脈です。正常な胆管は肝門部近くで見えるだけで，内部や辺縁では描出できません。また肝動脈も細いので描出できません。肝静脈と門脈は頭側と尾側から互いに交差するような分布をしています。
下の図は肝臓の区域が肝静脈や門脈と密接な関係があることを示しています。

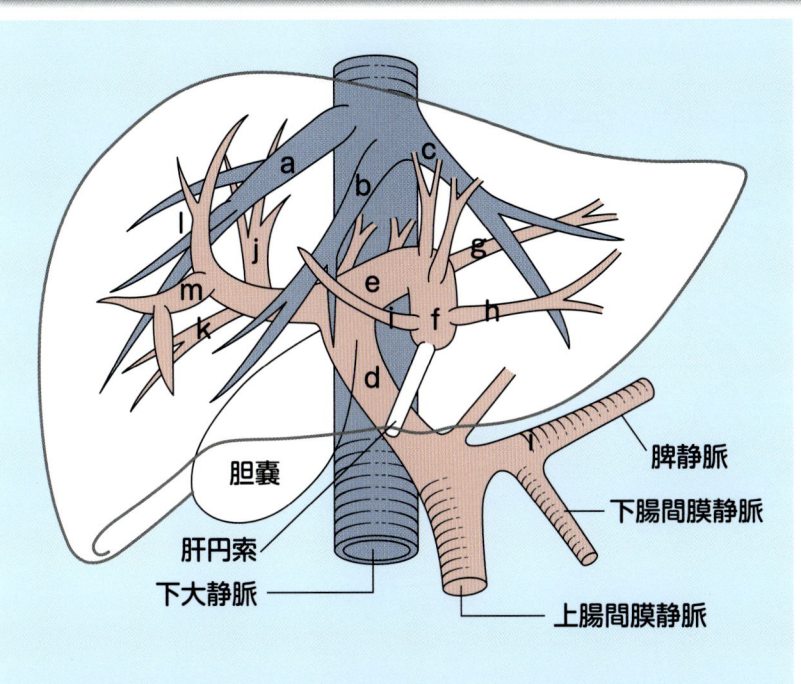

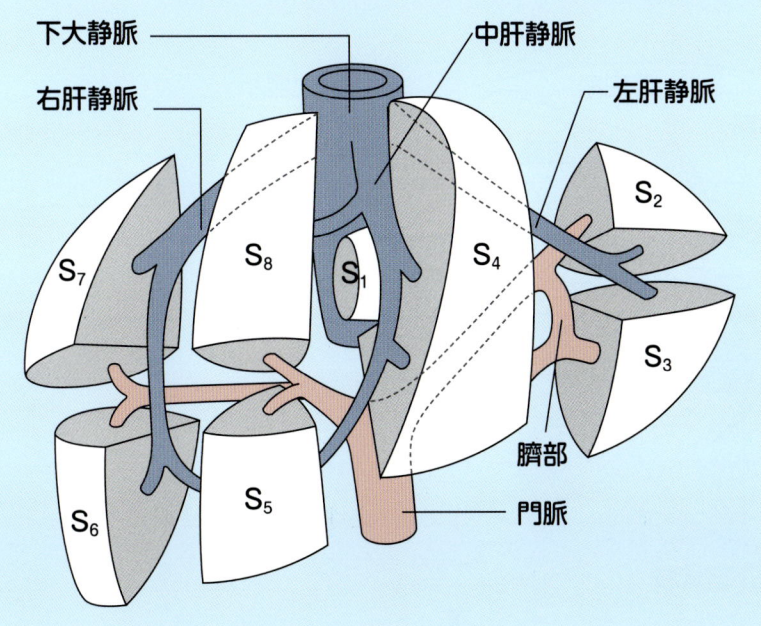

肝静脈
a：右肝静脈
b：中肝静脈
c：左肝静脈

門脈
d：本幹
e：左葉枝水平（横行）部
f：臍部
g：左葉外側上区域枝
h：左葉外側下区域枝
i：左葉内側区域枝
j：右葉後上区域枝
k：右葉後下区域枝
l：右葉前上区域枝
m：右葉前下区域枝

肝臓の各区域を境界面に沿ってバラバラにした図です。肺とは違って，肝臓にはもともと境界面はないので，あくまでも仮想の境界面で無理に切り離したと理解してください。
右肝静脈と中肝静脈は区域の境界にあります。門脈の臍部は左葉の内側区と外側区の境界にあります。

肝内脈管の位置関係

肝内の脈管を透視的な手法で重ね合わせて表示しています。上の図は肝内の脈管を足のほうから眺めた図です。肝内の門脈と静脈に造影剤を充満させて，頭尾（上下）方向にＸ線撮影した像と考えてください。

下の図は肝の脈管を被検者の右側に立って眺めた図です。上の図と同じように肝内の門脈と静脈に造影剤を充満させて，左右方向にＸ線撮影した像と考えればいいでしょう。

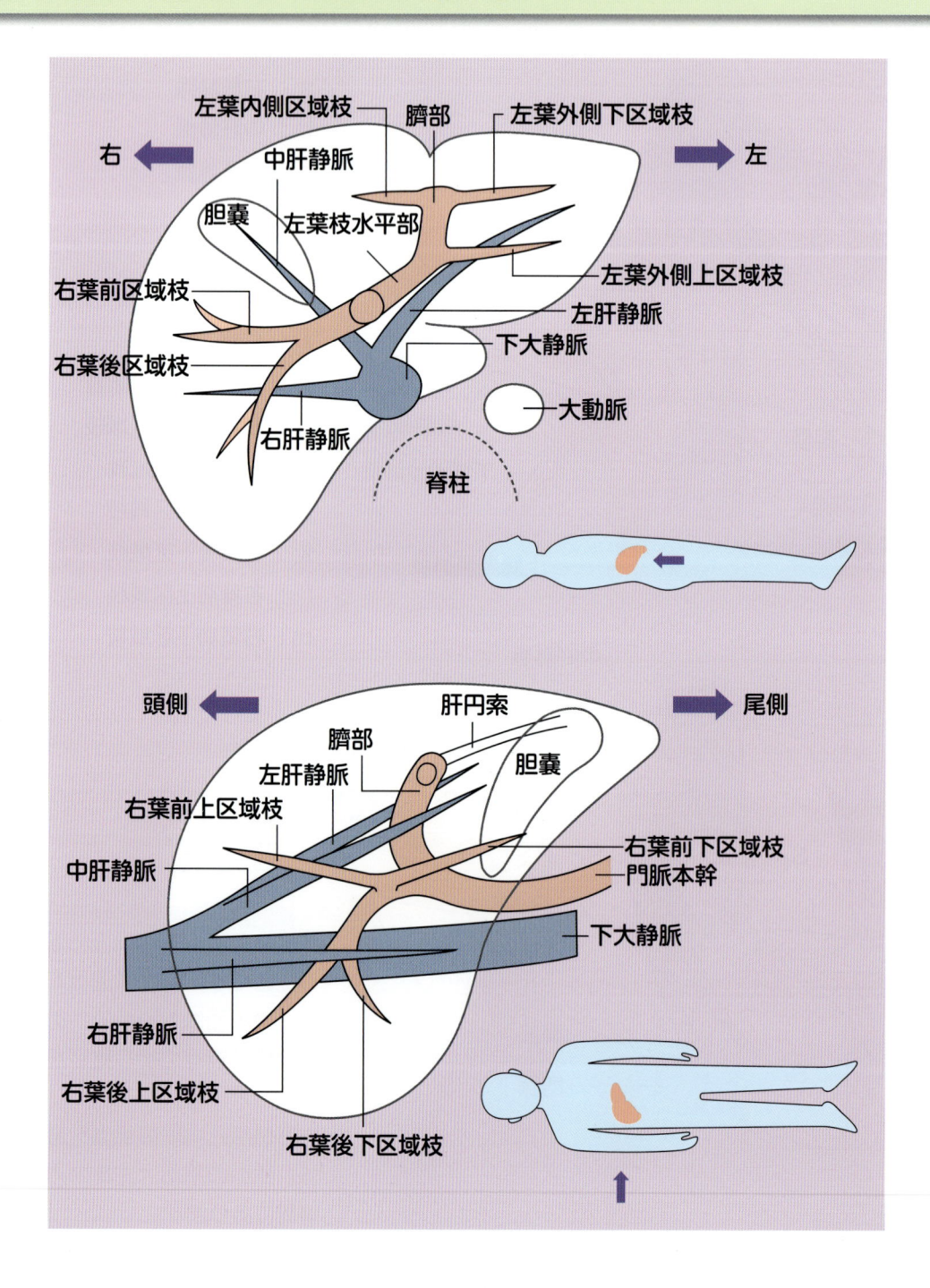

右 ← 左葉内側区域枝　臍部　左葉外側下区域枝 → 左
中肝静脈
胆嚢
左葉枝水平部
右葉前区域枝
左葉外側上区域枝
右葉後区域枝
左肝静脈
下大静脈
右肝静脈
大動脈
脊柱

頭側 ← 肝円索 → 尾側
臍部
左肝静脈　胆嚢
右葉前上区域枝
右葉前下区域枝
中肝静脈
門脈本幹
下大静脈
右肝静脈
右葉後上区域枝
右葉後下区域枝

肝内脈管の立体的理解

肝右葉は肋骨に覆われているので，超音波検査をするときは肋骨に沿ってプローブを斜めに肋間腔に当てて観察します。この斜めの画像では画面に現れている脈管が肝内のどの部分にあるのか理解するのが困難です。

これから示す5枚の模式図では超音波画面に描出されている血管が肝臓のどの部分の血管断面なのかを説明しています。門脈は赤系統に，肝静脈は青系統に塗られています。さらに門脈のうち濃い赤に塗られた部分は断層面にある部分を示しています。肝静脈についても同じように，濃い青色が断層面にある部分です。

● 横断スキャン

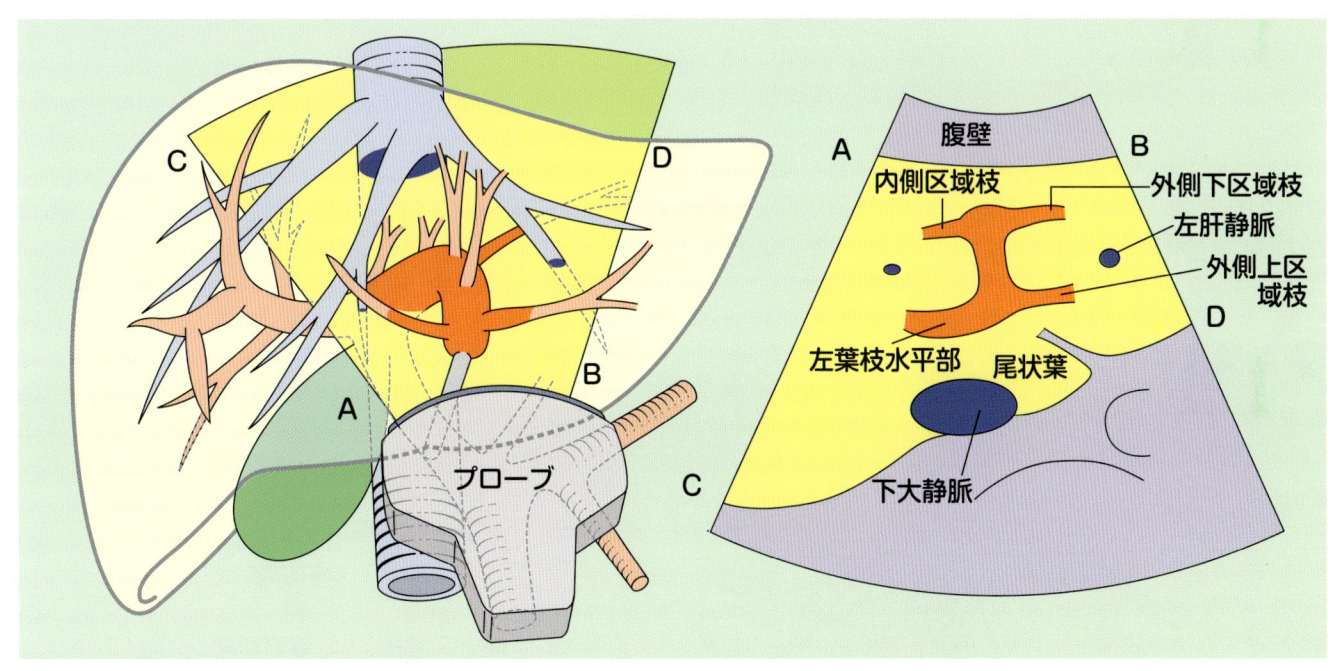

超音波画像がモニタに表示されるときは，プローブに近い部分がモニタの上側に表示され，遠い部分はモニタの下側に表示されます。

肝臓の検査は尾側から頭側を見上げるようにスキャンをすることが多いので，画面の下に表示される部分は体内では頭寄りにあることになります。画面上の上下関係と体内の上下（頭尾）関係が反対になります。このことが初心者に超音波画像の理解を難しくしています。

相手の手にある数枚の裏返しのトランプの中からカードを1枚引いてきて，相手に見えないように表面を見るときのことを連想してください。プローブで体の中から断面像というカードを引き出してきて，観察モニタに貼り付けるときは上下をひっくり返して貼ります。

🔵 肋間スキャン 1

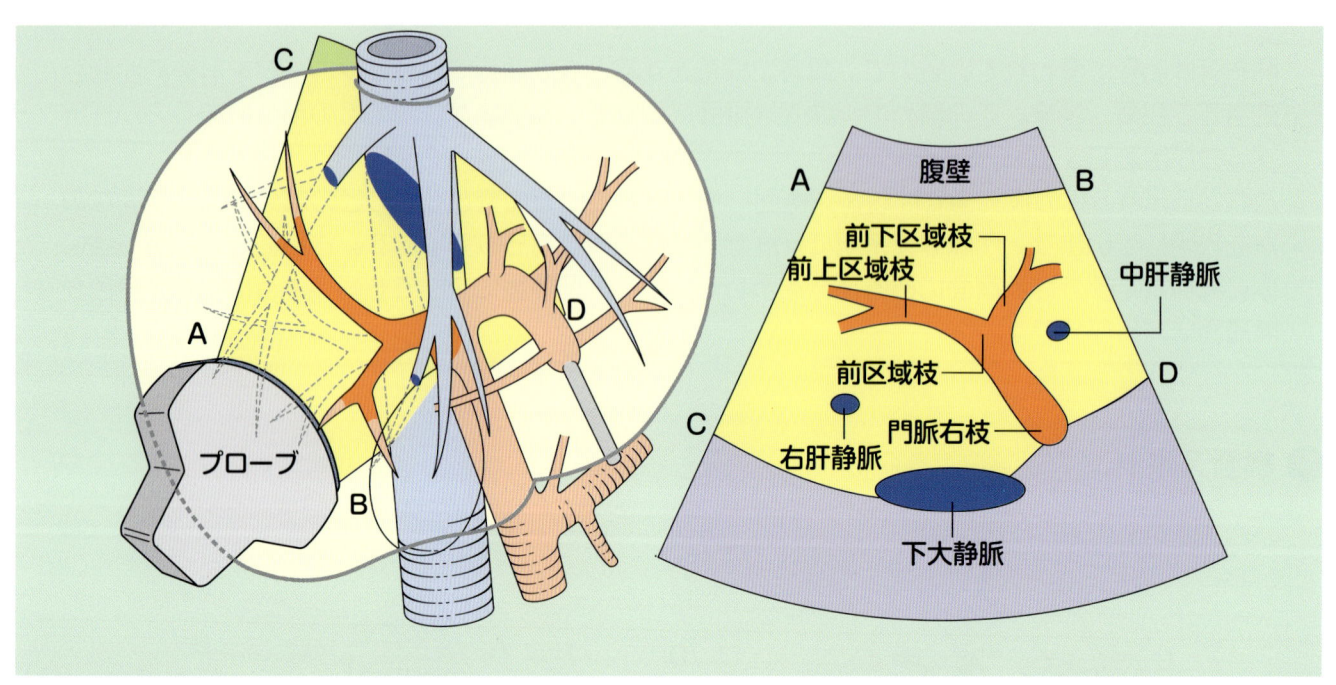

画面の右側（BD側）に肝門部（肝臓の出入口）があり，左側（AC側）に横隔膜があります。扇動操作をすると，画面の右端に胆嚢頸部が見えます。

🔵 肋間スキャン 2

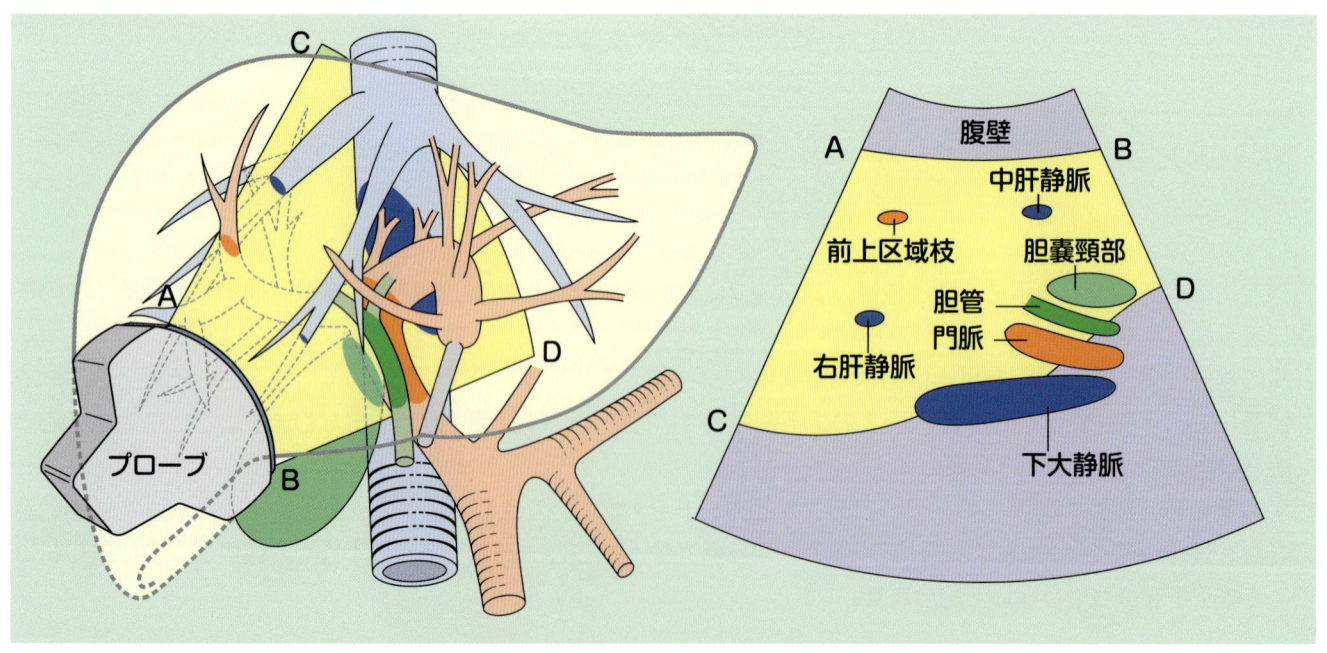

上の「肋間スキャン 1」とプローブの向きは同じですが，こちらは1つ前の肋間腔にプローブを置いています。肋間スキャンで見える構造は，人によって微妙に異なります。

● 肋骨弓下スキャン　1

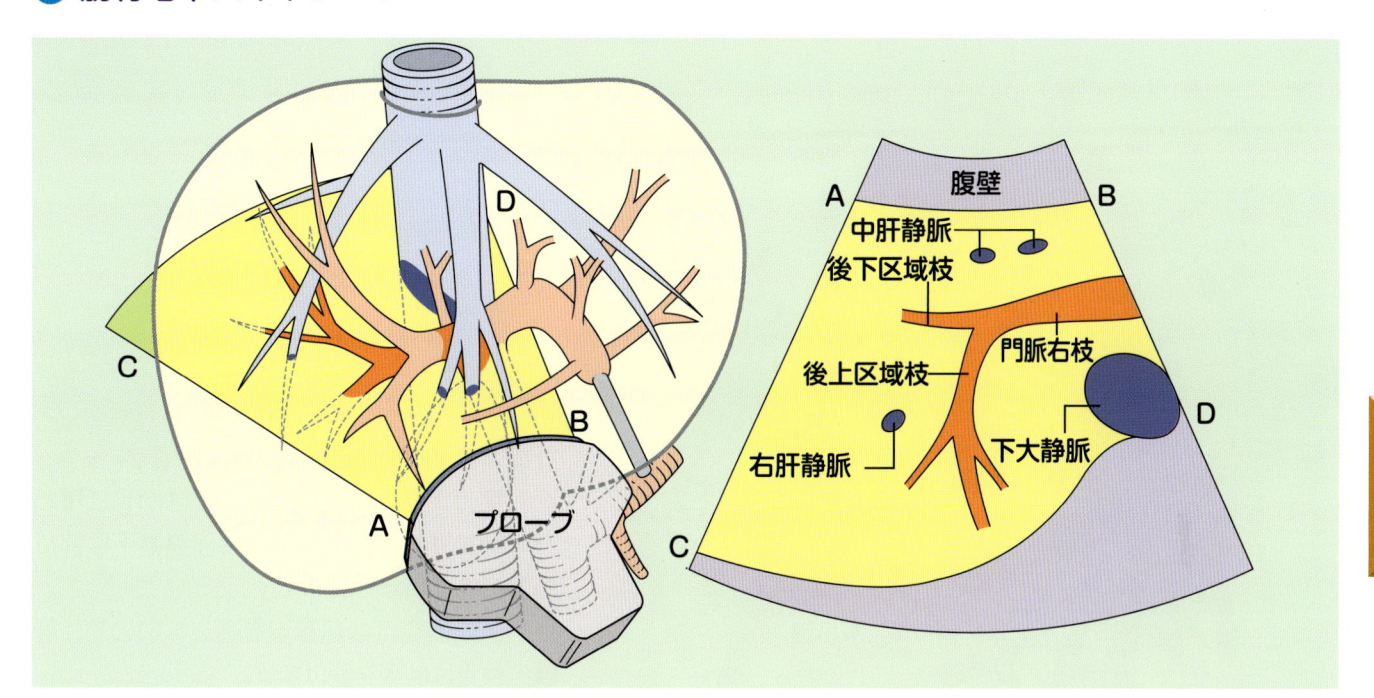

胆嚢の肋骨弓下スキャンよりも少しだけ角度をつけると，門脈の右枝が見えてきます。画面の下に見えている構造が体の中では最も頭寄りにあります。その理由は下から見上げているからです。

● 肋骨弓下スキャン　2

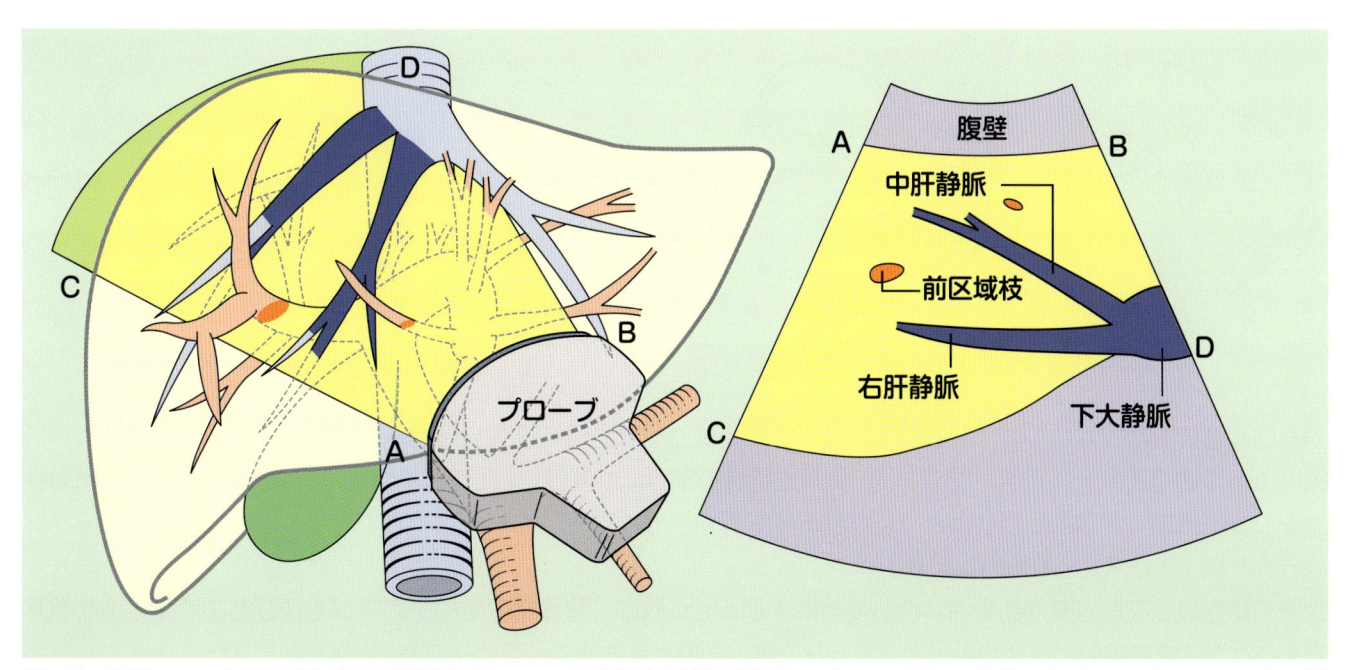

深吸気状態で，プローブを大きく傾けると，このような構造が見えます。あるいは立位で検査してもいいです。横隔膜が挙上していたり，肝が萎縮している人では腸管が邪魔するので，このスキャンでは肝は見えません。

肝臓と周辺臓器

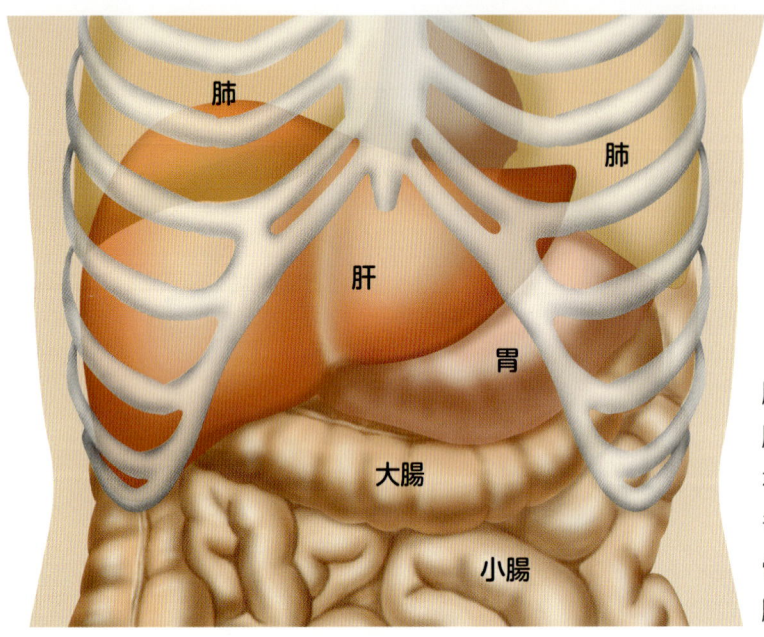

肝臓は右上腹部にある充実性臓器です。
肝右葉の大部分と左葉の先端部は肋骨に覆われています。また肝右葉の横隔膜直下は肺にも覆われています。
骨や肺内の空気は超音波を通さないので、肝臓の検査は制限を受けます。

肝のスキャン法

肋間スキャン　　肋骨弓下スキャン 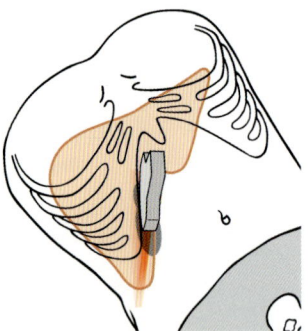　　横断スキャン 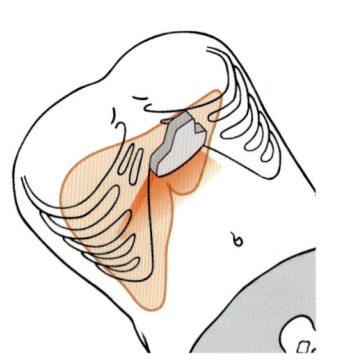　　縦断スキャン

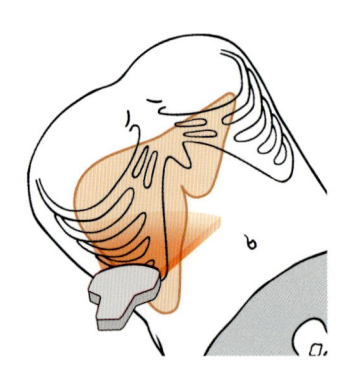

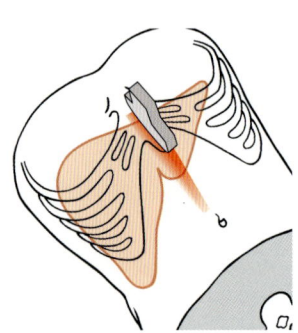

肋骨は超音波を通さないので、肝右葉を検査するときは肋骨を避けて肝臓に超音波ビームを入れます。そのときに用いるのが**肋間スキャン**です。プローブの先端を肋骨に平行に肋間腔に押し当てます。72ページで紹介した扇動操作を十分に行い、見落としがないように肝臓の中を探ります。肋骨弓の部分は軟骨でできているので、超音波が弱められたり向きが変えられたりします。

大きく息を吸って肝右葉が肋骨弓よりも尾側に下がってくれば、肋骨弓直下にプローブを押しあてて肝右葉を観察することができます。これが**肋骨弓下スキャン**です。このときは圧迫 (72ページ参照) が有効です。

肝左葉の大部分は肋骨に覆われていないので、プローブを横方向におく**横断スキャン**や、プローブを縦方向におく**縦断スキャン**が自由にできます。

肝の形のさまざま

肝臓の形は人によりさまざまです。なかには急性肝炎で腫大していたり、肝硬変で萎縮している場合もありますが、肝臓疾患がない人でも肝臓の形には大きな個人差があります。

● 左葉外側区のさまざま

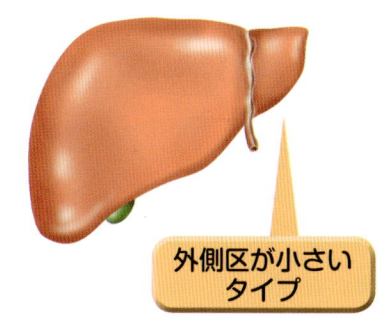

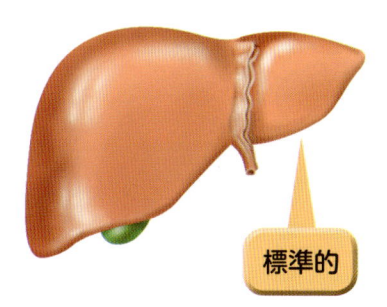

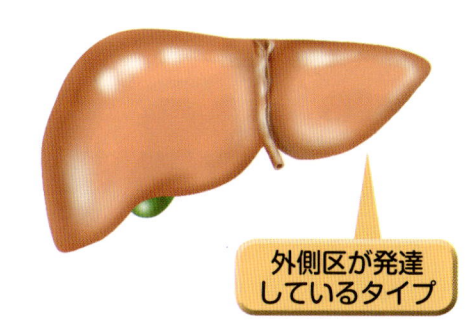

外側区が小さいタイプ　　標準的　　外側区が発達しているタイプ

● 左葉の縦断像のさまざま

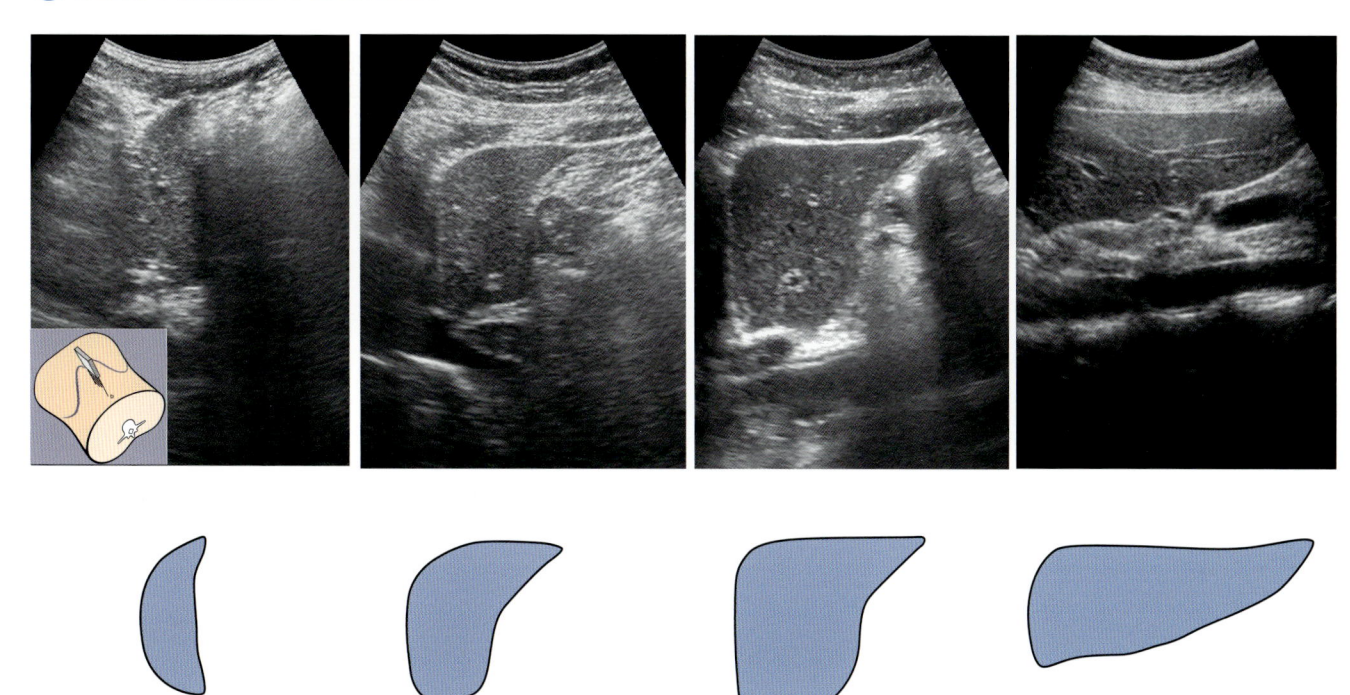

肝左葉を正中で縦断スキャンしました。上の「肝の形のさまざま」で示すように、左葉のサイズは大小さまざまです。左葉の大きさと肝全体の大きさには相関関係はありません。一般的な傾向としては太った人では肝左葉は頭尾（上下）方向に短く、痩せた人は頭尾方向に長くなっています。しかし、上図の左端の症例は最も痩せています（皮下脂肪が最も薄い）が、肝左葉のサイズは最も小さく描出されています。

肝左葉外側区が発達したタイプ

前のページでは正中の縦断スキャンで観察される肝左葉のサイズについて解説しましたが，肝臓のバリエーションはここだけに留まりません。人の顔が千差万別であるように，全く同じ形態をした肝臓はありません。顔以上にバラツキます。
肝左葉の先端が左側腹部にあって，脾臓に覆い被さっている症例もあります。

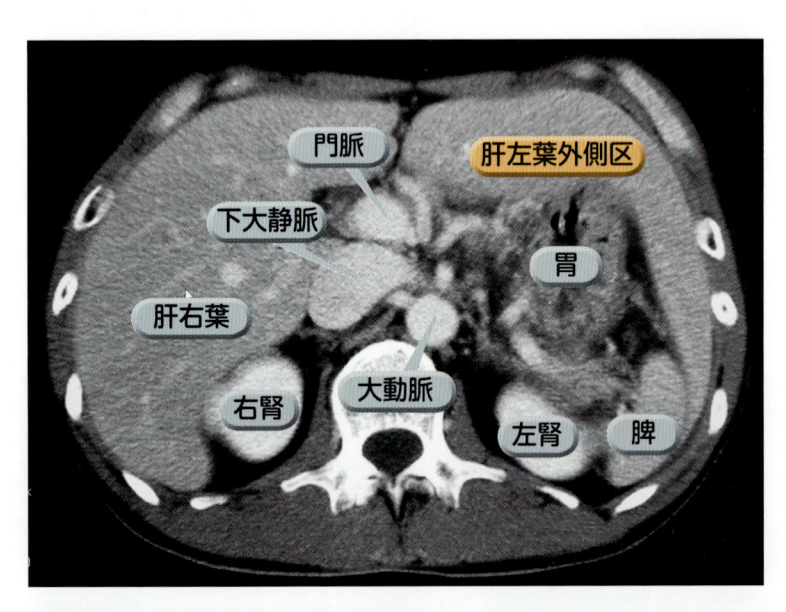

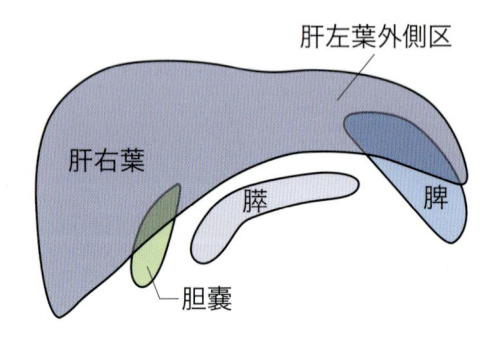

CTは上腹部全体のイメージをつかむのには優れているので，CT画像で説明します。
肝左葉の外側区が発達しており，先端は脾臓と左横隔膜の間に介在しています。
肝臓の検査を行うときは通常は左側腹部まではスキャンしないので，この部位に病変があると見落とします。

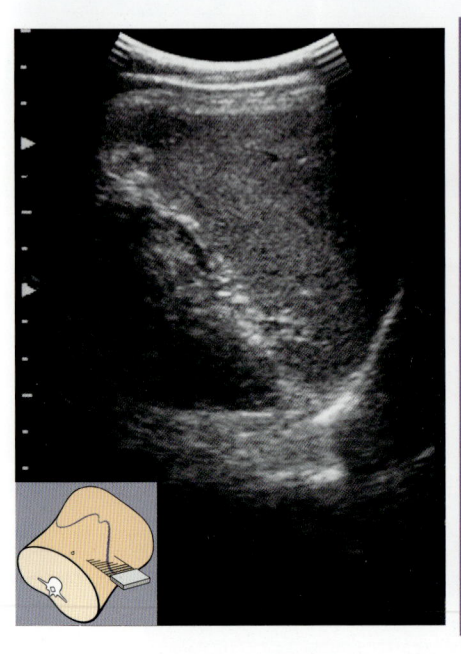

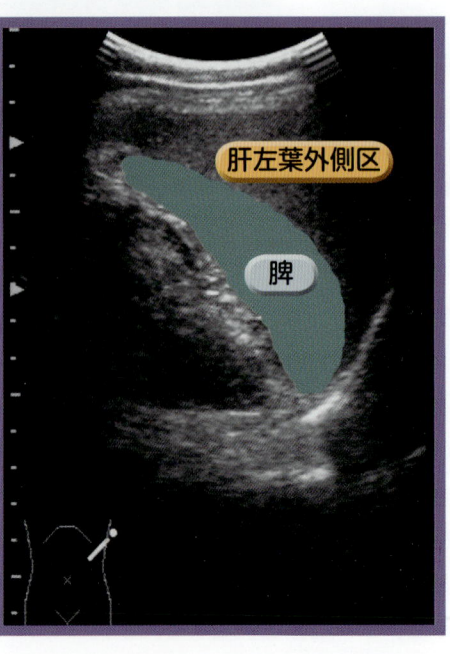

上のCTと同一人物ではありません。
脾と横隔膜の間に充実性のエコーが見えます。これが肝左葉外側区です。
この症例では肝臓のエコーレベルが脾よりもわずかに低くなっています。脂肪肝があると肝臓のほうが高エコーに見えます。

● 高齢者でみられる肝全体の萎縮

> 高齢者の定義は難しいですが，大体75歳以上の人のなかには肝臓疾患がなくても肝臓が全体的に萎縮している人がいます。肝臓が萎縮すると腹壁との間にできる隙間に大網や大腸が挙上してくるので，肝臓の超音波検査は著しく制約を受けます。胆嚢も描出できません。かろうじて右葉の後区域だけが観察できます。

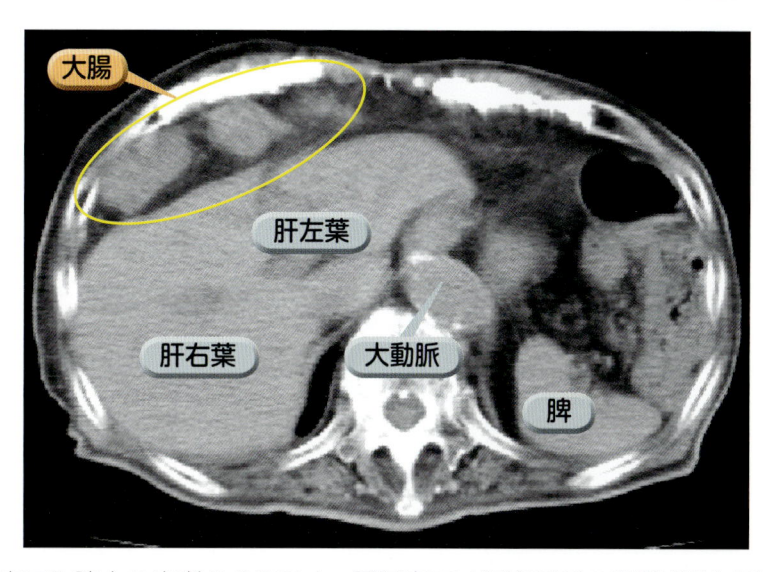

認知症で入院中の患者のCTです。肝硬変では胆嚢周囲の肝臓（肝床部）が萎縮することは知られていますが，高齢者ではしばしば肝臓全体が萎縮します。肝臓の前面と腹壁の間に隙間ができるので，大網や大腸などが挙上します。Chilaiditi症候群（102ページ参照）と呼ばれています。
大腸内に糞塊やガスがあると超音波を妨げるので，肝臓の観察ができません。

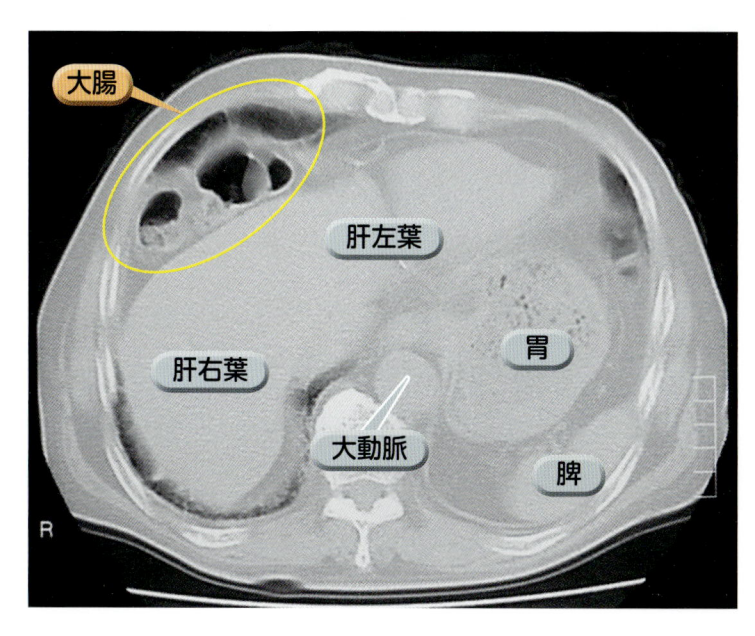

このCTは肺の検査が目的で行われたので，肺野条件で表示しています。
やはり肝臓は全体的に萎縮が強く，腹壁との隙間には大腸が挙上しています。

脂肪に囲まれた肝臓

肝臓と腹壁との間には通常は何もないのですが，肝硬変や高齢で肝臓が萎縮している人では大網や大腸が上昇してきて，肝臓と腹壁の間に介在するので，肝が観察しづらくなります。高齢者でみられる肝全体の萎縮は前ページで解説しました。
単に肥満が原因で大網が上昇したと思われる症例が増えて，検査がやりにくくなっています。

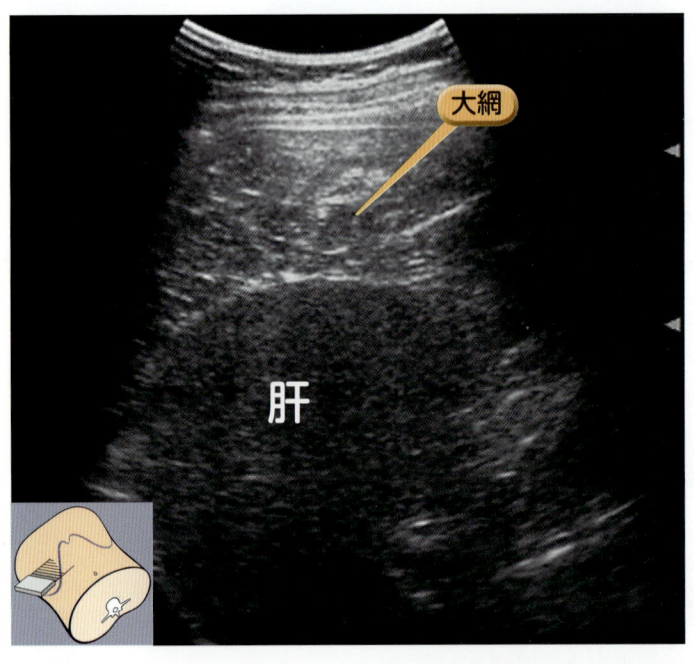

肝臓の周囲にこれだけ大量の脂肪があるのは珍しいことです。検査中は肝の内部にだけ注意が向いているので，周囲にある厚い脂肪には気付いていないことがあります。肝臓の描出を妨げるのは，皮下脂肪だけではありません。肝の画像が不鮮明なときは周囲の状況を観察しましょう。

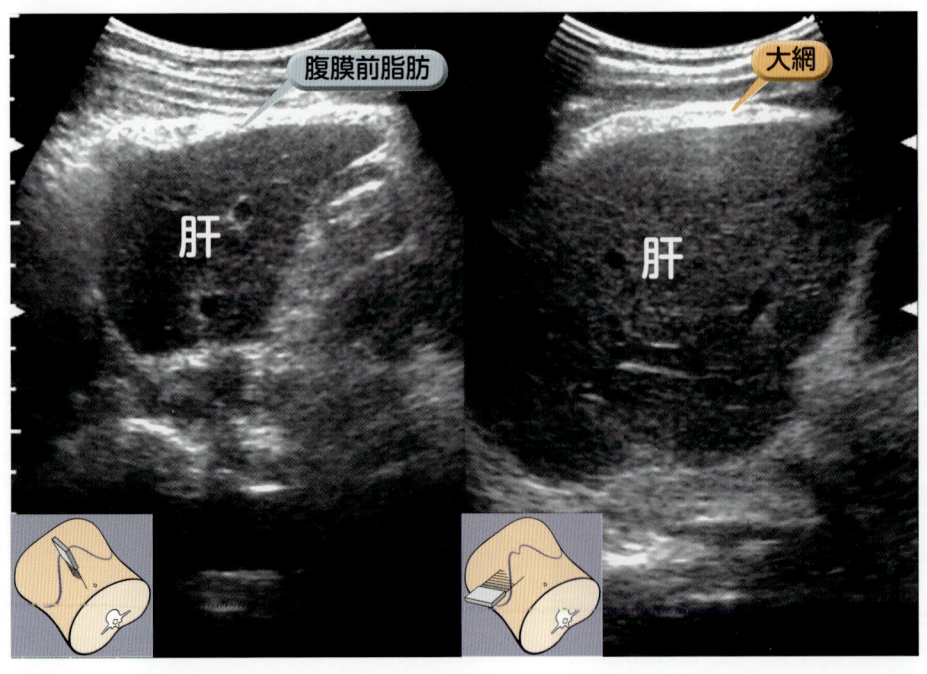

左図に示す正中の縦断像でみられる脂肪は腹膜前脂肪です。程度の差こそあれ，誰でもあります。
右図に示す肝右葉の表面にある脂肪は正常ではありません。肝下面が凸凹しており，肝硬変の状態です。肝が萎縮してできた隙間に大網が上がってきたのでしょう。

🔵 内臓逆位

肝臓や脾臓などの内臓が鏡に写したように左右反転しているのを内臓逆位といい，先天奇形の一種です。胆嚢は肝臓と一緒に左季肋部にあります。
超音波検査を行う検者は戸惑います。なかなかうまくスキャンできません。画像の表示方向をどうすればいいのかも迷います。

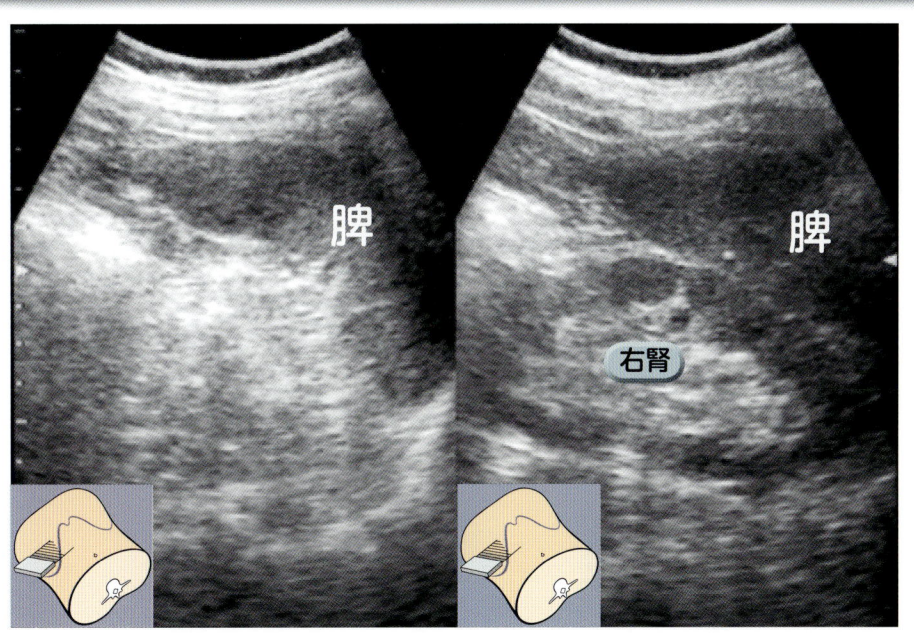

通常は右上腹部には肝臓があるのですが，この症例では脾臓があります。右肋間スキャンの画像は上図とは左右を逆に表示するべきですが，検査をした人は見えているのは脾臓だからという理由で，このように表示したのでしょう。

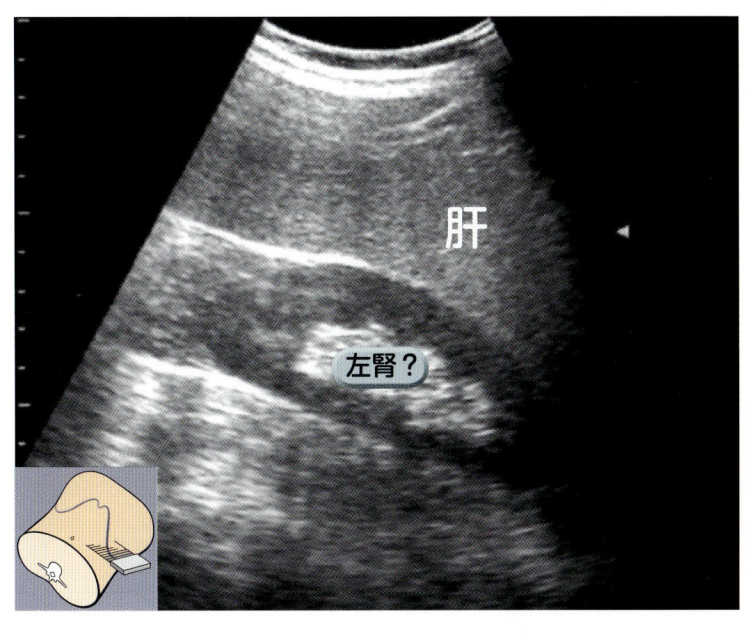

左肋間スキャンで肝臓を描出しています。この画像だけ見せられると脾腫と診断してしまいそうです。
ところで，肝臓の奥に見えている腎臓は左腎というべきなのでしょうか，それとも左にある右腎？

肝臓

呼吸による肝の変形

肝臓は柔らかい臓器です。呼吸運動で容易に形が変化します。心窩部で行う縦断スキャンは肋骨の影響を避ける目的で，ほとんどの場合は深い吸気状態で検査します。深い吸気状態では肝臓は上下方向に長く伸びます。肝臓のサイズを計測するときは，このことを認識しておく必要があります。私は肝臓のサイズを計測しません。個人差が大きい肝臓では測っても意味がないし，呼吸状態によって大きく形を変えて再現性がないからです。

呼気でこの長さが / **吸気ではこんなに長くなる**

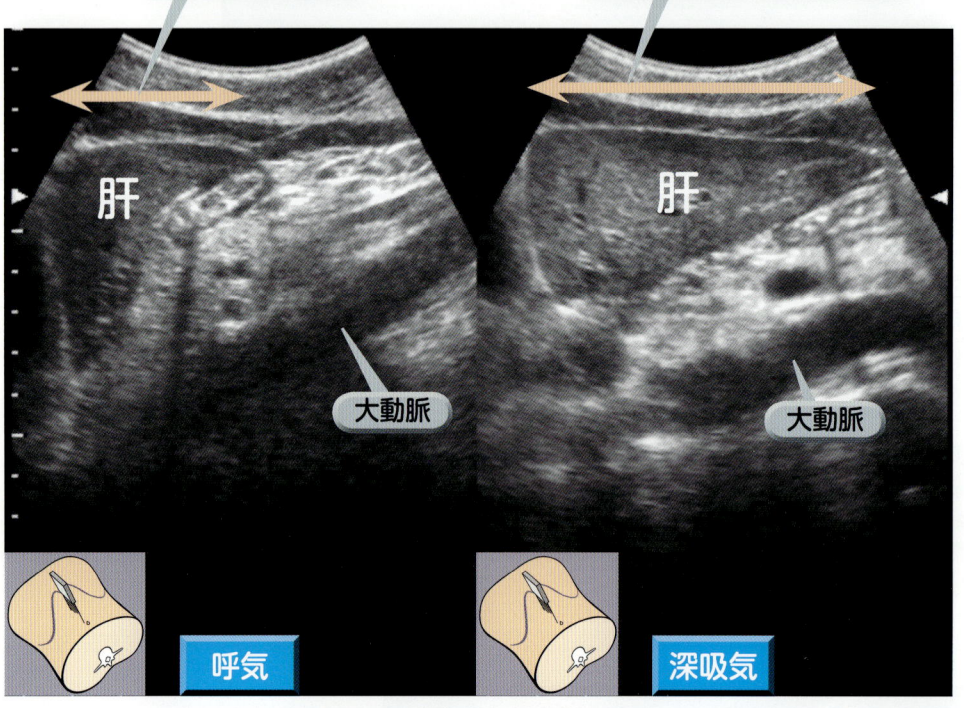

肝 / 大動脈 / 呼気　　肝 / 大動脈 / 深吸気

正中線上でスキャンした肝左葉の縦断像です。左図が呼気の状態で，右図は深い吸気状態です。肝臓はこのように呼吸によって形や大きさが大幅に変化します。
この画像では矢状断面における二次元的な変化しかわかりませんが，実際は三次元的に左右方向にも変形しています。
腹部大動脈が深吸気では呼気よりも深くなっています。これは深吸気では腹壁が盛り上がるので，相対的に腹部大動脈は深くなるからです。プローブの向きも当然変化します。

ひとくちコメント
上の症例は呼吸による変形が大きい人を取り上げています。ここまで変形する人は多くありませんが，肝臓は呼吸によって変形する，すなわち大きさが変化することを認識して検査している検者は少ないと感じていますので紹介しました。呼吸による変形は膵でも起こります。
胃のX線検査や内視鏡検査では胃が呼吸で形を変えることを利用しながら検査をしますが，この呼吸による胃の変形は胃だけに起きているのではなくて，肝臓を含んだ上腹部臓器全体で起きている現象です。

超音波で肝臓のサイズを計測

肝臓は肝炎や脂肪肝，うっ血肝などで腫大し，肝硬変では萎縮します。そこで病態を評価するために肝臓のサイズを知りたいという要求は昔からありました。実際は右季肋部で肋骨弓の下に触れる肝臓のサイズを「横指（指の幅で何本）」という単位で表現しています。横隔膜の高さは無視した判定法です。画像診断が発達した現在ではこの方法は過去のものと思いますが，教科書にはまだ書かれています。

最新のマルチスライスCTでは，呼吸を停めた状態（最短の装置では0.35秒）で肝臓全体（16cm）を1回のスキャンでカバーします。この方法で得られた画像では肝臓の体積を正確に計算できますが，超音波画像ではどうでしょう。

● 諸テキストに紹介されている肝の計測法

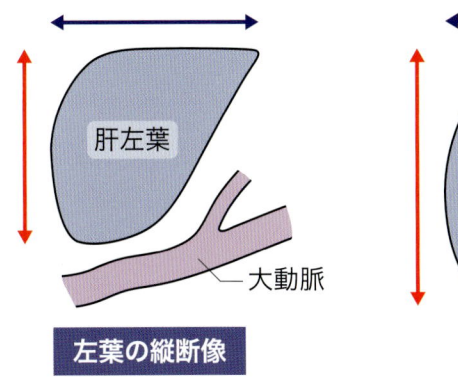

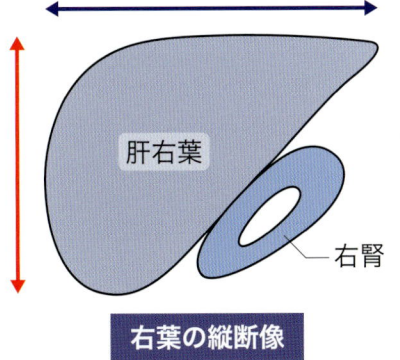

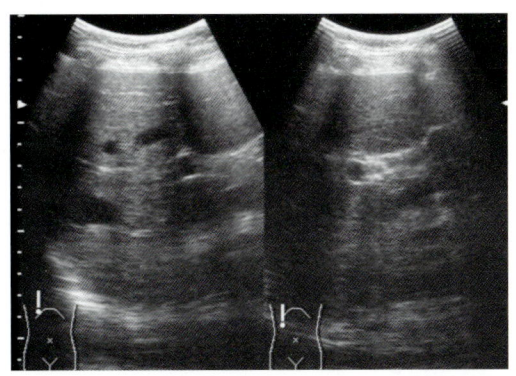

右葉のサイズは計測できません。横隔膜と肝下縁は不明だし，2枚の画像のつなぎ目も正確にはわかりません。

手許にある数冊の超音波の解説書をみると，肝臓の大きさの計測法として，上のような方法を紹介しています。
左葉は左図のように大動脈に沿った縦断スキャン像で頭尾方向のサイズ（青線）と前後方向のサイズ（赤線）を測り，右葉は右図のように右乳頭線（中腋窩線付近というのもある）上の縦断スキャン像で同様に計測する方法です。左葉を描出するときの呼吸に関しては「最大吸気時における」と言及したものと，言及していないものがあります。
左葉の縦断スキャンで頭尾方向のサイズを測るのは可能ですが，右葉の縦断像を1回のスキャンで記録するのはコンベックス型プローブでは不可能です。2回スキャンしてつなぎ合わせなくてはなりません。このときに正確なつなぎ目がわかりません。そのうえに肺のガスで横隔膜面は描出できません。つまり，右図の画像を得るのは不可能です。百歩譲って得られるとしても，肝右葉の下面は肋骨弓に沿って斜めになっているので，「右乳頭線」とか「中腋窩線」という目標から少しずれると，計測される距離は2cm前後は違ってきます。
163〜165ページで解説したように，正常肝の形態はさまざまなので，1回の計測だけで病的な腫大だとか萎縮しているとかの判断はできません。経過観察時に左葉の頭尾方向のサイズを測って病変を判断する参考にするのが実際的と思います。当然のことながら，呼吸状態は一定条件にします。

読影に困る画像

私は臨床検査技師が職場健診で検査してきた超音波画像を読影した経験がありますが，ときに検査手技の未熟さが原因で，読影困難なフィルムに悩まされることがありました。その主な原因はゲイン調整の不良です。画像全体が暗すぎたり明るすぎたりすると，病変を判断できません。
最初の1枚目のフィルムを撮影したときに部屋を明るくして，フィルムが読影に適した条件で記録されているかどうかをチェックすることが大切です。

● ゲイン不足

ゲイン調整に無頓着な人が多いと思います。検査中は左手でゲインのツマミを細かく調整して，見やすい画像で観察したいものです。肋間スキャンは超音波の通りが悪いのでゲインを上げ，心窩部でのスキャンは肋骨の影響を受けないので，ゲインは下げるべきです。

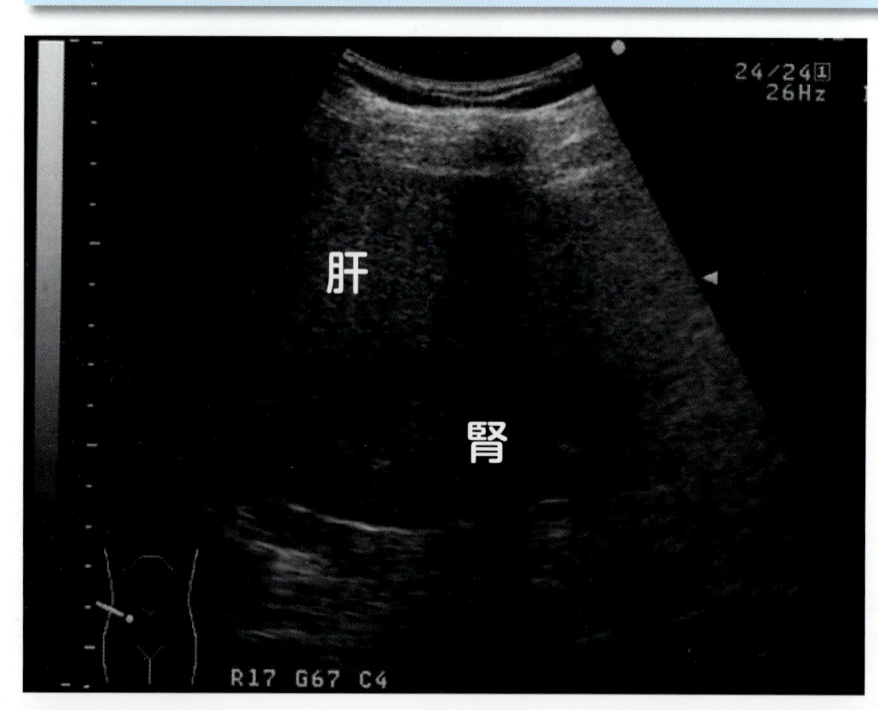

検査した人のコメントによると脂肪肝の症例らしいのですが，脂肪肝の特徴である白く輝く肝臓はみられません。
画面左のグレイスケールバーの階調はいいので，記録装置の調整は問題ありません。装置のゲインをもっと上げるべきです。

MEMO　読影しやすい画像を残そう

医師以外が検査した超音波画像は，後で医師がフィルム（あるいはLAN上のモニタ）を見て診断します。検査に直接関わっていない医師がフィルムだけで診断するとき，画像に十分な情報が盛り込まれていないと，病変があっても診断できません。
医師が読影しやすい画像を残すためには，病変をくまなく探し出すスキャン技術はもちろんのこと，装置の条件設定やフィルムの記録条件にも細心の注意が要求されます。超音波検査に従事する人は写真学の知識とセンスが要求されます。多くの臨床検査技師に超音波検査を指導してきましたが，装置の電源を入れたときのゲインのままで調整せずに検査をする人を多く見ました。

吸気不足

肝左葉を検査するときは患者に大きく息を吸ってもらって，肝左葉が下垂して肋骨の影響を受けない状態でスキャンするのですが，初心者は吸気の指示を忘れがちです。肝左葉の横隔膜直下の部分は胸骨下部にある剣状突起に隠されるので，深吸気状態でないと描出できません。

深吸気でしっかり息を止めた状態でプローブ先端を頭側に向けて，横隔膜が画面の左端に見えるようにします。

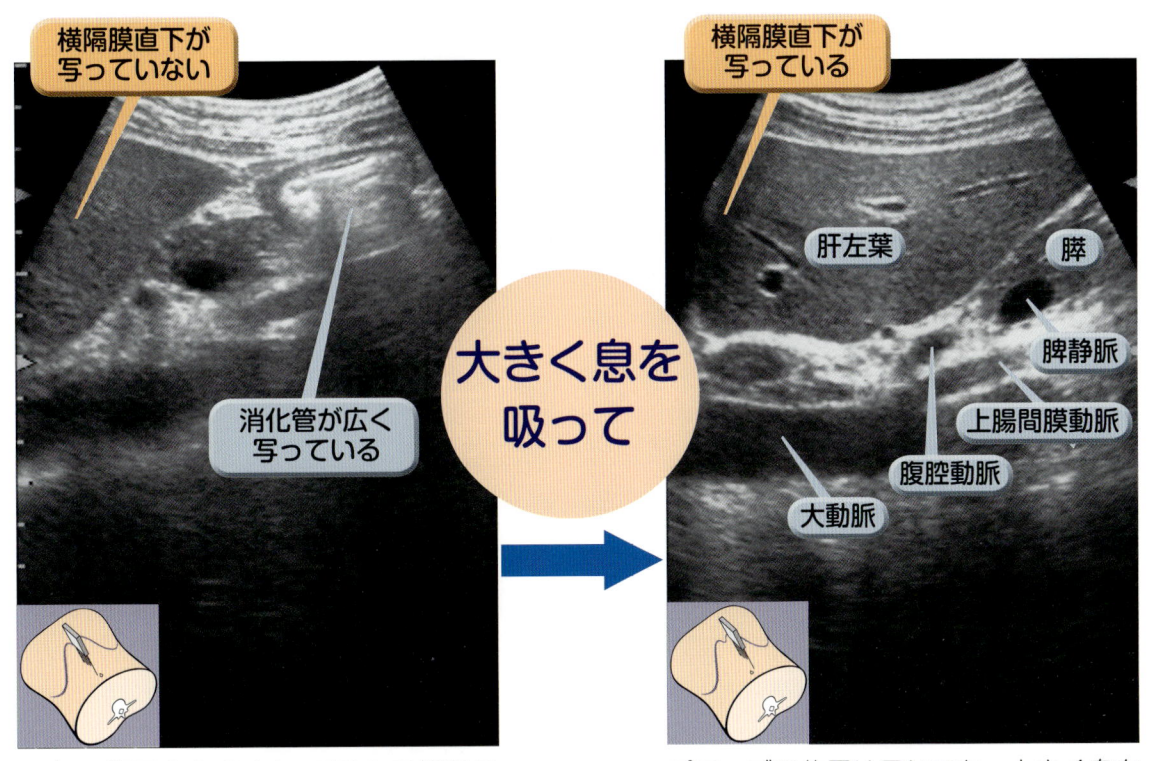

横隔膜直下が写っていない / **消化管が広く写っている**

大きく息を吸って →

横隔膜直下が写っている / 肝左葉・膵・脾静脈・上腸間膜動脈・腹腔動脈・大動脈

吸気の指示を与えないで正中で縦断スキャンをすると，肝臓の頭側は剣状突起に隠れて描出されません。必要ない消化管は広く写ります。

プローブの位置は同じでも，大きく息を吸ってもらうと，横隔膜が見えてきます。

肝臓

MEMO　患者への呼吸の指示

超音波検査を行うときは患者に呼吸をコントロールしてもらうことが大切です。初心者が超音波検査をするのを後ろで見ていると，プローブを動かすのに夢中になって患者に呼吸を指示するのを忘れています。あるいは息を吸ったままで，吐かせるのを忘れています。

患者の体型や検査する部位によって与える指示は違ってきますが，心窩部でスキャンを行うときは「大きく息を吸って，そのまま止めていてください」と指示するのがいいでしょう。

超音波でわかる肝疾患

肝臓の病気を大きく2つに分けると、腫瘍ができる局在性病変と肝臓全体に病変がみられるびまん性病変とに分けられます。局在性病変を画像診断医はSOL (space occupying lesion) と略します。LL (localized lesion) と略す人もいます。

肝の局在性病変で代表的なものは多い順に嚢胞、血管腫、転移性肝臓癌、原発性肝臓癌です。びまん性病変で最近増えているのは脂肪肝です。

腫瘍性病変を超音波で検査する場合、肺の空気の影響で病変を描出できない盲点が存在するという欠点はありますが、その点を除けば小さな病変の検出能力はCTやMRより高いと思います。ただし、超音波検査の診断率は検査する人の技能（スキャン技術）と知識に大きく左右されます。

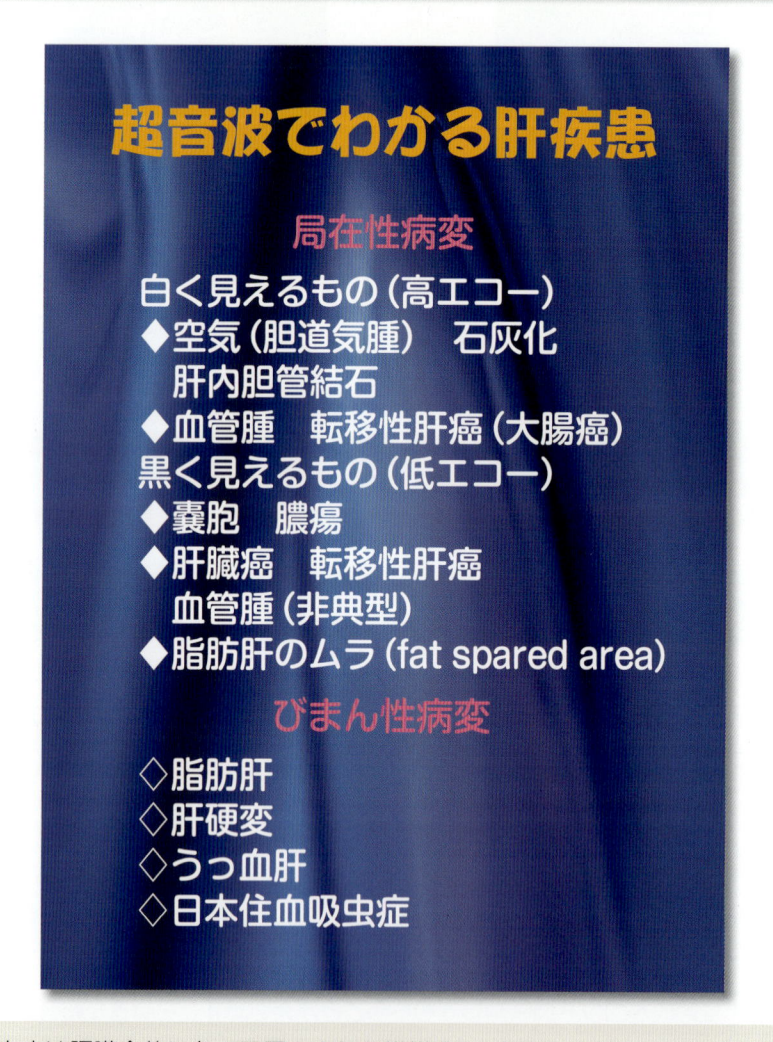

超音波でわかる肝疾患

局在性病変

白く見えるもの（高エコー）
- ◆空気（胆道気腫）　石灰化　肝内胆管結石
- ◆血管腫　転移性肝癌（大腸癌）

黒く見えるもの（低エコー）
- ◆嚢胞　膿瘍
- ◆肝臓癌　転移性肝癌　血管腫（非典型）
- ◆脂肪肝のムラ (fat spared area)

びまん性病変
- ◇脂肪肝
- ◇肝硬変
- ◇うっ血肝
- ◇日本住血吸虫症

> **ひとくちコメント**　日本住血吸虫症は肝臓全体に亀の甲羅のような模様（ネットワークパターン）がみられるという特徴があり、超音波検査で診断できます。現在は中間宿主の宮入貝が撲滅されたこともあり、日本ではみられなくなった疾患です。私は10年位前に検査したのが最後です。現在でも中国、フィリピンなどには患者がいるそうです。

肝嚢胞

病理学の本には「肝嚢胞は胆管から発生する先天性の異常で，1層の上皮に覆われており，内部に液体が入っている」と説明されていますが，40歳を過ぎて多く発見されるので，私は患者には「老化現象です」と説明しています。北海道などでは寄生虫（エキノコックス）によるものもあるそうです。1cm以上のものは典型的な嚢胞パターン（cystic pattern）を示します。肝表面近くに小さな嚢胞があると，腹壁からの多重反射が重なって，内部がエコーフリーに見えません。

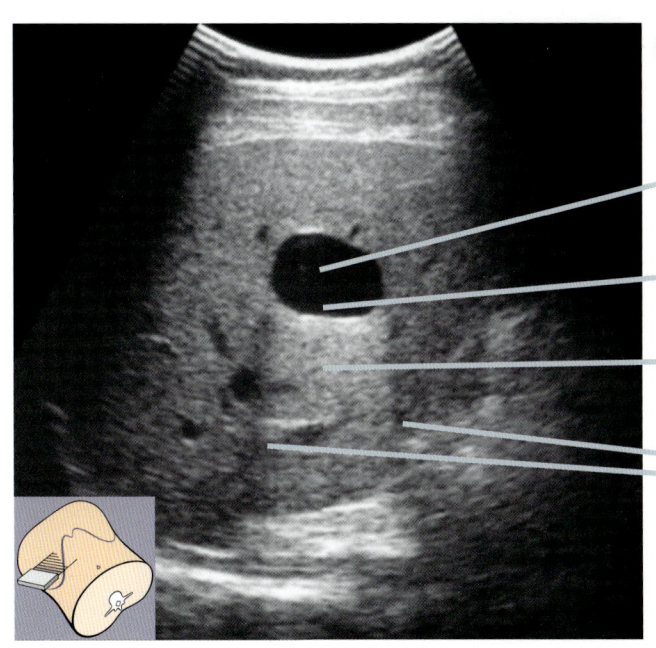

嚢胞パターン

① 内部にエコーがない

② 後壁が明瞭に見える

③ 後方エコーが増強する

大きな嚢胞では外側陰影もみられる

嚢胞パターン

① 内部にエコーがない
嚢胞の内部には液体が貯留しています。液体は均一なものの代表です。超音波は均一なものからは反射しません。したがって，嚢胞の内部からはエコーがないので内部は真っ黒に見えます。

② 後壁が明瞭に見える
嚢胞の後壁はパラボラアンテナの形をしています。そのために超音波が効率よく反射されるので，強いエコーが発生して嚢胞の後壁は明るく明瞭に見えます。それに対して嚢胞の側壁は超音波が平行に入ってくるためにプローブ方向への反射が起こりにくく，暗くて不明瞭です。

③ 後方エコーが増強する
「後方エコーが増強する」という表現は厳密にいうと正しくありません。嚢胞の後方で超音波の反射は増強せずに，肝臓の他の部位と同じ割合で反射します。ところが超音波が嚢胞内を通過する段階で全く減衰しないので，後壁に到達したときはすぐ横の肝臓に比べて相対的に強くなっています。超音波診断装置は深くなるほど自動的に感度補正をするので，反射する超音波（エコー）があたかも増強するように見えるのです。

横隔膜直下の肝嚢胞

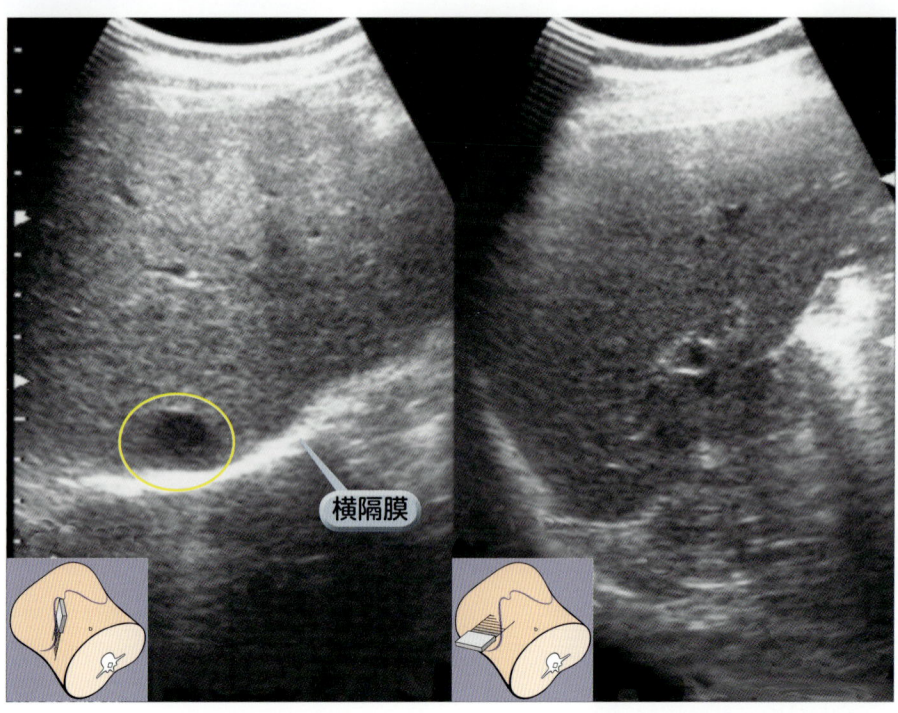

横隔膜直下の嚢胞は肺のガスに覆われて超音波検査では描出できないことがあります。左図は肋骨弓下スキャンですが，プローブを大きく傾けてスキャンしています。横隔膜を表す白い円弧に接して2cmの嚢胞が見えています。このように大きくプローブを傾けてのスキャンは痩せた人でしかできません。
右図は，肋間スキャンでこの嚢胞を観察しようとしたのですが，どうしても描出できませんでした。

後方エコー増強が明瞭

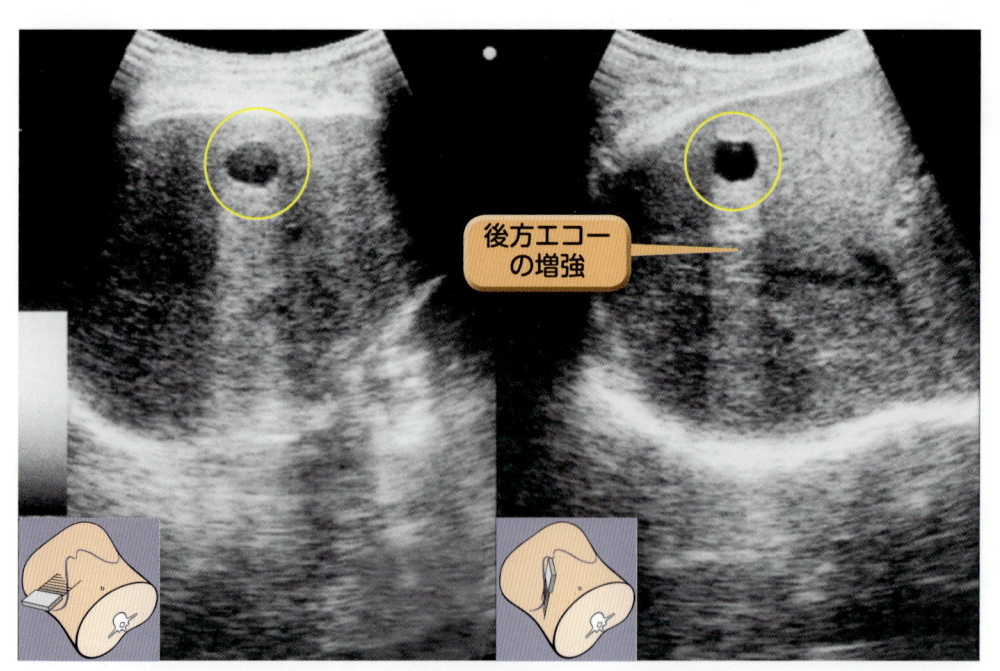

2002年に検査した肝嚢胞です。普通の肝嚢胞ですが，最近の検査で見る画像とは少し見え方が異なります。このメーカーの装置（あるいはこの頃の装置）では後方エコーの増強が長い距離で明瞭に見えていました。外側陰影があるようにも見えます。乳腺嚢胞では外側陰影が見えるものが多いので，肝嚢胞でも見えていいはずです。最近の装置はいろいろな画像処理を施すので，画像が以前とは変化しています。

● 浅いところの肝嚢胞

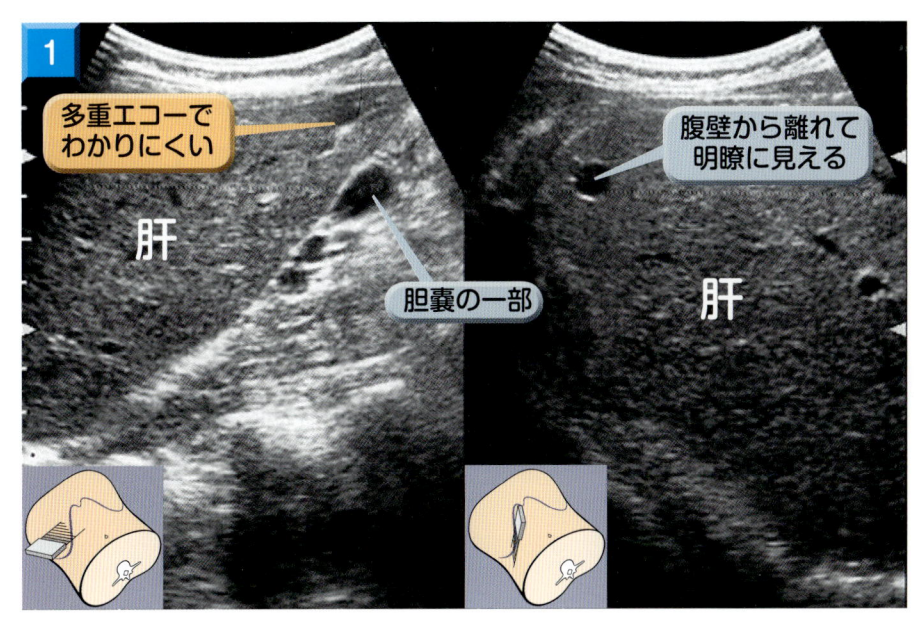

1
- 多重エコーでわかりにくい
- 胆嚢の一部
- 腹壁から離れて明瞭に見える
- 肝

左図のように嚢胞が肝表面の腹壁直下にあると，腹壁からの多重エコーが重なって内腔がエコーフリーに見えません。その結果，嚢胞は見落とされたり，充実性腫瘍と間違われたりします。

右図はこの嚢胞を肋骨弓下スキャンで観察しました。腹壁から離れて描出されたので，多重エコーの影響から逃れてエコーフリーに見えています。これだと嚢胞と断定できます。

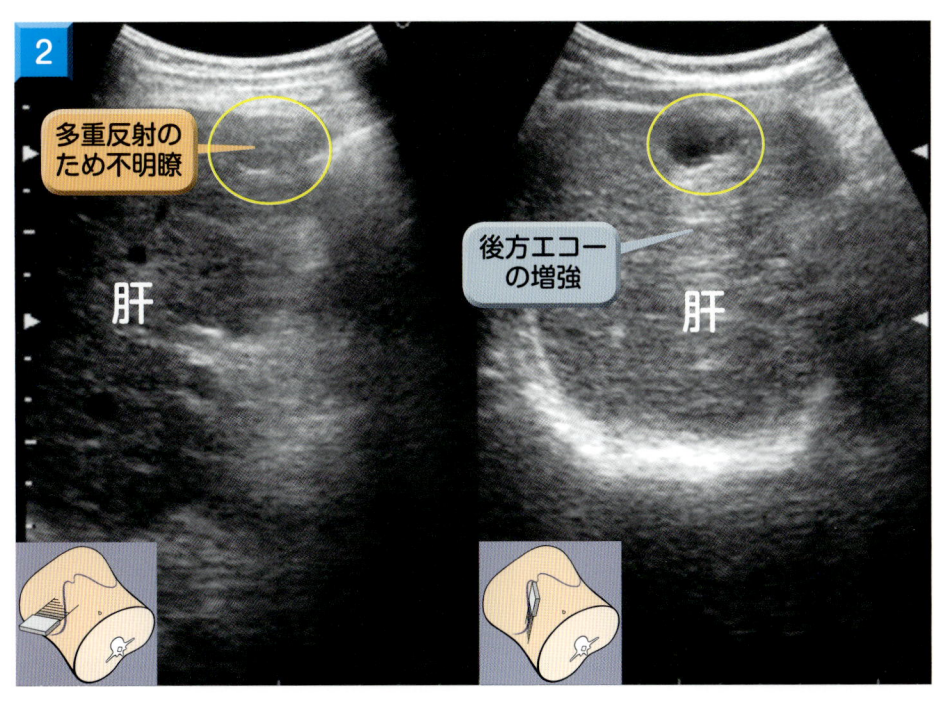

2
- 多重反射のため不明瞭
- 後方エコーの増強
- 肝

左図の肋間スキャンでは腹壁直下にある肝嚢胞が多重反射の影響で不明瞭です。

右図の肋骨弓下スキャンで見ると，腹壁からの距離は変わらないのに，内部がエコーフリーに見えて嚢胞の診断に迷いません。

肋間スキャンでは超音波ビームは腹壁に垂直なのに対して，肋骨弓下スキャンでは腹壁に対して少し斜めになるので，多重反射が起きにくいようです。

ひとくちコメント　腹壁直下の小さな嚢胞はエコーフリーに見えないことが多いので，嚢胞の後方にできる後方エコーの増強に注目するといいです。帯状に白い部分があることに気付けば，その腹壁側に嚢胞があります。

肝臓

● 不整形をした肝嚢胞

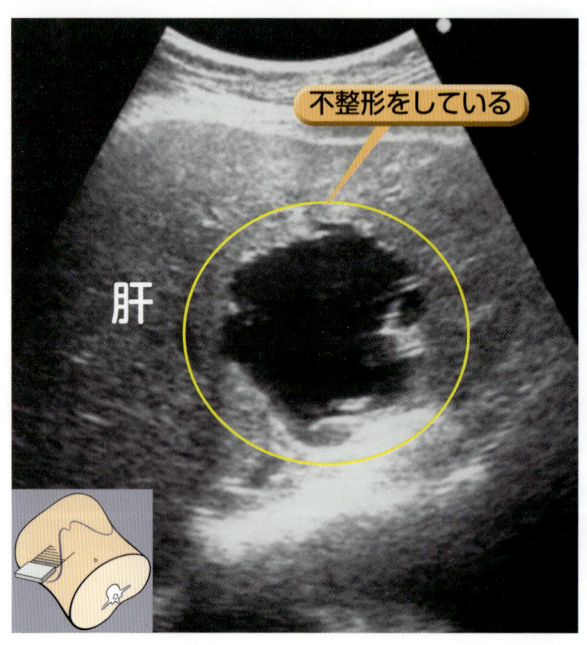

不整形をしている

肝

腫瘍性病変の辺縁が凹凸不整であると悪性の可能性が高いという考えがあります。この考えは乳腺や甲状腺の充実性腫瘍ではかなり信頼性がありますが，肝や腎の嚢胞については当てはまりません。
嚢胞が拡大するときに既存の血管や胆管などに邪魔されて，辺縁平滑な球形になれないのでしょう。

MEMO　　悪性の嚢胞

私は超音波検査を専門に32年間行ってきましたが，悪性の肝嚢胞（嚢胞腺癌）は1例しか経験していません。悪性の嚢胞と考えられているなかには，充実性の癌が嚢胞変性に陥った症例が混入しているのではないでしょうか。卵巣癌のように嚢胞性の腫瘍を形成する悪性腫瘍が肝臓に転移すると嚢胞性の腫瘍を作ります。

● 扇動操作で嚢胞を確認する

超音波ビームが嚢胞の中心部分を通ると嚢胞は最大に見えます。超音波ビームがわずかでも中心からずれると嚢胞は小さくなり，超音波ビームが嚢胞から外れた時点で嚢胞は見えなくなります。
右図のような扇動操作をすることにより，嚢胞をさまざまな断面により確認できます。
なお，血管の断面を見ている場合は，超音波ビームがずれても断面の位置が移動するだけで，血管は同じサイズで見えています（72ページ参照）。

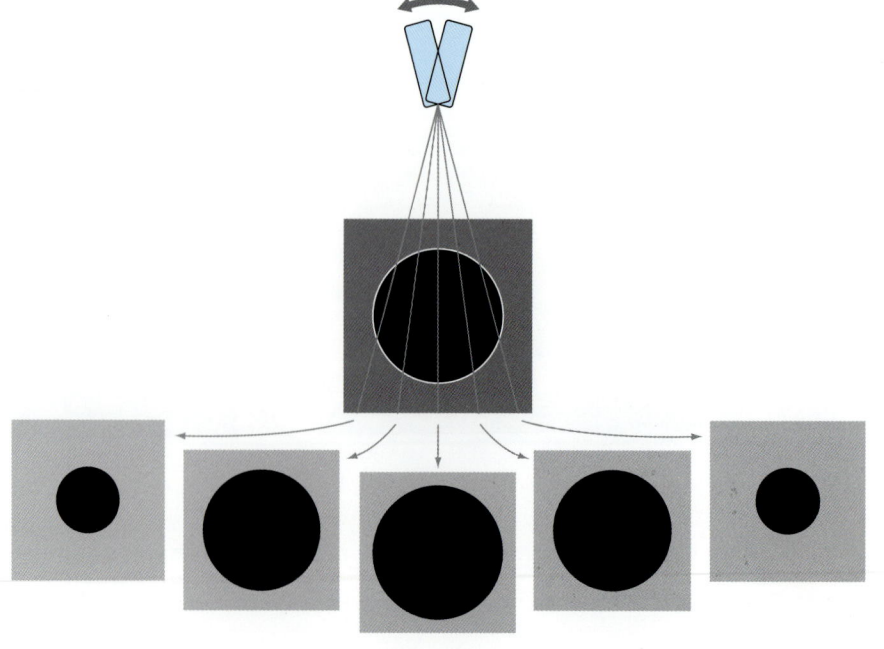

多囊胞肝

両側の腎臓に大小無数の囊胞が発生し，肝臓にも囊胞が多発する囊胞腎はときどき経験しますが，稀に肝臓だけに無数の囊胞がみられる疾患があります。腎臓には囊胞がありません。
文献には黄疸が出たり，腫大した肝のために消化器に圧迫症状が出る場合があると書いてありますが，私が最近経験した2例では肝は腫大していませんし，肝機能にも異常はありません。

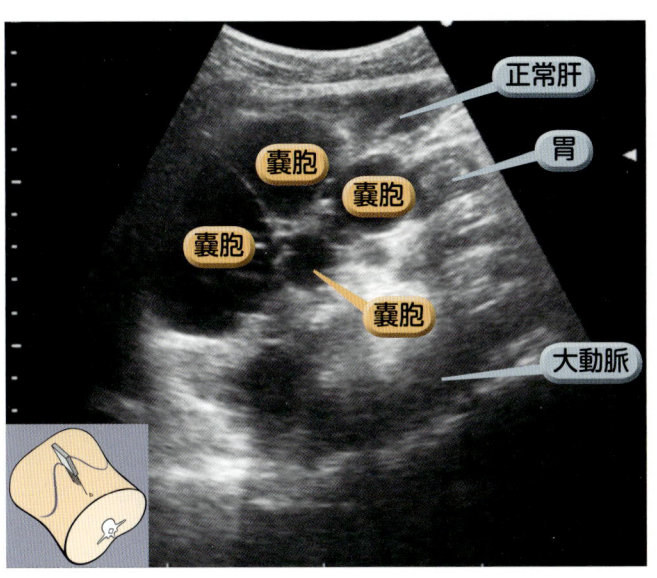

心窩部正中の縦断スキャン像です。この断面には大小4個の囊胞が見えています。肝臓の正常部分はS_3にわずかに見えるだけです。

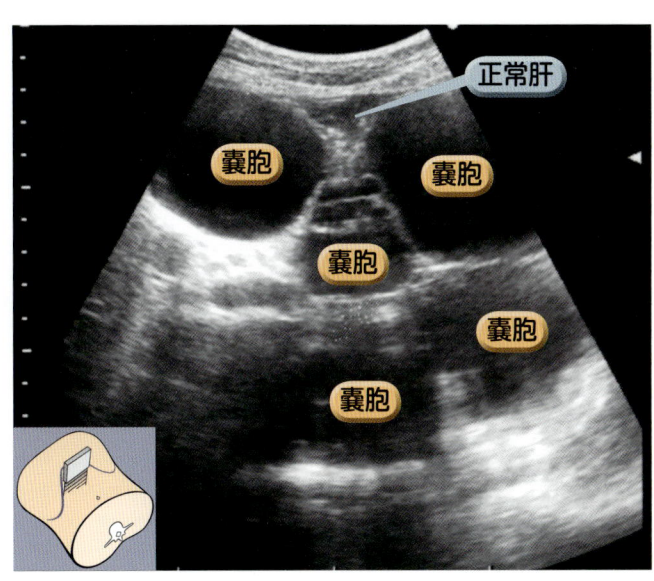

心窩部正中の横断スキャン像です。大きい囊胞だけでも5個見えています。正常肝は白線の背後にわずかに見えるだけです。

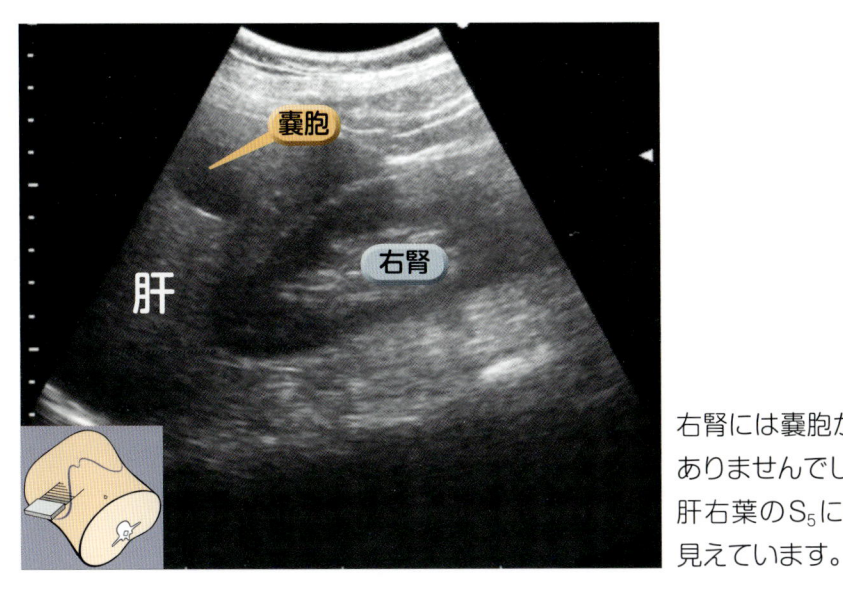

右腎には囊胞がありません。左腎にもありませんでした。
肝右葉のS_5には2cm位の囊胞が1個見えています。

🔵 肝嚢胞と紛らわしい腎嚢胞

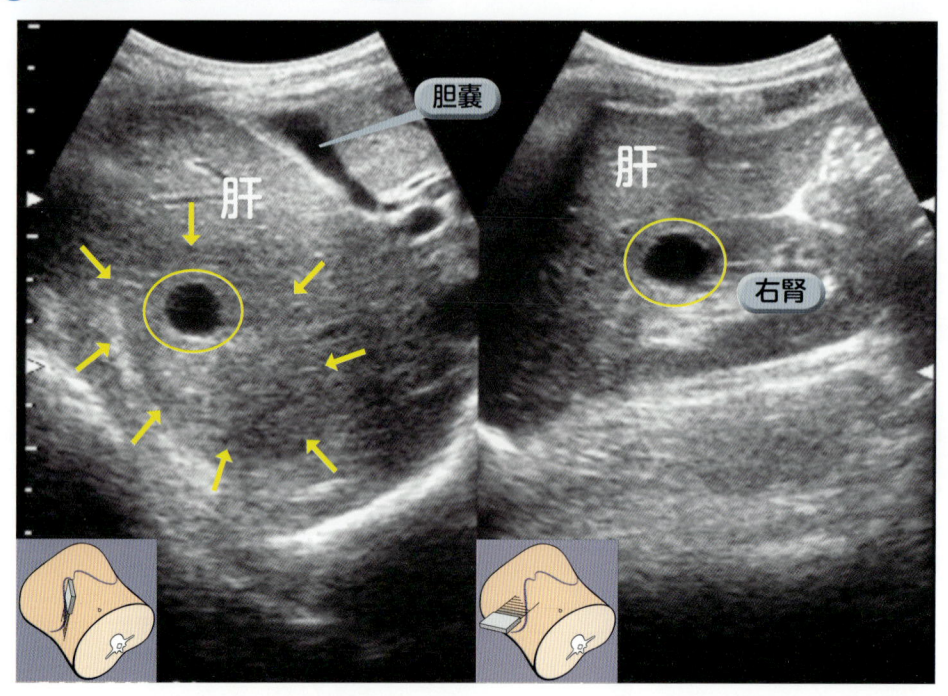

左図の肋骨弓下スキャンをみると肝臓の右葉（S_5とS_6の境界）に13mmの嚢胞があると判断してしまいます。
しかし，右図の肋間スキャン像では，この嚢胞は右腎にあることがわかります。
左図をよく見ると，肝に連続して，矢印で示すように右腎の実質と腎洞部がうっすらと見えています。

> **ひとくちコメント**
> 肝臓と右腎の境に嚢胞があって，肝嚢胞か右腎嚢胞なのか迷うことがありますが，そのときはほとんどが右腎嚢胞です。上の症例の右腎嚢胞は腎の輪郭内にありますが，腎嚢胞は大きく突出して肝に食い込んで見えることもあります。

MEMO　　肝嚢胞を診断する意味は？

肝嚢胞は良性疾患です。将来とも悪性に変化することはなく，痛む心配もありません。したがって，発見してもそのまま放置される疾患です。それでは，何のために肝嚢胞を超音波で診断するのでしょうか？
同じ大きさであれば，肝臓癌よりも嚢胞のほうが明瞭に見えます。嚢胞を見落とすようであれば同じサイズの肝臓癌は見つけることができません。嚢胞を的確に指摘することで，肝内を漏れなく検査する訓練をしているとも考えられます。
CTでも肝嚢胞は描出されますが，嚢胞のサイズが小さいと，嚢胞のCT値を正確に示しません。その結果，造影検査なしでは肝臓癌や血管腫と区別できません。そのようなケースでも超音波検査を行うと，正確に血管腫や肝臓癌と嚢胞を区別できます。
CT検査では1cm以下の腫瘤があるときは，多くのケースで超音波検査で確認するように指示しています。つまりCTの弱点を超音波検査で補完しているのです。
私は嚢胞のサイズをレポートに書いていますが，CTのレポートで嚢胞のサイズを書いているのを見たことがありません。それは良性腫瘍だから必要ないという考えからでしょうか。あるいは超音波検査は検査中に計測していますが，CTは読影時に画面上で計測するのが面倒だからでしょうか。

● 腫瘍サイズの測り方

囊胞性

充実性

肝左葉
厚み / 左右 / 横断スキャン
頭尾 / 縦断スキャン
G

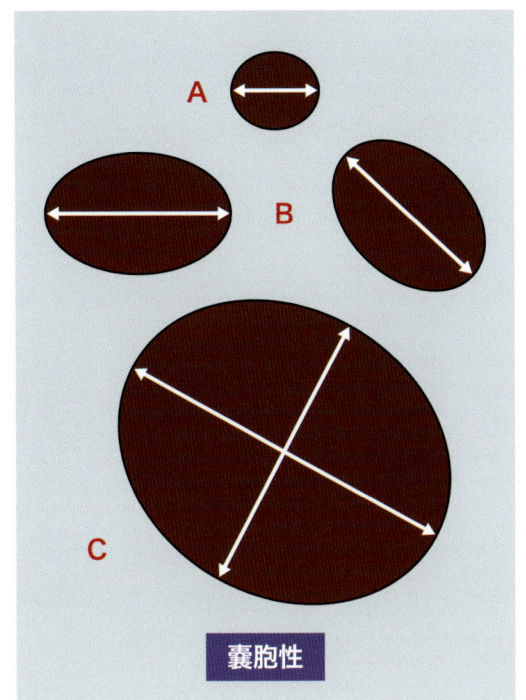

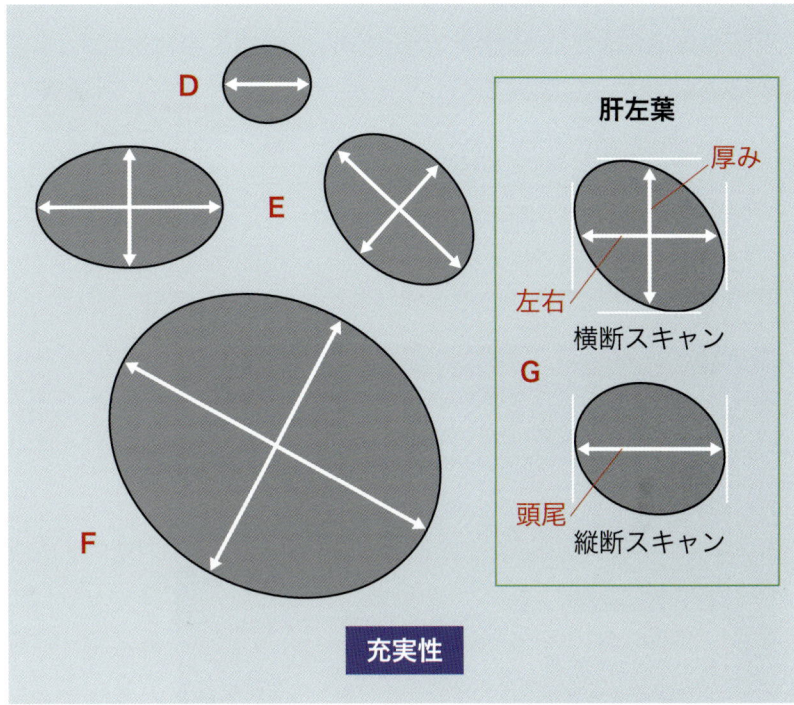

腫瘍サイズの測り方

超音波検査をして腫瘍性病変が見つかれば，そのサイズを計測しなくてはなりません。一方，病変の種類によっては必ずしも詳しく計測しなくてもいい場合があります。

① 囊胞性病変

良性腫瘍ですからあまり厳密に測る必要はありません。上図のAのように小さい囊胞で，ほぼ正円形をしているものは画面上で横径を測ります。Bのように楕円形をしているものは最大径を測ります。Cのように大きい囊胞（大体3cm以上）は最大径と最小径を測ります。

囊胞が多発しているケースでは最大のものと最小のものを測り，「径8〜28mmの囊胞が7〜8個あります」というようにレポートします。

② 充実性腫瘍

悪性の可能性もあるので正確に測ります。ただし，増大するものがすべて悪性とは限りません。

上図のDのように小さい腫瘍で，正円形をしていれば画面上で横径を測ります。Eのように楕円形をしていれば最大径と最小径を測ります。Fのように3cm以上の大きい腫瘍も同様です。

肝左葉に充実性腫瘍があって，肋骨の影響を受けずに横断スキャンと縦断スキャンで腫瘍を描出できるときは，上図のGのように腫瘍のサイズを三次元的に測ります。すなわち，左右径，頭尾（上下）径，厚み（前後）径を測ります。レポートには「サイズは左右×頭尾×厚みが23×19×26mmです」と書きます。

腫瘍の輪郭は不明瞭なケースがあるので，小さな腫瘍では1〜2割の計測誤差が生じることを理解してサイズの増大を判定する必要があります。

肝膿瘍

肝膿瘍は高熱のある患者で鑑別診断の1つに挙げなければならない疾患です。肝内には神経がないために，大きな膿瘍があっても痛みは感じません。肝膿瘍は低エコーの腫瘤を形成しますが，内部のエコーは嚢胞に近いものから，充実性腫瘍のように見えるものまでさまざです。治療することでサイズが小さくなると同時に，内部エコーは周囲の肝臓に近くなります。嚢胞や充実性腫瘍との大きな違いは，2～3日でパターンやサイズが大きく変化することです。輪郭が不明瞭であるのも特徴です。

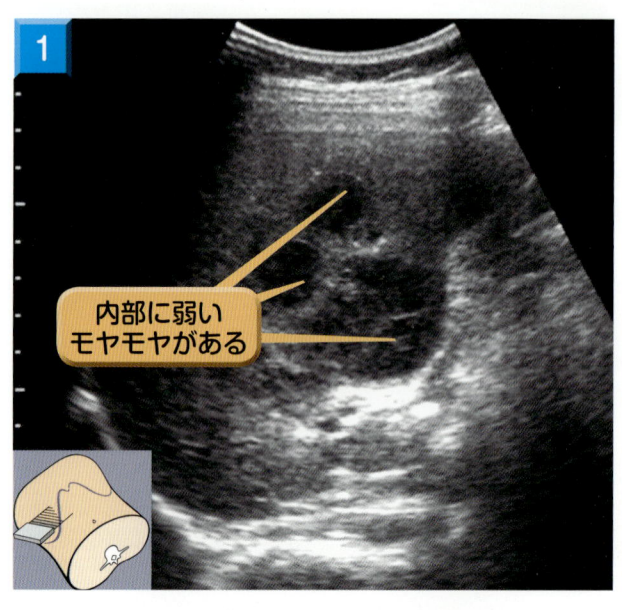

1 内部に弱いモヤモヤがある

右葉にある6cm近くの膿瘍です。この方向（肋間スキャン）から見ると，近接している大小3個の低エコーの腫瘤が見えます。腫瘤の輪郭は不明瞭です。
肝臓癌では原発性，転移性とも輪郭が平滑です。原発性肝臓癌にみられる辺縁低エコー帯は，この膿瘍にはありません。
高熱のある患者で，このような輪郭が不明瞭な肝腫瘤をみたら膿瘍を疑うべきです。

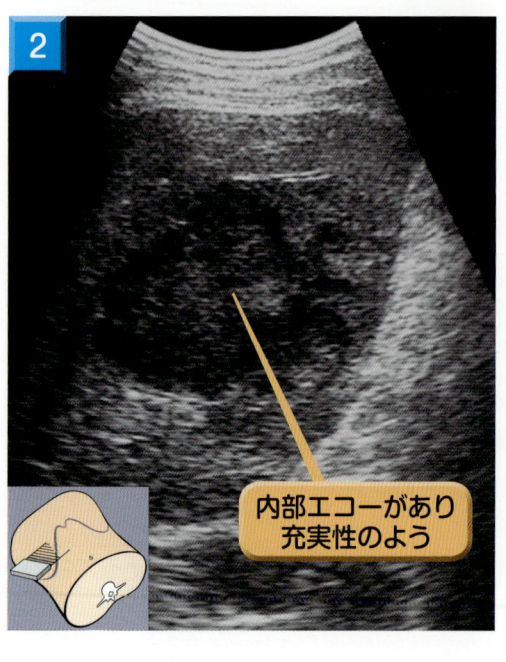

2 内部エコーがあり充実性のよう

肝右葉にある4cm前後の膿瘍です。輪郭は上の症例と比較すると明瞭ですが，部分的に強い凹凸不整があります。
内部には不均一な充実性のエコーがあり，転移性腫瘍のようにも見えます。

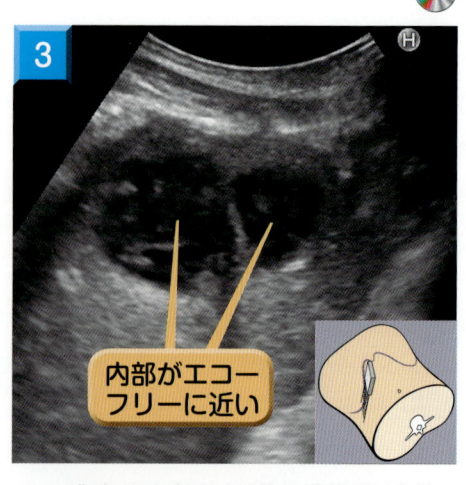

3 内部がエコーフリーに近い

この膿瘍の内部には網の目構造がボンヤリと見えるだけで嚢胞に近い画像です。本物の嚢胞だと輪郭はさらに明瞭です。

● 肝膿瘍の経過

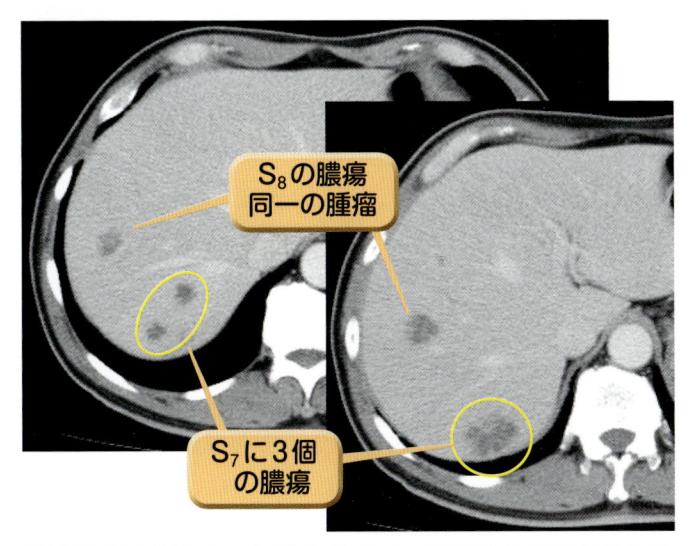

初回検査

造影検査CTです。右葉のS$_7$とS$_8$に低濃度の腫瘤が合計5個（1個はさらに上のスライス）あります。辺縁から徐々に染まっていますが，血管腫にみられるような濃染はありません。

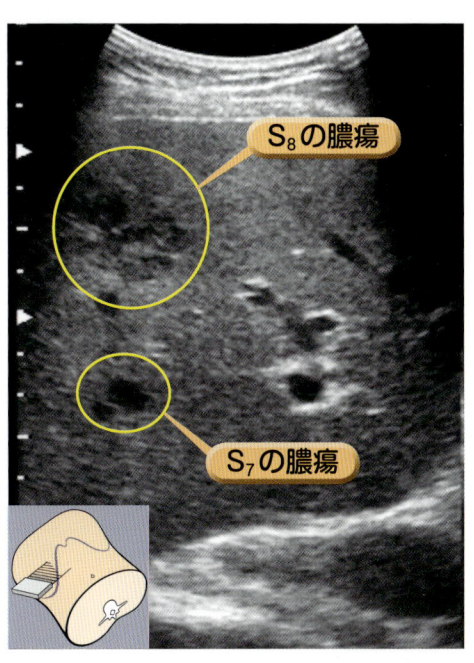

CTの翌日に検査したエコーです。S$_8$に不整形をした低エコー領域があります。CTと比べてかなり大きくなっています。

9日後

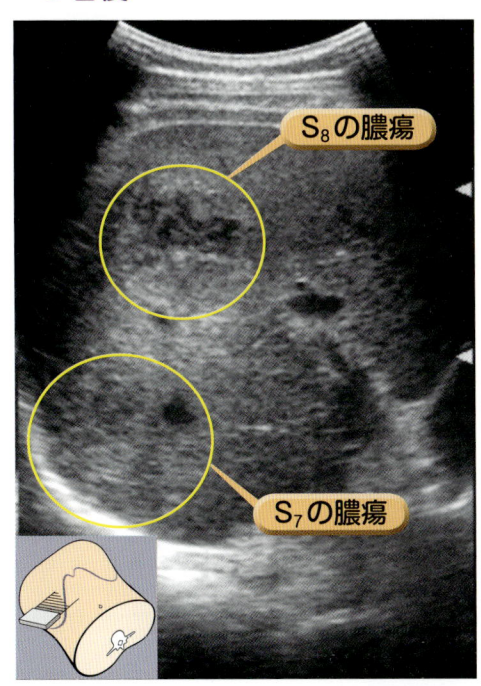

抗生剤の投与を始めて9日後に検査したエコーです。S$_8$の腫瘤は少し大きくなっています。S$_7$領域もエコーが強弱不ぞろいで，サイズは計測できませんが，膿瘍が増大しています。

16日後

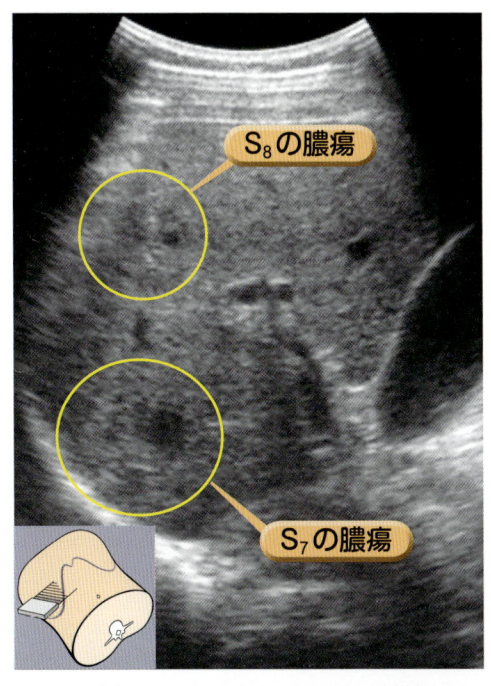

他の抗生剤を追加して，さらに7日目に検査したエコーです。S$_8$の腫瘤は縮小しています。
初めは抗生剤に反応しなかったので，膿瘍の診断が間違っているのかと不安になりました。

肝血管腫

肝臓にみられる血管腫は海綿状血管腫で，スポンジ状・網目状に拡張した血管腔に血液が貯まった良性腫瘍です。2cm以下のものでは均一に高エコーに見えるものが多く，次に辺縁部分に特に強いエコー(marginal strong echo)を示すものが多いようです。5cmを超す大きい腫瘤では，高エコーの中に低エコーが混在したり，腫瘍内部の大部分が低エコーに描出されたりします。稀に全体が低エコーに描出される血管腫もあり診断に迷います。血管腫はしばしば2～3個存在します。

● 均一な高エコーを示す血管腫

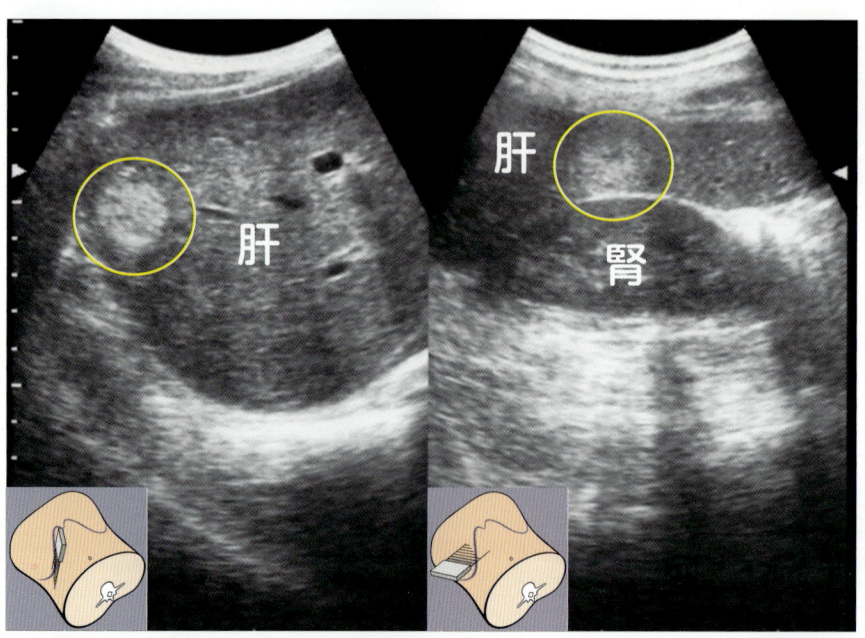

2cm以下の血管腫は全体が均一に高エコーに描出されるものがほとんどです。
大腸癌の肝転移が，ときに紛らわしい所見を示します。
観察する方向の違いで，エコー強度に差があります。S₆の腫瘍を肋骨弓下スキャンで見た左図と，肋間スキャンで見た右図とでは腫瘍の明るさが異なります。皮膚からの距離の違いなのか，あるいは途中に介在する肝組織の厚みの違いなのかよくわかりません。

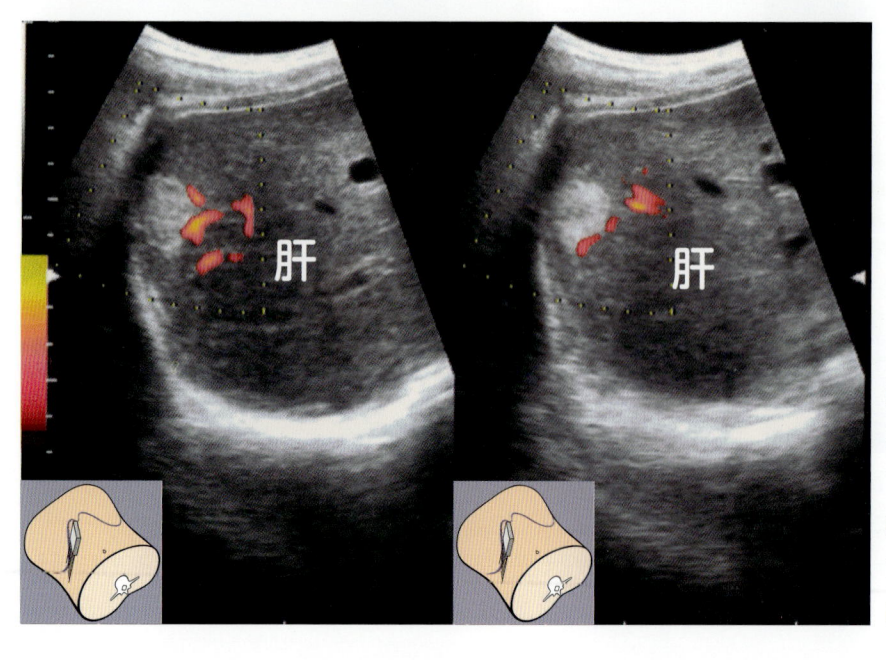

血管腫は血管細胞が網の目状の構造を作り，内部に血液が貯まっています。
血流は非常に緩徐なので，カラードプラ（パワードプラモード）で見ても内部には血流信号はありません。

辺縁だけが高エコーの血管腫

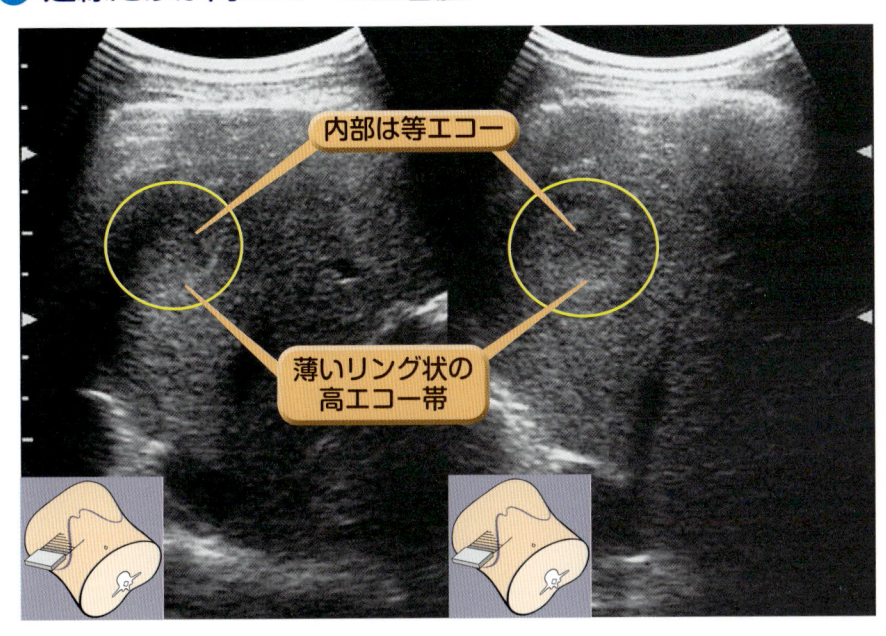

腫瘤の内部エコーは周辺の肝臓とほぼ同じ強さですが，腫瘤の辺縁にリング状の高エコー帯（辺縁高エコー帯）がみられます。
左右2枚の画像は，ほぼ同一時刻の画像ですが，辺縁高エコー帯の形態は微妙に異なります。

一部が低エコーの血管腫

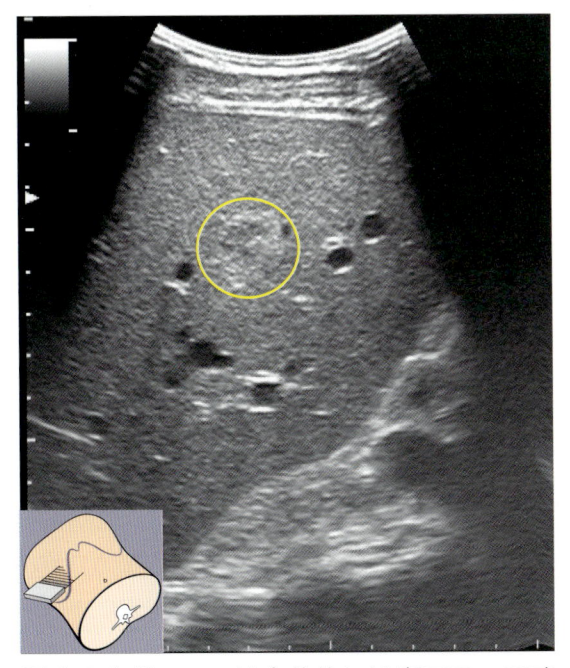

腫瘤の内部エコーは全体的には高エコーですが，一部に低エコー部分が混在しています。

微細な血管腫

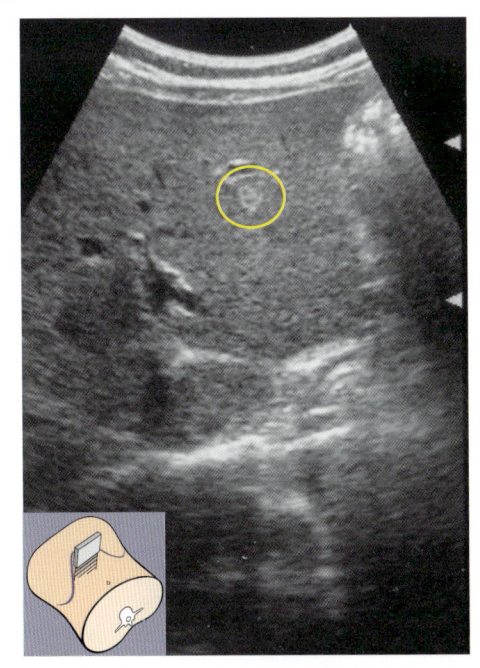

左葉外側区のS_3にある長径が6mmの血管腫です。

低エコーの血管腫

典型的な血管腫は高エコーに見えますが，全体が低エコーに見える血管腫もあります。肝臓に肝障害の所見がなくて血液生化学検査でも肝障害がなく，ウイルス性肝炎の既往がなければ血管腫と診断しますが，もし肝障害があれば早期の肝細胞癌との鑑別が問題になります。

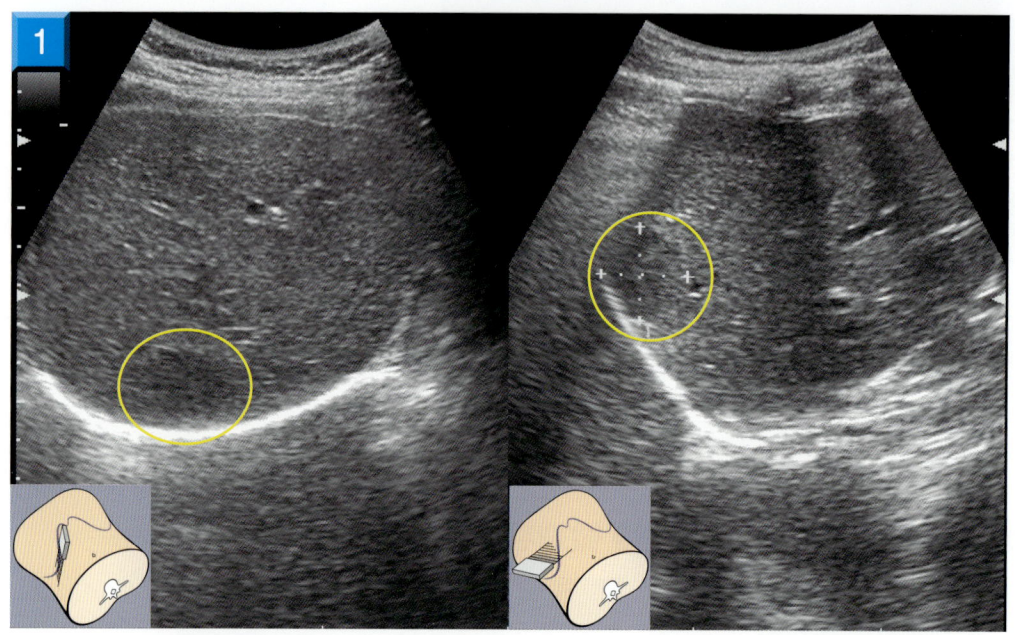

1

32歳の女性です。人間ドックで検査しました。右葉のS_7に24×23mmの低エコーの腫瘤があります。
右図の肋間スキャンでは腫瘍の一部が肺のガスに接しています。
左図の肋骨弓下スキャンではガスの影響は受けませんが，深い位置に描出されるので，輪郭が不明瞭になります。

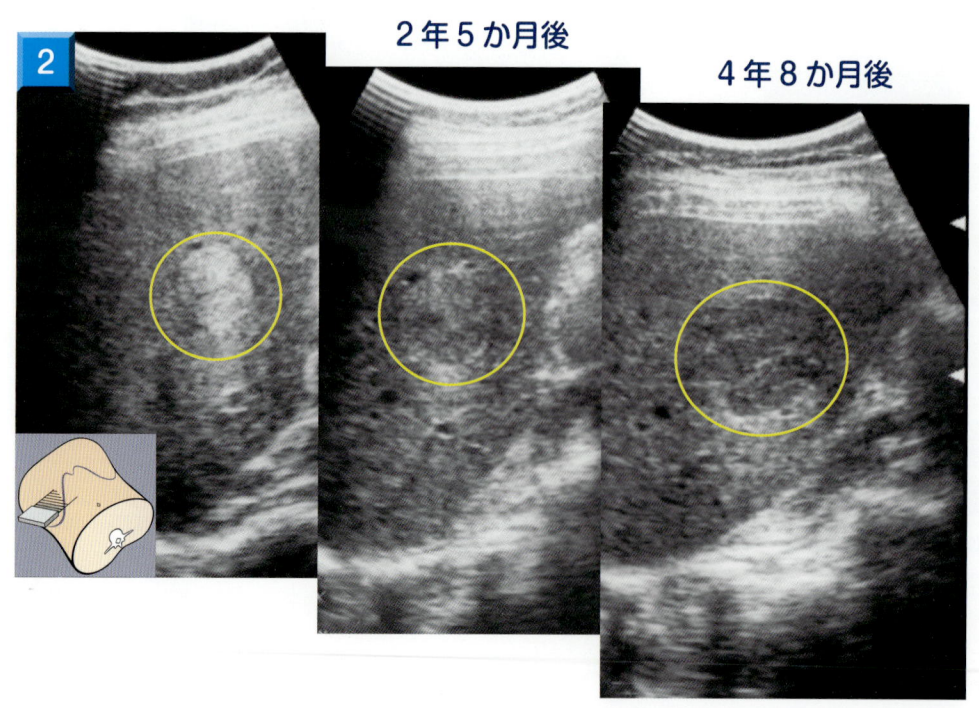

2

2年5か月後　　4年8か月後

右葉のS_5にある血管腫です。当初は左図のように血管腫の典型像である高エコーに見えていました。
中央にあるのは2年5か月後です。4年8か月後の右図では少し増大して低エコーに変化しています。
右図が初回の検査だと，エコーパターンだけからは肝細胞癌や早期の膿瘍と区別が困難です。

● 多発した血管腫

肝血管腫は多発する傾向があります。1個見つけたら，他にもないか注意深く探しましょう。多発していることがわかると，それを根拠にして肝血管腫と診断することもできます。
ここに示す症例では10〜20mmの血管腫が6個確認できました。

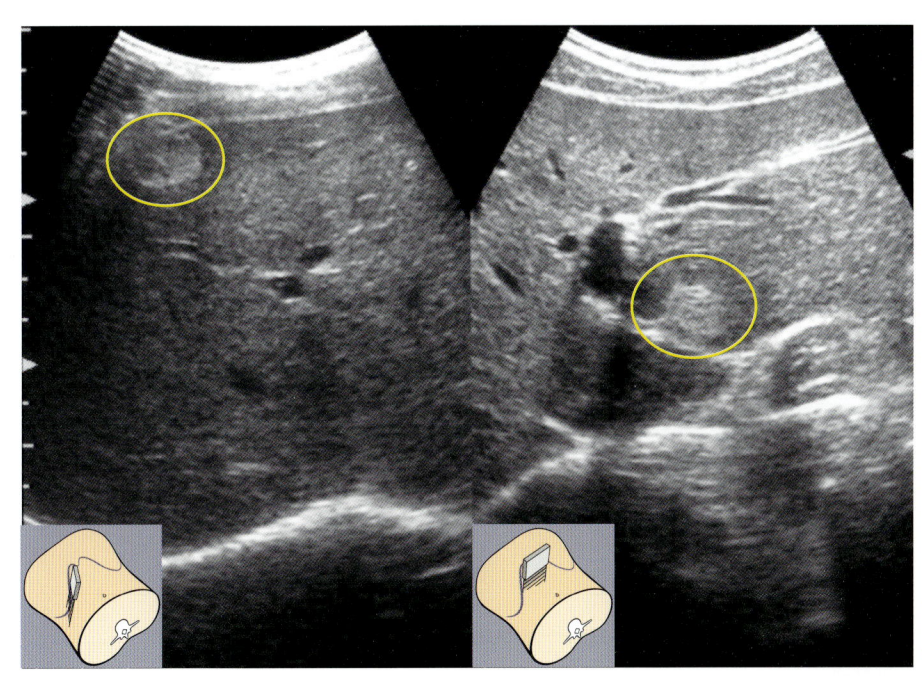

左図は肝被膜直下にあるS$_4$の血管腫です。右図では左葉外側区のS$_2$にも血管腫があります。

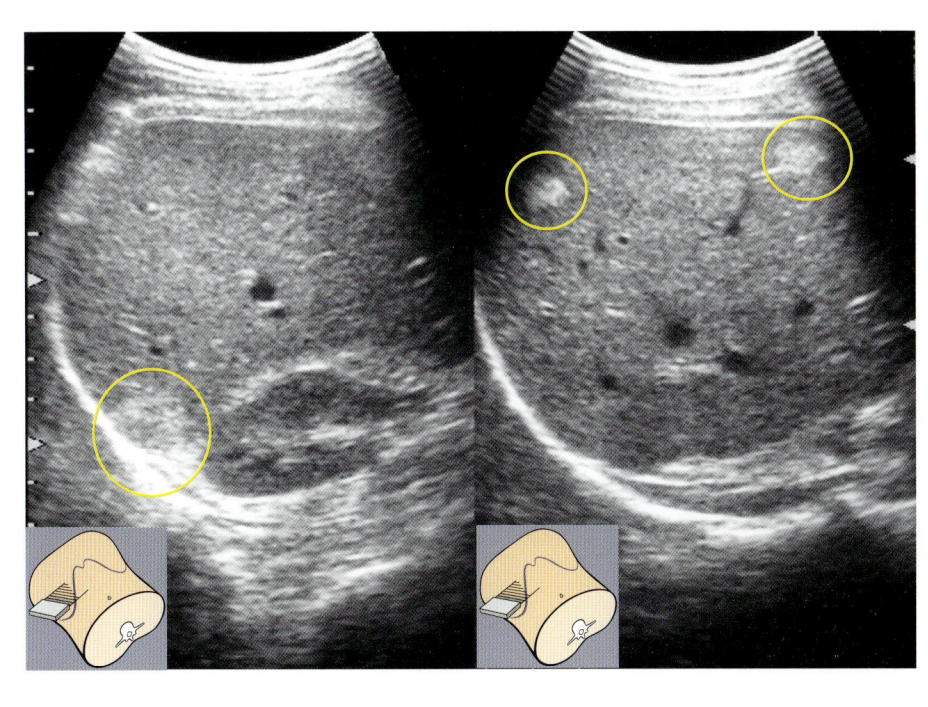

右葉には3個の血管腫がありました。ですから，合計5個の血管種です。左図に見える後上区域（S$_7$）にある血管腫は内部のエコーレベルがあまり高くありません。

大きな血管腫

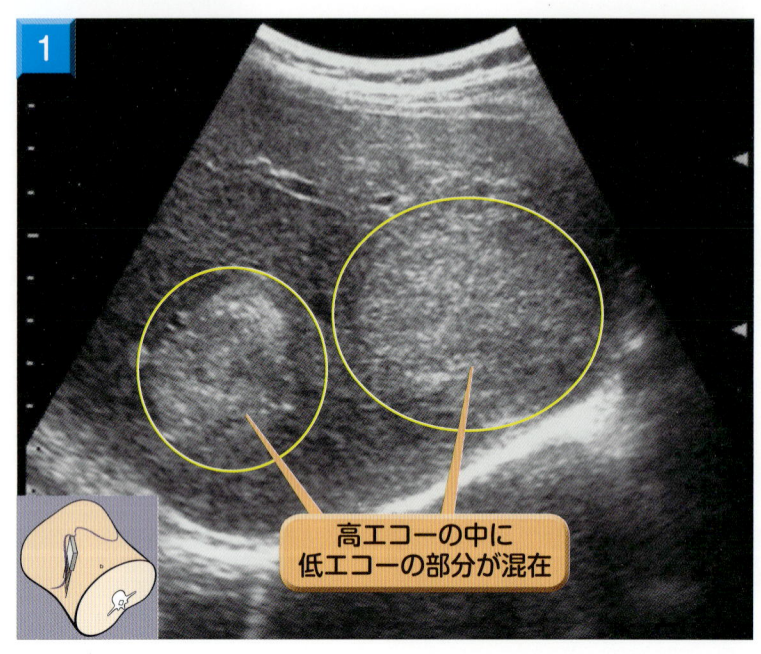

1

高エコーの中に低エコーの部分が混在

直径が4cmと6cmの腫瘍があります。両方とも内部エコーは全体的に高エコーですが、部分的に低エコーの部分が混在しています。腫瘍の輪郭は部分的に不連続になっています。

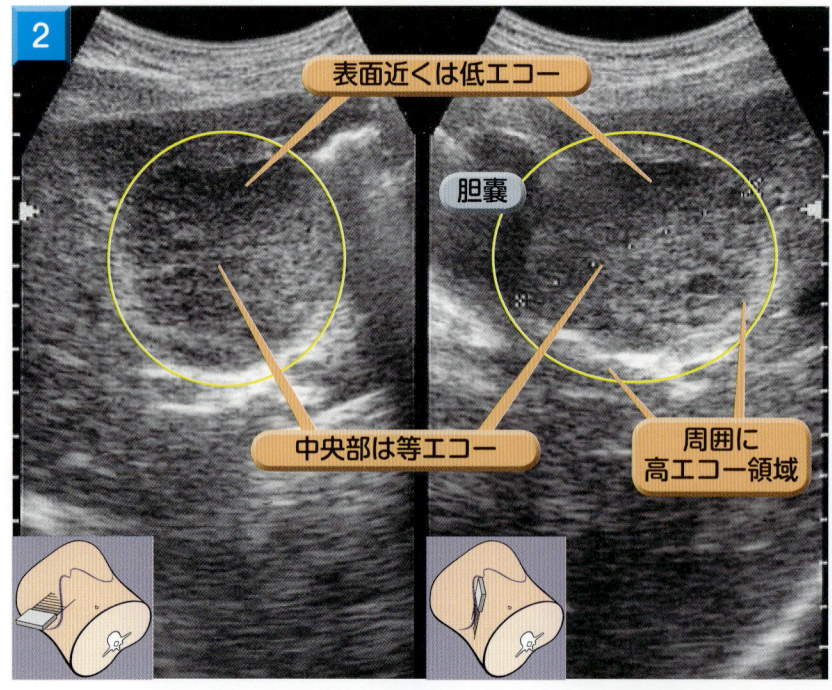

2

表面近くは低エコー

胆嚢

中央部は等エコー

周囲に高エコー領域

一見、183ページの上の症例（辺縁だけが高エコーの血管腫）と同じように見えますが、その内部エコーが均一に低エコーであるのに対して、この症例の内部エコーは高低不均一です。腫瘍を取り囲んでいる周囲の肝がリング状に高エコーに見えています。

🔵 巨大な血管腫

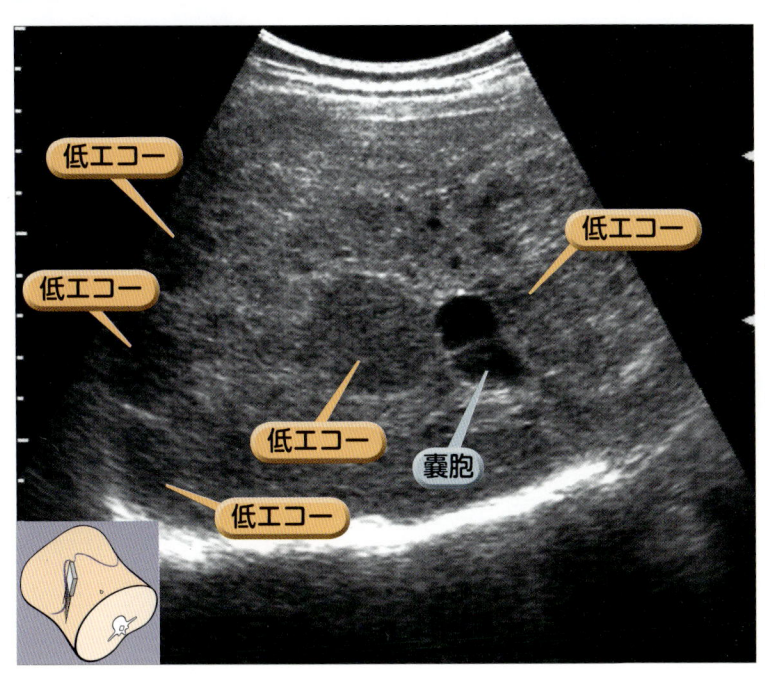

（画像内ラベル：低エコー、低エコー、低エコー、低エコー、低エコー、嚢胞）

肝右葉から左葉の内側区域にかけて，5〜25mmの低エコーの腫瘤が散在しています。ところが，この症例の異常はこの低エコーの腫瘤だけではなくて，肝のほぼ全体です。肝のほとんどを占める巨大な血管腫があり，その中にある，おそらく硝子様変性の部分が低エコーにみえているのです。正常な肝のエコーパターンがしっかり頭にインプットされていると，この症例の広範囲の異常に気付くはずです。嚢胞はたまたま混在したのでしょう。

🔵 血管腫が高エコーに見える理由

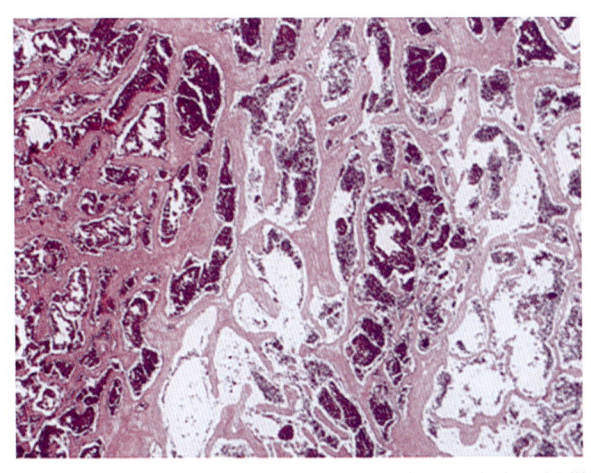

血管腫の組織標本です。血管腫は血管成分でできた網の目構造でできており，内腔には血液がゆっくりと流れています。液体と血管組織という音響インピーダンスが大きく異なるものが接する境界が無数にあるので，その境界から反射した超音波が集まって全体が高エコーに見えるのです。

（大分大学医学部附属病院病理部　加島健司先生　提供）

MEMO　訳のわからない肝腫瘍は血管腫

一見乱暴な表現ですが，当たらずといえども遠からずです。肝細胞癌が起こるとは考えにくい症例に，訳のわからない腫瘍があるときは鑑別診断に血管腫をあげておくべきでしょう。

肝細胞癌

原発性肝臓癌には胆管細胞癌などもありますが，ごく稀なのでここでは肝細胞癌だけを解説します。正常肝からいきなり肝細胞癌が発生することはありません。10数年の慢性肝炎の時期を経て肝硬変に進展し，さらに数年経って発生するのが肝細胞癌です。稀に慢性肝炎から発生することがあります。しかし，肝臓に充実性腫瘍を認めても肝硬変の所見がなければ，まず肝細胞癌以外の腫瘍を考えます。

アルコール性肝硬変から肝細胞癌になる例もありますが，ウイルス性肝炎から発生する症例が増えています。以前はB型肝炎が多かったのですが，最近はC型肝炎からできる肝細胞癌が多くなっているので，C型肝炎の患者は定期的に超音波で経過を診る必要があります。

肝硬変では肝は萎縮しており，検査しにくくなっています。内部エコーは粗糙で，小さな腫瘍は検出しにくい状態です。

1cm前後の小さな肝細胞癌のほとんどは全体が低エコーに描出されます。この段階では肝硬変につきものの再生結節との鑑別は必ずしも容易ではありません。たまに高エコーのケースがあります。超音波検査で腫瘤に増大傾向があるかどうか経過をみる一方，AFPやPIVKA Ⅱなどの腫瘍マーカーのチェックも大切です。血小板数が10万を切ると肝細胞癌ができやすいという報告があります。

肝細胞癌のエコーパターンの1つとしてモザイクパターンが強調されてきました。内部構造が数個に分かれていて，エコー強度が不ぞろいだとモザイクパターンと表現するようです。単にひび割れているように見えるものもあります。

腫瘍の周辺にあるhalo（辺縁低エコー帯）も肝細胞癌の決め手にはなりません。転移性肝臓癌でも同様のhaloは見ます。

肝細胞癌（HCC）

- 慢性肝炎，肝硬変を経て発生する。肝障害の既往がない例に発生することはない。
- 大部分は低エコーの腫瘤だが，稀に高エコーもあり，血管腫との区別が問題になる。
- モザイク状の内部構造が特徴とされているが，厳密なモザイクパターンは非常に稀。
- 血小板の低下と肝癌発生とが相関する。
- 腫瘍マーカーも参考になる（AFP，PIVKA Ⅱ）

● 小さな肝細胞癌

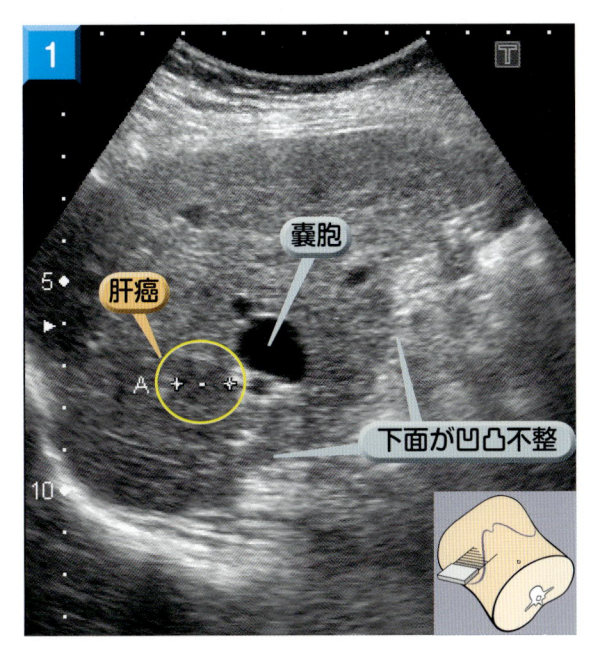

1

直径が13mmの肝細胞癌です。腫瘍が小さいと癌に特有な所見はみられません。この症例は癌が多発していました。そのうちの最も小さい結節を示しています。再生結節と1回の検査で区別するのは不可能です。

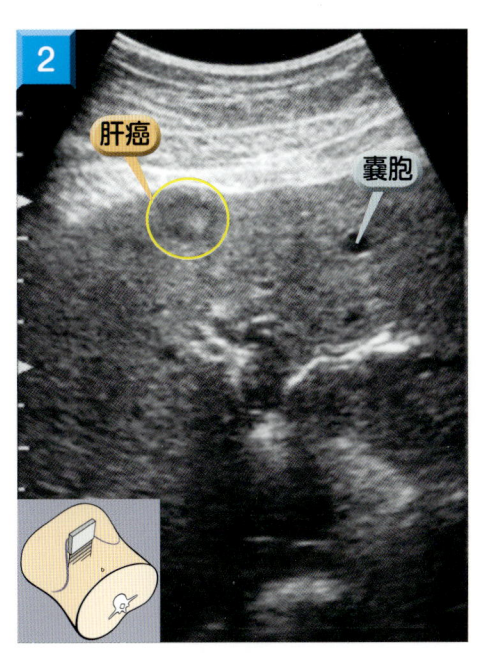

2

直径が13mmの肝細胞癌です。薄い辺縁低エコー帯があります。左図の肝細胞癌と同じサイズですが、エコーパターンは異なります。転移性肝臓癌との鑑別が必要になります。

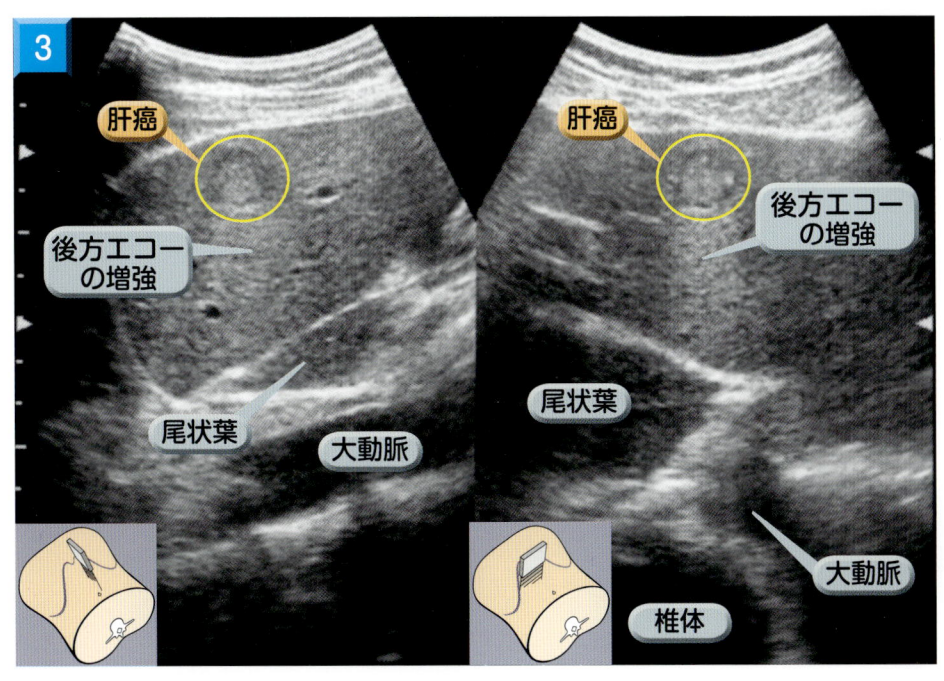

3

左葉外側区にある13mmの肝細胞癌です。内部エコーはほぼ等エコーですが、薄くて明瞭な辺縁低エコー帯があるので、腫瘍の存在は明確です。もし、辺縁低エコー帯がなければ見落とすでしょう。
この癌では後方エコーの増強も見られます。

中等度の肝細胞癌

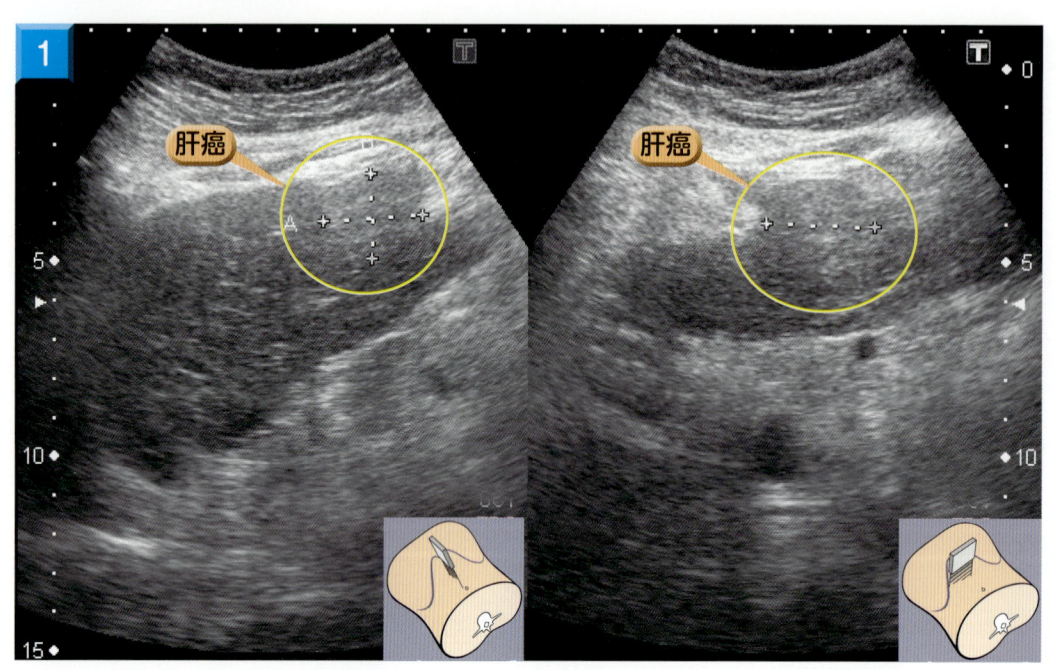

1

左葉の外側区にある肝細胞癌です。左右×頭尾×厚みが29×27×22mmです。腫瘍の内部エコーは周囲の肝臓よりもわずかに高エコーです。辺縁低エコー帯はありません。腫瘍の半分近くは腹側に突出しています(hump sign)。ベースに肝硬変があるので，腫瘍周囲の肝臓の内部エコーが粗糙で，粒が粗く見えます。

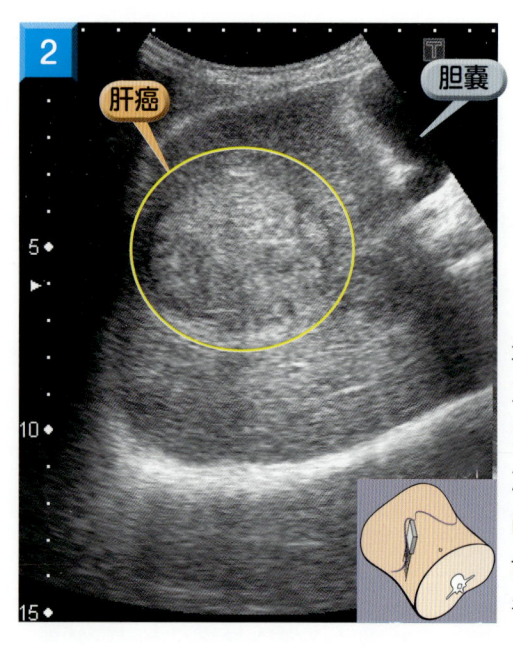

2

最大径が50mmの肝細胞癌です。薄い辺縁低エコー帯があります。内部エコーはほぼ等エコーですが，部分的に低エコーの隔壁で境された部分があります。これを大きな腫瘍の内部に小さな腫瘍があるということからtumor in tumorと呼ぶこともあります。広い意味ではモザイクパターンと考えていいのでしょう。

🔵 大きな肝細胞癌　1

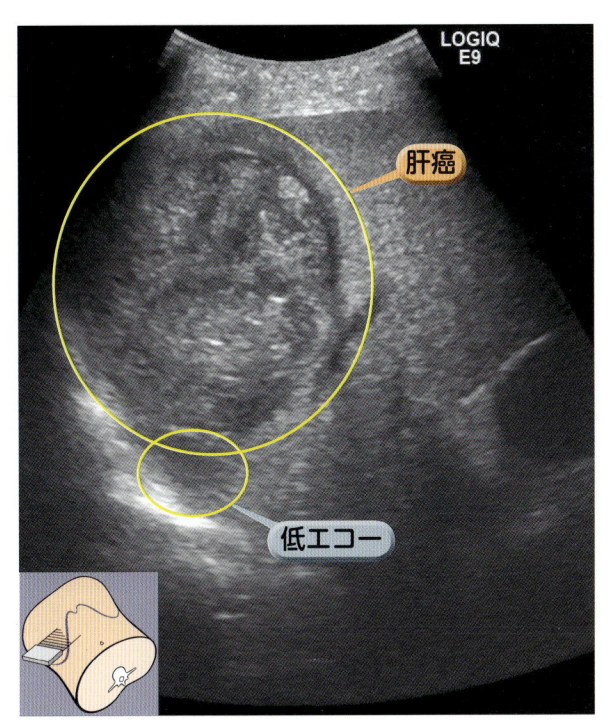

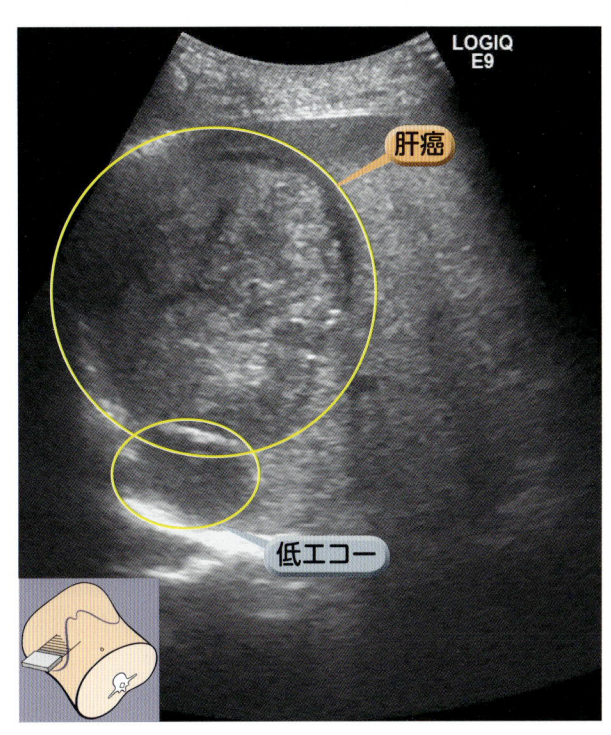

80歳代前半の男性で，焼酎を毎日3合飲む大酒家です。右葉のS₇に最大径7cmの肝細胞癌があります。脂肪肝を伴っており，肝臓全体がbright liverの状態です。肝臓の内部エコーは均等に見え，粗糙な印象は受けません。また，肝表面は平滑で肝硬変にみられる凹凸不整はありません。アルコール性肝障害から肝硬変を経ないで肝細胞癌ができたようです。

腫瘤の辺縁には辺縁低エコー帯があり，その幅は比較的厚い所から薄い所までさまざまです。腫瘍内部のエコーは高エコーの部分と低エコーの部分が混在しています。モザイクパターンと呼ばれているものです。

腫瘍マーカーはPIVKA Ⅱが6,272（正常は40未満），AFPが16.1（正常は10以下）でした。

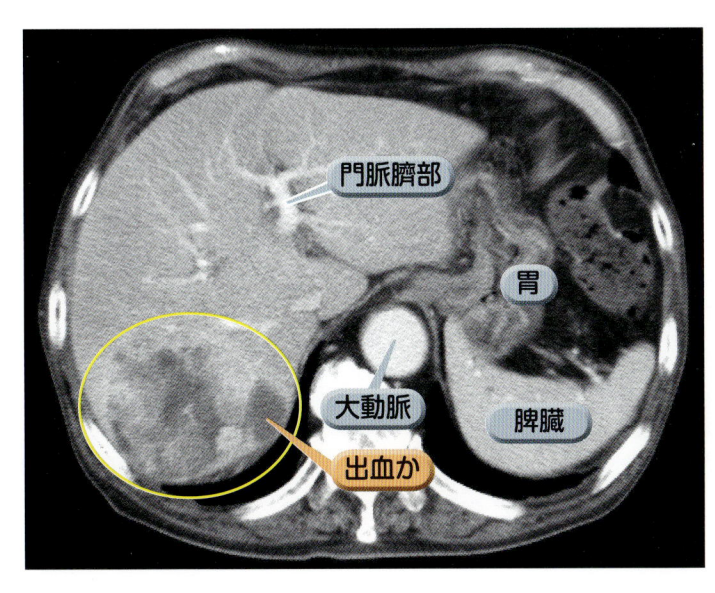

この症例の造影CT（門脈相）像です。S₇に大きな充実性腫瘍があり，内部は不規則に造影されています。内側（椎体近く）には造影されない部位があり，出血を疑います。この部分は超音波では低エコーに見えています。

脾臓はこのスライスが最大のサイズです。これを見るかぎり脾腫はありません。

大きな肝細胞癌　2

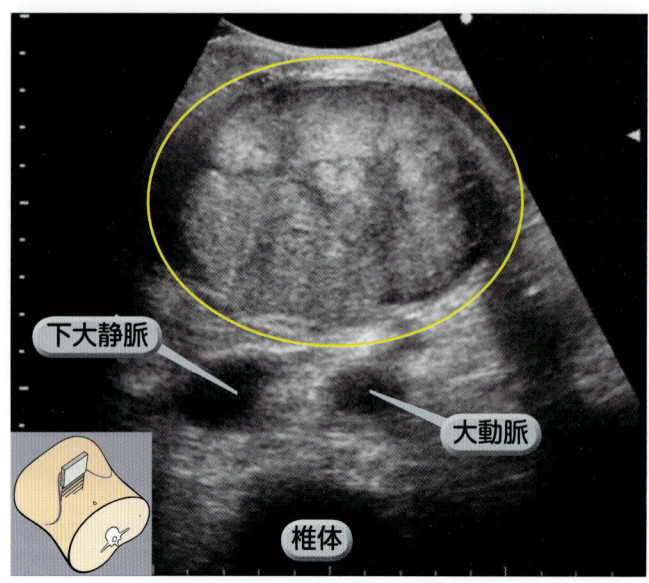

心窩部の横断スキャン像です。左右×前後が76×62mmの肝細胞癌が画面を占めています。薄い辺縁低エコー帯があり，内部は「ひび割れ」て見えます。いわゆるモザイクパターンです。
C型肝硬変があり，腫瘍マーカーはAFPが267,738でした。

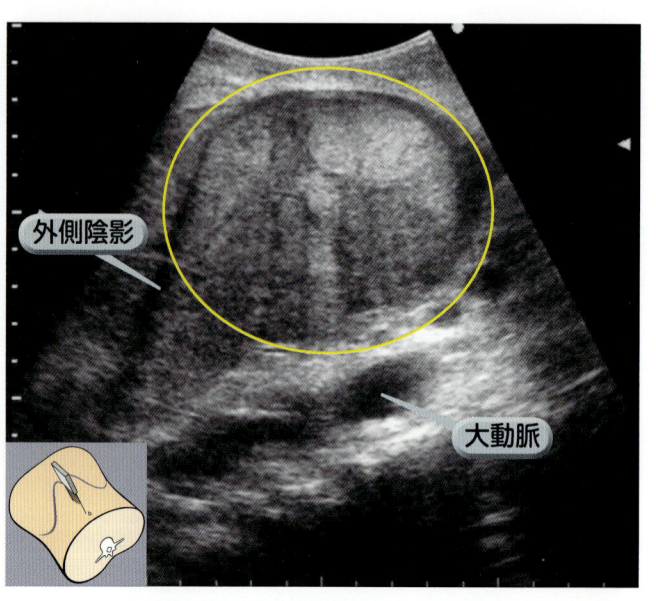

心窩部での縦断スキャン像です。これで癌の頭尾径が68mmとわかります。腫瘍の辺縁から発生している外側陰影が明瞭です。

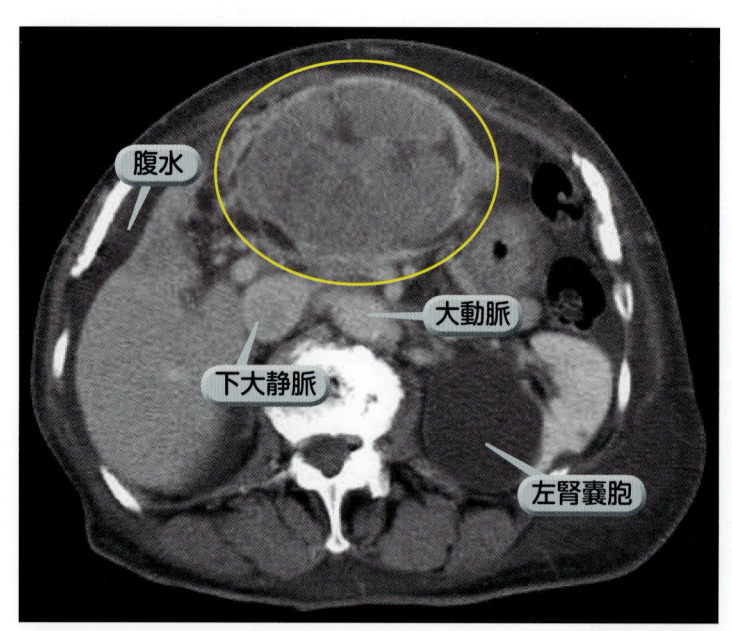

造影CTの門脈相です。被膜で囲まれた充実性腫瘍があります。腫瘍内の特に強く低吸収になっている部分は変性している所です。

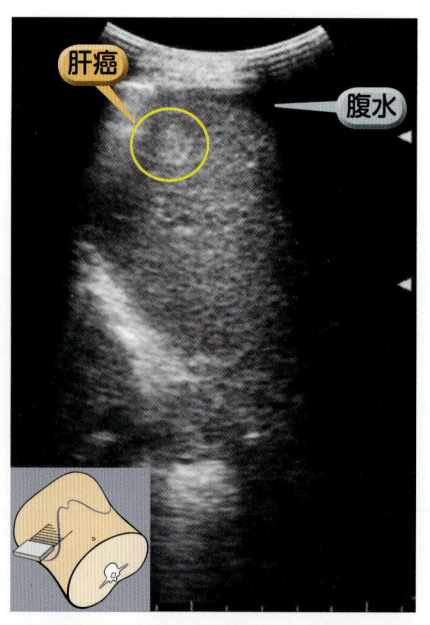

この症例ではS₇に13mmの娘結節があり，こちらは全体が高エコーに見えます。造影CTでは肝細胞癌の所見を示しています。

● びまん型の肝細胞癌　1

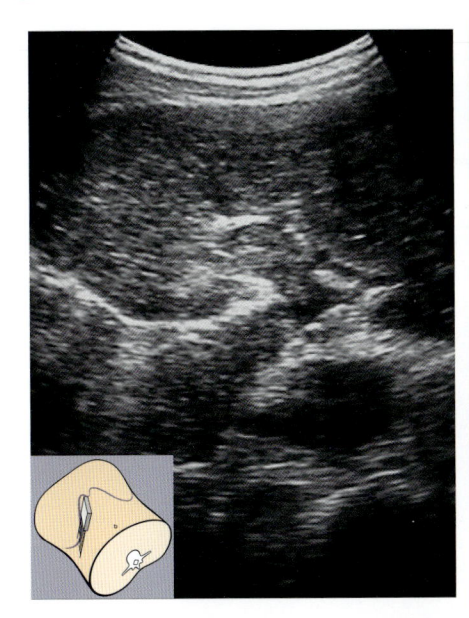

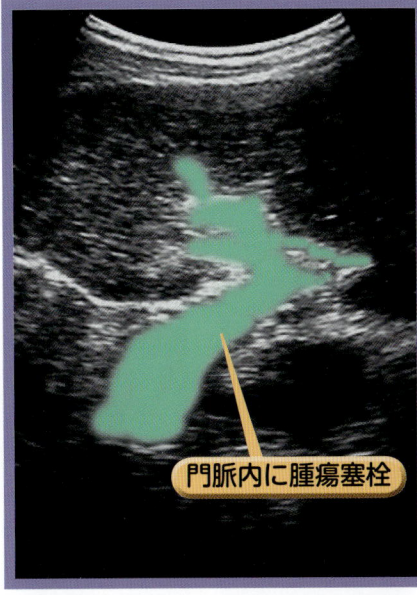

肝の内部エコーが粗糙です。このようなエコーを見たら通常は肝硬変と考えます。

肋骨弓下スキャン像では、エコーフリーに見えるべき肝内門脈の左枝に異常エコーが充満しています。肝組織内に腫瘍エコーはみられません。これは肝組織の中にびまん性に肝細胞癌が進展している特殊な状態です。腫瘍の輪郭（範囲）はわかりません。エコーでわかるのは、びまん性に拡がる肝硬変と同じ粗糙エコーと、門脈内腔を埋め尽くす異常エコー（腫瘍塞栓）です。

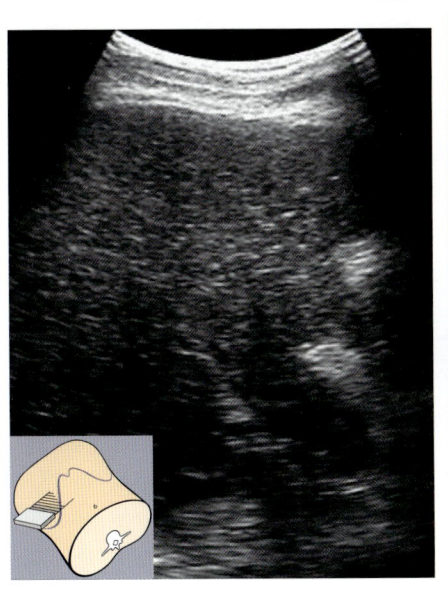

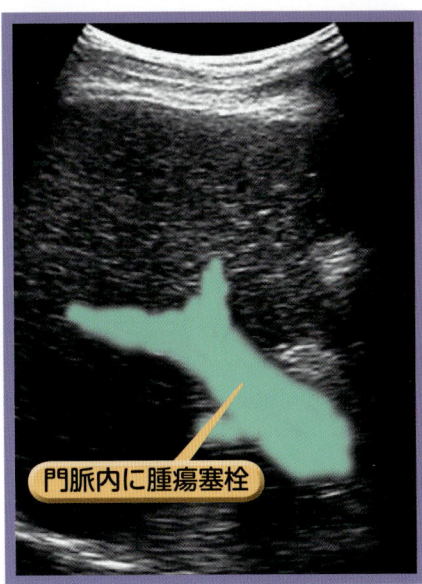

門脈内に腫瘍塞栓

肋間スキャン像でも同様に肝内門脈から門脈本幹にかけて、内部に異常エコーが充満しており、門脈の内腔がエコーフリーに見えません。門脈は腫瘍によって押し拡げられています。

門脈内に腫瘍塞栓

MEMO　日頃から肝内の門脈に注意を

びまん型の肝細胞癌は重篤な状態です。まもなく腹水が貯まり、肝不全で死亡する可能性が高い疾患です。
ところが、びまん型の肝細胞癌では、内部エコーは肝硬変と似た所見を示すので、単なる肝硬変と診断してしまいがちです。腹水が貯まってきても、肝硬変が進行して貯まってきたと解釈してしまいます。肝門部で見えるはずの門脈本幹がエコーフリーに見えない、あるいは肝左葉の横断スキャンで見えるはずの門脈臍部がエコーフリーに見えない、ということから本疾患に気付きます。肝内の血管に注意を払って検査することが大切です。

● びまん型の肝細胞癌　2

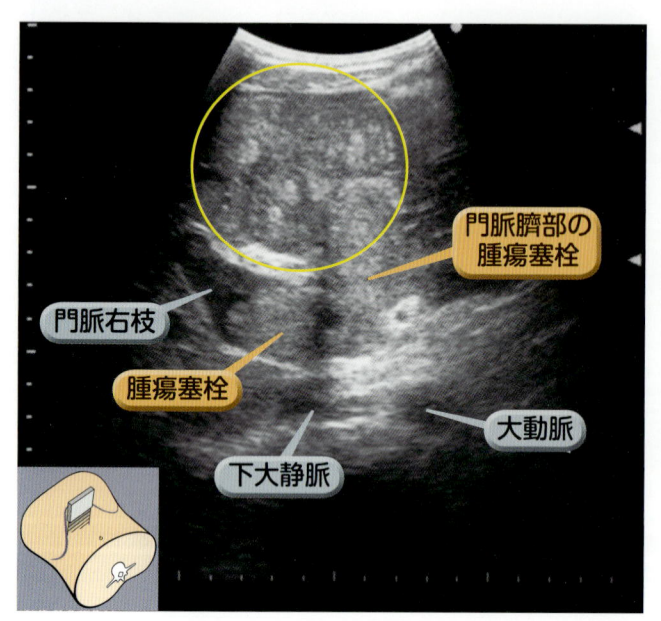

横断スキャン像です。肝内の肝門部に多結節性の腫瘍がありますが，輪郭が不明瞭です（腫瘍のほとんどは黄色の円の中にある）。肝門部の門脈内に腫瘍塞栓が見えています。
B型肝硬変があり，腫瘍マーカーはAFPが11,000でした。

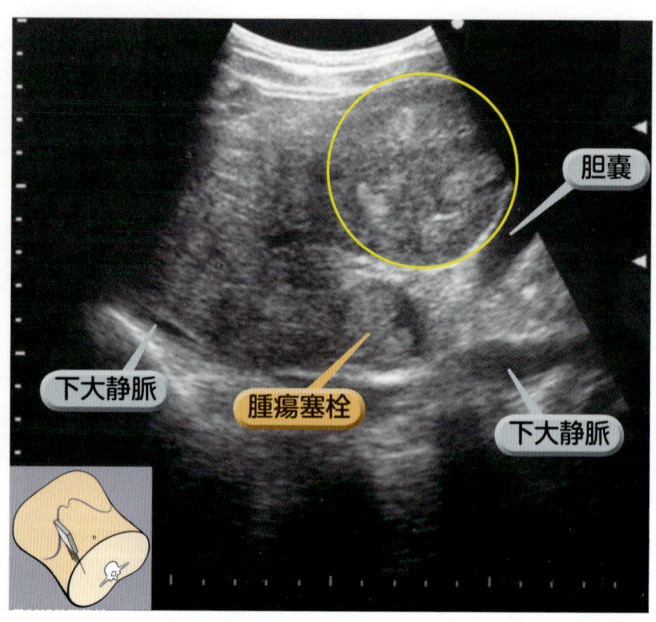

縦断スキャン像です。このスキャンだと門脈内の腫瘍塞栓だけが見えて，連続する門脈の内腔が見えないので，門脈腫瘍塞栓の画像としては説得力が乏しい。

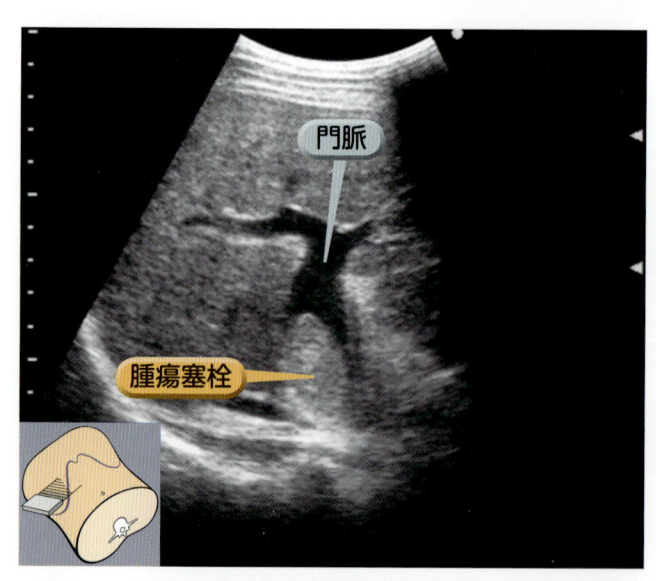

肋間スキャンで肝門部を観察しています。門脈右葉枝に向けて肝門部から伸びる腫瘍塞栓が楕円形に見えています。この断面では肝内に腫瘍は見えません。

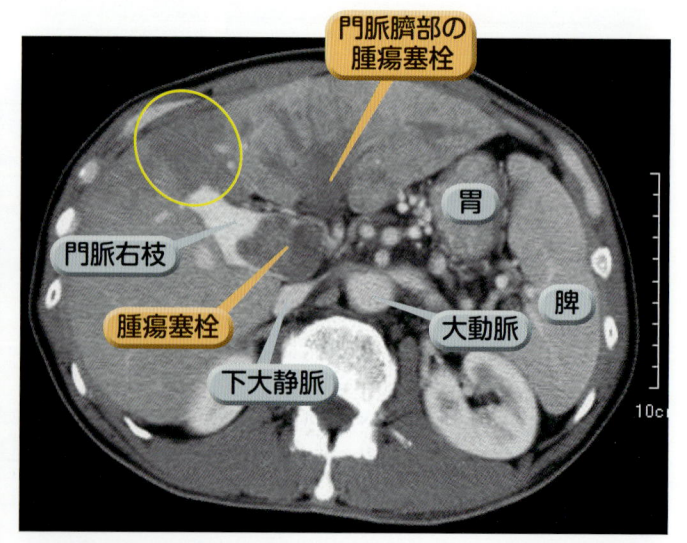

左上の超音波画像に相当します。ただし超音波はすくい上げるように見ているので完全には一致しません。肝内の低吸収域（肝細胞癌）はこのCTの部分（黄色の円で示す）に留まらず，全体的には複雑な分布をしています。

肝臓癌の治療法

この本は超音波検査の解説が目的ですが，肝臓癌に関しては治療中あるいは治療後の患者を検査することがあるので，治療法についての知識が要求されます。治療法についてまとめてみます。

① 肝切除療法
従来は血管造影の画像で癌の範囲を判断して腫瘍を摘出する方法が主でした。リアルタイム方式の超音波診断装置で肝癌の形態が直接観察でき，近くを走行する血管との位置関係も判断できるようになると，できるだけ小手術でかつ出血を少なくする目的で肝区域（亜区域）切除が行われるようになりました。手術中は小型のプローブ（術中プローブ）を肝臓の表面に当てて，内部の腫瘍を観察します。

腫瘍切除後の肝臓を超音波でみると，切除部が欠損しています。多くの症例で胆嚢を同時に摘出してあります。

② 肝動脈塞栓療法
癌が多発していて手術が困難なときとか，術後再発例で再手術が困難な例などに行われます。大腿部の動脈からカテーテルを挿入して先端を肝内の腫瘍近くの血管まで誘導します。塞栓物質（ゼラチンスポンジ）を流して腫瘍を栄養する動脈に詰めて兵糧攻めにします。腫瘍周囲の肝臓は門脈から栄養されているので大丈夫です。塞栓物質を詰める前に，塞栓効果を診る目的も兼ねて抗癌剤を混ぜたリピオドールという油性の造影剤も注入します。

超音波で経過を追うと，塞栓された部位は高エコーに変化しています。癌の再発が起こると，その部分は低エコーに見えます。CTではリピオドールが明瞭に写るので経過観察に有利です。

③ 動注化学療法
左鎖骨下動脈や大腿動脈からカテーテルを挿入して留置し，カテーテルの手前にリザーバー（薬剤注入器具）をつなぎ，リザーバーは皮下に埋め込みます。リザーバーに注射針で薬剤を注入します。腫瘍部に集中的に抗癌剤を少量ずつ投与する方法です。この方法で癌を縮小させた後に手術やラジオ波焼灼術で治療するケースもあります。

④ エタノール注入療法（PEIT）
超音波モニタ下に長い針を腹壁から腫瘍内に穿刺し，無水エタノール（100%アルコール）を肝癌に注入します。エタノールの凝固効果で肝癌を死滅させます。腫瘍サイズは3cm以下が適応です。何回も繰り返さないと効果がないので，現在は次のラジオ波焼灼術にとって変わられました。

⑤ ラジオ波焼灼療法（RFA）
癌のサイズが3cm以下のときに行われます。超音波でモニタしながら癌の中に経皮的に電極針を挿入します。電極針の先端からラジオ波を照射して，その発する熱で電極針の周囲の癌を熱凝固壊死させます。超音波検査で描出できない部位に癌があるときには使えません。

焼灼後を超音波で見ると，焼かれた部位が高エコーに見えます。周囲に低エコーが出現すると再発を疑います。

MEMO　治療歴を把握してエコーをしないと誤診する

肝細胞癌では患者に正確に病名を伝えてないこともあるので，カルテを取り寄せて治療歴をしっかり把握して検査に臨むべきです。

肝細胞癌に対して肝動脈塞栓術やエタノール注入療法，ラジオ波焼灼術などが行われていると，腫瘍は小さくなると同時にエコーレベルが高くなります。腫瘍が完全に消失せずに内部に癌細胞が残存しているかどうかの判断は困難です。経過をみて新たに低エコーの部分が出現しないかどうかを観察するしかないでしょう。もちろん，腫瘍マーカーのチェックは欠かせません。

転移性肝臓癌

転移性肝臓癌ではさまざまなエコーパターンがみられます。転移性肝臓癌では一般的に腫瘤が多発しますが、その際にすべての腫瘤が同一のエコーパターンを示すとは限りません。低エコーの腫瘤と高エコーの腫瘤が混在する場合もあります。

原発巣を判断するのは困難ですが、高エコーの腫瘍の中に点状の強エコーが散在している場合は大腸癌からの転移のことが多く、内部に広範な液体成分がみられる腫瘍は嚢胞性の卵巣癌からの転移など、ある程度の傾向はあります。

ソナゾイドを用いて造影超音波検査を行うと、造影剤なしでは検出されない小さな転移巣が多く見つかることがあります。

● 大腸癌の肝臓転移

1 辺縁不整な高エコーの腫瘍

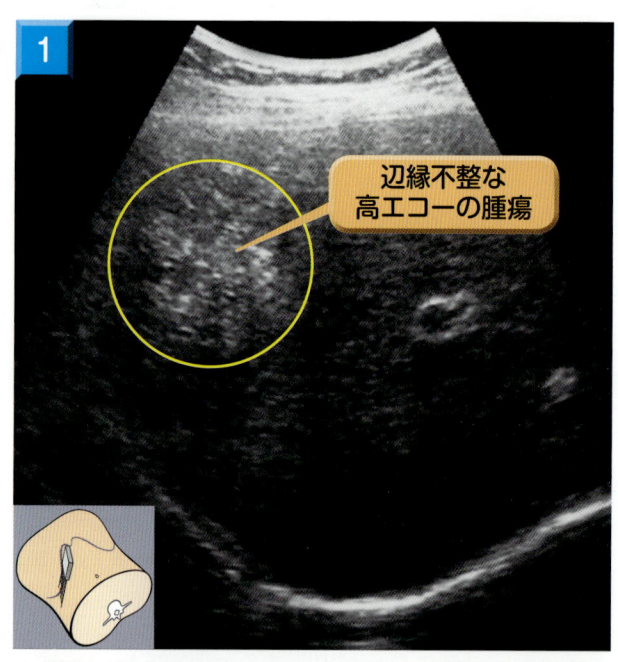

2 中心部は壊死状態

大腸癌の肝臓転移の典型例ですが、肝臓の右葉に直径3cm位のやや高エコーの腫瘍があります。輪郭は不明瞭です。内部に微細な点状の強エコーが散在しています。石灰化です。
稀に胃癌の肝臓転移でも石灰化がみられます。粘液を産生する腫瘍が石灰化を起こすようです。

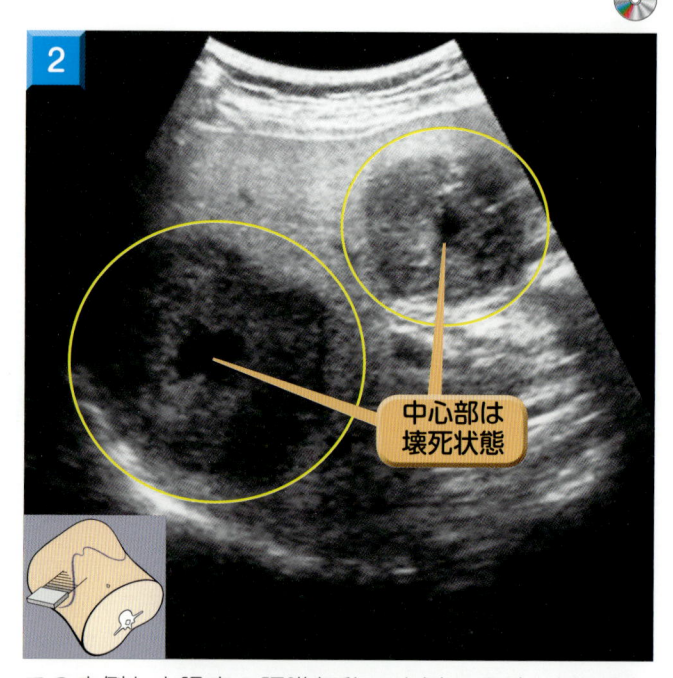

この症例も大腸癌の肝臓転移の症例ですが、左の症例とは腫瘍のパターンは全く異なっています。腫瘍の内部は低エコーで、中心部は壊死状態になっており、無エコーです。転移性肝臓癌に多いといわれる辺縁低エコー帯(halo)はありません。
なお、この肝臓は脂肪肝の状態です。

胃癌の肝臓転移

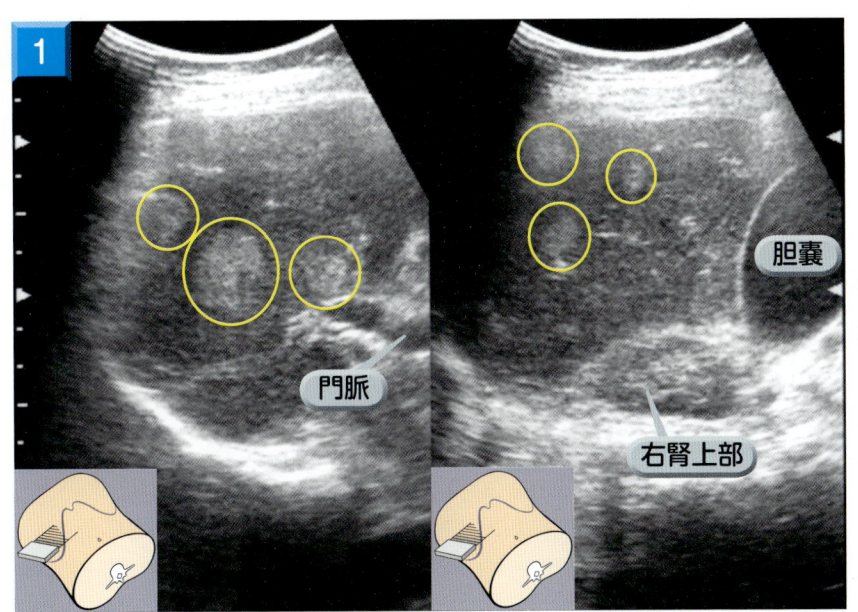

1

門脈 / 胆嚢 / 右腎上部

胃癌が肝臓に転移した症例です。この症例ではほぼ均一な高エコーの腫瘤が多発しています。血管腫が多発している状態に酷似しています。
黄色の円で囲んだ他にも転移がありそうですが、記録画像上で明確に指摘できるものだけを黄色の円で囲みました。

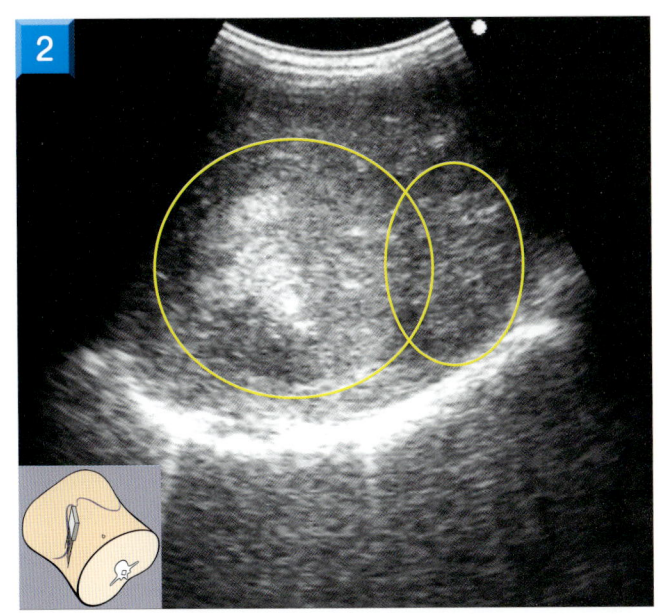

2

胃癌の肝臓転移です。大小2個の腫瘍が見えています。向かって左側の大きいほうには、ごく薄い辺縁低エコー帯があります。内部には部分的にかなり高エコーの所があり石灰沈着を疑います。

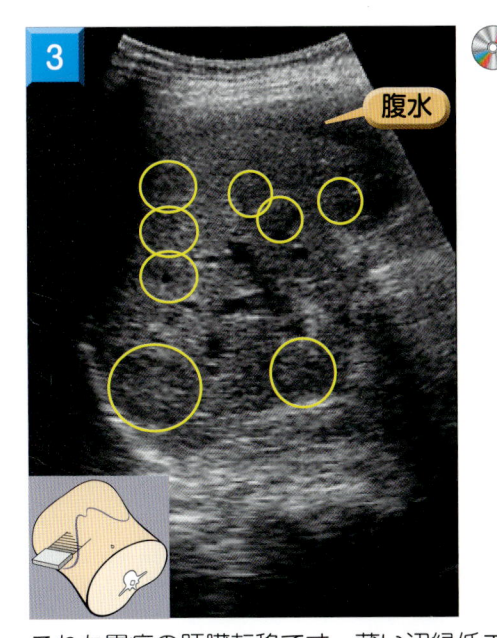

3

腹水

これも胃癌の肝臓転移です。薄い辺縁低エコー帯を伴う等～やや低エコーの腫瘍が多発しています。プローブを扇動操作しながら観察すると、さらに明瞭に腫瘍が見えます。少量の腹水が貯まっています。癌性腹膜炎の状態です。

肝臓

膵臓癌の肝臓転移

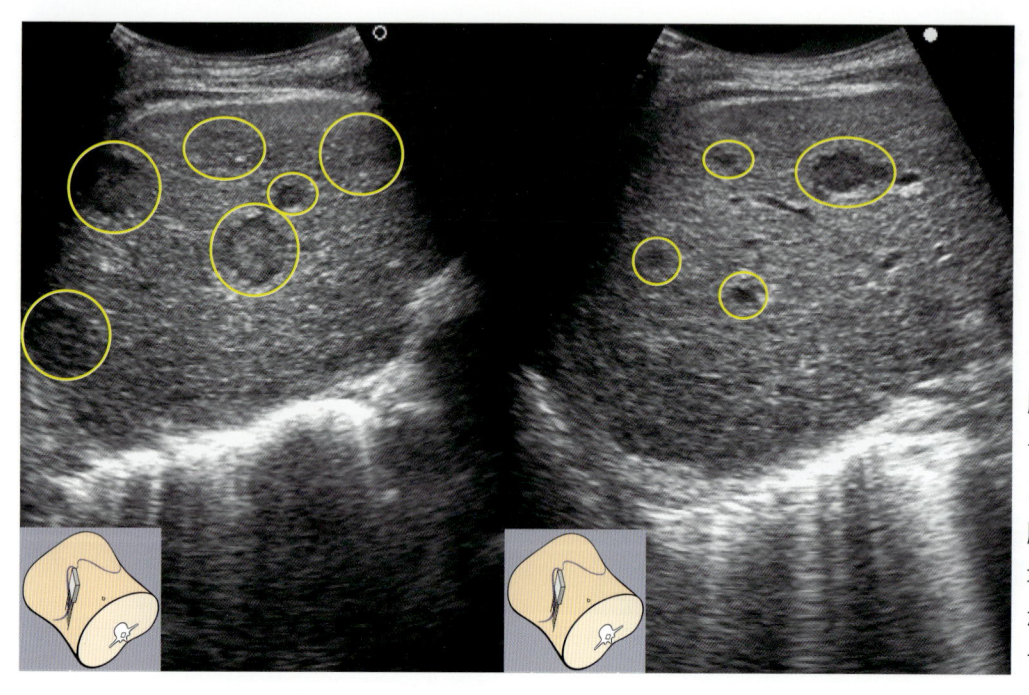

15mm前後の低エコーの腫瘍が多発しています。一部は辺縁に薄い低エコー帯があります。膵臓癌が肝臓に転移した場合は，このように小さな低エコーの腫瘍が多発する傾向があります。

十二指腸乳頭癌の肝臓転移

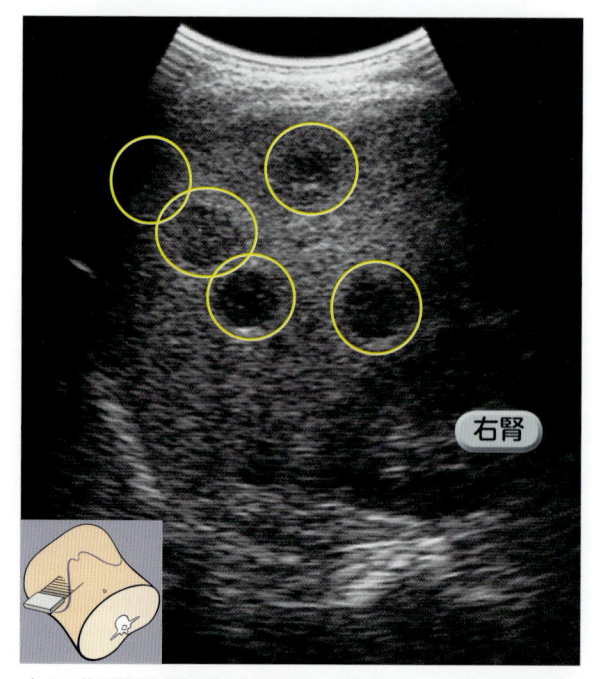

十二指腸乳頭癌が肝臓に転移した症例です。15mm前後の低エコーの腫瘍が，この断面だけでも5個描出されています。

腎盂癌の肝臓転移

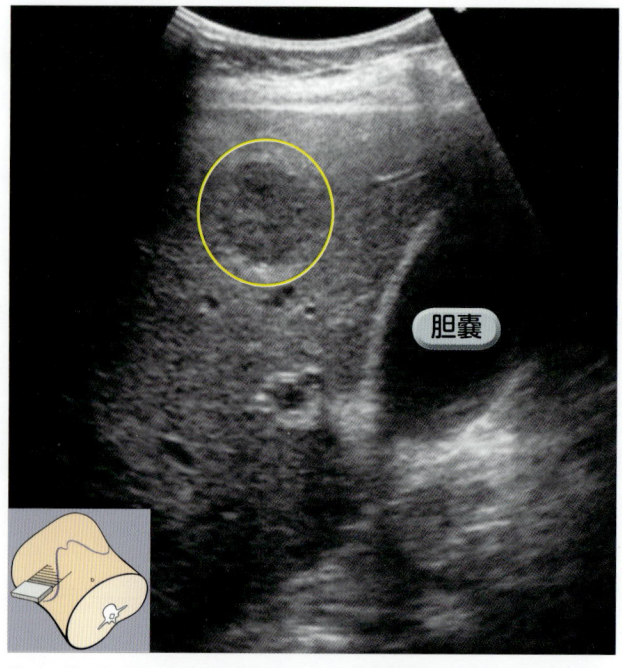

S_5にある25mmの低エコーの腫瘍です。辺縁低エコー帯は認めません。腎盂癌の肝臓転移でした。

🔵 肺癌の肝臓転移

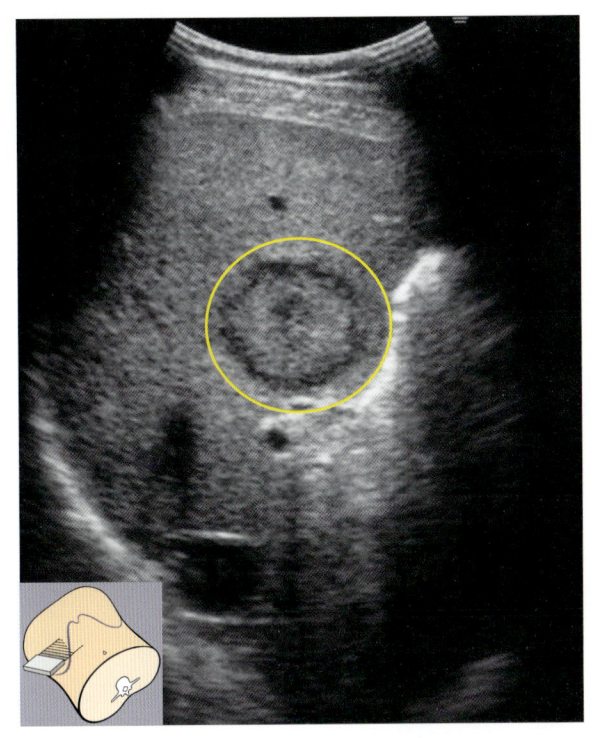

肺癌の肝臓転移の症例です。明瞭な辺縁低エコー帯があります。もう少し厚いとbull's eyeといえるのですが。内部エコーは等エコーです。中心部に変性して低エコーに見える部分があります。

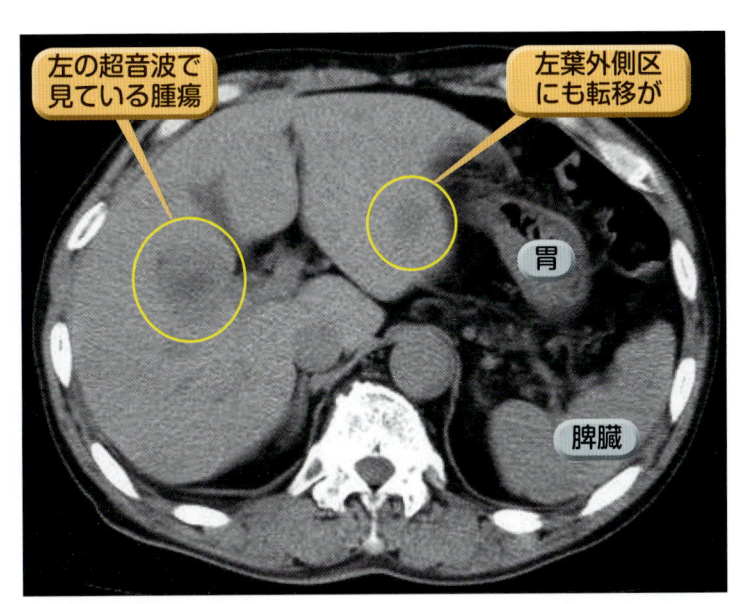

左の症例の単純CT像です。このスライスでは黄色の円で示すように，左葉外側区にも腫瘍があります。

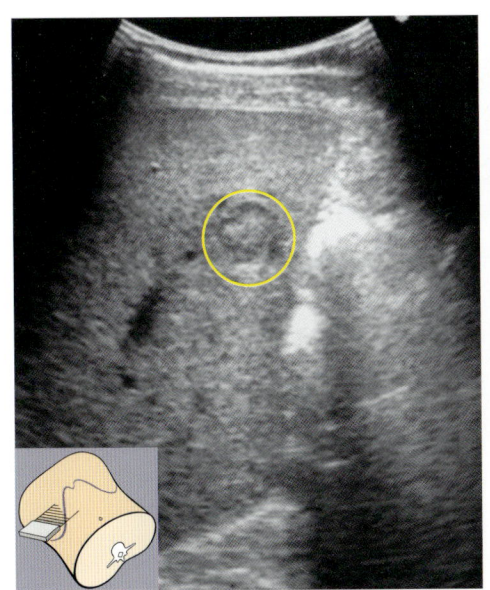

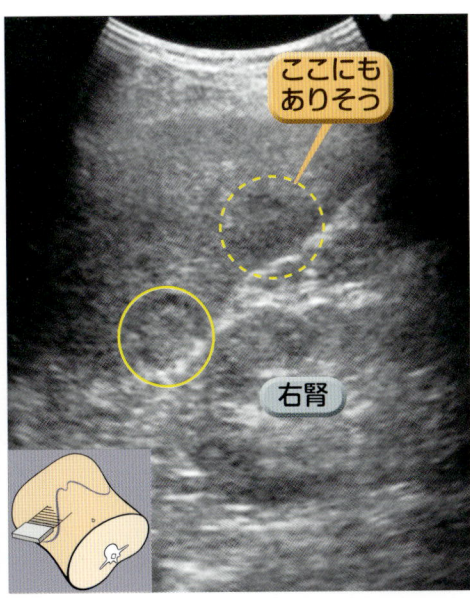

（左の超音波で見ている腫瘍／左葉外側区にも転移が／胃／脾臓）

（ここにもありそう／右腎）

この症例では右葉にもう2個（3個?）の腫瘍があります。上のCTで見えているように左葉にもあります。多発している肝臓転移です。

● bull's eye を示す転移性肝臓癌

腹部超音波検査の解説書には肝腫瘍のパターンの1つとしてbull's eyeというのが必ず紹介されています。辺縁低エコー帯が厚いものを指します。
今回，私の資料のなかから典型的なbull's eyeを探しましたが，なかなかこれが典型例といえるものはありませんでした。

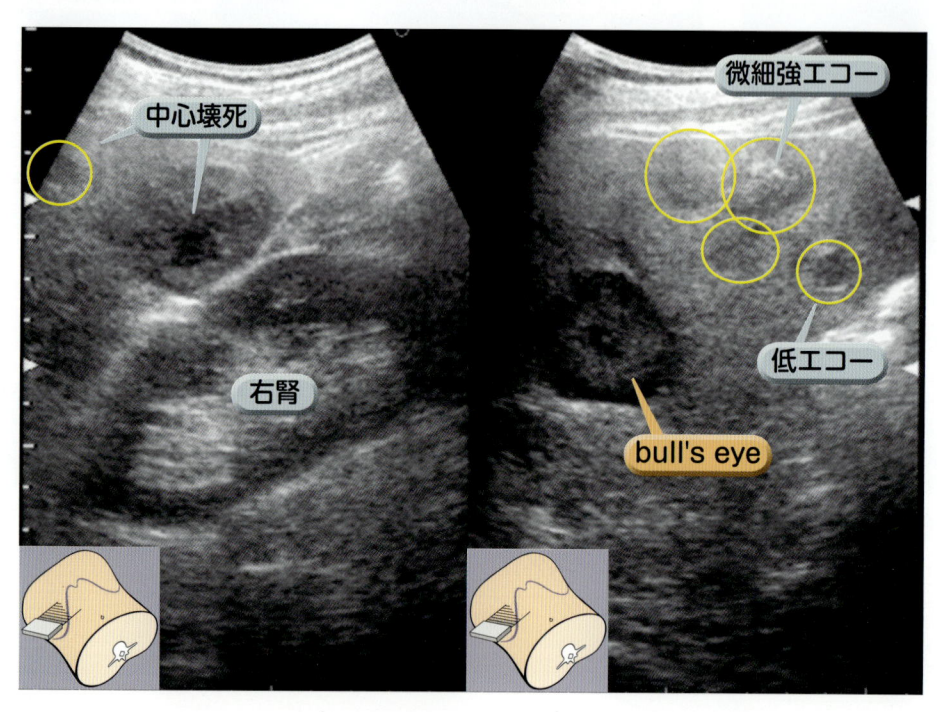

肝右葉に大小6〜7個の腫瘍が見えています。右図に見えている30mm強の腫瘍は辺縁低エコー帯が厚い所で10mmあります。これだとbull's eyeといっていいでしょう。左図の30mm強の腫瘍は薄い辺縁低エコー帯があり，中心部はエコーフリー（壊死を示す）です。右図のほかの腫瘍は内部に微細な強エコーが散在していたり，全体的に低エコーだったりします。
転移性肝臓癌は1人の患者でもさまざまなパターンを示すので，原発巣の判断は困難です。

MEMO　　bull's eye sign

target signともいいます。ターゲットとは弓などの標的です（target signは腸重積でも使われます）。bullを辞書で調べますと「去勢していない雄牛」と書いてあります。ついでにoxを調べると去勢（精巣を摘出）された雄牛で，去勢すると肉質が良くなると書かれています。cowは雌牛（乳牛）です。日本で牛肉を食べるようになったのは明治以降なので，肉質を良くするための工夫はしていなかったと思います。ですから去勢の有無で雄牛を区別する習慣がありません。昔から牛肉を食べていた西洋では雄牛をbullとoxで区別していたのでしょう。でもbullとoxとでは，どのように眼球が異なるのでしょうか。

医学の世界では所見をたとえで表現するのはよくあることですが，なかには我々日本人には馴染みがない（理解できない）たとえもあります。肝硬変の臍周囲の皮膚にみられる怒張して蛇行する側副血行路をcaput medusae（メズサの頭）といいます。メズサはギリシャ神話に出てくる怪物です。頭髪が蛇になっているそうです。この蛇が側副血行路に似ているのでしょう。

胆石内部にガスがあり，星芒状の亀裂ができた状態を単純X線フィルムで見たときに「メルセデスベンツサイン」といいますが，これは日本人でもイメージが沸きます。この場合は「星芒状（星のまたたき）」というたとえのほうがわかりにくいかもしれませんね。都会では星のまたたきはみられません。

腫瘍と紛らわしい所見

肝内には腫瘍ではないのに，腫瘍と間違われてしまう所見がいくつかあります。脂肪肝のところで紹介するまだら脂肪肝（137ページ）もその1つです。
ここでは，正常構造なのに，スキャン方向によっては腫瘍のように見えるものと，手術の影響で腫瘍のように見えるものを紹介します。

● 肝円索

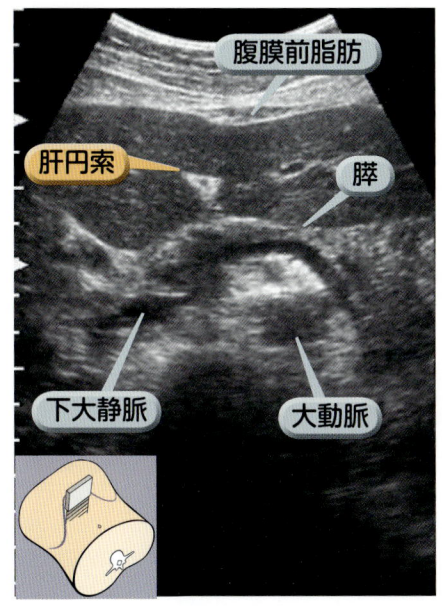

肝円索は胎児期の臍静脈が靱帯化したものですが，これが肝左葉の横断スキャン像では高エコーの腫瘤のように描出されます。
肝臓の解剖がしっかり理解できていると，腫瘍と間違うことはありませんが，初心者のうちは高エコーの腫瘍と間違えてしまうことがあります。
プローブを縦断スキャン方向に回転させると，細長く見えるので，腫瘍ではないと気付くはずです。

● 腹部手術後

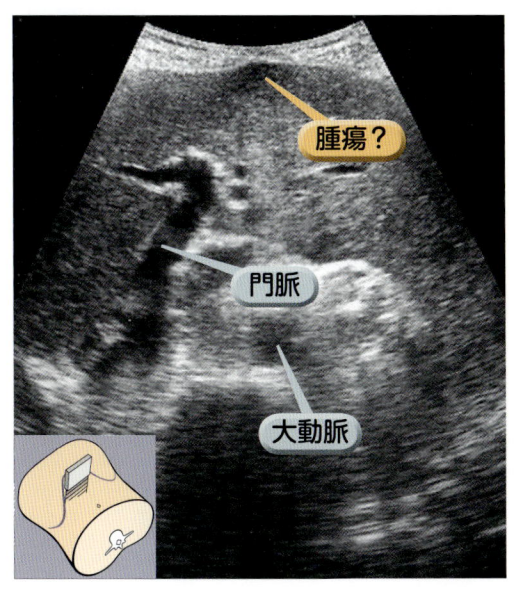

腹部臓器の開腹手術を行うときに，そのほとんどは正中切開で行いますが，術後に腹膜前脂肪が萎縮してしまいます。腹膜前脂肪は上の症例（肝円索）で名称を示しています。
腹膜前脂肪が萎縮・消失すると，肝左葉が前方に突出して，肝腫瘍の所見であるhump sign（突出像）のように見えます。また総論で紹介したレンズ効果（40ページ）が作用して，この部分の肝のエコーレベルは低くなります。しかし，本物の腫瘍ではないので，輪郭ははっきりしません。

脂肪肝

脂肪肝は肝細胞に中性脂肪が貯まる病気です。健康な肝臓でも中性脂肪を3％前後含んでいますが，5％を超えた場合を脂肪肝といいます。肝臓全体が白っぽく，フォアグラのような状態になっています。ここ数年，患者数が急激に増えています。肥満，アルコール，糖尿病が主な原因で，無理なダイエットや飢餓状態，ある種の薬物なども原因になりますが，原因不明の脂肪肝もあります。

脂肪肝では肝全体のエコーレベルが上昇します。その結果，肝全体が白く輝いて見えます。これをbright liverといいます。CT検査のCT値とは違って，超音波検査のエコーレベルは相対的なものです。診断装置のゲインを上げすぎると，正常肝でも白く輝いて見えます。そこで，少しでも客観的に肝臓のエコーレベルを判断するために，右腎実質のエコー強度と比較します。

正常な肝臓のエコー強度は右腎実質のエコー強度とほぼ同じですが，脂肪肝では肝のほうが明るく見えます。もちろん腎臓に腎不全などの疾患がないことが前提です。腎疾患があるときは脾と比較します。肝が腎よりも明るく見えることを「肝腎コントラスト」があると表現します。

● 軽度の脂肪肝

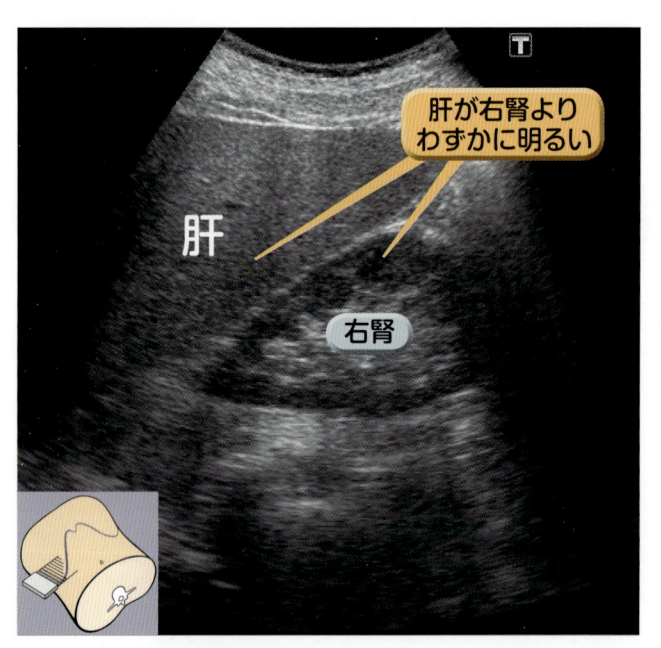

肝臓のエコー強度がわずかに強くなっています。この程度だと軽度の脂肪肝と判断しています。
私は脂肪肝の程度を軽度，中等度，高度と分けて判定しています。絶対的な基準があるわけではありません。

● 中等度の脂肪肝

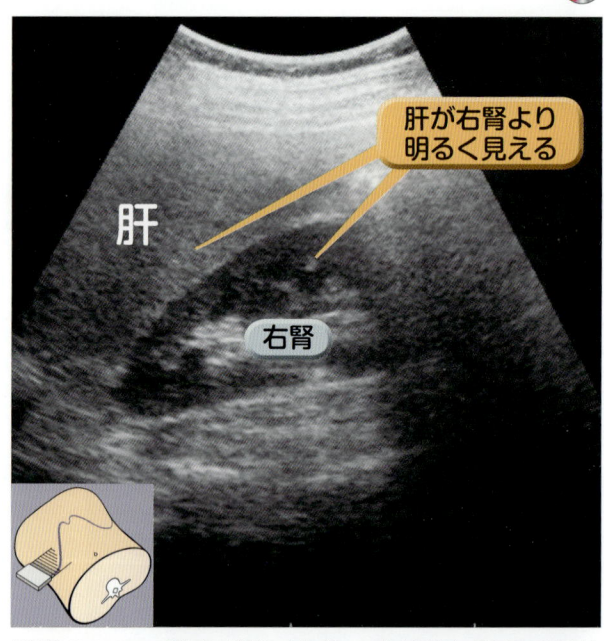

肝臓のエコー強度が強くなり，全体的に明るく見えています。bright liverの状態です。相対的に腎は暗く見えます。明るさの比較は同じ深さで行います。この程度だと中等度の脂肪肝と判断しています。

● 高度の脂肪肝

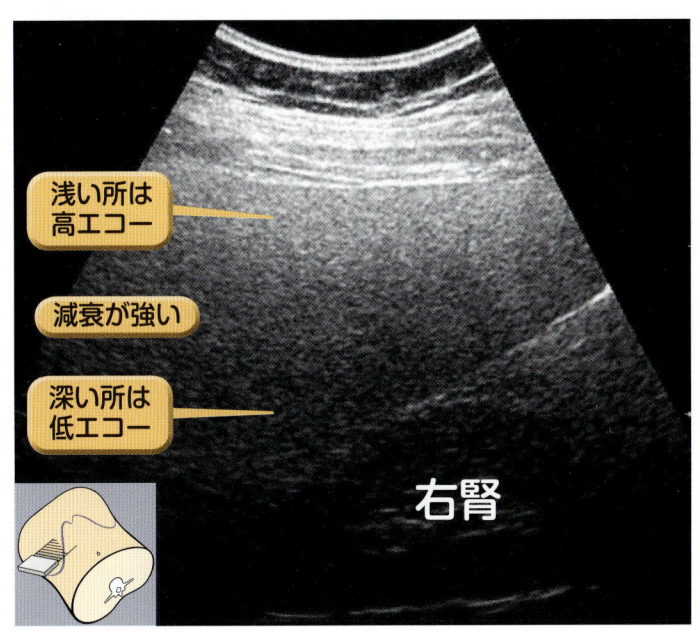

- 浅い所は高エコー
- 減衰が強い
- 深い所は低エコー

右腎

高度の脂肪肝では，表面近くの肝臓で大部分の超音波が反射したり，散乱してしまうために，肝臓の深部まで到達する超音波が少なくなります。その結果，肝臓の深い所は極端に暗く見えます（深部減衰）。肝の背側にある右腎は超音波が届かず真っ黒になります。

肝臓内部での超音波の散乱現象が増加するために内部構造が不明瞭になり（増えた脂肪組織が脈管を押し潰すという考えもある），脈管系統も不明瞭になります。

● まだら脂肪肝

部分的に低エコーの所が混在するタイプの脂肪肝があります。これをまだら脂肪肝といいます。区域型，地図型，腫瘤型があります。

a 区域型

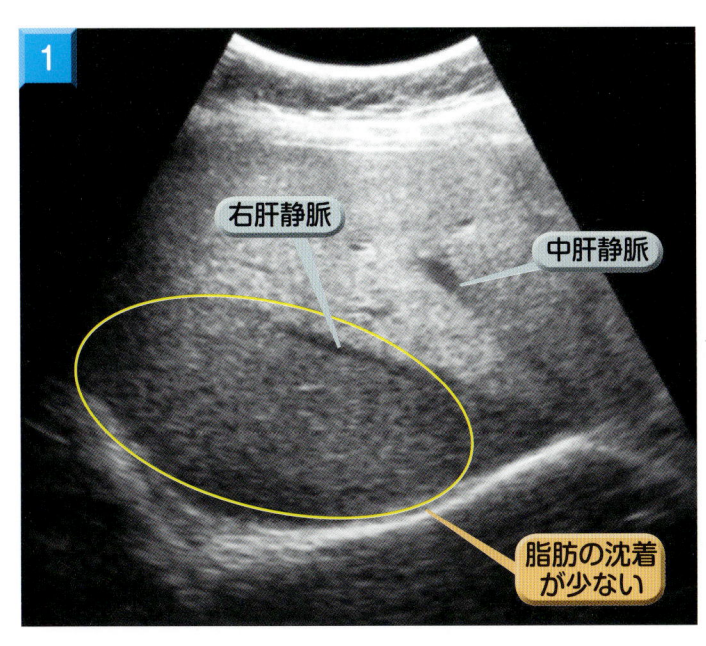

1

- 右肝静脈
- 中肝静脈
- 脂肪の沈着が少ない

肝臓の各区域は流入してくる門脈枝が異なるために，脂肪肝が軽いときは，脂肪の沈着に差が生じることがあります。その結果，脂肪の沈着が多い区域は白く（高エコー）見え，少ない区域は黒く（低エコー）見えるという現象が起きます。

この症例では右葉後区域の脂肪の沈着が少なくなっています。

この症例のように右葉の脂肪沈着が少ないタイプは肝腎コントラストがないか，あっても軽いことがあるので注意が必要です。

[図2の説明]

エコーレベルが低い

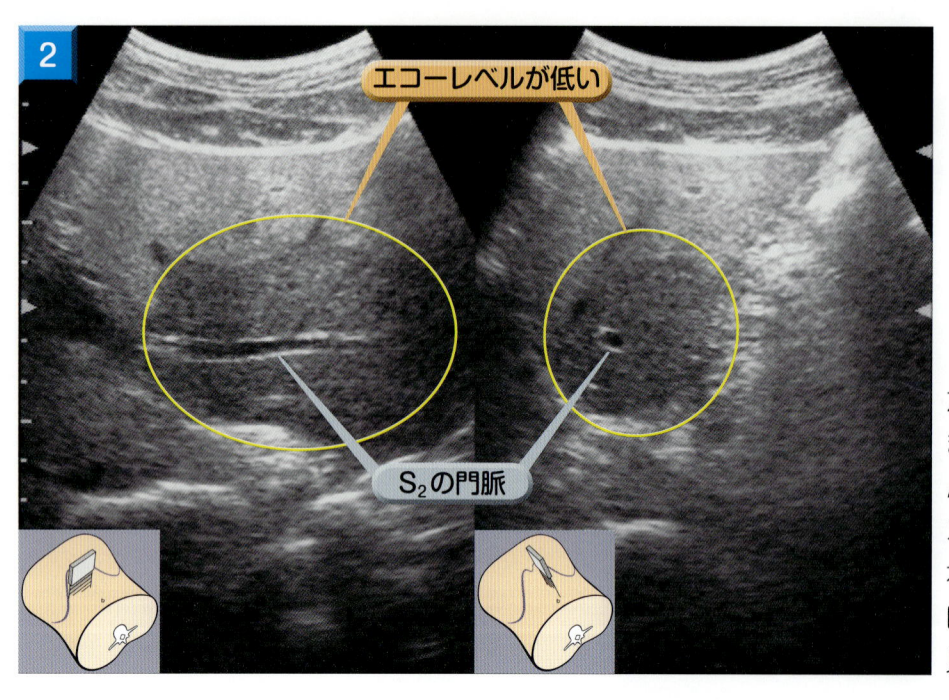

S₂の門脈

左葉外側区域のS₂にみられたまだら脂肪肝です。S₂のほとんどに脂肪の沈着が少なくて低エコーに見えます。
本当はこの部分が正常肝で，周囲は脂肪肝のために高エコーに見えているのです。

b 地図型

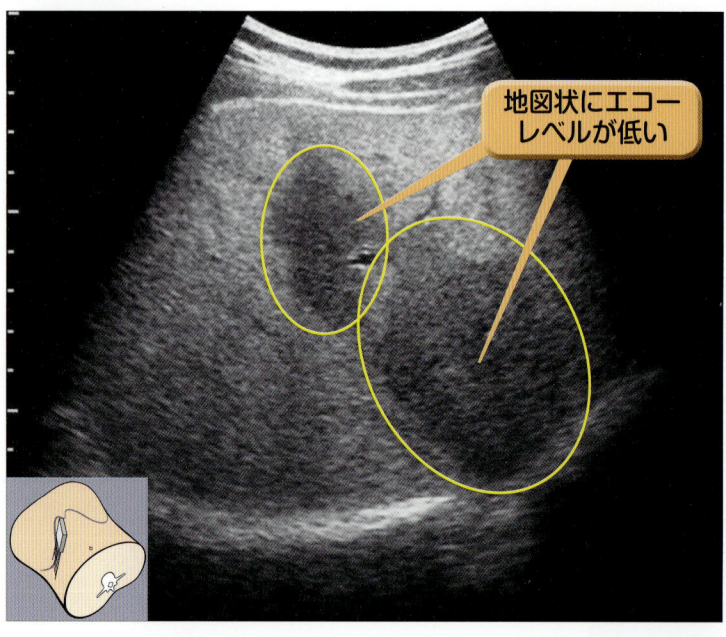

地図状にエコーレベルが低い

左葉の内側区域にみられた地図状のまだら脂肪肝です。
肝腫瘍は良悪性を問わず，丸みを帯びており，星形（地図状）をした腫瘍はありません。
星形をした異常エコー領域があり，周囲の肝のエコーレベルが高かったら，地図状のまだら脂肪肝を考えます。
星形の部分だけ脂肪の沈着が少ないのです。

MEMO　　　　　　　　　　肝脂肪

超音波検査の後で患者に「肝臓に脂肪が貯まっています」と告げると，「ああ，肝脂肪ですね」という人を多く経験しました。気になってインターネットで検索してみると「肝脂肪」という記述もあります。医学辞書や学術書では「脂肪肝」としか書いてないのですが，世間では肝脂肪のほうが通りがいいようです。

C 腫瘤型

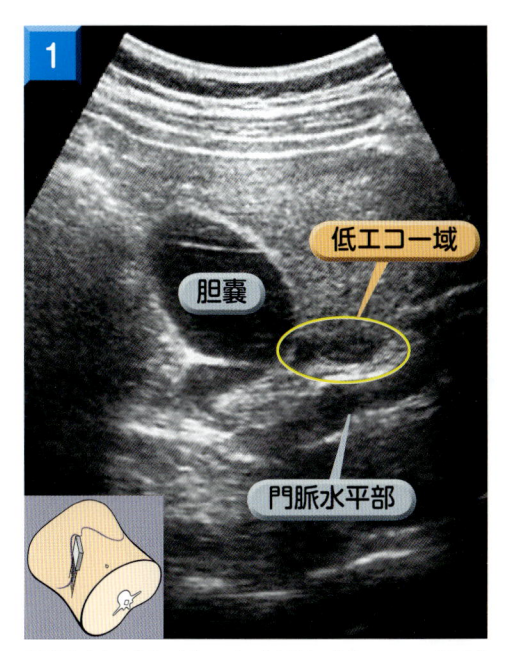

1
門脈水平部に沿った部位に低エコー領域があります。ここは部分的に脂肪の沈着が少ない領域（fat spared area）です。

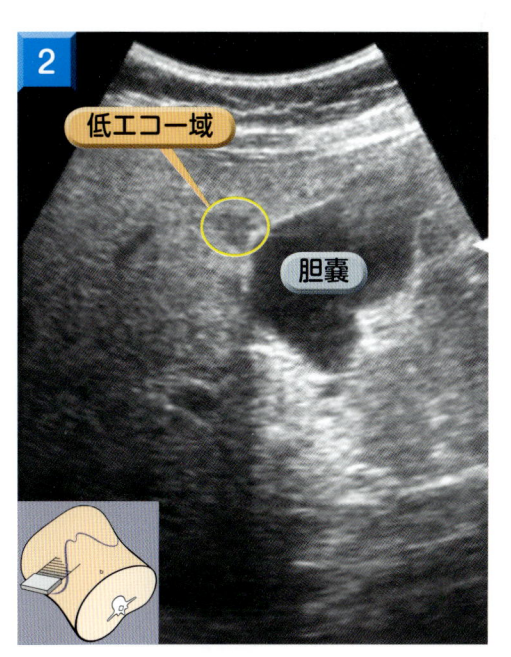

（ラベル：胆嚢、低エコー域、門脈水平部）

2
胆嚢に接して腫瘤状の低エコー領域があります。ここは左図と並んでfat spared areaが出現しやすい部位です。

（ラベル：低エコー域、胆嚢）

> **ひとくちコメント**
> 上の症例とは逆に，正常肝に部分的に脂肪肝の領域を形成するタイプ（focal fatty liver）もあります。超音波画像上は高エコーに見えるので血管腫との区別が困難です。CT検査でも両者とも低吸収域に見えるので，造影CTをしないと区別できません。MR検査では血管腫と限局性の脂肪肝は区別できます。

MEMO　　NASH

NASH（nonalcholic steatohepatitis，非アルコール性脂肪肝炎）という概念が日本にも定着したようです。
酒を飲まずに肥満が原因で起こる脂肪肝（nonalcoholic fatty liver disease；NAFLD）の約5％が肝硬変や肝癌に進行するというものです。脂肪肝を肝臓の脂肪が増えているだけとたかをくくっていると肝硬変になり，さらに肝癌になるぞと，脂肪肝を軽視する人に警鐘を鳴らすのに都合のいい疾患です。大学病院などにはNASH外来を開設している所もあるようですし，学会でも独立したセクションで取り上げられています。
私たちは1980年の日本超音波医学会で脂肪肝について発表しています。当時は海外の文献に紹介されているだけで，脂肪肝が超音波検査でわかることが日本ではあまり理解されていなかったのです。脂肪肝自体も多くありませんでした。

脂肪肝が白く見える理由

脂肪肝で肝臓のエコー強度が上昇して正常肝臓よりも白く見えるのはなぜでしょう。
脂肪肝の組織をHE染色で見ると，赤く染まっている肝細胞の他に周囲に白い丸が無数に散在しています。大きなものは正常な肝細胞の4〜5倍の面積があります。この白くて丸い部分は標本作成の段階で抜け落ちてしまった肝細胞内の脂肪です。
脂肪の音響インピーダンス（21ページ参照）は肝細胞とはかけ離れているので，この肝細胞と脂肪との境界面では超音波が強く反射します。このような境界面が脂肪肝では無数にあるので，肝臓全体で超音波の反射が増強するのです。これが超音波検査で脂肪肝が白く見える原因です。超音波では内部構造が複雑であると，反射面が増えるという理由から高エコーに見えます。
血管腫が高エコーに見えるのも，血管腫内は血管が増生しており，内腔に血液が充満した網の目構造が無数にあるからです。

脂肪肝の組織標本　　　　　　　**左図の拡大**

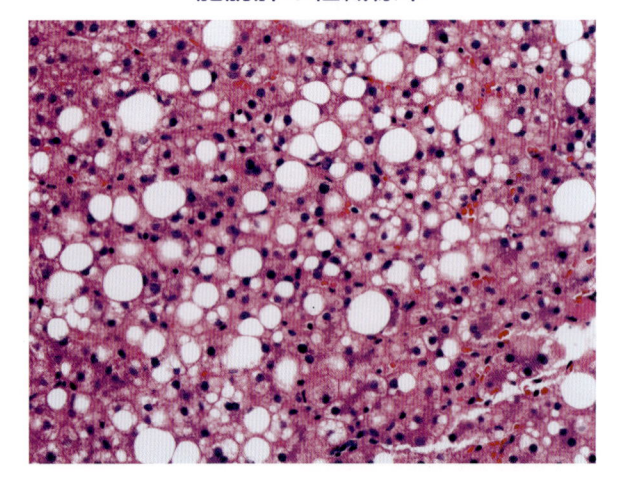

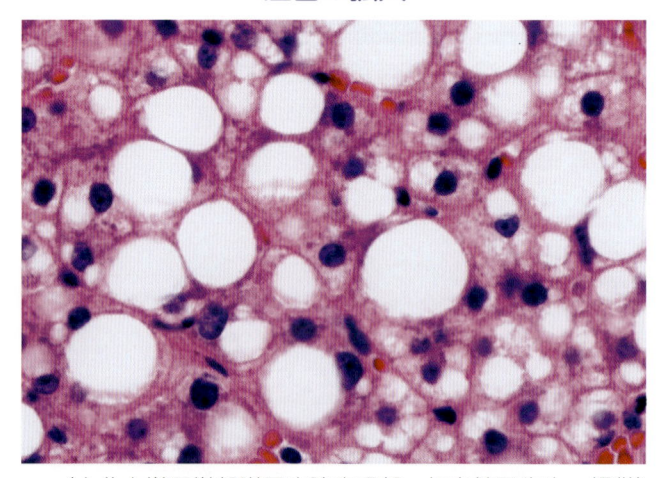

（大分大学医学部附属病院病理部　加島健司先生　提供）

MEMO　　霜降り肉の検査

牛の霜降り肉は高い値段で取引されますが，牛が生きている状態で霜降りがどうかを調べるのに超音波が利用されています。これは脂肪肝が高エコーに見えるのと同様に，霜降りの筋肉は通常の筋肉よりも高エコーに見える現象を利用したものです。ただ，霜降り肉が脂肪肝と異なるのは，脂肪肝では肝細胞内に丸い形で脂肪が存在するのに対し，霜降り肉は筋線維の隙間に細長く脂肪の塊が存在しているということです。
牛の話をしたので小動物での超音波診断の話をします。獣医師には超音波診断装置はなくてはならない検査道具です。なにしろ動物は症状を口では訴えないので，人間以上に検査技術が要求されます。獣医師は熱心に超音波検査の勉強をしています。獣医師が買い求めている超音波診断装置は高性能の装置です。検査の対象が小さいので，解像度が悪いと役に立ちません。人間用の装置の下取り品などは相手にされません（私も以前は勘違いをしていました）。

肝硬変

肝硬変はウイルス性肝炎やアルコール性肝炎などのあらゆる肝炎の終末像です。最近はNASH（非アルコール性脂肪肝炎）の一部も肝硬変になることがわかっています。

肝硬変では下の表に示すように8つの所見が観察されますが，この8つの所見がすべてそろって観察される肝硬変は経験したことがありません。脾腫や胆嚢壁肥厚がない肝硬変も経験しますし，腹水が現れるのは進行して肝不全になった段階です。下の表の8つの中から3つ，あるいは4つの所見が観察できれば，肝硬変と考えていいでしょう。

超音波画像上は慢性肝炎と肝硬変に明確な境界はありません。初期（あるいは早期）の肝硬変とレポートすることもあります。

肝硬変の超音波所見

- 肝表面が凹凸不整になる
- 内部エコーが粗糙になる
- 肝床部が萎縮する
- 尾状葉が腫大する
- 脾が腫大する
- 門脈の側副血行路が拡張する
- 胆嚢壁が肥厚する
- 腹水が貯まる

MEMO　びまん性肝疾患の診断は

超音波検査で自信をもって診断できる肝臓のびまん性疾患は脂肪肝だけです。慢性肝炎のほとんどで脾腫はありますが，肝臓自体には特別な変化は認めません。超音波検査のテキストには慢性肝炎では肝臓辺縁の鈍化や肝表面の軽い凹凸不整が観察できると書かれたものがありますが，私はこれらの変化が超音波検査で明確に検出されたときは，すでに肝硬変の初期の段階であろうと考えています。

血液生化学検査で肝臓に関する数値に異常がみられた場合に，超音波検査では肝に異常がみられなくても，それは総合的に考えて慢性肝炎です。超音波検査で形態的な異常が検出できれば，それはすでに肝硬変です。この本で肝機能障害のトップに肝硬変を解説するのは，このような理由からです。

● 肝表面が凹凸不整になる

肝硬変では肝表面に多数の小結節が出現し，肝表面は凹凸不整になります。ところが，肝前面は腹膜の脂肪が密着して凹凸を覆い隠すとともに，腹壁から発生する多重エコーも凹凸を不明瞭にします。
超音波では肝前面の凹凸は観察しにくいので，肝下面に注目したほうがいいでしょう。
腹水が貯まると肝前面が腹壁と離れるので凹凸を観察しやすくなります。

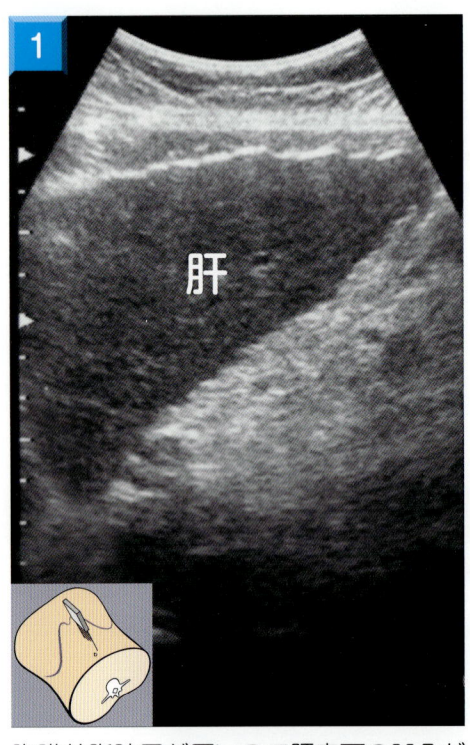

1

腹膜前脂肪層が厚いので肝表面の凹凸が明瞭に観察できます。肝下面にも微細な凹凸があります。

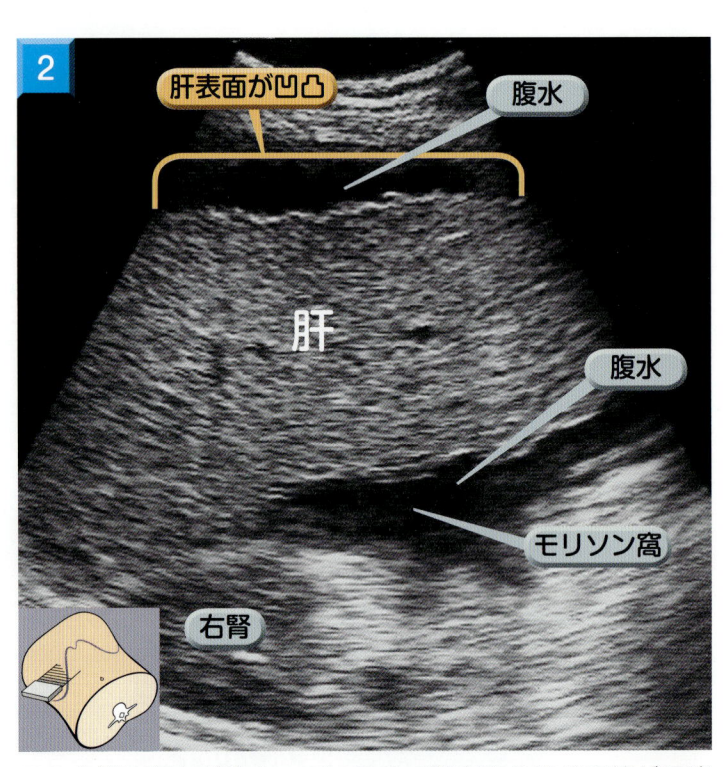

2

この症例は腹水が貯まっているので肝表面の凹凸不整が明瞭に観察できます。肝臓と右腎の間（モリソン窩）にも腹水が貯まっています。肝の内部エコーは粗糙です。

MEMO　超音波検査は動画で診断する

肝硬変症例の肝表面の凹凸不整は検査中にプローブをゆっくりと動かすと，容易に観察できて納得いきます。凸と凹は不規則に分布しているので，プローブを動かすと互いに入れ替わります。そうすると凹凸が強調されて，はっきりと認識できます。
超音波検査は動画で診断しており，紙やサーバーに記録された画像は，単にその部位を検査したという証拠のようなものです。記録された静止画だけで診断すると，診断率は30％以上は低下するでしょう。
超音波検査の解説は動画で行うべきです。この本にDVDを付けているのはその観点からです。

● 内部エコーが粗糙になる

肝硬変では肝の内部エコーが粗糙(ザラザラする)になりますが、内部エコーの粗糙な状態を客観的に評価するのは困難です。肥満体では画像がボケルので粗糙な状態は判定できません。脂肪肝が合併するとわかりにくくなります。
超音波診断装置の性能が悪いと、正常肝でも内部エコーは粗く見えます。プローブの周波数が低くても内部エコーは粗く見えるなど、診断装置の要因も絡んできます。

正常　　　　　　　　粗糙

肝の内部エコーが粗糙と判断するのは経験が必要です。ここに示すのは粗さの異なる2種類のサンドペーパーの写真から作成した擬似画像です。本物の肝臓の超音波画像ではありませんが、粗糙な内部エコーの特徴はつかめると思います。

ひとくちコメント　内部エコーが「粗糙」と書くべき所を「粗雑」と書いてあるテキストを散見します。これはパソコンのワープロソフトでは「糙」の文字がないからだと思います。粗雑は性格や性質を表現する言葉であって、画像を表現する言葉ではありません。手書きのレポートでは「粗糙」と書くべきでしょう。

MEMO　スペックルエコーは悪者か

肝臓などの実質臓器の内部に見える点状または棒状のエコーは、肝内にある超音波の波長よりは短い無数の反射体(肝細胞であったり、間質結合組織であったりする)から返ってくるエコーが、実際の反射体の分布とは無関係なパターンを作るために見えます。無数の反射体から起こるエコーが互いに干渉し合って、元のエコーとは無関係の波を作るためにできるもので、一種の干渉縞です。これをスペックルエコーといいます。実質臓器のびまん性疾患では、エコーの強弱だけでなく、このエコースポットの配列にも変化が起こり、診断の1つの着目点になります。
最近の診断装置は、このスペックルエコーを消そうとしています(35ページ参照)。今までスペックルエコーが診断の妨げになることはありませんでした。スペックルエコーを人為的に操作されると肝硬変の診断に影響します。

肝床部が萎縮する

肝硬変になると胆嚢周囲の肝臓，いわゆる肝床部が萎縮します。胆嚢は肝床部に付着しているので，肝床部が萎縮すれば胆嚢は頭側に引き上げられます。その結果，胆嚢の長軸が腹壁に垂直になり，消化管ガスの影響を受けやすくなります。胆石は胆嚢頸部に落ち込んで描出できなくなります。つまり，肝硬変では胆嚢の検査がやりにくくなります。

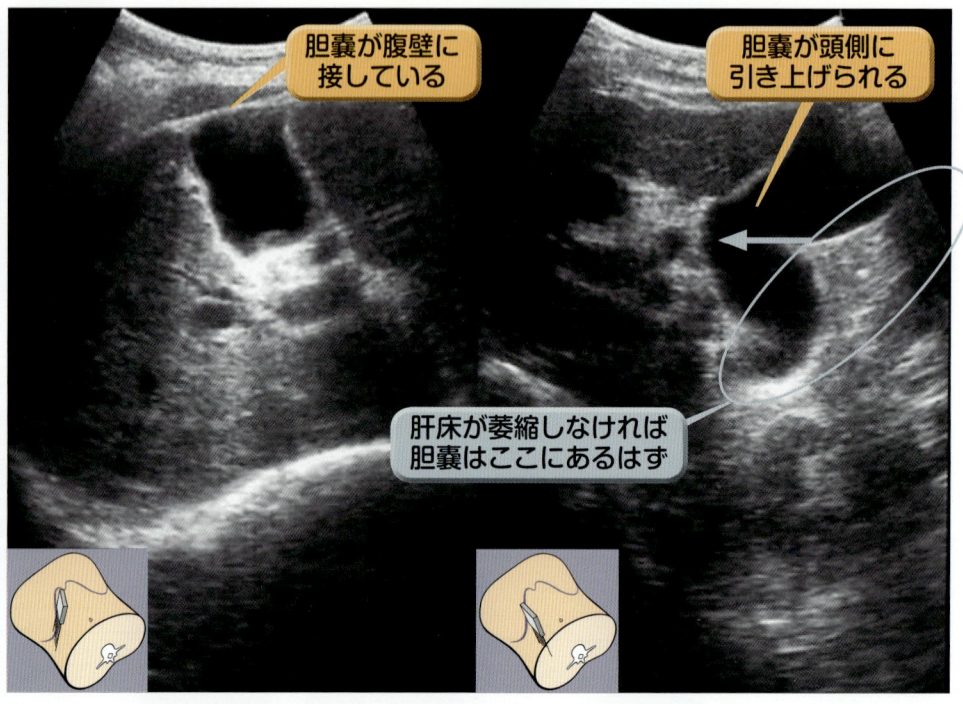

胆嚢が腹壁に接している

胆嚢が頭側に引き上げられる

肝床が萎縮しなければ胆嚢はここにあるはず

肝床部の萎縮は胆嚢の変形に現われます。肝床部が萎縮したために，胆嚢は肝に食い込み，胆嚢底部は腹壁に広く接するようになります。

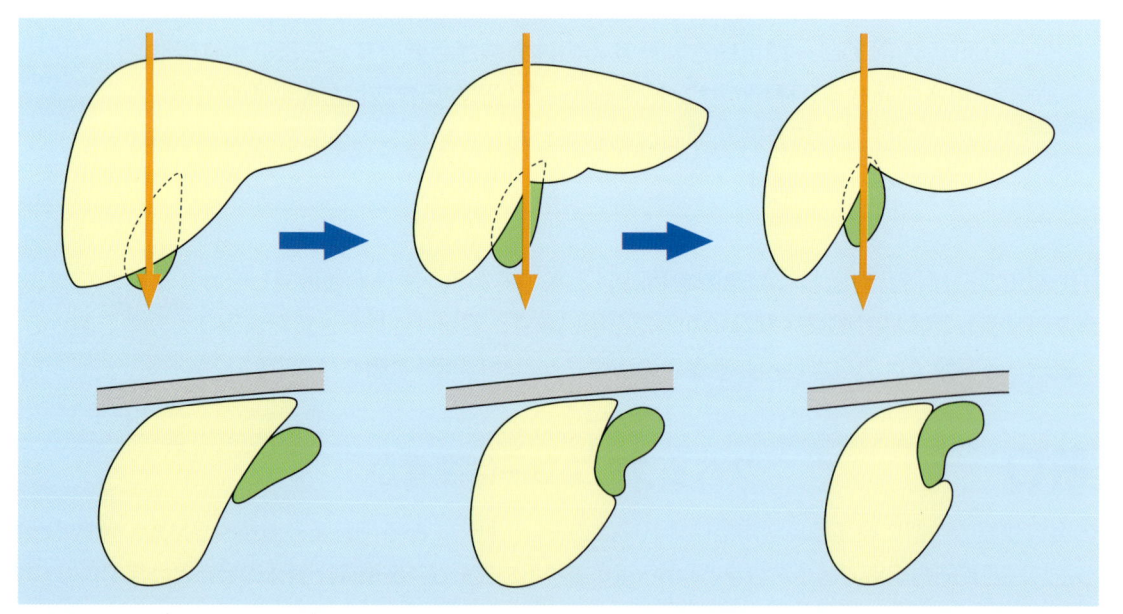

胆嚢を通る縦断スキャン像で肝床部の萎縮の進み方を説明します。左図は肝床部の萎縮がない正常例を示しています。肝床部の萎縮が始まると，肝床に接している胆嚢は頭側に引き上げられます。その結果，胆嚢は肝に軽く食い込むと同時にC字形に変形します（中図）。
さらに肝床部の萎縮が進むと，右図のように胆嚢頸部も肝に食い込んできます。その結果，胆嚢底部は広く腹壁に接するようになります。

🔵 尾状葉が腫大する

肝硬変では尾状葉が腫大します。

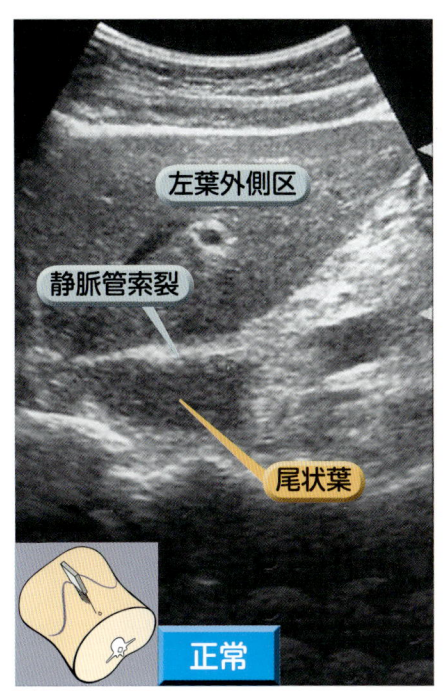

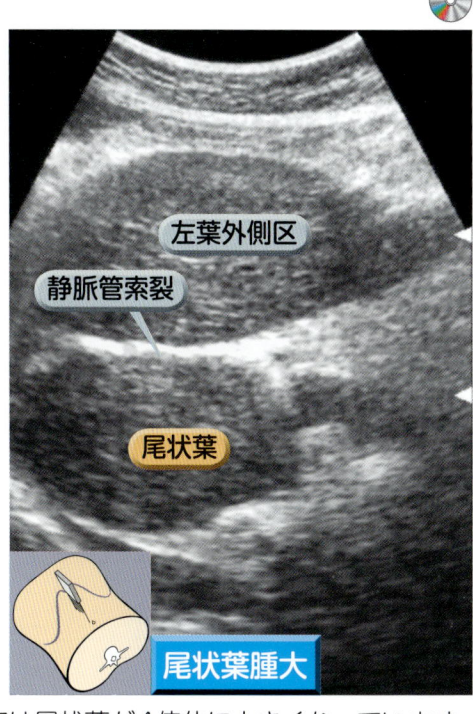

尾状葉は静脈管索裂という肝の切れ込みで肝左葉から境されている肝内で最も小さな区域です。右側は左葉内側区域に連続しているので，正確にボリュームを求めるのは困難です。正中線上で縦断像を撮ると，静脈管索裂で明瞭に分離された尾状葉が描出されるので，この画面でサイズを検討するのがいいでしょう。

左図の正常例に比べ，右図の肝硬変例では尾状葉が4倍位に大きくなっています。

🔵 脾が腫大する

脾腫は肝硬変に特有の所見ではありません。他の疾患でも腫大しますし，肝硬変で脾腫がない症例もあります。

私は脾臓のサイズを判定するときに腹壁に接する長さをプローブの幅（60mm）に占める割合から判断して判定しています。具体的な計測はしません。人間の身長を判定するのに身長計を使わなくても，自分と比較して，目で見ただけでほぼ正確に判断できるのと同じです。

脾臓のサイズについては224～227ページで詳しく説明します。

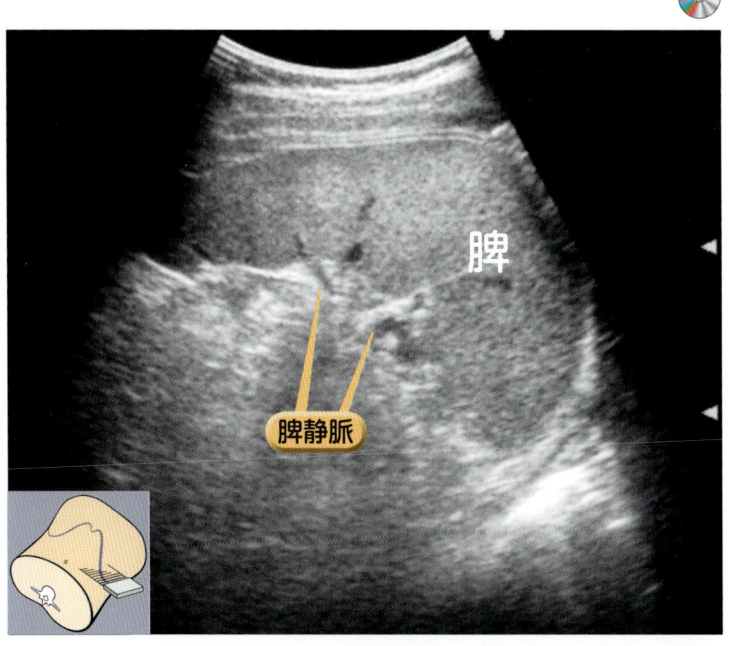

腫大した脾臓の内部エコーは均等です。肝臓の内部エコーが粗糙になるのと好対照です。この程度の腫大だと中等度の脾腫と判定しています。脾門部に脾静脈がはっきりと見えてきます。

門脈の側副血行路が拡張する

肝硬変では門脈圧が亢進し，門脈，脾静脈が太くなります。正常では肝内に流入するはずの門脈血の一部は，側副血行路を通って静脈系に流れます。側副血行路には右下図に示すものがありますが，このうち脾門部以外の場所で超音波で描出できるのは，左胃静脈と臍傍静脈です。

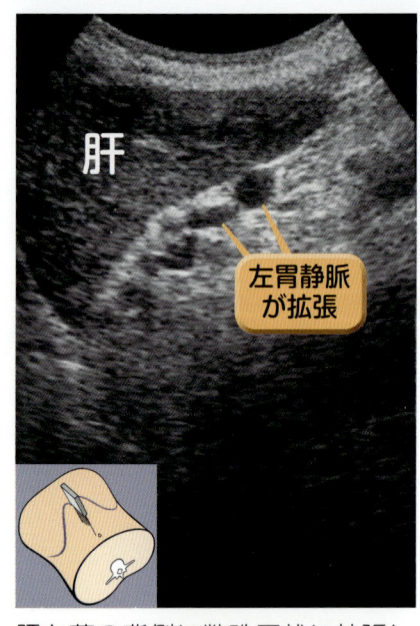

肝左葉の背側に数珠玉状に拡張した左胃静脈が描出されています。

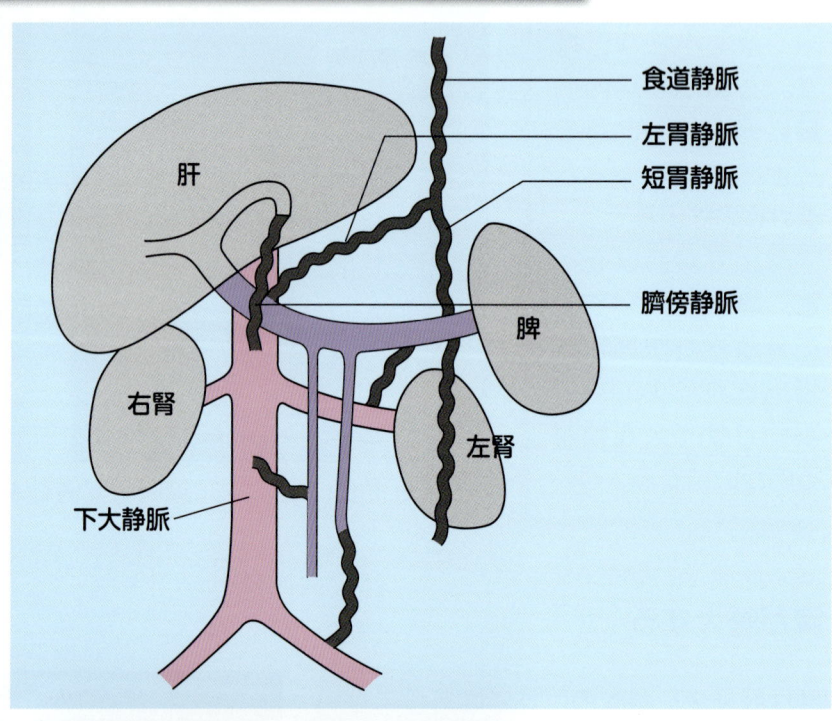

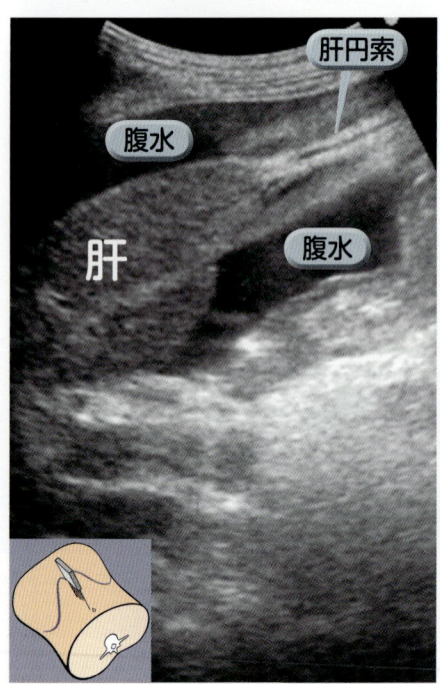

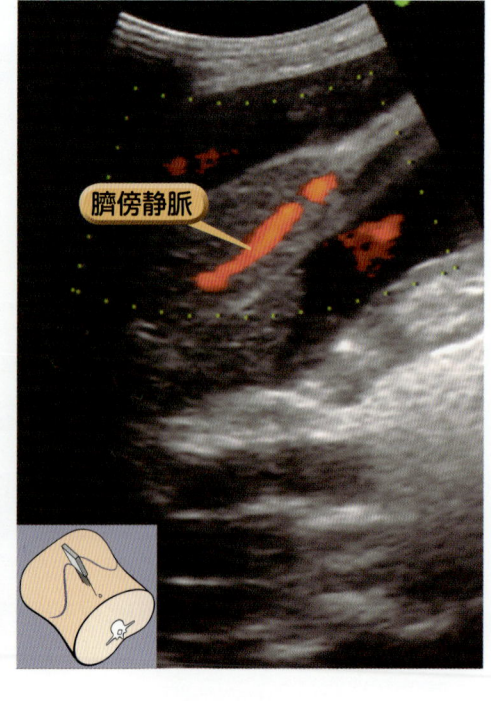

門脈左枝の臍部に続く肝円索内の臍傍静脈が拡張しています。通常の画像では肝外に続く肝円索内の拡張だけが見えます。
パワードプラ画像では肝内の臍傍静脈は見えますが，肝外の肝円索の血流は見えていません。流速が遅いので検出できないのでしょうか。

● 胆嚢壁が肥厚する

肝硬変では胆嚢壁が肥厚します。胆嚢には胆嚢動脈だけがあって胆嚢静脈はないので，胆嚢壁の静脈血はごく細い血管を経由して接している肝臓に滲みだすように流れていきます。肝硬変があると，灌流先の肝臓の血管圧（門脈圧）が上昇しているために，このドレナージがうまく作用しなくなり血液がうっ滞します。その結果，胆嚢壁は肥厚すると考えられます。

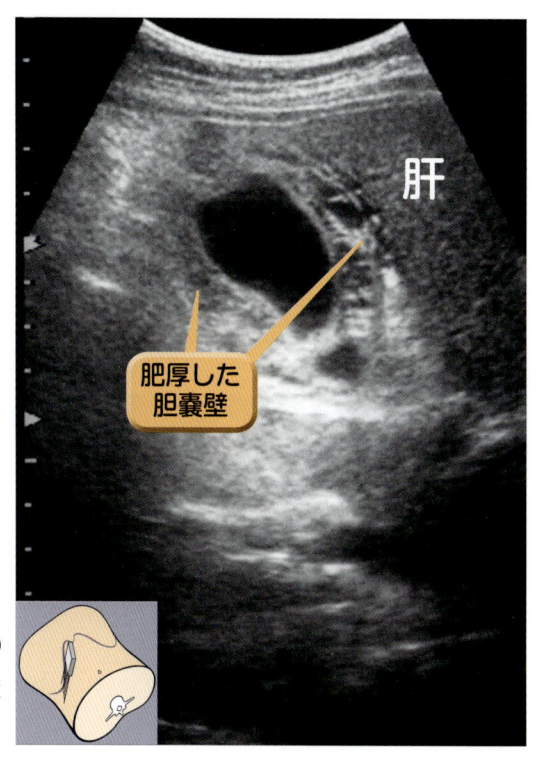

胆嚢壁が10mm前後になっています。胆石や胆泥ができやすいのも肝硬変の特徴です。この症例では胆石はありません。

● 腹水が貯まる

非代償期の肝硬変では腹水が貯まります。腹水が貯まると肝臓が腹壁から離れエコーフリーなスペースが現れます。また肝下面にもエコーフリーなスペースが出現します。少量の腹水は膀胱の後方，いわゆるダグラス窩（男性では膀胱直腸窩）だけで検出されます。
腹水の原因は肝硬変に限らず，心臓や腎臓の機能不全，あるいは癌性腹膜炎でもみられます。
肝の内部エコーが粗糙で，肝表面が凹凸不整であれば，肝硬変による腹水を真っ先に考えます。

腹壁直下に見える淡いエコーはアーチファクトの多重反射です。

急性肝炎

急性肝炎の原因は肝炎ウイルス，アルコール，薬物です。劇症肝炎でもない限り，肝臓自体には明瞭な変化は認めませんが，急性肝炎の高度なもので胆嚢に変化がみられることがあります。胆嚢は食後の胆嚢のように小さくなり，胆嚢壁は厚くなっています。内部には胆泥が貯まっている例もあります。

急性肝炎では黄疸が出るので，閉塞性黄疸を鑑別する必要があります。超音波検査をすると胆嚢は小さく胆管の拡張もないので，閉塞性黄疸は否定できます。

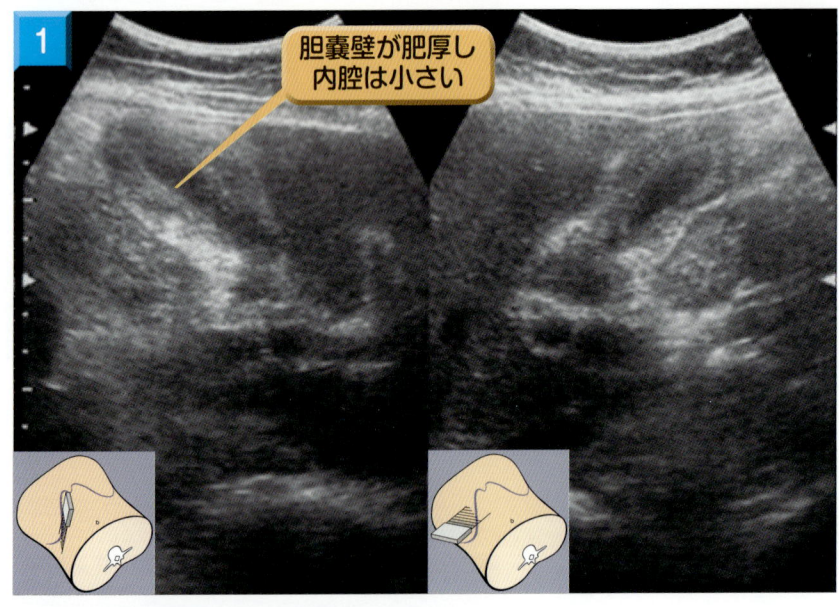

1 胆嚢壁が肥厚し内腔は小さい

胆嚢壁が全体的に12mm位に肥厚しています。胆嚢炎でみられる層構造はありません。また，内腔は食後の胆嚢のように小さくなっています。胆嚢炎では反対に胆嚢は拡張・緊満します。
AST386，ALT363，CRP1.04で薬剤性急性肝炎が考えられています。

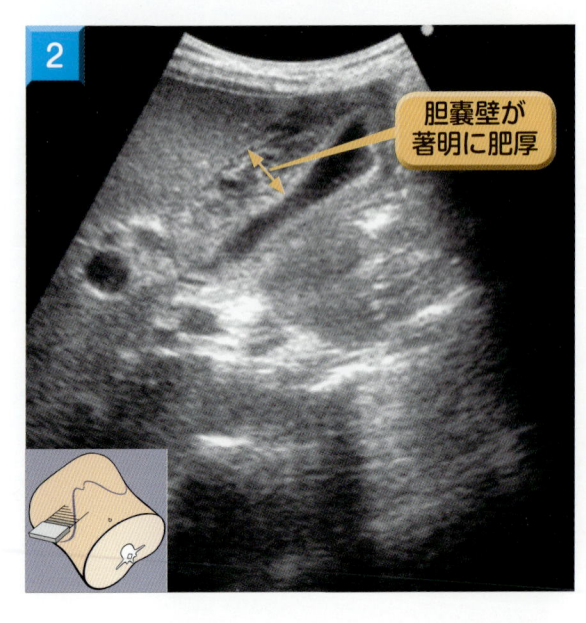

2 胆嚢壁が著明に肥厚

胆嚢内腔は小さく，胆嚢壁は著明に肥厚しています。特に，肝臓側の胆嚢壁は浮腫が著しく，厚さは18mmになっています。
AST1,453 ALT1,070 WBC 4,280 CRP0.27でした。

慢性肝炎

慢性肝炎の定義は，6か月以上の肝機能検査値の異常を示す炎症性肝病変で，肝炎ウイルスの感染が持続している病態とされています。
外来診療ではこの定義に当てはまる患者は多くみられます。これらの患者の肝臓は超音波でどのように見えるのでしょう。

● 諸家による慢性肝炎の超音波所見

「肝右葉は腫大し，辺縁は鈍化するものが多い。肝表面の凹凸は超音波像では確認しえない症例が多く，肝静脈や門脈末梢の描出が不良となる。脾腫は軽度ながらも伴っているものが多い」これは1994年発行の日本超音波医学会編『超音波診断』（第2版）の533ページに書かれている慢性肝炎の超音波所見です。
それ以前，あるいは以後の文献にもほぼ同様な記載がみられます。肝内エコーレベルの軽度不均一化や総肝動脈幹リンパ節の腫大を取り上げている文献もあります。

● 私が考える慢性肝炎の超音波所見

私が慢性肝炎の疑いと診断するときに参考にしているのは軽度の脾腫だけです。脾腫の原因は肝機能障害以外にもあるので，脾腫があるから慢性肝炎と決めつけることはできませんが，脾腫があれば慢性肝炎の可能性があると考えます。ただし，レポートには軽度の脾腫と書くだけです。
逆に血清生化学検査で6か月以上の肝機能異常があり，B型やC型のウイルス感染がある患者で脾腫だけがあれば，まだ慢性肝炎の状態で肝硬変にはなっていないと判断することにしています。
大部分の慢性肝炎は超音波検査では脾腫だけしか証明できません。脾腫さえもない症例があります。
肝縁の鈍化が客観的に指摘できる段階では，すでに初期の肝硬変と考えています。
右葉の腫大は右葉のサイズを超音波では正確に計測できない（169ページ参照）うえに，正常人でも肝臓の形態はさまざまなので（163ページ参照），右葉が腫大していると超音波で判断することには疑問を感じます。
内科で肝臓疾患を専門にしている医師が超音波検査で「肝の内部エコーが軽度粗糙」と診断している症例を私が同じ装置で検査してみると，内部エコーは正常にしか見えません。その患者の生化学検査のデータを知り，慢性肝炎とはどういう疾患かを知っている人が検査をすると，肝臓の内部エコーが粗糙に見えてくるのではないでしょうか。

肝内胆管結石

肝内胆管結石は厄介な病気です。多発して治療が困難です。胆管内にあるので門脈に沿って分布し、結石が大きいときは末梢の胆管は拡張します。胆汁の流れを妨げるので肝機能が低下して、最終的には流域の肝は萎縮します。

似たような所見を示す肝内石灰化は胆管内にはないので、患者にとって不都合なことは何もありません。両者は明確に区別して考えるべきです。

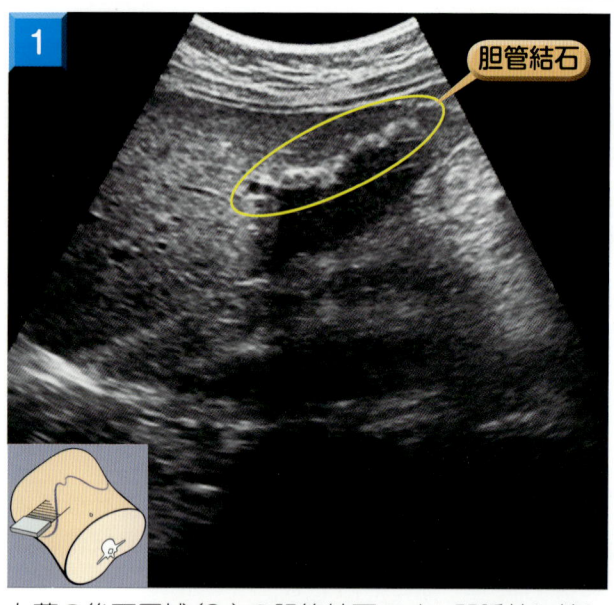

1 胆管結石

2 胆管結石／末梢側の拡張した胆管

右葉の後下区域（S_6）の胆管結石です。門脈枝に接しており、その走行に並走していることから、肝内胆管内にある結石と判断できます。明瞭な音響陰影がみられます。

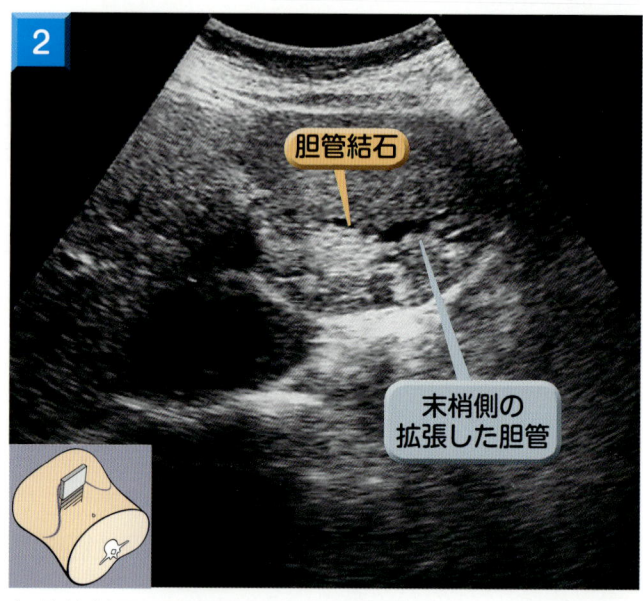

左葉外側区の上区域（S_2）の胆管結石です。音響陰影は伴っていません。小結石が集まっているのでしょう。その隙間を超音波がすり抜けるので、音響陰影はできないのです。末梢側の胆管は拡張しています。

MEMO　胆管結石のエコーは強くない

胆嚢内の結石が強エコーに描出されるのは、超音波ビームが胆汁から結石に入射するからです。胆汁と胆石との間では音響学的な抵抗（音響インピーダンス）の差が大きいので、その境界で超音波の反射率が高くなります。

胆管結石の場合は超音波が肝組織から結石に直接入射します。肝組織と胆石との間では音響インピーダンスの差がさほど大きくないので、超音波の反射率も高くありません。その結果、同じ成分の結石であっても、胆管内にある場合と胆嚢内にある場合とでは、超音波検査でエコーの強さが違ってくるのです。その他に、結石の表面が石灰化して緻密なときは反射が強く、胆泥が固化したような結石では内部に超音波が入り込むので反射が弱くなります。

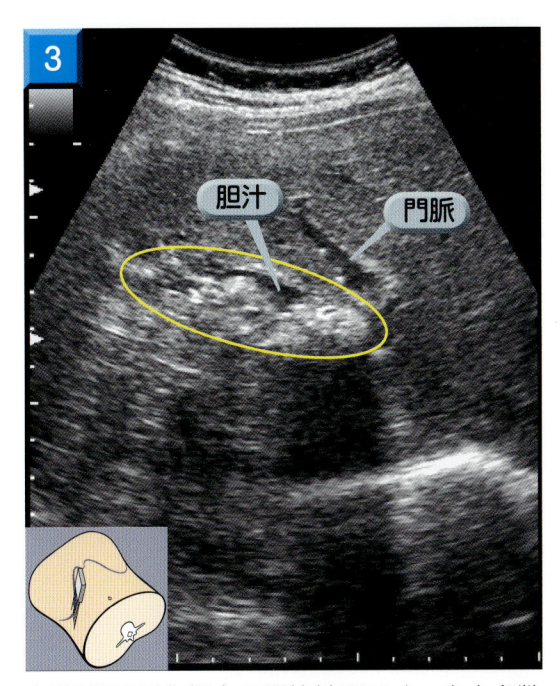

右葉後下区域（S$_6$）の胆管結石です。大小多数の結石が肝内胆管内に充満しています。大きな結石は音響陰影を伴っています。
結石と肝実質との隙間に胆汁が見えているので，胆管結石である証拠になります。

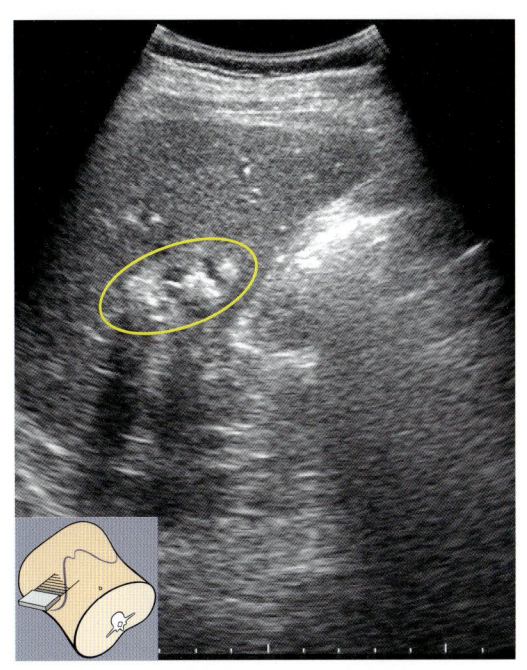

左図の結石を肋間スキャンで観察しています。3本の胆管枝にある結石が同時に見えています。

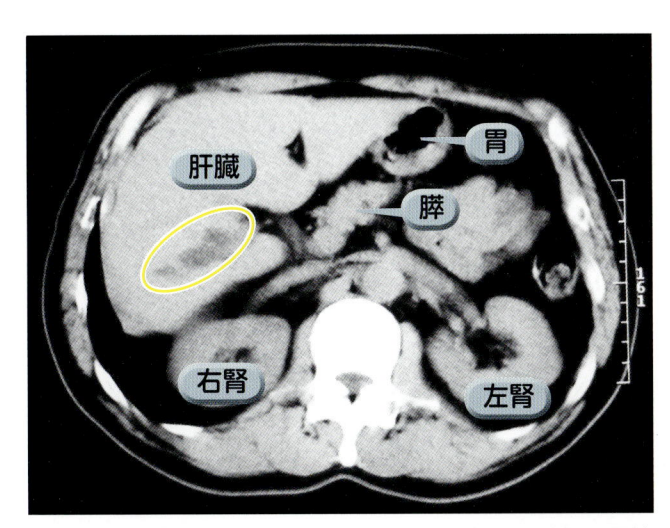

上の症例の単純CT像です。肝右葉の後下区域に不整形をした低吸収域があります（黄色の楕円の中）。拡張した胆管を示していますが，内部にある結石はわかりません。結石のCT値が胆汁に近いからです。ビリルビン系の結石はCTでは描出されません。

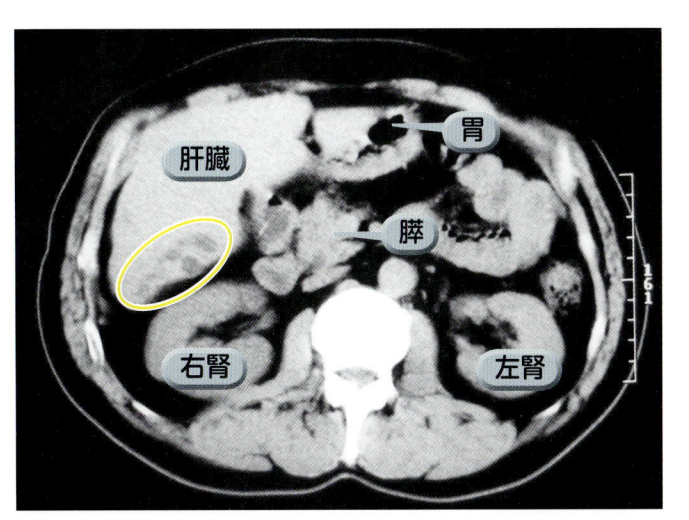

左図よりも2cm尾側のスライスです。左図のスライスに見えていた拡張した肝内胆管の末梢側が見えています。マルチスライスCTだと，再構成して樹枝状に分布している状態を超音波と同じ断層面で示せるのですが。

肝臓

肝内の強エコーは胆管結石か？

- 肝内にある数mmの強エコーはほとんど石灰化した肉芽腫である。習慣的に肝内石灰化と呼んでいる。
- 肝内胆管に空気が流入している胆道気腫も強いエコーを生じる。
- 胆管結石は強いエコーを示さないこともある。結石の末梢側の胆管は多くの場合拡張している。
- 胆管は門脈と並走しているので，胆管結石は門脈に接しているはず。

MEMO　白く光るものは石灰化か？

よその病院から紹介されてきた患者の超音波報告書を見ると，肝内の強エコーはほとんど「肝内結石」と診断されています。「肝内結石」とは肝内胆管結石のことでしょう。はたして肝内にみられる強エコーはすべて肝内胆管結石なのでしょうか。

上のスライドにまとめたように，肝内にある数mmの強エコーは，ほとんどが石灰化した肉芽腫です。胆道系の手術後に肝内胆管に空気が逆流している状態，いわゆる胆道気腫の場合は胆管内の空気が非常に強いエコーを発することはよく知られています。

私たちはX線検査の連想から，白く見えるものがあると，それを石灰化と判断する習性があります。超音波検査はX線検査とは原理が異なりますから，X線検査の判断基準は超音波検査には当てはまりません。白く光るものは石灰化の場合もありますが，その他のこともあります。

肝内胆管結石はほとんどがビリルビンカルシウム石です。あまり強いエコーは示しません。その結果，音響陰影も不明瞭です。肝内に明瞭な音響陰影を伴う強エコーを認めたら，まず肝内の石灰化を考えます。強エコーの分布が門脈と並行していたり，末梢（辺縁）側の胆管が拡張していたら肝内胆管結石です。

肝内石灰化

肝実質に5mm前後の強エコーがあり，その後方に明瞭な音響陰影を認める症例があります。この場合に可能性としては，肝内胆管結石と肝実質の石灰化（肝内石灰化）とがありますが，頻度的にはほとんど後者です。膿瘍，出血，結核，寄生虫などによる肉芽に石灰が沈着したものと考えられていますが，その原因を特定できることはほとんどありません。放置していい疾患です。

胆管は門脈と並走しているので，肝内胆管結石の場合は肝内の門脈枝に沿って強エコーが観察されます。それに対して，肝実質の石灰化は門脈の走行とは関係ない分布をしています。

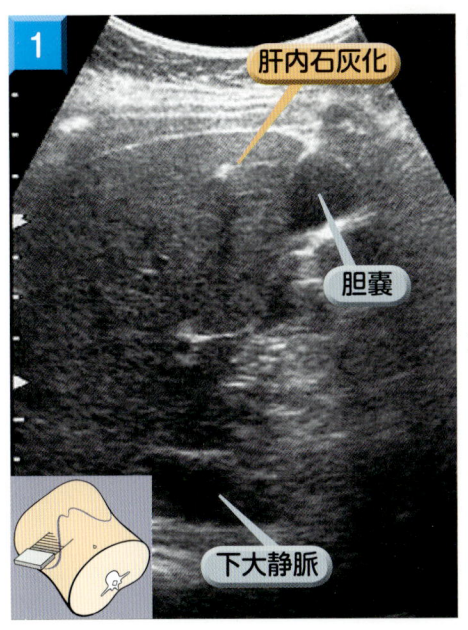

右葉のS_5に5mmの強エコーがあり，弱いながらも音響陰影を伴っています。
強エコーに連続する拡張した胆管はないので，肝実質の石灰化です。

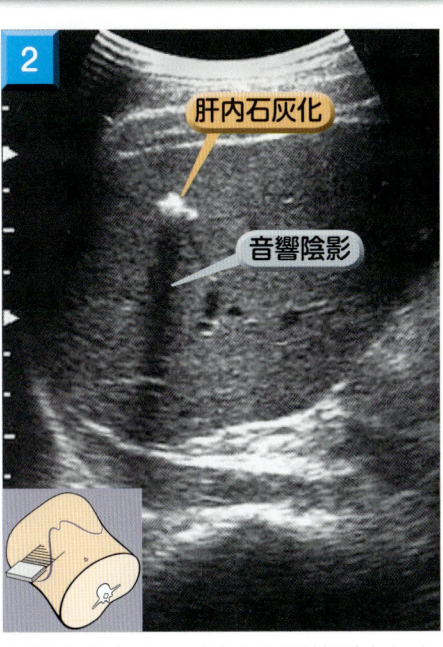

右葉のS_8に1cm近くの不整形をした強エコーがあり，後方には明瞭な音響陰影を伴っています。

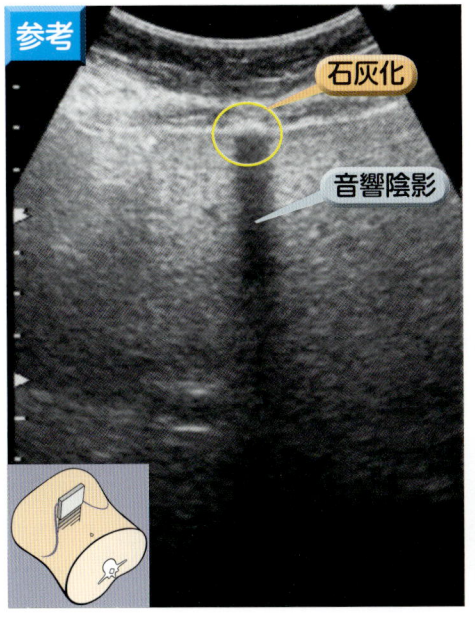

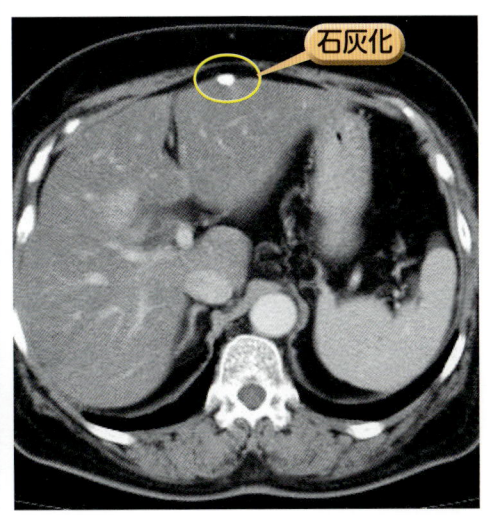

肝臓の表面に石灰化がある症例もあります。被膜に石灰が沈着しているのでしょう。右図はこの症例の造影CT像です。他の病気で検査されていました。

胆道気腫

胆管結石の治療法の1つとして十二指腸乳頭切開術があります。膵頭部癌では膵頭十二指腸切除術と同時に胆管空腸吻合術を行います。このような胆管の手術を受けた人では胆管内に小腸の空気が流入します。ごく稀に胆嚢炎で胆嚢と十二指腸との間に瘻孔ができることがありますが，そのときも肝内胆管に空気が流入します。胆管内に空気が流入している状態を胆道気腫 (air in the biliary tract) といいます。日本の医学書ではpneumobiliaという表現が多いようです。

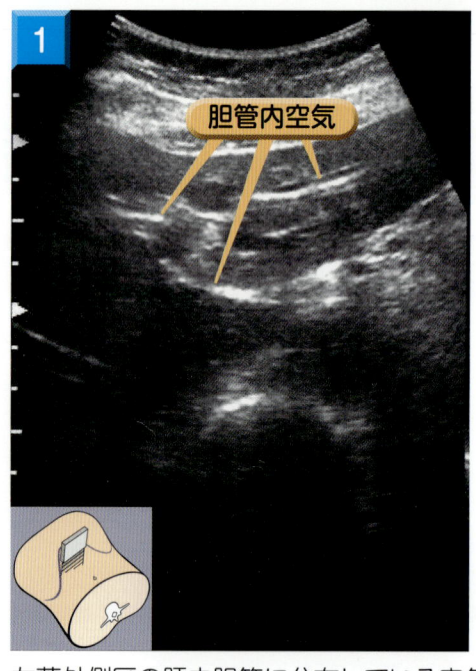

1 胆管内空気

左葉外側区の肝内胆管に分布している空気です。空気は超音波を99.9％跳ね返すため，非常に強いエコーが発生します。門脈に沿っているので，肝内胆管内の強エコーだと判断できます。空気は軽いため，立位でも仰臥位でも高い位置にある肝左葉に多く分布します。

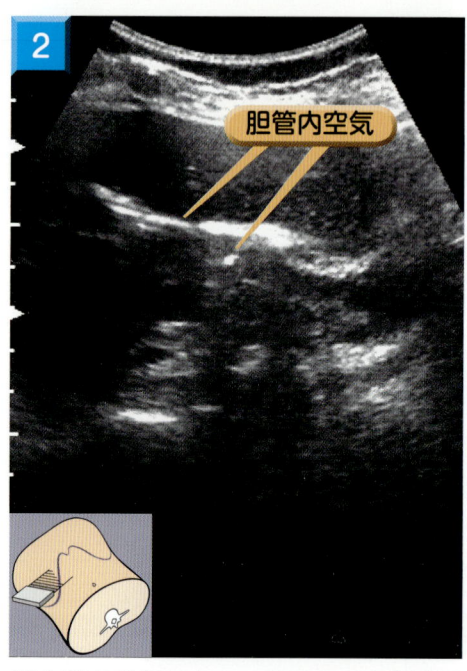

2 胆管内空気

肝右葉の肋間スキャンでみられた肝内胆管の右葉枝の空気です。右葉の場合は前区域が主で，後区域にみられることはほとんどありません。理由は左の症例で説明したように，空気は軽いからです。太い胆管枝では空気の移動が観察できることがあります。

MEMO　空気はなぜ白く見えるのか

音響学的な物質の固さを音響インピーダンス (21ページ参照) といいます。音響インピーダンスは物質の密度と物質中の音速を掛け合わせたものです。一方，隣り合った物質AとBとの間で超音波が反射するときの反射率はAとBの音響インピーダンスの差に比例します。差が大きいほど強く超音波は反射します。肝臓・脾臓・腎臓などの生体内の臓器の音響インピーダンスは1.64×10^6 (単位は$kg/m^2 \cdot sec$) 付近にあります。空気の音響インピーダンスは400で，生体内の組織とは大きく異なります。その結果，生体内に空気があると超音波の99.9％が跳ね返されて白く見えることになります。

うっ血肝

心臓弁膜症などの心臓疾患がある患者では，心臓への血液の戻りが悪くなって右心圧が上昇します。このような人では下大静脈や肝静脈の圧力も上昇して，これらの血管は拡張します。また肝組織からの血液の灌流が悪くなって，肝組織に血液がうっ滞します。これがうっ血肝です。
うっ血が強くなると胆囊にも影響が及んで，胆囊壁が厚くなることもあります。

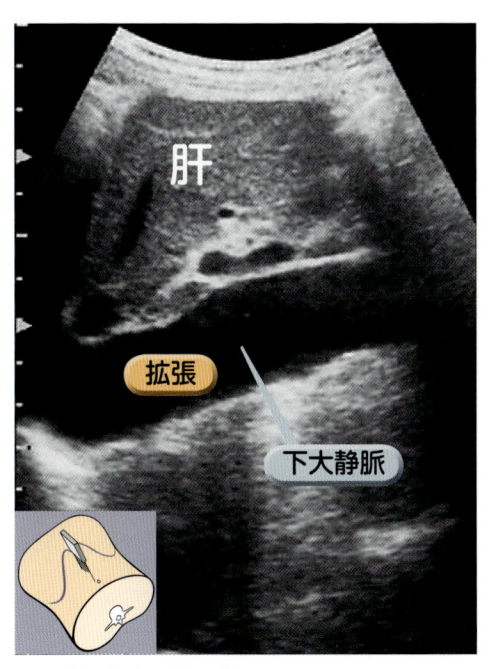

下大静脈が異常に拡張したままです。正常では，下大静脈は呼気時に前後に拡がり，吸気時には狭くなります。また，心臓の拍動が伝わって，1心拍あたり2回揺れ動きます。

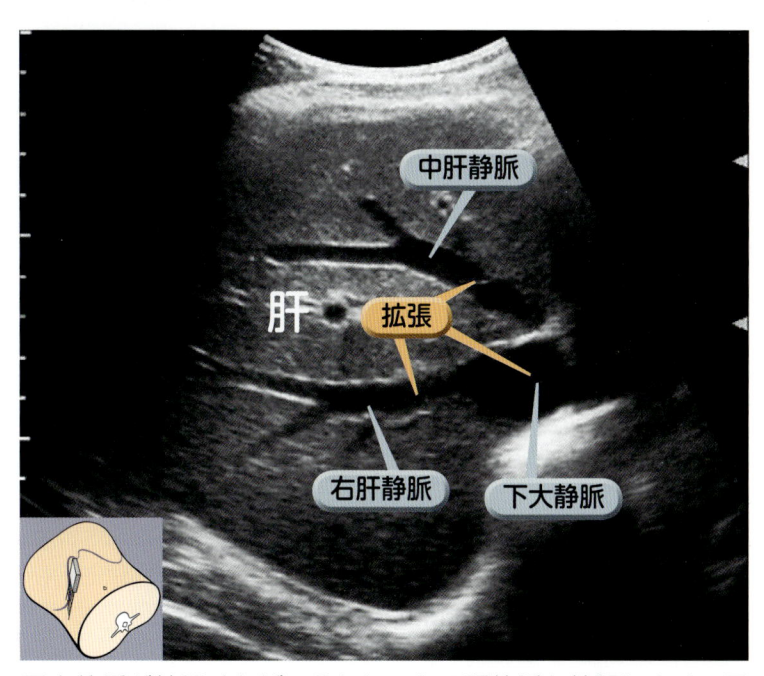

下大静脈が拡張すれば，それにつれて肝静脈も拡張します。正常例では右肝静脈と中肝静脈を同時に末梢まで明瞭に描出するのは困難ですが，拡張した状態では比較的容易に2本の肝静脈を記録できます。うっ血肝では静脈系の拡張が観察されますが，肝組織に血液がうっ滞している状態は証明できません。

MEMO　肝静脈をキレイに撮るには

超音波診断装置の展示会場では，メーカーの係員が立って腹部にプローブを当てて，肝臓がいかにキレイに見えるか実演しています。もちろん，痩せて検査に適した人だけです。
ほとんどの場合，肝静脈がキレイに見えます。立って超音波検査をすると，肝静脈や下大静脈は拡張します。また，肝臓は重みで下垂して，肋骨弓より下に露出する部分が多くなるので，スキャンの自由度が増します。肝静脈がキレイに太く見えると，装置のデモンストレーションにはいい効果がでますが，見えやすい状態でデモしているのですから，性能がいいと勘違いしてはいけません。

門脈瘤

肝内・肝外を問わず，門脈の一部が動脈瘤みたいに囊状あるいは紡錘状に拡張した状態です。肝内に見られる時は門脈肝静脈短絡（PV shunt）を伴うことが多くあります。門脈に近接した肝囊胞と紛らわしいので，カラードプラで検査する必要があります。

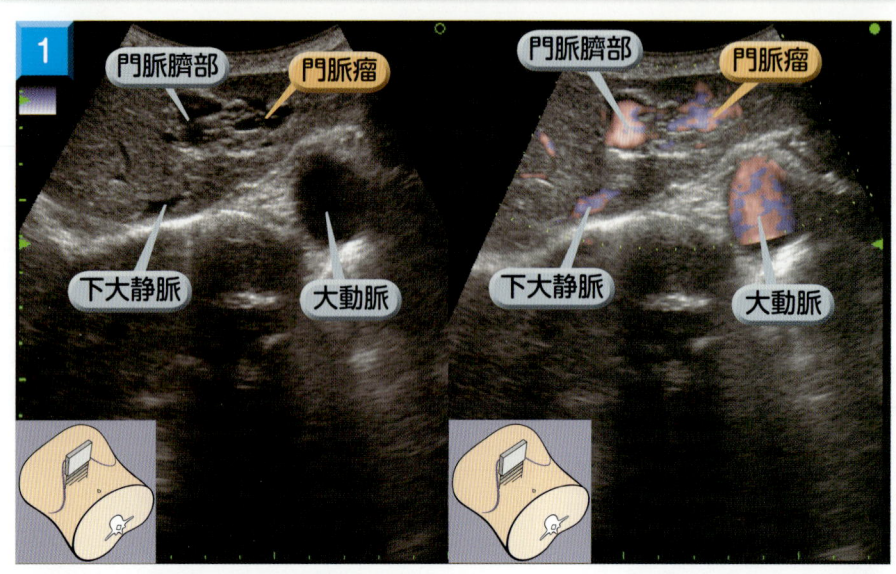

83歳の女性です。左葉外側区のS_3の門脈が紡錘状に拡張しています。通常の黒白モードで見ると門脈臍部の左側に細長いエコーフリーな構造があります。囊胞かあるいは部分的な肝内胆管の拡張を疑います。
右のeFlowで見ると血流が観測されて，拡張した血管とわかります。

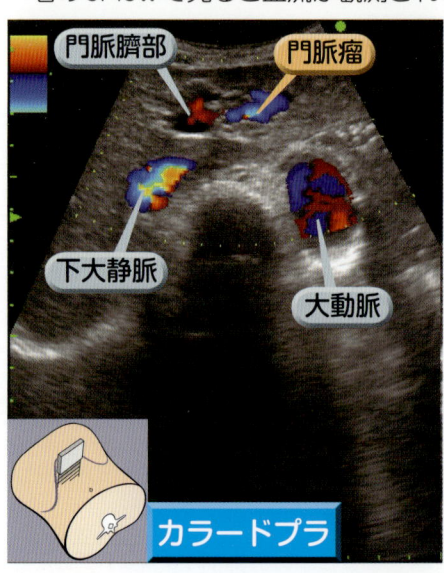

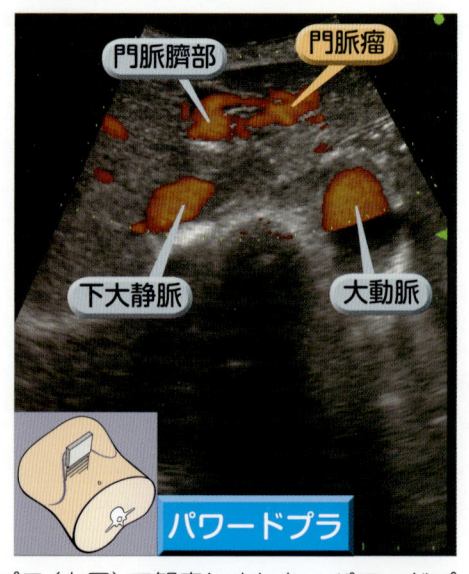

同一例をカラードプラ（左図）とパワードプラ（右図）で観察しました。パワードプラは血流の向きの影響を受けにくいので血管全体に色を表示します。この異常血管は門脈臍部と連続していることから門脈瘤とわかります。カラードプラでは途中が途切れて，連続性がわかりません。

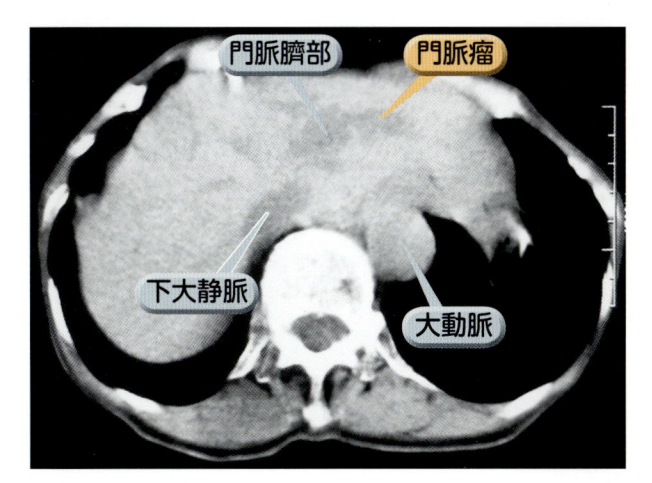

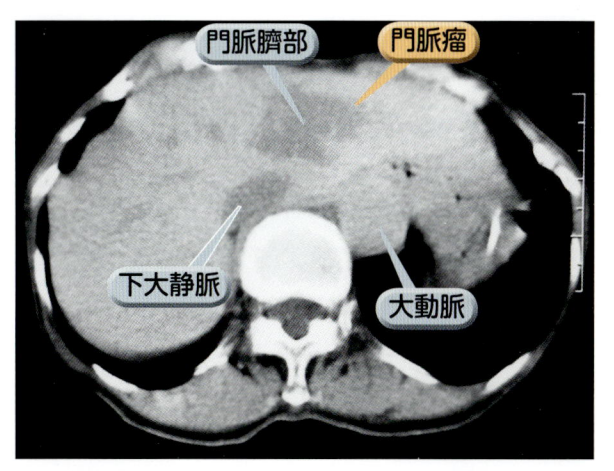

超音波検査の前に行われた単純CTです。右図は左図の1cm尾側のスライスです。「肝左葉に嚢胞らしきものがあるが充実性腫瘍との鑑別が必要」とのことで超音波検査の指示が出ていました。造影CTを行えば「嚢胞らしきもの」は門脈の一部であることは判明したと思いますが，開業医では造影剤の副作用を恐れて造影CTを行わない場合も少なくありません。

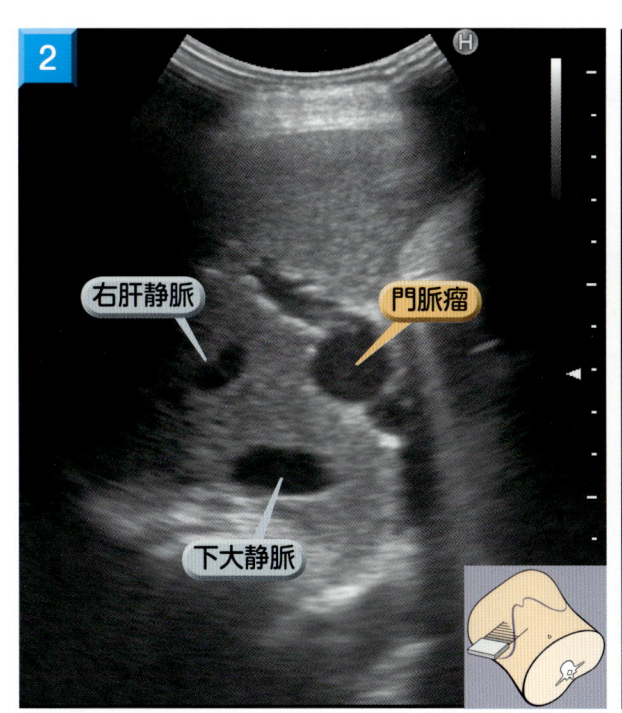

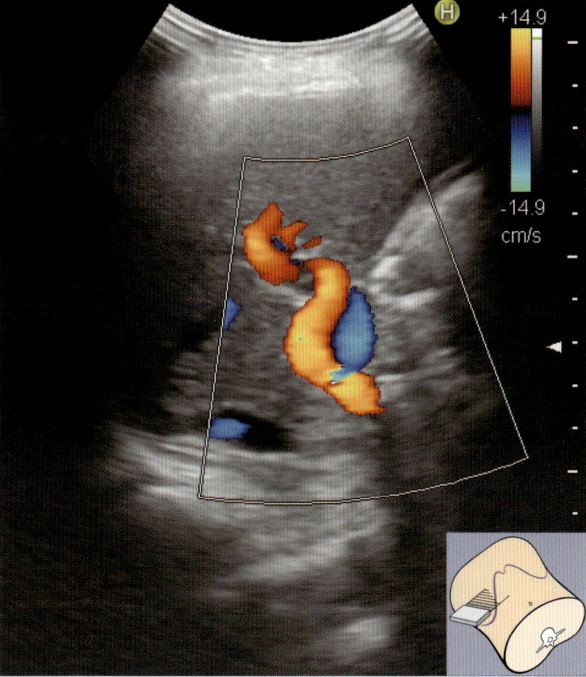

86歳の女性です。左図の黒白画像で見ると肝門部で門脈が嚢状に拡張しています。最大径は正常部の約2倍です。これを右図のカラードプラで見ると，内部が赤と青の2色に色分けされます。青の部分は遠ざかる流れであることを示しています。瘤の部分で血液がらせん状に流れるために観察される現象です。

脾臓のサイズ

肝機能障害で脾臓は腫大し，そのサイズは障害の程度とある程度比例するので重要です。脾腫の原因は他に血液疾患（貧血，悪性リンパ腫，白血病），感染症があります。臍の近くまで腫大するような巨大脾腫の原因には骨髄線維症，白血病，蓄積病などがあります。

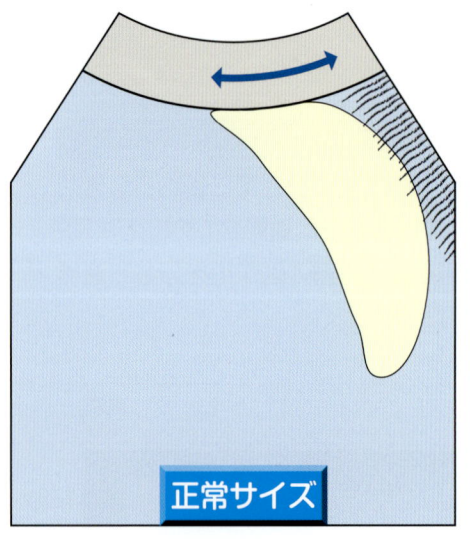

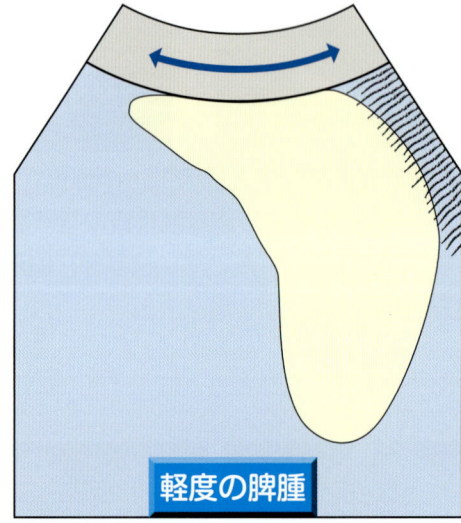

正常サイズ　　　軽度の脾腫

脾臓が腹壁に接している長さ（⟷）が腹壁の幅の2/3以下を正常と判断し，2/3を超え，かつ腹壁の幅を超えないものを軽度の脾腫と判断します。

● 正常脾

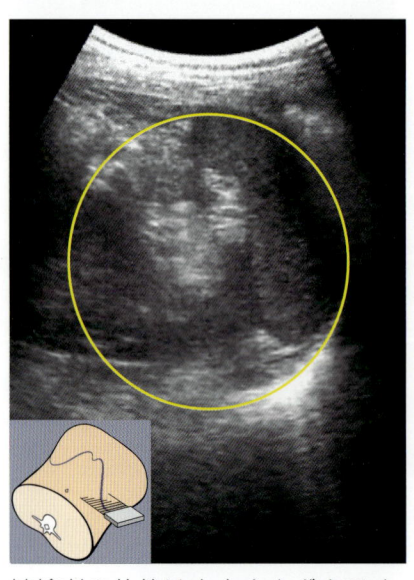

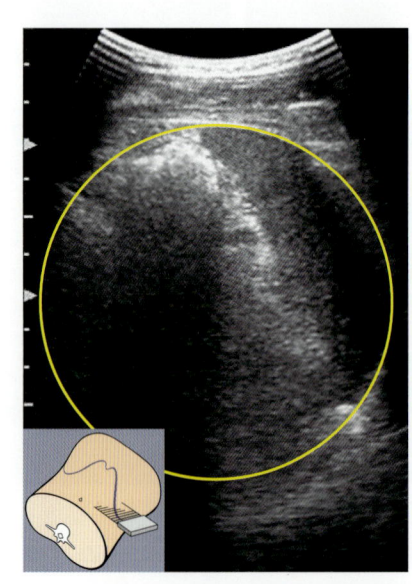

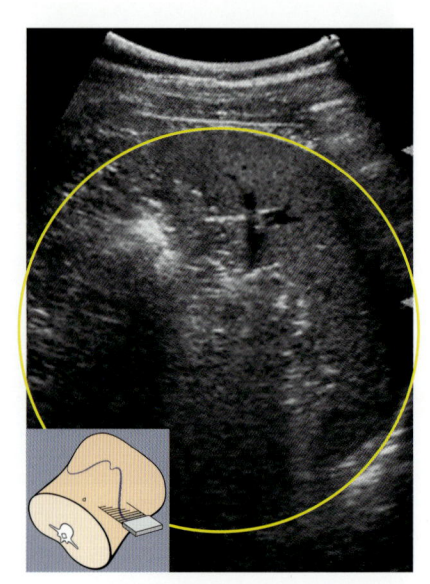

被検者の体格は大小さまざまです。そこで，肋間スキャンで得られた脾の面積だけで脾腫の有無を判断するのは間違いです。ここに示す3枚の脾の肋間スキャン像で，脾の面積は左から右へ大きくなっていますが，3例とも正常サイズと判断します。左から右へ体格も大きくなっています。体格は横隔膜をなぞった黄色い円のサイズで判断できます。もちろん，自分で検査すれば，被検者の体格は目で判断できます。

軽度の脾腫

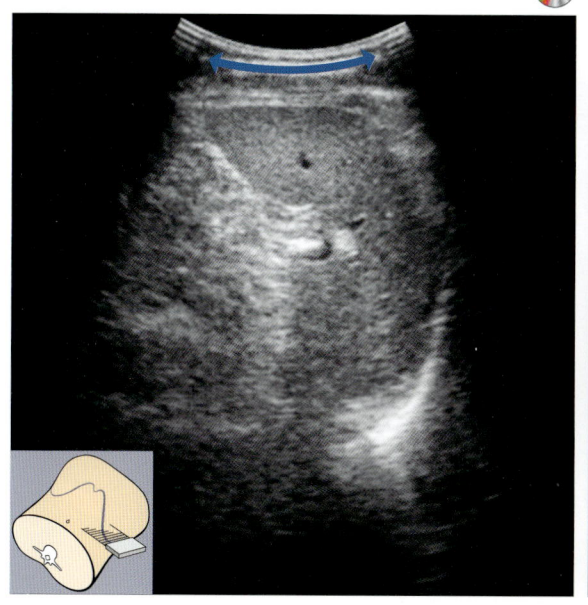

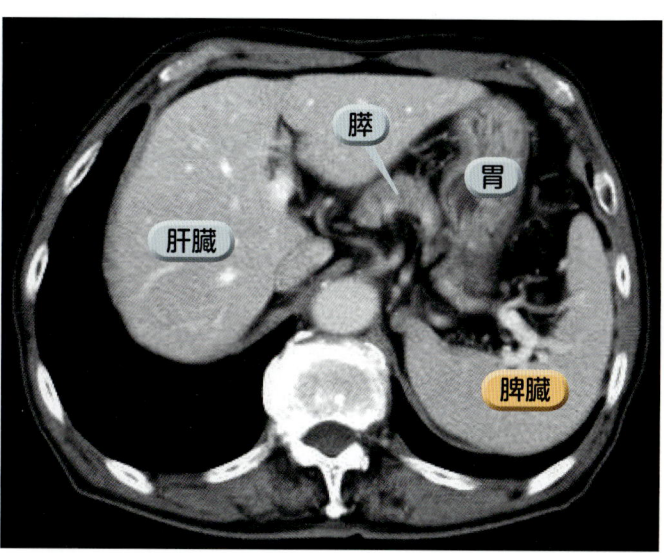

慢性肝炎の症例です。右図にCT像を示します。脾臓が最も大きく見えているスライスを選んでいます。超音波像では脾が腹壁に接している長さが画面の幅の2/3を超えています。慢性肝炎のほとんどはこの程度の腫大を示します。女性で慢性的な貧血がある人でも，この程度の脾腫があることが多いです。

中等度の脾腫

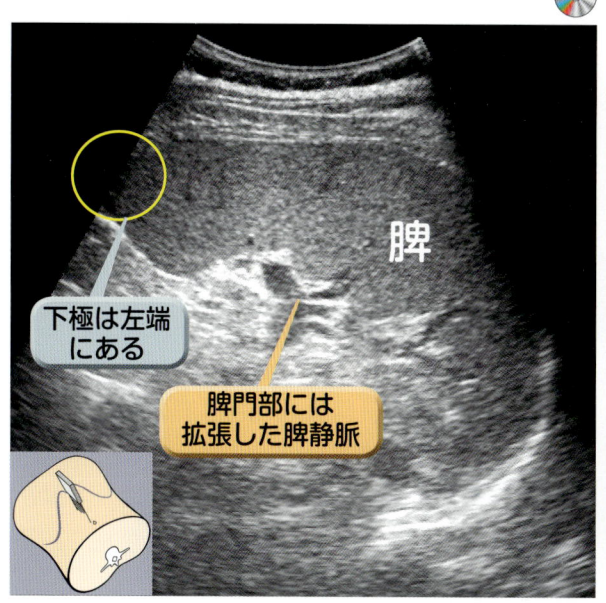

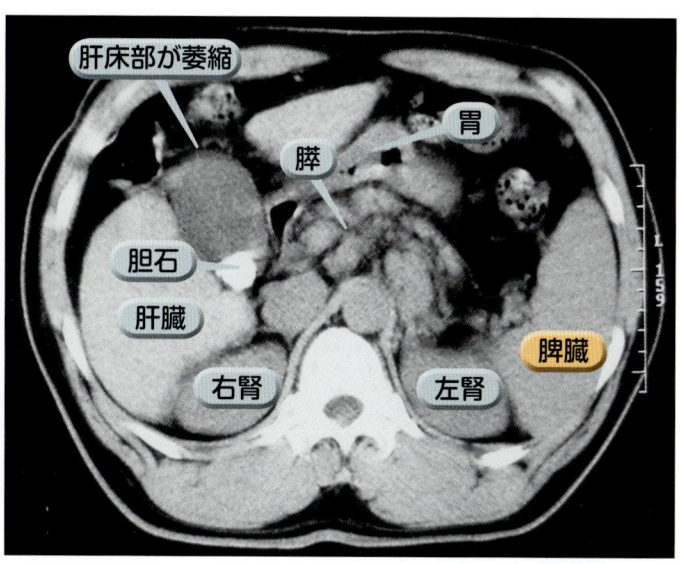

肝硬変でみられた脾腫です。右にCT像を示します。脾臓が最も大きく見えているスライスを選んでいます。超音波像では脾が腹壁に接している長さが画面の幅をわずかに超えています。つまり，横隔膜が検査野の右端に接するように脾臓を描出すると，脾の下極は検査野の左端にあります。これが中等度の脾腫です。肝硬変の多くでこの程度の脾腫がみられます。右のCT像では中等度の脾腫のほかに，肝床部が萎縮して胆嚢底部がむき出しになっている（肝臓が覆っていない）状態もわかります。肝硬変ではしばしば胆石がみられます。

高度の脾腫

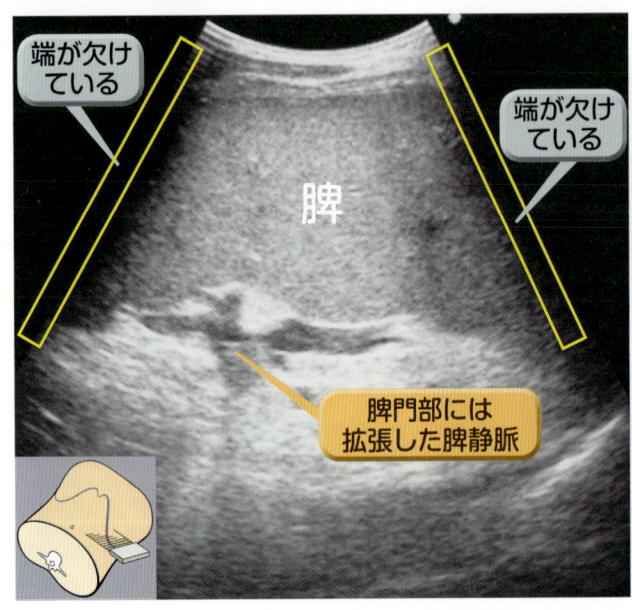

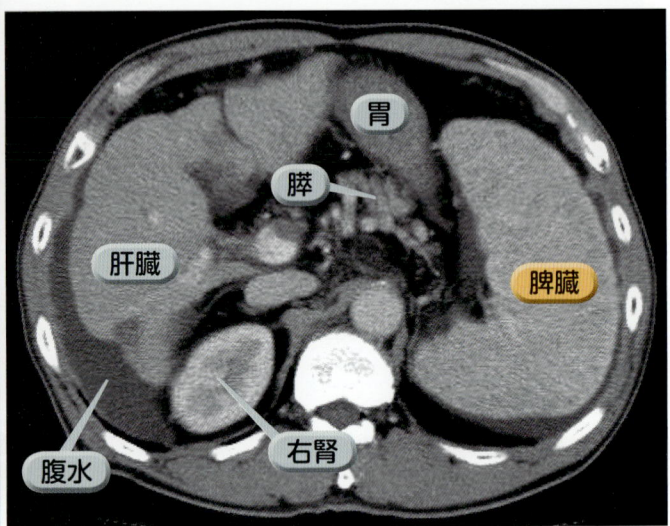

右にこの症例のCT像を示します。脾臓が最も大きく見えているスライスを選んでいます。

超音波画像では脾の下極は検査野の左端を大きく超えています。これが高度の脾腫です。肝硬変の一部や血液疾患で，この程度の脾腫がみられます。

皮下脂肪が少ない人の側腹部でコンベックス方式のプローブを用いて肋間スキャンを行うと，この図でわかるようにプローブの両端は皮膚に接触しないので検査野の両端が欠けます。ですから静止画で脾臓のサイズを判定するのに支障がありますが，検査中は交互にプローブを傾けて両端の状態を観察するので，判定に大きな狂いはありません。

巨大な脾腫

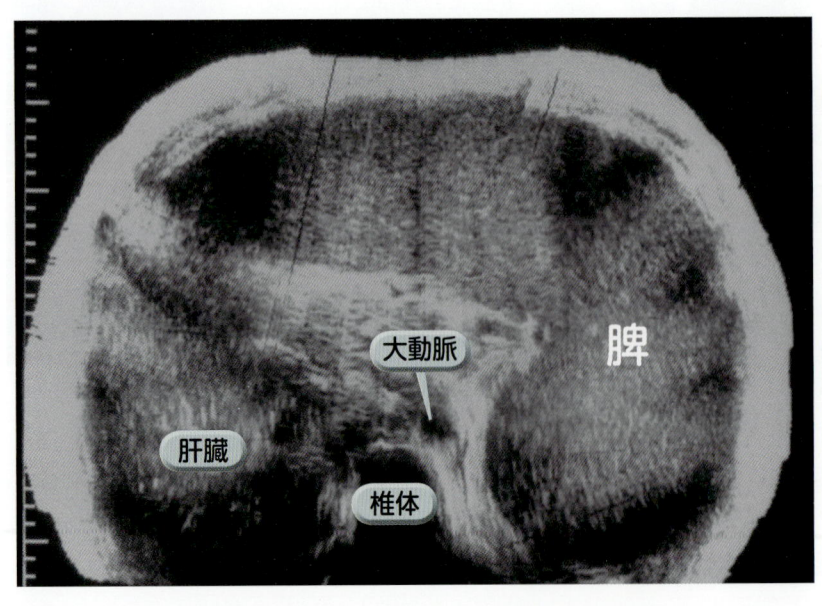

白血病や悪性リンパ腫，骨髄線維症などでは脾は高度に腫大し，左季肋部で触知します。巨大な場合は脾の先端は臍を超えています。

この症例は脾が大きいために，内臓逆位のように見えますが，肝臓が左にあるわけではありません。

1976年にコンタクトコンパウンド装置（1980年頃まで使われていた超音波装置）で検査しました。コンベックス型のプローブで検査したら，全体のイメージはつかめないでしょう。

脾臓のサイズの計測について

私は脾臓のサイズを判断するのに，脾臓が腹壁に接する長さに注目して大まかに把握していることは224～226ページで紹介しました。脾臓のサイズ（容積）を正確に知るには，マルチスライスCTを用いて脾臓全体を1回でスキャンして，各スライスの面積を積算するしかありません。CT画像から脾が最大に描出されている断面を取り出して面積を計算しても，脾臓の形態は個体差が大きい（CT画像を見るとわかります）ので全体の容積との相関はよくありません（225ページの2枚のCT画像で脾は同じ面積に見える）。
超音波診断に関する書籍のほぼすべてが，脾臓のサイズを計測する方法としてspleen indexという方法を紹介しています。

● spleen indexとは

肋間スキャンを行って，脾臓が最大に描出される断面を記録し，2カ所の長さを計測して脾臓のサイズを知ろうというものです。よく知られている方法が2つあります。①脾の前下縁（下極）から後上縁（上極）までの長さ（下図のシェーマの白線）をaとし，さらに脾門部から白線に垂直に横隔膜面まで線（下図の赤線）を引き，その長さをbとする方法。②脾の前下縁から後上縁まで線を引く代わりに前下縁から脾門部まで線（左図の黄線）を引き，これをcとする方法。
両者ともa×bあるいはc×bの数値から脾臓のサイズを判断します。

● spleen indexを実践しようとしても

左画像のような形をした脾では，bを測るのに赤のように線を引くのか青のように線を引くのかわかりません。右画像の脾ではどうなるのでしょう。赤線でしょうか，それとも青線？

● spleen indexは実用的ではない

spleen indexを知ろうとすると困難にぶつかります。すべての脾臓が下図のシェーマのような計測に都合のいい形をしているわけではありません。また，脾門部から横隔膜までの距離も実際は横隔膜が描出されないので「当てずっぽう」に線を引かざるを得ません。脾腫がないと脾静脈ははっきりと見えないので，脾門部がどこかも決定できません。後上縁の位置判定も難しく，検者によって意見が分かれそうです。
その前に，脾臓の最大断面を記録するのは容易ではありません。患者の呼吸のコントロール次第で2～3倍は異なるサイズになります。超音波検査歴20年以上のベテランが「脾腫なし」と判定した症例を再検査したところ，私の方法で「中等度脾腫」と判定したこともありました。

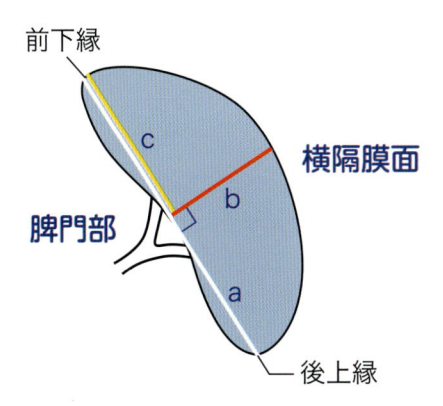

超音波の解説書に紹介してあるspleen indexの計測方法です。a（白線）×b（赤線）とするものと，c（黄線）×b（赤線）とするものがあります。

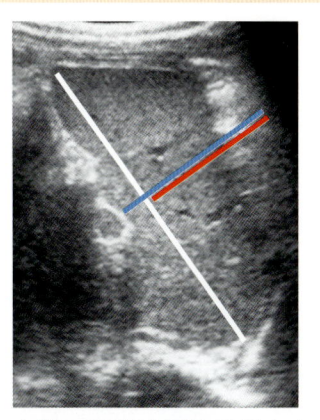

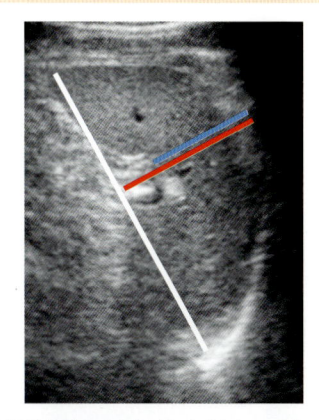

実際の脾臓は個体差が大きく相似形ではありません。脾門部をどのようにして決めるか，横隔膜の位置をどのように推測するか，bを測るのに赤線で測るか青線かなど最終的な数値を左右する要素は多くあります。

拡張した側副血行路

脾臓から戻る血液は脾静脈となって膵臓の背側を通り，膵頸部（膵頭部の左端の部分を膵頸部ともいう）の背側で上腸間膜動静脈と合流して門脈になります。脾腫がある状態では門脈圧が上昇しているので，このルート以外の静脈が発達して，そちらにも血液が流れていきます。これが門脈系の側副血行路です。そのルートは212ページのイラストに紹介しています。

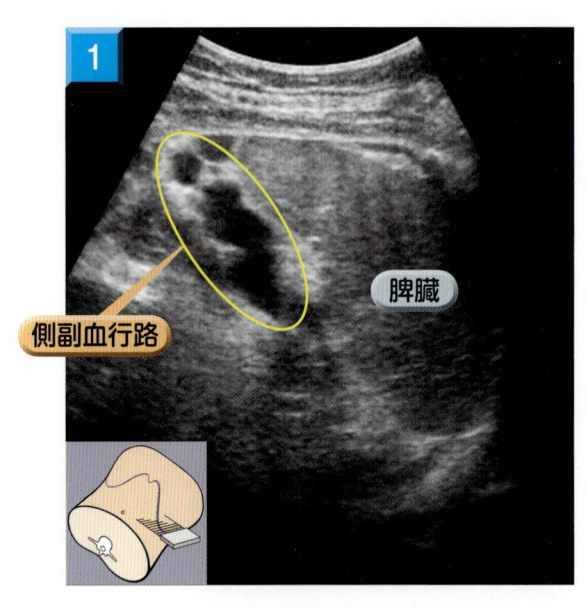

1　側副血行路／脾臓

軽度の脾腫があり，脾門部から下極のほうに蛇行しながら走行する血管があります。脾静脈はこの方向には向かいません。
おそらく，左腎かその周囲の後腹膜の静脈への短絡でしょう。

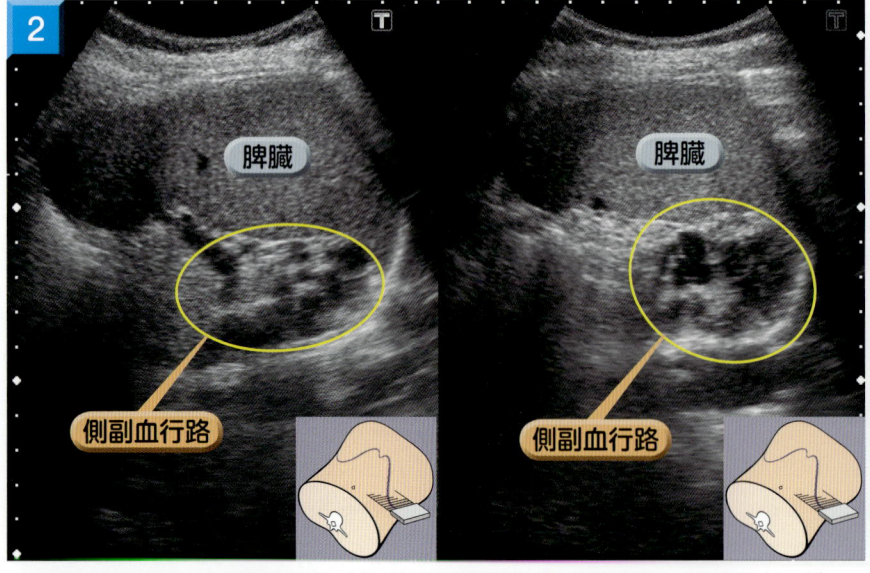

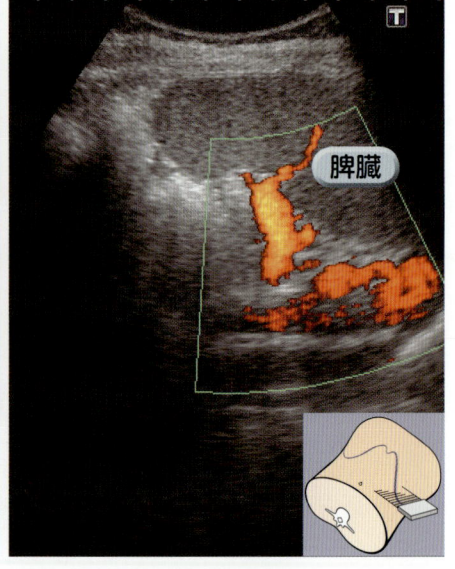

2　脾臓／側副血行路

この症例の拡張した静脈は胃底部周辺に分布しているので，短胃静脈が拡張してできた側副血行路のようです。

副脾

脾門部（脾臓への血管の出入口）から下極にかけて，脾のすぐ外に脾臓と同じ組織があるのを副脾といいます。脾の組織でできているので，脾が腫大すると副脾も大きくなって超音波検査で検出されやすくなります。

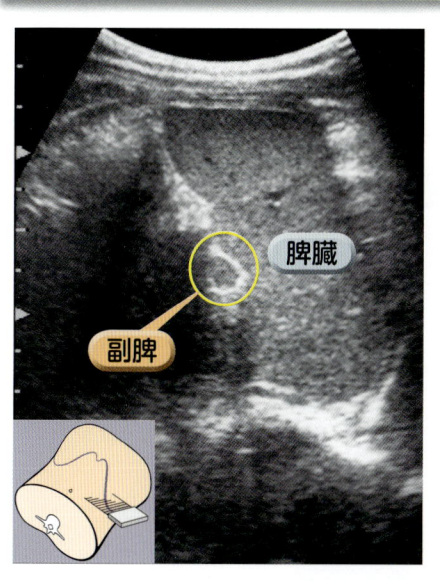

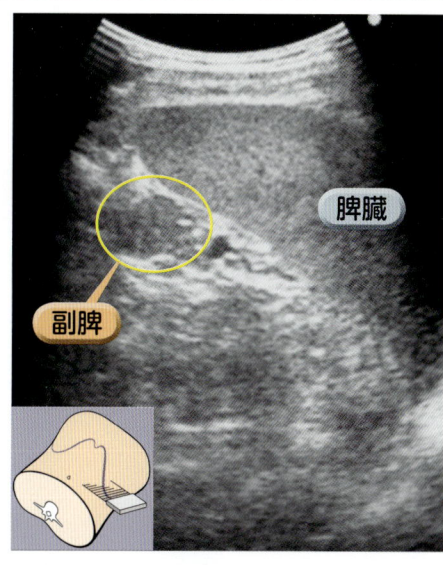

左図では脾門部に8mmの副脾があります。右図ではやや下極よりに18mmの副脾があります。エコーレベルは脾臓と全く同じです。両症例とも軽い脾腫があります。

脾嚢胞

脾臓にも嚢胞ができますが，その頻度は高くありません。所見は肝嚢胞と同じで内部がエコーフリーで後方エコーの増強があります。北海道には寄生虫（エキノコックス）が原因の脾嚢胞があります。

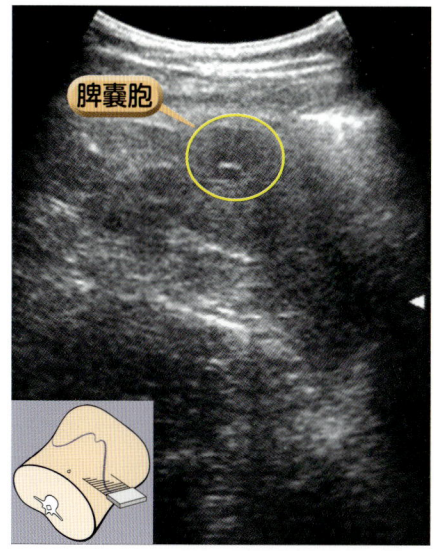

下極近くに12mmの嚢胞があります。

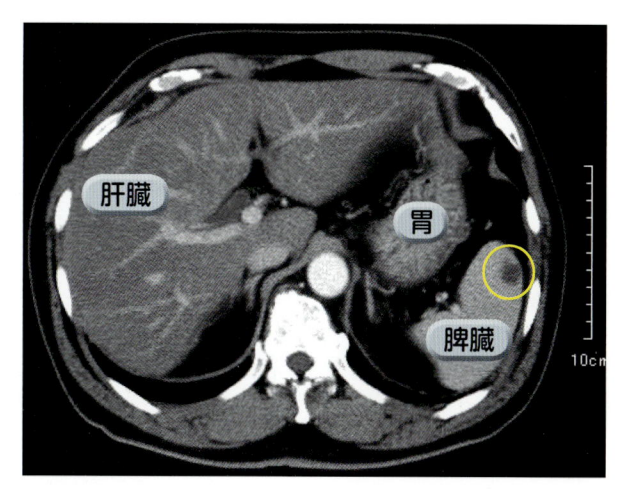

この症例の造影CTです。脾の下極近くに10mm強の嚢胞があります。

肝腫瘍の診断基準の実状

日本超音波医学会は1986年に肝腫瘍の超音波診断基準案を公示し，1988年に確定しています。私は1987年にこの案に準じて肝腫瘍の所見の判定について専門家にアンケート調査を行いました。古いデータですが，配布した超音波画像は現在でも通用する画質です。35施設，103名の方に8症例の肝腫瘍の超音波像を9項目にわたって読影してもらいました。各項目とも判断は大きくばらつき，正反対の判断がほぼ同数示される項目もありました。診断基準は所見の組み合わせで成り立っているので，診断名もばらつくはずです。

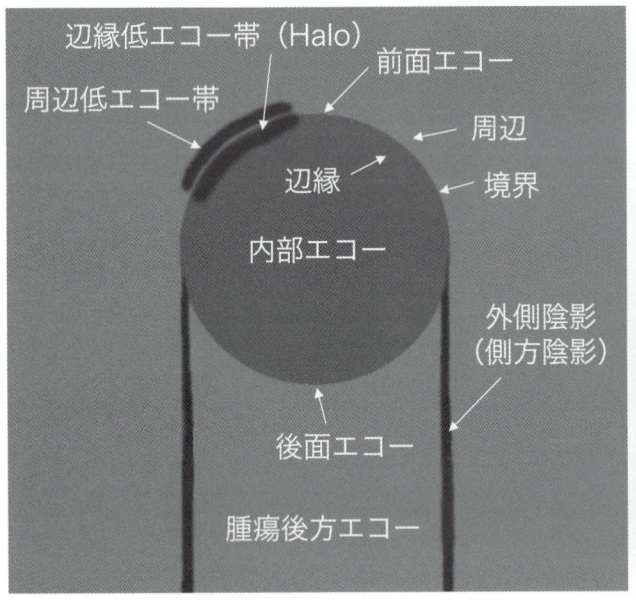

肝臓の腫瘍を検討するときは上図の名称で所見を読影します。

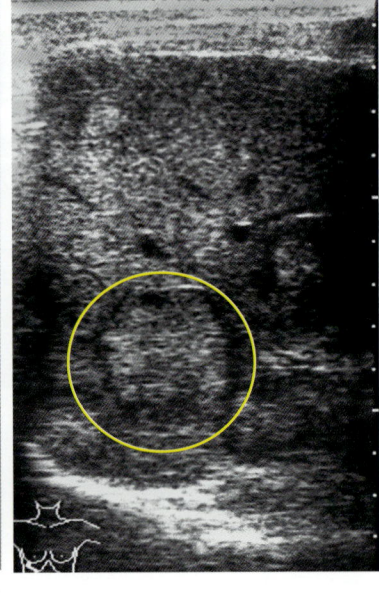

8症例のなかの6番目の症例です。黄色い円内の腫瘍の所見を分類してもらいました。

尋ねた所見は9項目ですが，その中の2項目の結果を下の円グラフに示しています。

診断名は尋ねていません。あくまでも所見をどのように解釈するかについてアンケートしました。ちなみに診断は胃癌の肝転移です。

境界

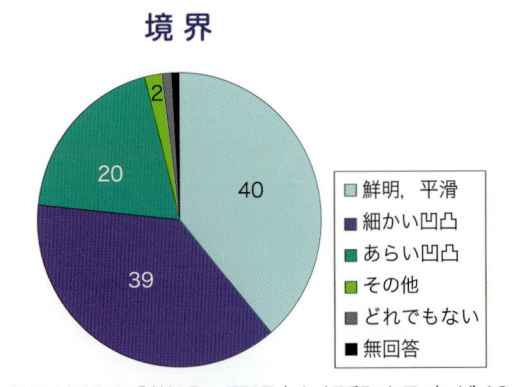

腫瘍の境界を「鮮明，平滑」と解釈する方が40名，「細かい凹凸」と答えた方が39名，「あらい凹凸」が20名です。どれが正解というべきものではありませんが，このバラツキには考えさせられます

辺縁低エコー帯の薄厚

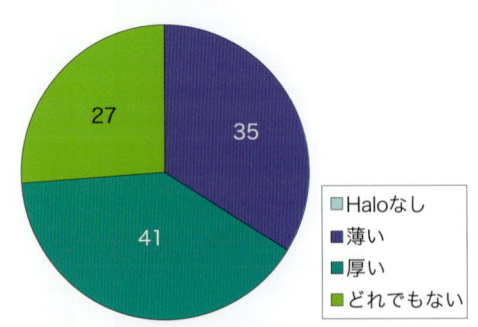

さすがに辺縁低エコー帯がないと答えた方はいませんでしたが，厚いと解釈するか薄いと解釈するかは完全に意見が分かれました。

このことからもわかるように，専門家の間でも所見の解釈はバラバラなのです。

第4章

膵臓

膵臓は上腹部に横たわる細長い臓器で，厚さは8〜15mmです。肥満体の人では膵臓の前面に消化管と消化管に連なる脂肪組織が重なります。そのために膵臓がほとんど描出できないことも珍しくありません。

逆に患者が痩せていたりして条件がそろうと，膵臓はかなり明瞭に観察できます。CTやMRと比べると，はるかに小さな腫瘍性病変も検出できます。

膵臓の同定に重要な脾静脈ですが，オタマジャクシの頭のように見えるのが，脾静脈門脈接合部です（235ページ参照）。

膵臓と周囲臓器

膵臓は上腹部に左右方向に細長く横たわっています。尾部の先端にいくほど，頭寄りになっているケースが多いようです。膵尾部の先端は脾門部に達します。
この図では省かれていますが，膵尾部は胃に覆われています。さらに一部が横行結腸に覆われる場合もあります。

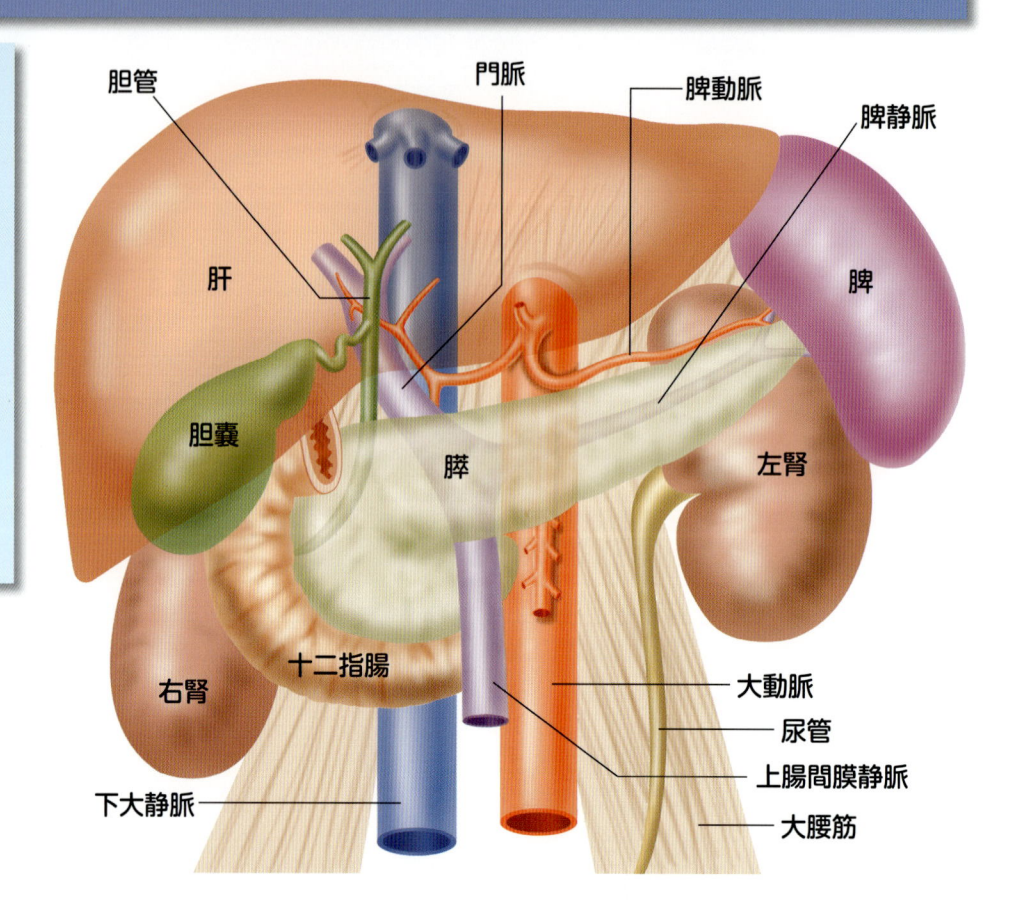

胆管　門脈　脾動脈　脾静脈
肝　胆嚢　膵　脾　左腎
右腎　十二指腸　大動脈　尿管　上腸間膜静脈　大腰筋　下大静脈

● 横断像でみた膵臓

完全横断像でみた膵臓です。膵の長軸は斜めになっていることが多いので，頭部から尾部の先端までが同じ横断面に描出されることはほとんどありませんが，周囲臓器との位置関係を理解する目的で同一断面に示しています。スライス幅が1cmのCT画像を5枚位合成したものと考えて下さい。

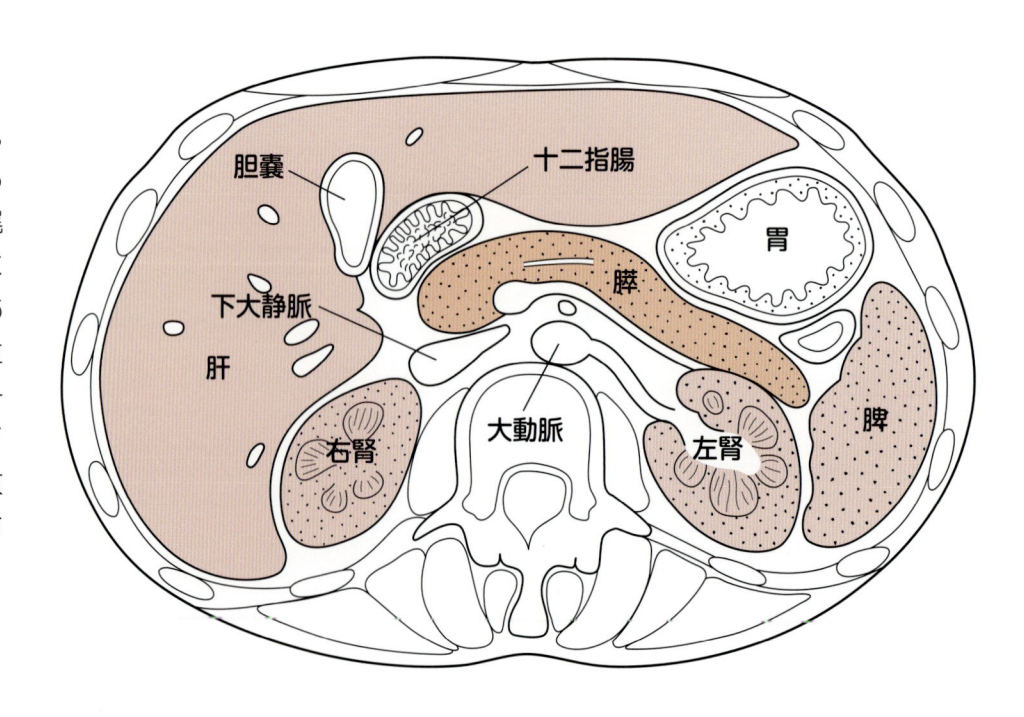

胆嚢　十二指腸　胃
下大静脈　膵　脾
肝　右腎　大動脈　左腎

膵尾部の横断解剖

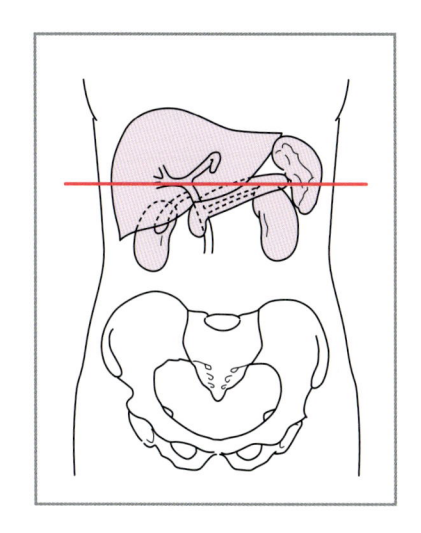

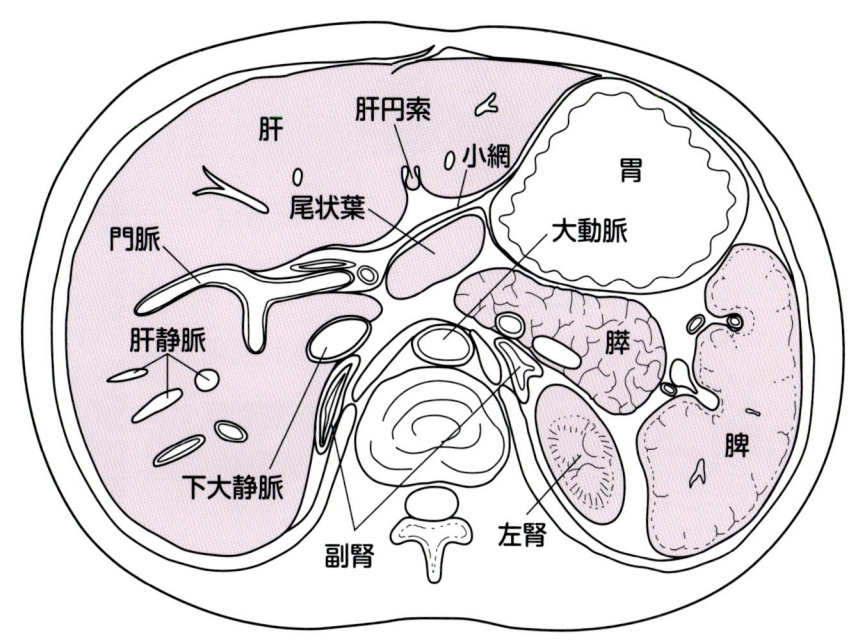

膵尾部が最も頭側にあり，その先端は脾門部にあります。膵尾部は前方にある胃体部の空気のために超音波検査ではほとんど描出されません。

膵体部の横断解剖

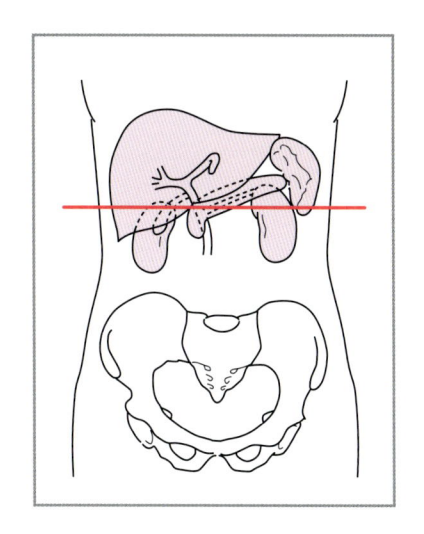

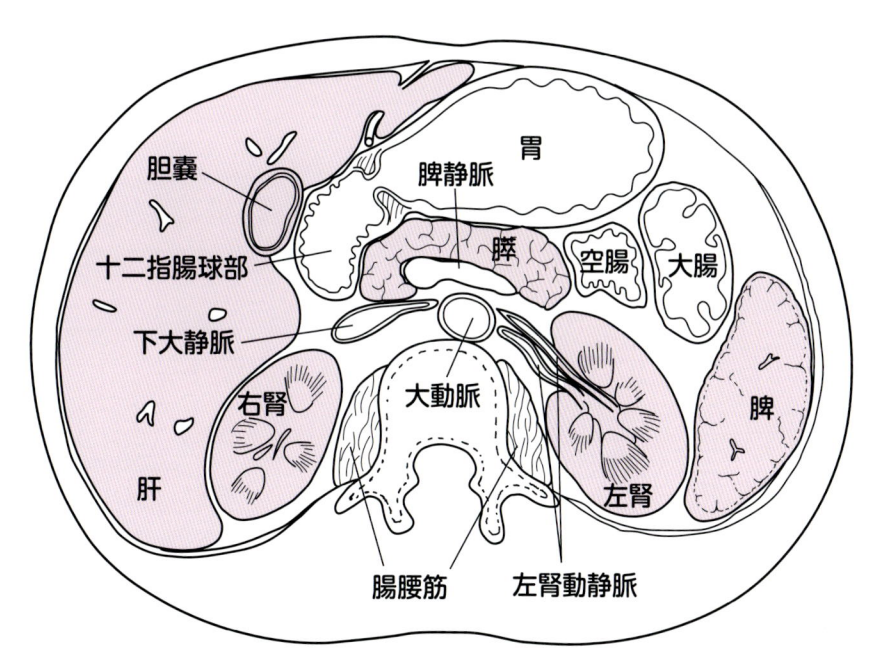

この図では膵体部は胃に覆われていますが，内部に空気がなければ膵臓の描出に問題はありません。肥満体の人で，この位置関係が多くみられます。

痩せた人では胃体部はもっと尾側にあることが多く，膵と重なりません。膵頭部を取り囲んでいる十二指腸は後腹膜に固定されているので，常にこの部分にあり，その内部の空気が膵頭部の描出を邪魔します。

縦断像でみた膵臓

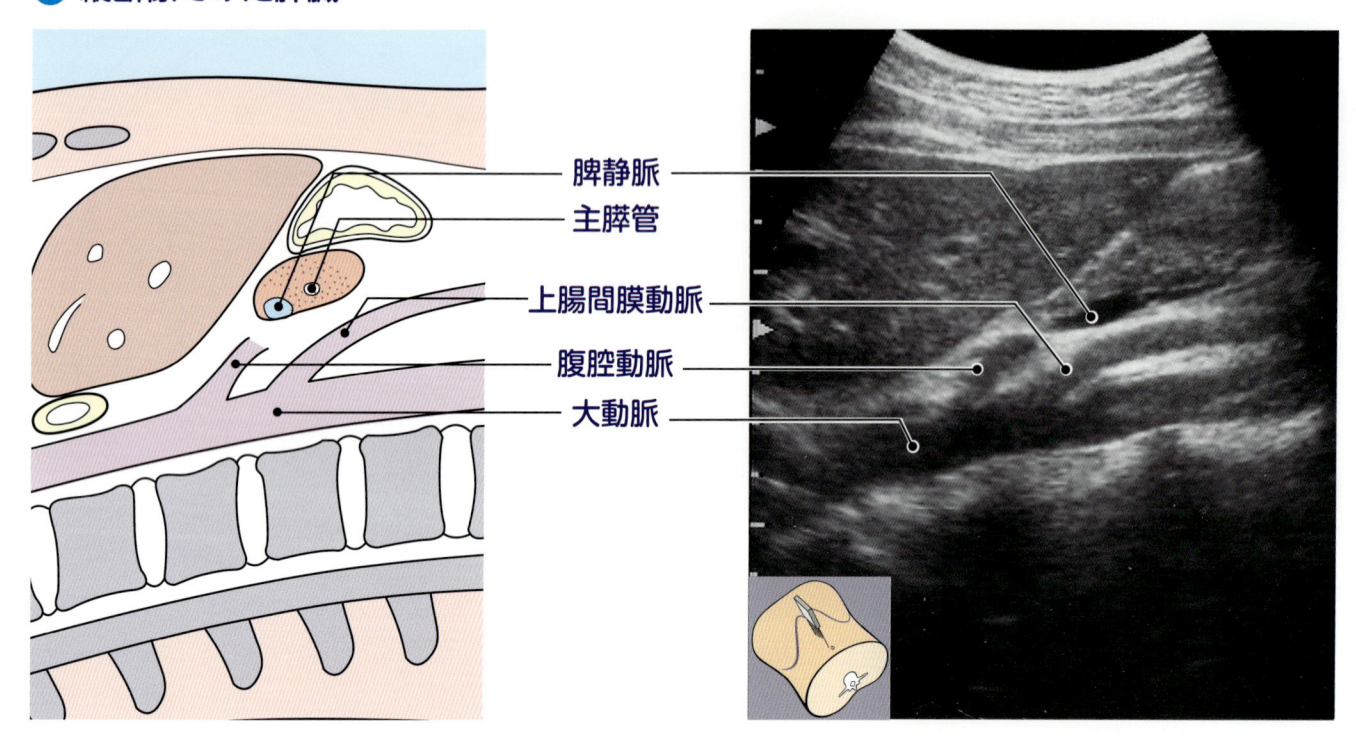

脾静脈
主膵管
上腸間膜動脈
腹腔動脈
大動脈

肝左葉のサイズと膵臓

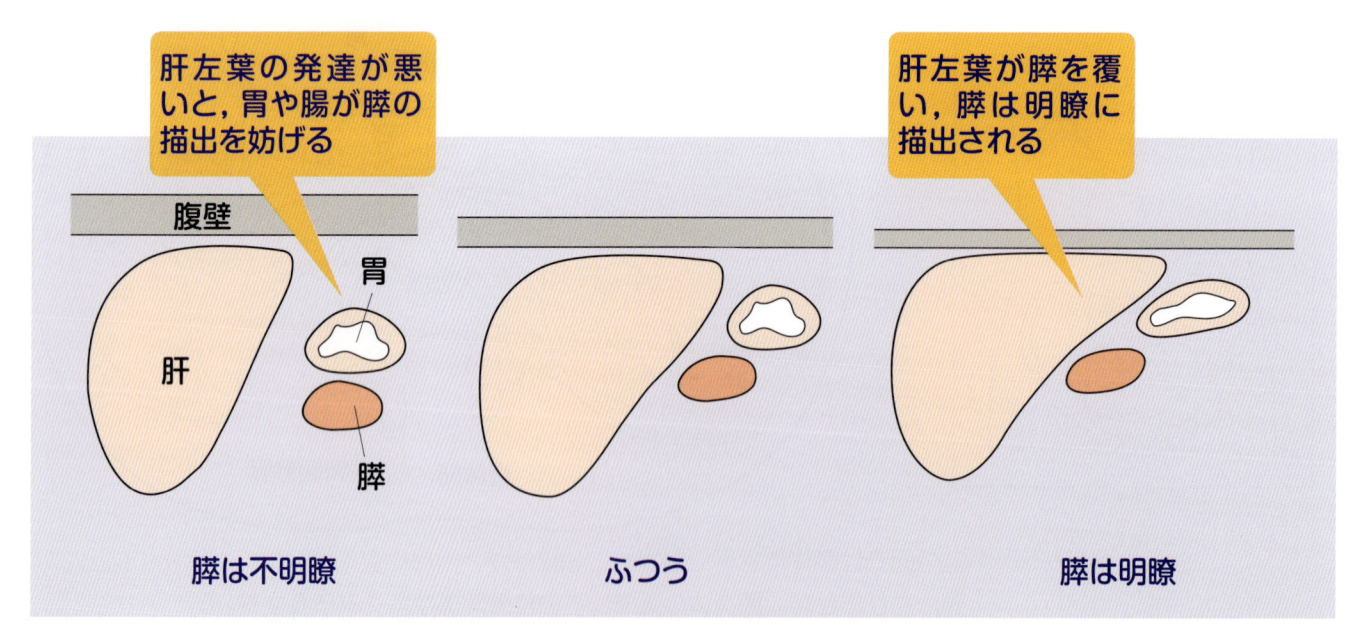

肝左葉の発達が悪いと，胃や腸が膵の描出を妨げる

肝左葉が膵を覆い，膵は明瞭に描出される

腹壁
肝
胃
膵

膵は不明瞭　　　ふつう　　　膵は明瞭

右図のように肝臓の左葉が頭尾（上下）方向に十分に大きくて膵臓に覆いかぶさっていると，消化管や脂肪組織の影響を受けないので膵臓は明瞭に描出されます。それに対して，左図のように肝左葉が小さいと，膵臓の前方に胃やその周囲の脂肪組織が重なり，膵はぼんやりとしか見えないか，全く見えません。肝左葉のサイズは患者の体型と関係があります。肥満体では左図が多く，痩せた人では右図が多い傾向があります。

正常膵臓像 1

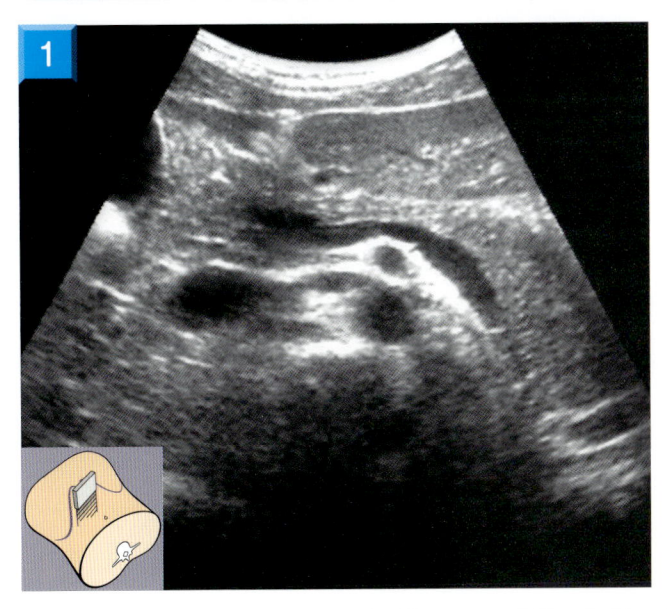

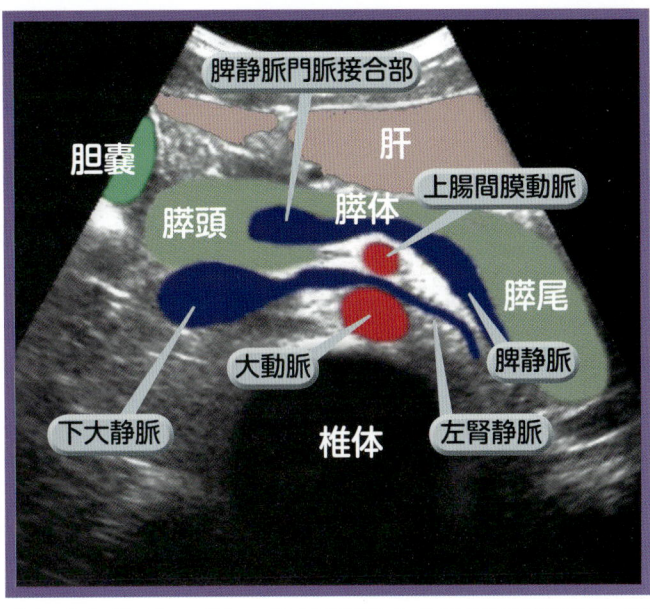

1

（超音波画像：ラベル）
胆嚢／脾静脈門脈接合部／肝／膵体／上腸間膜動脈／膵頭／膵尾／下大静脈／大動脈／脾静脈／椎体／左腎静脈

心窩部でスキャンした膵臓の横断像です。膵臓の長軸の向きに合わせて，プローブは反時計方向に20度前後回しています。膵実質のエコーレベルは肝臓とほぼ同じです。高齢者では膵は萎縮し，エコーレベルは高くなります。

膵臓を同定するときの目標は脾静脈です。脾静脈は上腸間膜静脈と合流する部分で太くなり門脈に変わります。私はこの部分を「オタマジャクシの頭（正しくは脾静脈門脈接合部）」と呼んでいます。尻尾は脾静脈です。この症例ではオタマジャクシの頭が太くありません。下大静脈と左腎静脈の合流部のほうがオタマジャクシらしく見えています。

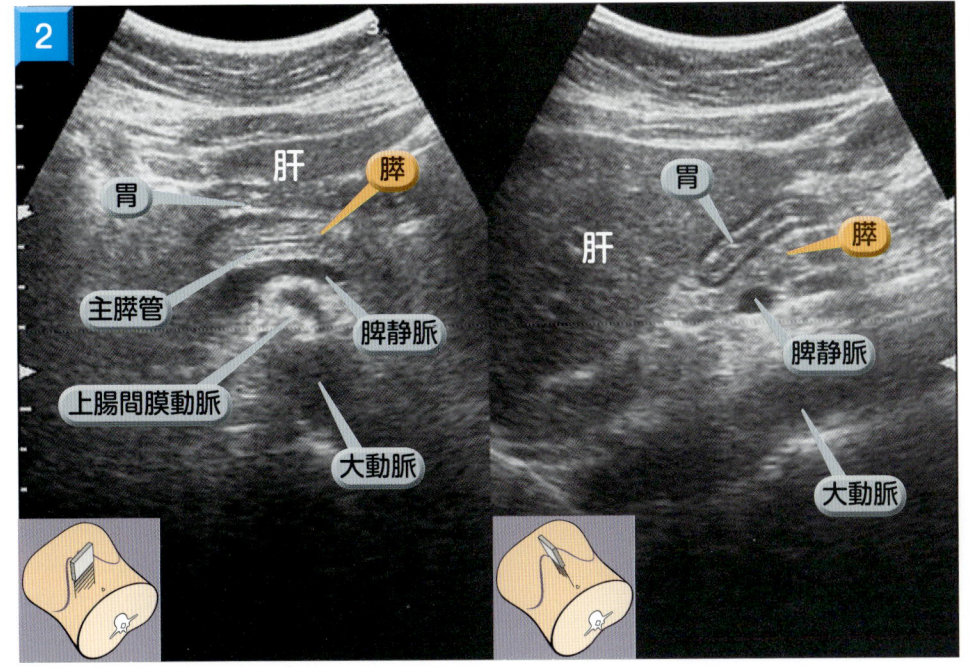

2

（超音波画像：ラベル）
胃／肝／膵／主膵管／脾静脈／上腸間膜動脈／大動脈／胃／肝／膵／脾静脈／大動脈

左図が横断像で，右図が縦断像です。この症例では膵体部も胃で覆われていますが，幸いにも胃内に空気が入っていないので，膵体部は明瞭に見えています。膵頭部は不明瞭です。もちろん膵尾部は描出されていません。このように膵尾部は描出されないのがふつうです。

この症例の膵のエコーレベルは肝臓よりわずかに高くなっています。

膵臓

正常膵臓像 2

● 正常主膵管

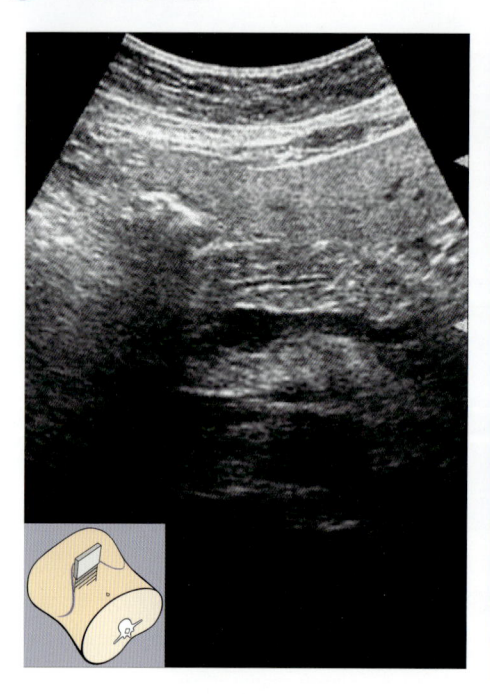

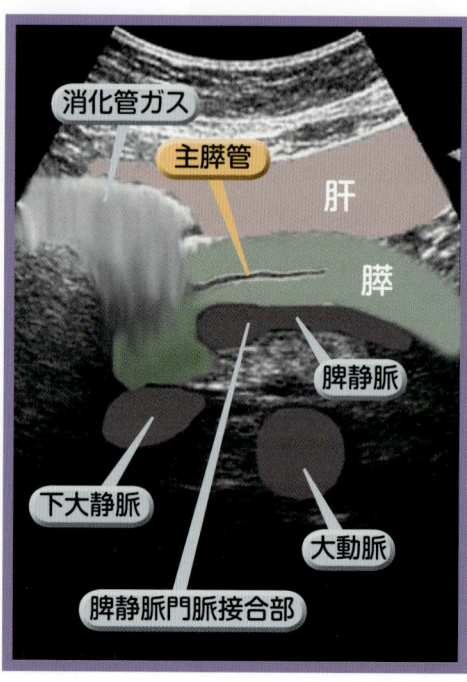

消化管ガス
主膵管
肝
膵
脾静脈
下大静脈
大動脈
脾静脈門脈接合部

正常な主膵管の前後径は2mm以下といわれています。内腔が黒い線でわずかに認められるときが2mmです。内腔がはっきりと描出されるときは拡張しています。

● 紛らわしい脾動脈

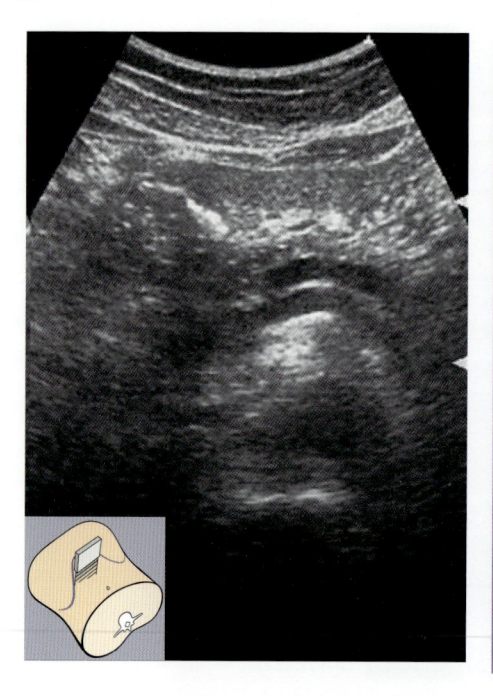

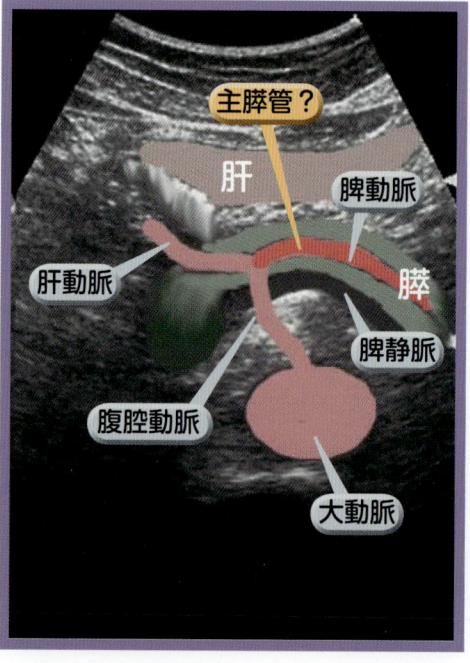

主膵管？
肝
脾動脈
肝動脈
膵
脾静脈
腹腔動脈
大動脈

膵尾部の中央に5mm位の管腔があります。拡張した主膵管と考えるかもしれませんが、これは脾動脈です。脾動脈が膵に少し食い込むように走行していると、このような画像ができます。右図には実際には見えていない腹腔動脈や肝動脈を描き入れてみました。脾動脈は腹腔動脈の分枝です。

● 肥満体でも……

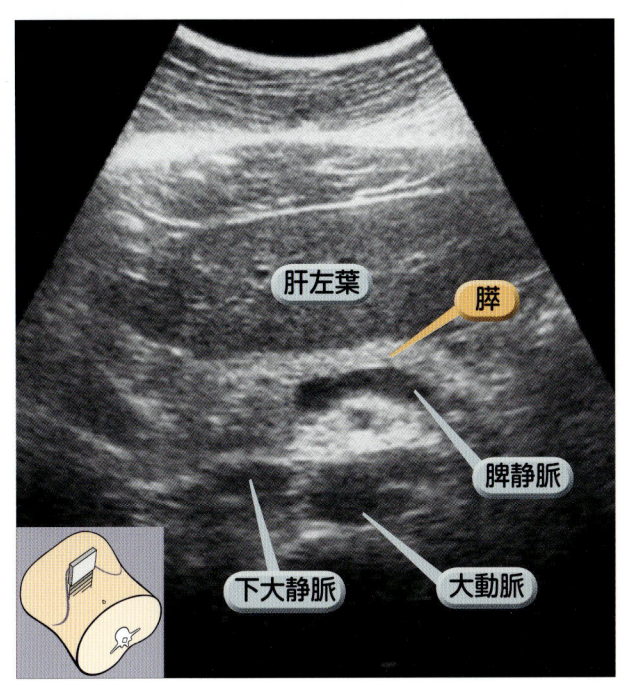

(画像ラベル：肝左葉、膵、脾静脈、下大静脈、大動脈)

肥満体の人の膵臓は超音波検査では描出しにくいとされています。この患者は身長156cm，体重73kg（この身長の人の標準体重53.4kg），体脂肪率41％の典型的な肥満体ですが，膵臓は明瞭に描出されています。このことからもわかるように，体重と膵臓の描出は直接は関係ありません。肝左葉が発達していて音響窓（241ページMEMO参照）の役割を果たしているからです。

一般的に肥満体の人では肝臓は小さく，膵の前（腹側）には消化管ガスが重なることが多いために，「太っているので膵が描出できません」という言い訳の表現ができたのです。

膵臓

MEMO　　脱気水

書店に並んでいる超音波の解説本のページをめくっていたら，膵臓の解説で，胃内の空気の影響を避けるために「脱気水」を準備して飲んでもらうという記述を見つけました。私も昔は水バッグを用いた水浸法で乳腺・甲状腺の検査をしていたので水バッグを満たす脱気水を準備していました。水をやかんに入れて数分間沸騰させるという簡単な方法です。指導を受けていた先輩の指示で行っていたのですが，今になって考えてみると，脱気する意味があったのでしょうか。

水の中に浮遊している気泡は超音波を跳ね返すので，242ページで述べる「坐位で水を飲む」方法で膵臓を検査するときには邪魔になります。しかし，水道の蛇口からコップに入れた直後の水は気泡が漂っていますが，すぐに気泡は消えます。水に溶存している空気は膵臓の検査では問題になりません。

たとえ，十分に脱気した水を飲んでも，口の中で空気と混ざり，食道から胃に落下する段階で気泡が発生します。ですから，自動販売機から買ってきた炭酸が入ってないスポーツドリンクやウーロン茶を飲んでもらっても結果は同じです。こちらのほうがはるかに飲みやすく手軽です。飲んだ直後はどんな水でも胃内で気泡が発生しますが，1～2分で気泡は消えて，超音波で観察した胃内はエコーフリーになります。ただし，胃の粘膜に付着した気泡は残って，白く見える場合があります。

熱心に文献を調べる人ほど先人の知恵を大切にしますが，当たり前と思って行っていることでも，ときには疑ってみるのも必要かもしれません。文献に書いてあることでも，今では「脱気水」のように不適切なものが多くありますし，建前はそうでも本音では，そこまで面倒なことをする意味があるかと思うものもあります。

描出できない膵臓

膵は上腹部の後腹膜に存在する臓器で，腹壁と接することがない臓器です。腹壁と膵臓との間に消化管内のガスが介在すると，超音波は跳ね返されるので膵は描出されません。また，肥満体では皮下脂肪や腸間膜の厚い脂肪が邪魔して膵臓が不明瞭になる傾向があります。痩せた患者でも描出できないことがあります。
胃を切除されていると，残胃や食道と吻合するために引きあげられた小腸が膵の描出を邪魔します。

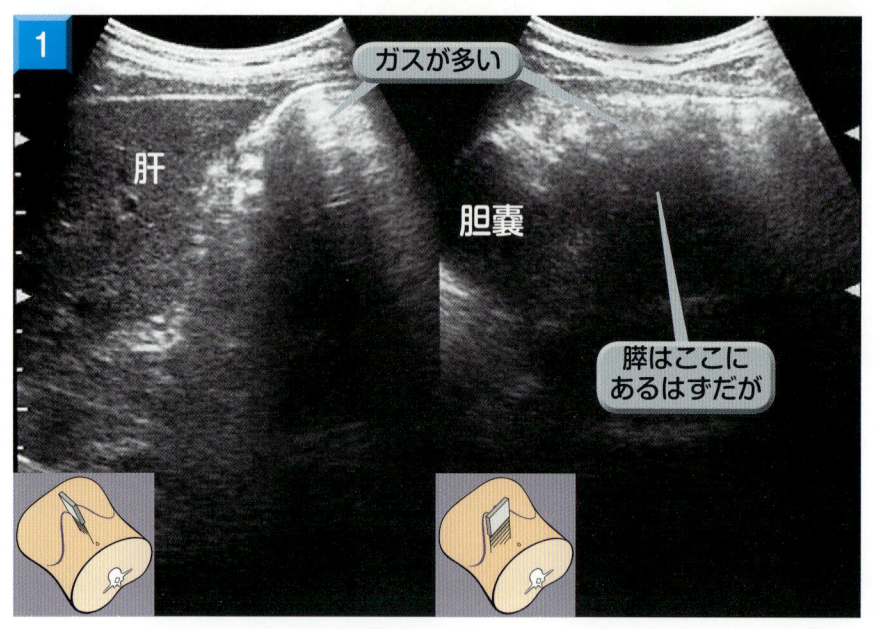

1 ガスが多い／肝／胆嚢／膵はここにあるはずだが

肥満体ではありません。むしろ痩せた人です。上腹部に消化管ガスが充満しているために，膵臓は全く観察できません。
胃切除術を受けている人では引き上げられた小腸内のガスが同じような状況を作り出します。

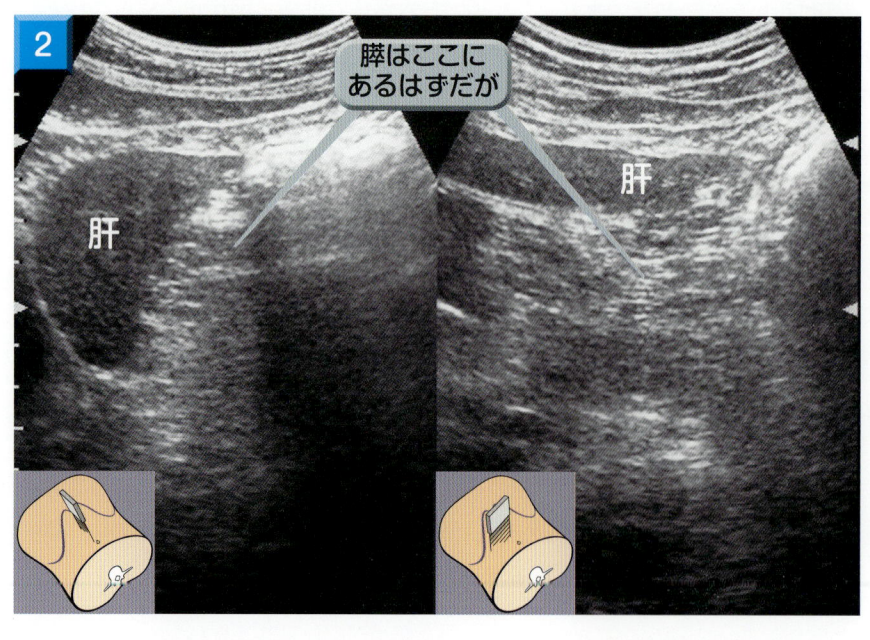

2 膵はここにあるはずだが／肝／肝

肝左葉が小さい人です。日常診療では多く経験するサイズです。肝臓が小さい分だけ消化管が頭側にせり上がっています。消化管のガスや周囲の脂肪のために膵臓は描出されません。
ときには正中線上に全く肝が存在しない人もいます。そのようなケースでは膵は描出できません。

3

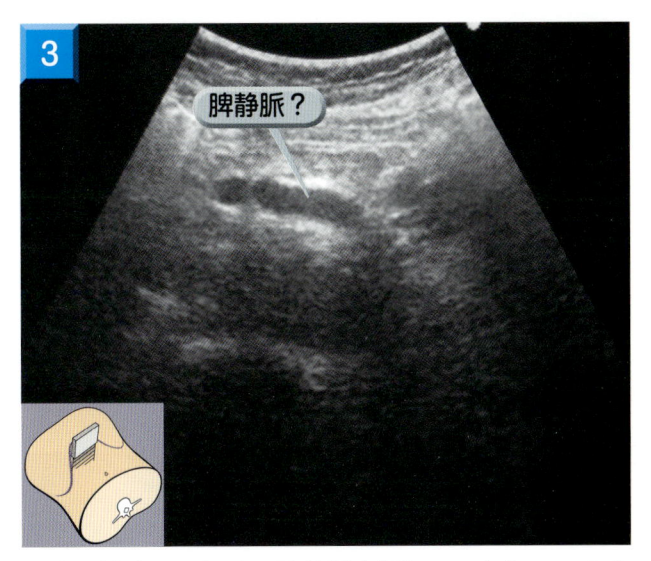

(左上画像ラベル) 脾静脈？

膵臓を描出するために脾静脈を探していたら，このような細長いものが見えました。はたしてこれは脾静脈でしょうか。少し太すぎる印象ですが，脾腫があれば脾静脈はこれ位の太さになります。

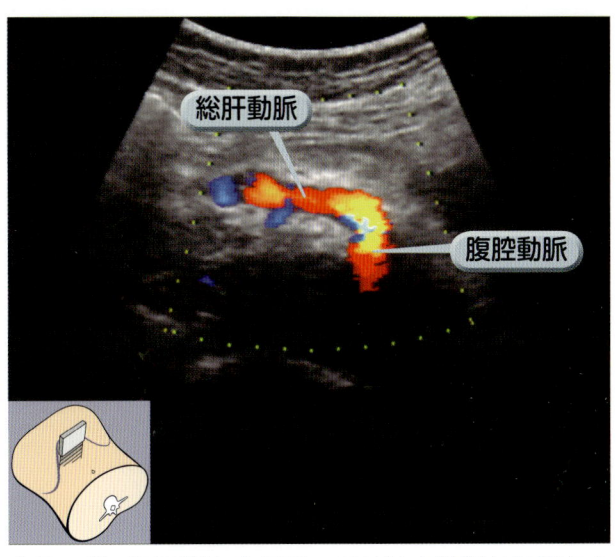

(右上画像ラベル) 総肝動脈／腹腔動脈

カラードプラで見たところ，これは大動脈から起ち上がる総肝動脈でした。つまり，総肝動脈だけが偶然見えただけで，膵臓は全く描出できない症例です。
下図のCTに超音波の検査野を黄線で示しています。

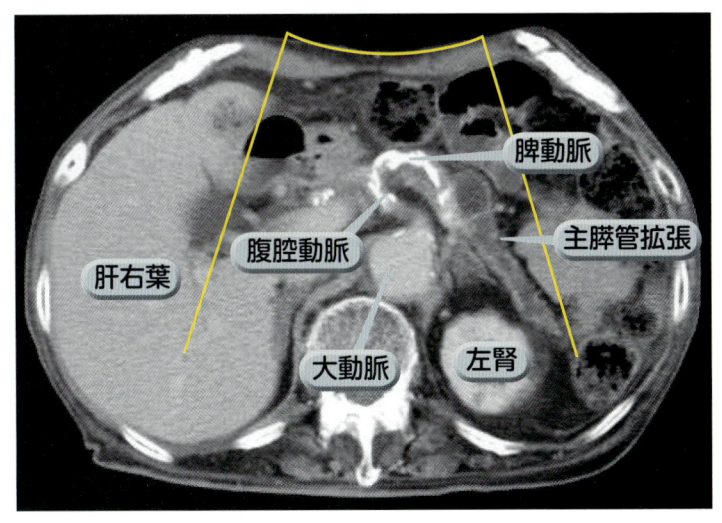

(CT画像ラベル) 肝右葉／腹腔動脈／脾動脈／主膵管拡張／大動脈／左腎

CTを見ると，超音波で膵が描出できない理由がわかります。肝臓の左葉は小さくて音響窓（241ページMEMO参照）の役割をしないので，膵臓は腸管ガスに取り囲まれています。高齢（84歳）のために脾動脈は石灰化しています。「膵尾部に拡張した膵管があるが，その原因は何か」というのが超音波検査の目的でした。
CTで解決できない疑問を超音波で調べてほしいといわれるのは光栄なことですが，残念ながら，このCTを見ると，あまりのガスの多さに検査する気が失われます。

MEMO　チャンピオンデータ

ある学会の教育講演で膵臓の検査法をスライドで紹介した講師が，最後に「今日の私の講演を頭に入れて検査してください。これからは膵臓は描出できませんとレポートに書かないようにしましょう」と締めくくっていました。この講師に上の患者の膵を検査してほしいものです。
滅多に得られないキレイな画像のことをチャンピオンデータといいます。診断装置のパンフレットに使う画像がそうです。チャンピオンデータを見せながら，このように検査しましょうといわれても，第一線で検査に従事していて症例を選べない者は困ります。

膵臓

膵の描出をよくする工夫

膵の描出をよくするために初めにする工夫は呼吸のコントロールです。胃が重なって膵の描出を悪くしている場合は，呼吸によって胃を移動させて膵との重なりを取り除いてやります。
超音波ビームが尾側に向かうようにプローブを傾けて，肝左葉を音響窓に使うのも効果があります。厚い脂肪や大腸ガスが邪魔しているときは坐位での検査が有効です。坐位になると邪魔しているものが下垂して膵臓の前からなくなります。坐位で水を飲んでもらって胃内の水面を膵臓より高くすると，胃内の空気の影響はなくなります。

● プローブを尾側に向ける

膵臓に胃が重なっていると，内部の空気に邪魔されて，膵臓は見えません。
しかし，プローブを尾側に向けて，肝臓経由で超音波を入れることができれば，胃内の空気の影響から逃れることができます。

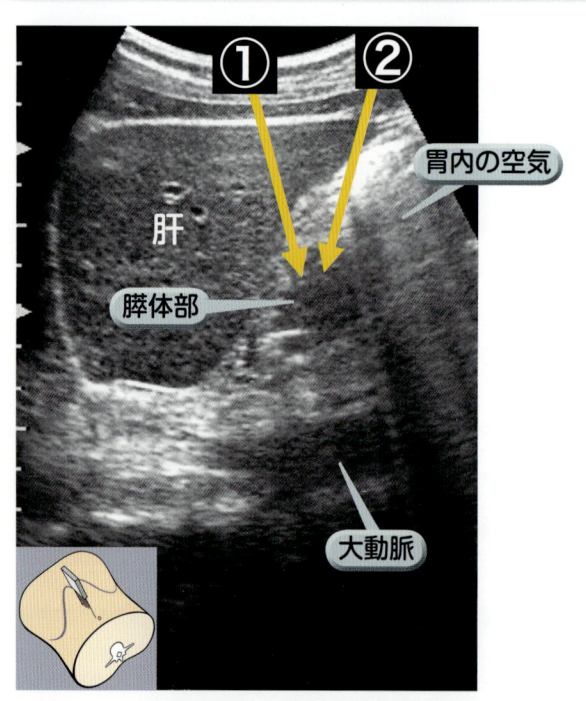

縦断スキャンで肝臓と膵臓が上図のような位置関係にある症例で，膵臓の横断スキャンをします。
プローブを尾側に向けて図の①のルートで超音波を入射させると，右上図のように膵体部は明瞭に見えます。ところが，プローブを頭側に向けて図の②のルートで超音波を入射させると，右下図のように空気の影響を受けて，膵は不明瞭になります。

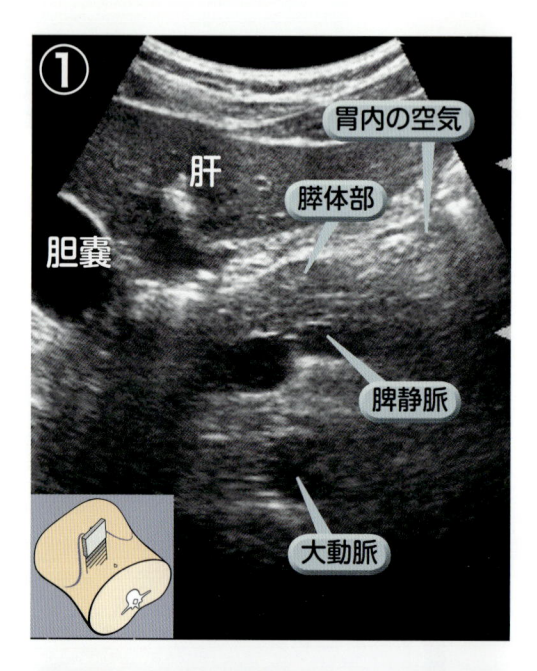

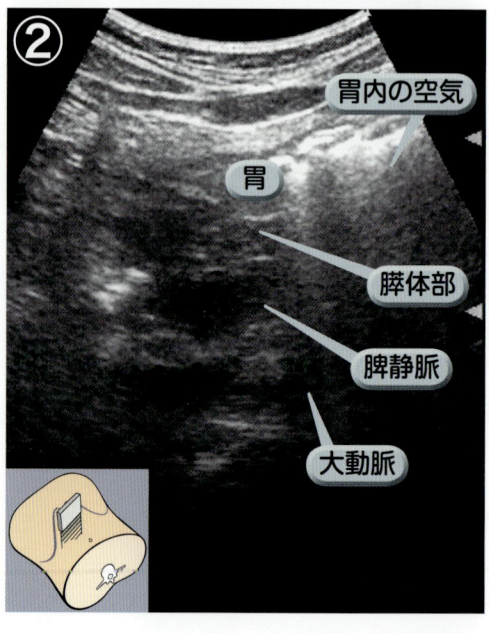

● 坐位で検査する

坐位でスキャンするときは起きて検者の方を向き，ベッドの縁に腰掛けてもらいます。この方法は足を下ろせるので，体が安定します。ベッドに起き上がっただけでは，体を支えるのが大変ですし，腹壁に皮下脂肪の盛り上がりができるので，膵は深くなって検査しにくくなります。足を下ろしてもらうのがコツです。

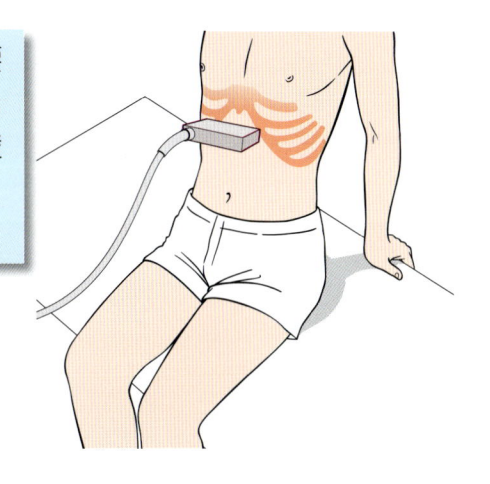

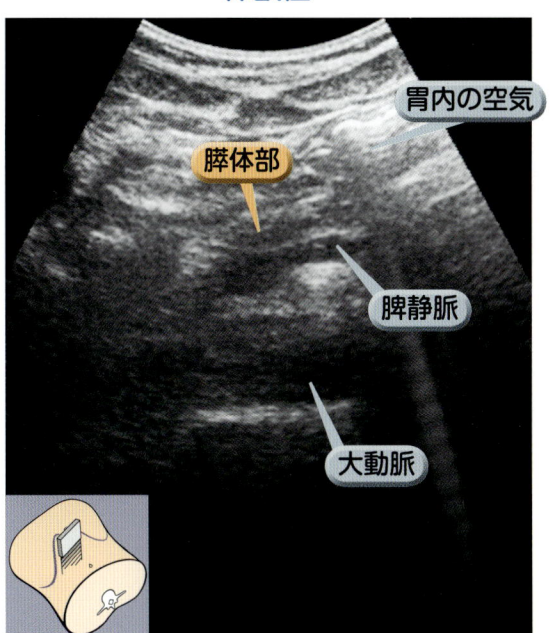

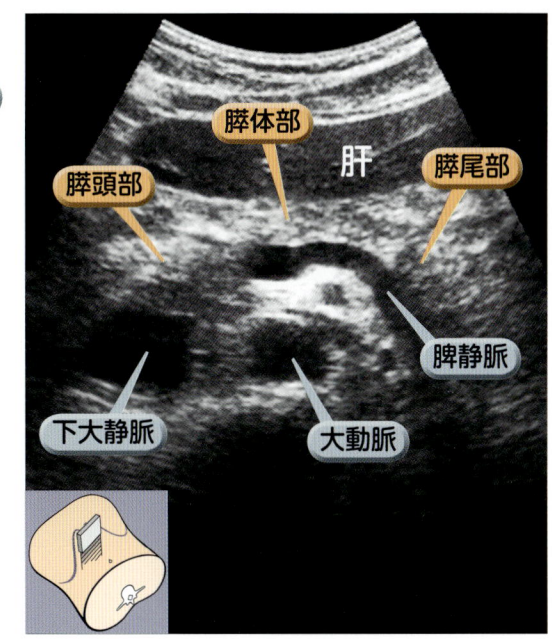

仰臥位 / **坐位**

仰臥位画像ラベル：膵体部，胃内の空気，脾静脈，大動脈
坐位画像ラベル：膵頭部，膵体部，肝，膵尾部，下大静脈，脾静脈，大動脈

左図は仰臥位で検査した膵臓の横断像です。膵臓は不明瞭です。尾部は胃内の空気のために全く見えていません。右図は坐位で検査した横断像です。肝が下垂して膵臓を覆い，消化管は下垂して周囲の脂肪組織とともに膵臓の前からなくなります。その結果，膵体部は明瞭に観察できます。

MEMO　音響窓とは

肝臓や脾臓は内部が比較的均等で超音波をよく通す臓器です。膵臓を検査するときに肝臓経由で超音波を膵に入射させると，途中に超音波を遮るものが介在しないので膵臓をキレイに描出できます。この場合に肝臓が音響窓（acoustic window）の役割を果たしていると表現します。超音波検査に適する経路という意味です。

子宮を体表から検査するときに膀胱を尿で充満させておくのは，膀胱を音響窓にするためです。

坐位で水を飲む

> 坐位で検査しても胃内の空気の影響から逃れられない症例があります。そのときは坐位で水を飲むと胃内の空気が水に入れ替わって観察できるようになります。特に膵尾部の観察に有用です。

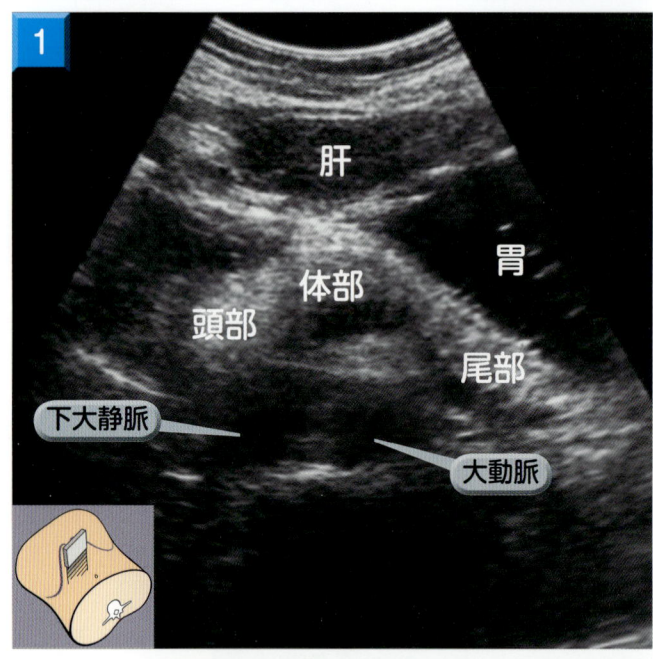

1

（画像内ラベル：肝、体部、頭部、尾部、胃、下大静脈、大動脈）

2

（画像内ラベル：胃、体部、頭部、脾静脈）

坐位で水を飲んでもらって検査しました。水を飲んだ直後は泡だっていて膵は観察しにくいですが、しばらくすると泡は消え、胃内の空気が水に入れ替わって通常は観察できない膵尾部まで明瞭に描出されます。
このときの水は水道水よりも麦茶やスポーツドリンクが飲みやすいので、準備しておくといいでしょう。
胃の蠕動運動で水は小腸に排出されるので、手早く検査しないと、水面が下がって膵は見えなくなります。

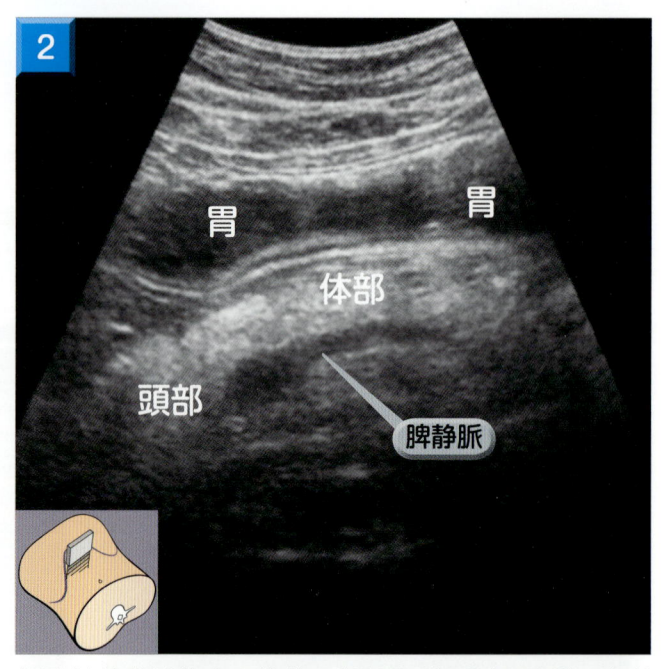

超音波検査は絶食・絶飲で行うのが原則ですが、患者がうっかり食事をしたり、病院が絶飲・絶食の指示を忘れることがあります。この患者は牛乳とお茶を飲んで検査にきました。結果的にはこの液体が胃の中の空気を追い出し、また拡張した胃が近くの腸管を検査野の外に圧排して膵の超音波検査に都合のいい状態を作り出していました。仰臥位で検査しています。
超音波検査には絶食は必須ですが、胆嚢が収縮しない水やお茶は飲んでもかまいません。

MEMO 「膵は描出不良です」

3ページを割いて「膵の描出をよくする工夫」について解説しましたが、ある程度以上の肥満体や肝左葉が極端に小さい人、胃切除術後の人などでは、消化管ガスの影響から逃れることはできません。
膵臓が全く観察できない場合や、膵体部の一部がボンヤリとしか見えない場合、私は「膵は描出不良です」とレポートに書くことにしています。臨床的に膵病変が考えられるのなら、CTなど他の検査を行う必要があります。安易に「膵臓は正常です」と書くべきではありません。

膵尾部を縦にスキャンする

> 膵尾部は胃の空気に覆われるので超音波では描出しづらい部位です。試みたいのが，膵尾部を縦方向にスキャンする方法ですが，この方法で膵尾部が完全に観察できるわけではありません。

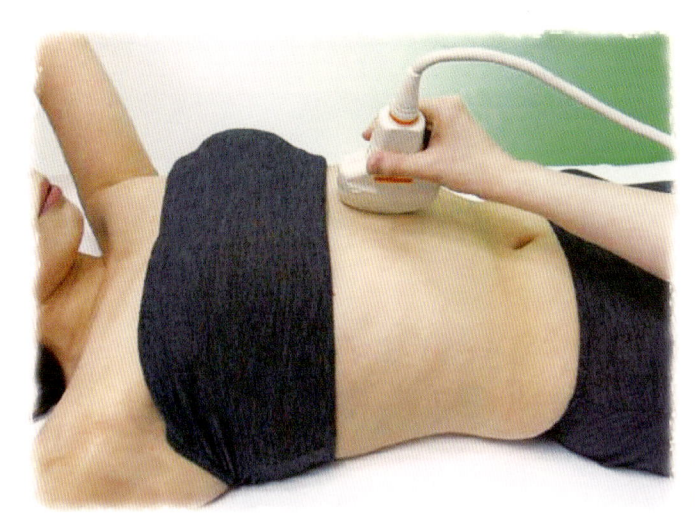

左季肋部でプローブを傾けて，超音波ビームが膵尾部の先端に向かうようにします。

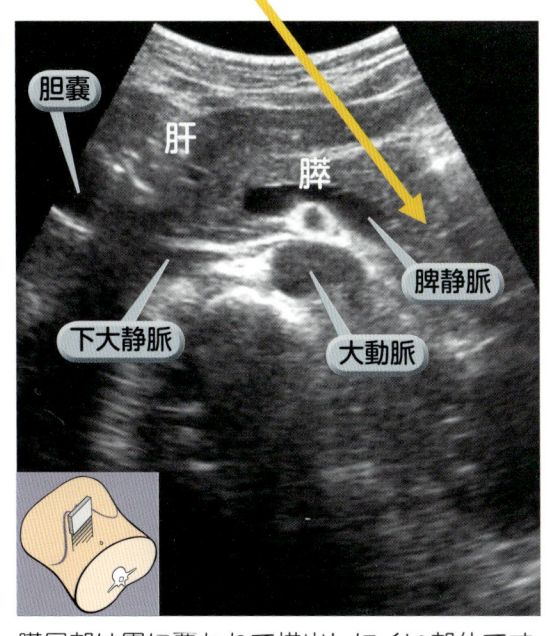

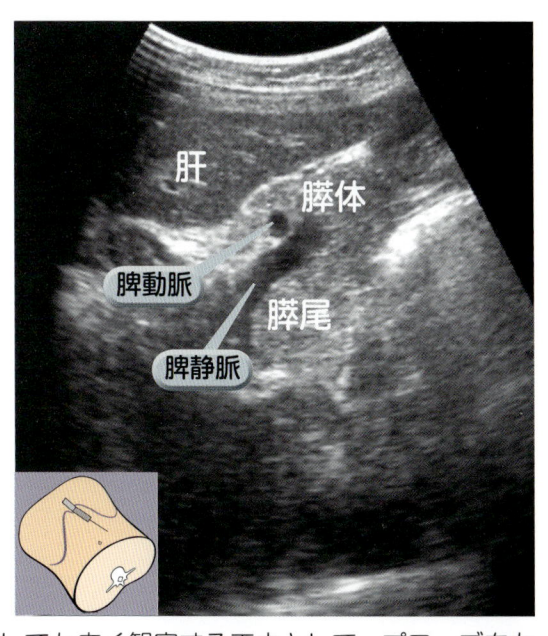

膵尾部は胃に覆われて描出しにくい部位です。少しでも広く観察する工夫として，プローブを左季肋部で縦に当てて，超音波ビームを左図の黄色の矢印に沿って膵尾部に平行に入射する方法があります。このようにすると膵尾部の前方（腹側）にある胃内の空気の影響を受けません。
右図はこのようにして描出した膵尾部の縦断像です。

膵臓

急性膵炎

急性膵炎は稀な病気ではありませんが，超音波検査で急性膵炎と診断できるのは稀です。というのは，超音波で膵を観察しても軽症例では形態上の異常が認められないからです。

超音波検査で急性膵炎と診断できるのは，アミラーゼが2,000～3,000以上の高値を示す症例に限られます。そのような症例では膵は腫大し，膵体部で厚みが20mmを超えます。重症の膵炎では，活性化された膵酵素が膵の内部および周囲を自己消化するので，膵周囲に液体が貯留します。

急性膵炎の原因の1つである胆石の有無には注意して検査しましょう。

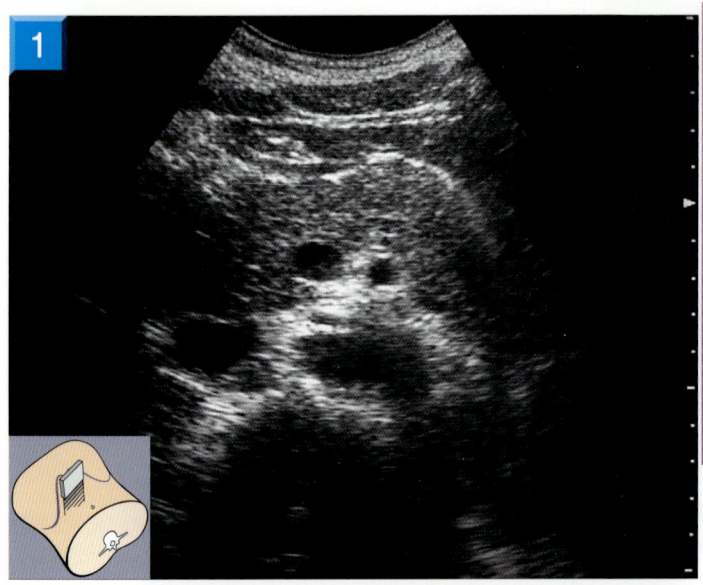

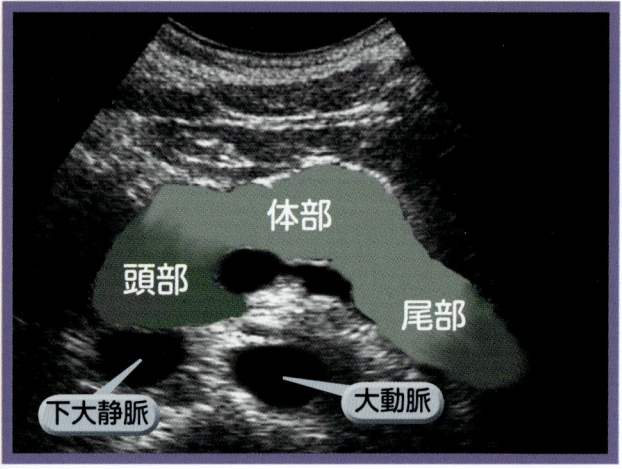

1

膵体部の厚みは20mmで正常上限です。表面は凸凹しています。白血球数21,200，血中アミラーゼ3,000の症例です。

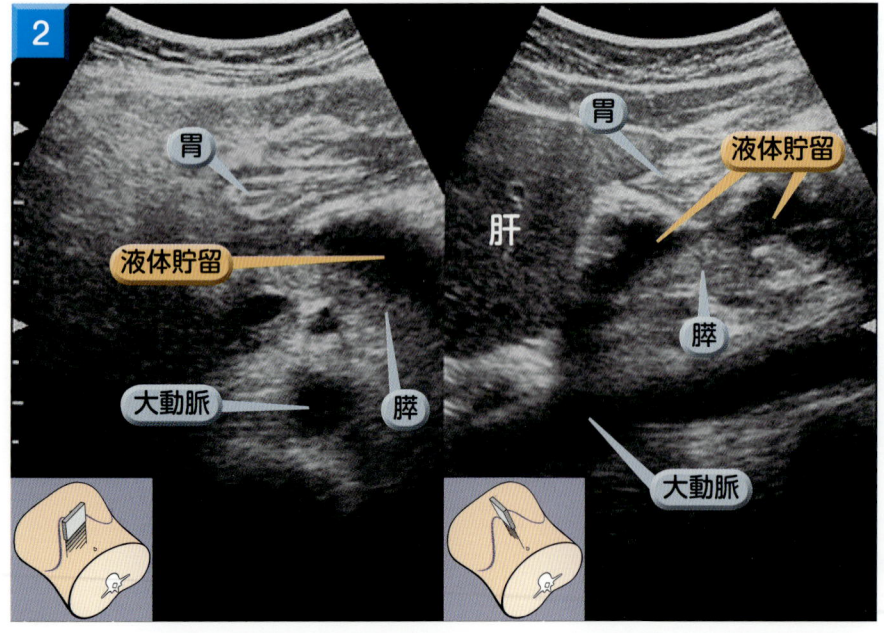

2

高度の膵炎ですが，膵のサイズは正常で腫大していません。膵周囲には液体が貯留しています。

3

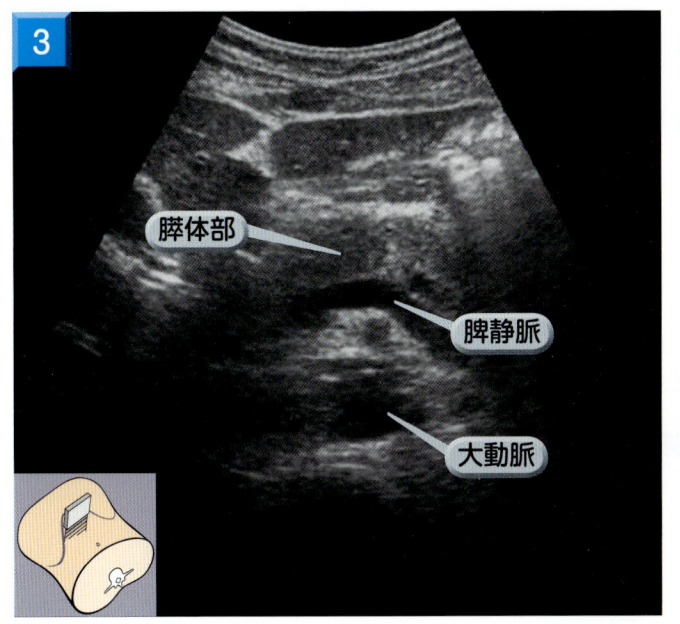

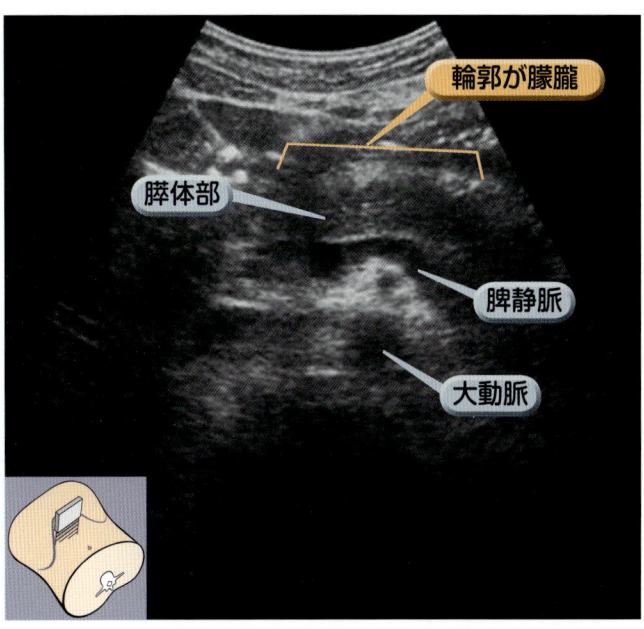

（左図ラベル）膵体部／脾静脈／大動脈

（右図ラベル）輪郭が朦朧／膵体部／脾静脈／大動脈

左図が初回検査で，右図が2週間後の検査です。初回検査の膵体部の前後径は18mmです。2週間後は14mm位になっています。つまり，2週間たって膵炎が改善した時点で，この患者にとって18mmというのは異常（腫大）であったとわかります。両図とも膵の前縁に凹凸不整があり，輪郭が不明瞭です。いわゆる朦朧(もうろう)とした状態です。特に右図で顕著です。血清アミラーゼ値は初回検査時が700（正常値60～200）で，2週間後の検査時は150でした。

> **ひとくちコメント**
> 急性膵炎の重症型は腹痛が強くて仰向けに寝ることが困難です。腹壁が伸展すると痛みが増強するので，横を向いて膝を抱き抱えるような姿勢（前屈位）をとっています。この姿勢では超音波検査はやりにくいです。また，膵の近傍の腸管は麻痺状態でガスが多くなるという悪条件が重なっています。逆に，楽に仰向けになれる患者は軽症なので，超音波検査を行っても膵は正常に見えます。
> 膵炎に関しては消化管ガスの影響を受けないCT検査が活躍します。横向きになっていても問題なく検査できます。膵周囲の滲出液の分布，特に左腎周囲にまで分布した状態も明瞭に描出できます。

MEMO　膵腫大の判定

膵臓の厚みは20mmまでが正常とされています。正常時に膵体部の厚みが8mmの人（ただし検査を受けていないのでわからない）が，急性膵炎を患って16mmになったとします。16mmという数値は正常範囲ですが，この人にとっては膵が倍に腫れている状態です。治癒後に再検査で8mmになっていれば，初回検査のときは腫大していたことが後で判断できます。

つまり，よほど大きくなければ，1回の検査で膵臓が腫大しているかどうかを判断するのは困難です。

私が超音波検査を始めた1970年代半ばには，日本語で書かれた超音波検査の解説本はありませんでした。その頃，フランスの医師が英語で書いた本が有名でしたが，その中に急性膵炎では膵が「フットボールみたいに腫大する」と書いてありました。私はフットボールのように腫大した膵は経験したことがありません。民族が違うと急性膵炎の腫大に差があるのでしょうか。あるいは水代わりにワインを飲む国民性の違いなのでしょうか。

膵臓

慢性膵炎

慢性膵炎は不規則な線維化や肉芽組織の形成，機能低下が進行する疾患で腹痛・背部痛などが出現します。原因はアルコール，胆石が多く，女性では原因不明（特発性）のものもあります。
超音波検査でみられる慢性膵炎の所見は，①主膵管の拡張，②膵石，③仮性囊胞の形成です。
主膵管の拡張は膵頭部癌や十二指腸乳頭部癌でもみられます。その場合は5mm以上の拡張がほとんどです。慢性膵炎では3～4mmの軽い拡張から10mm近くの拡張までさまざまです。慢性膵炎による主膵管の拡張は数珠玉状になると書いた本がありますが，必ずしも数珠玉状には見えません。

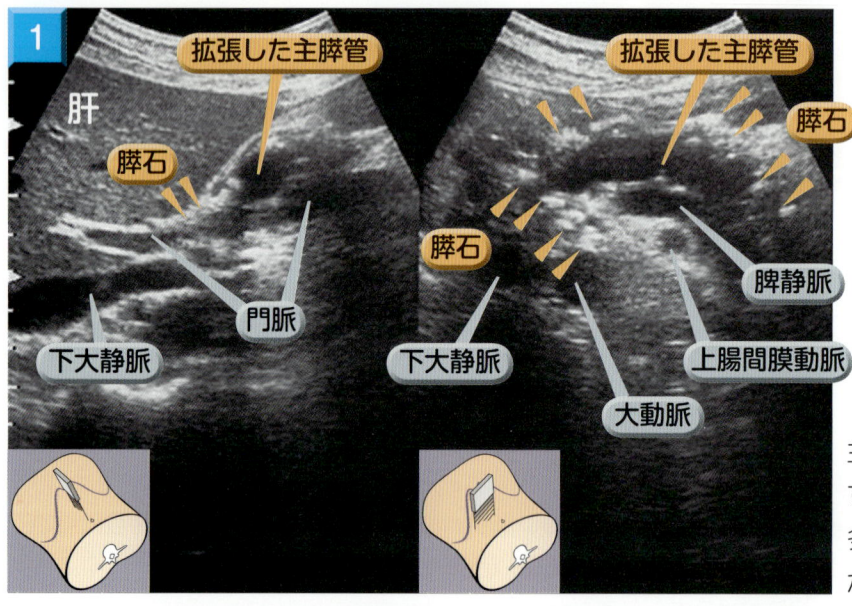

1

主膵管は10mm以上に拡張しています。慢性膵炎でこれだけ拡張するのは多くありません。膵全体に小さな膵石が散在しています。

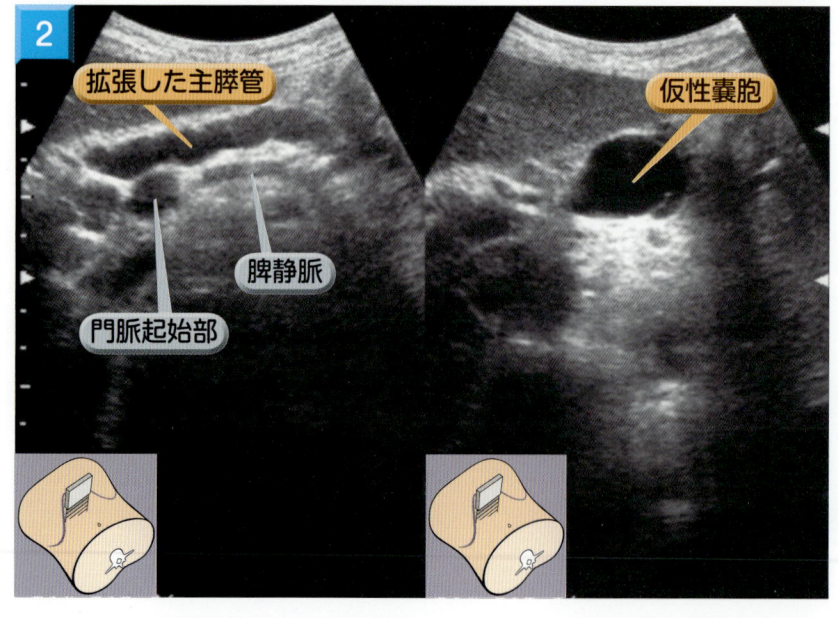

2

両図とも心窩部での横断像ですが，左図が主膵管を通る横断像であるのに対して，右図は左図より10mm位頭側の横断像です。左図で主膵管が数珠玉状に拡張しており，右図では体部から頭側に突出する仮性囊胞が見えています。

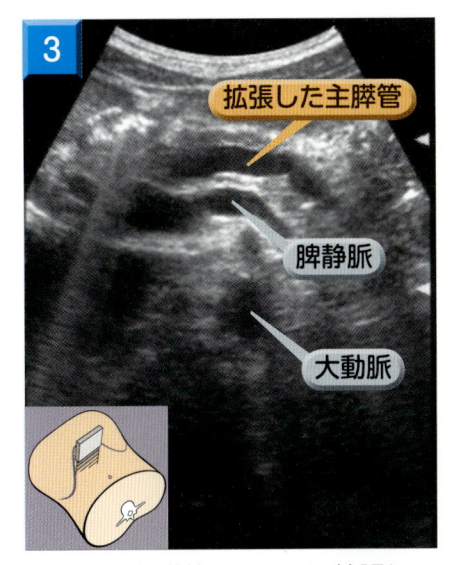

膵体部の主膵管は6mmに拡張しています。この主膵管の拡張は数珠玉状ではなくて平滑な拡張です。

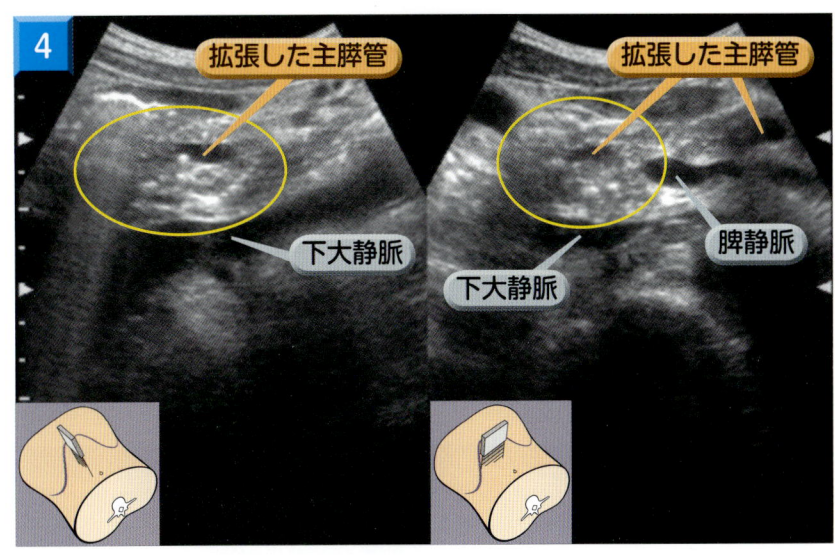

左図は膵頭部の縦断像で、右図は膵頭部から膵体部の横断像です。両方の画像とも、膵頭部から体部にかけて膵実質内に2mm前後の膵石が散在しているのがわかります。黄色の円は膵頭部を示しています。

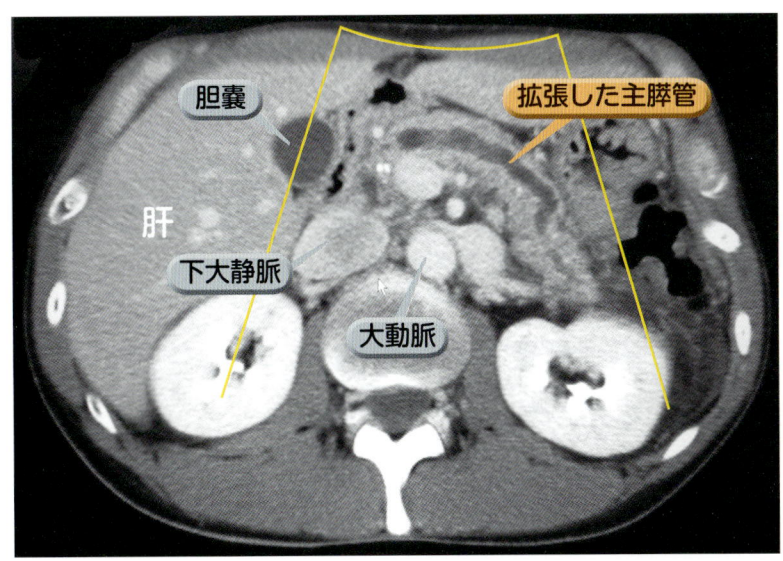

右上の症例の造影CTです。体部から尾部までが1枚のスライスで描出され、主膵管の拡張が尾部まで見事に捉えられています。超音波では主膵管は尾部の途中までしか描出できません。
CTでは主膵管は見えても脾静脈は見えていません。超音波検査ではプローブを傾けることで、CTでは同一断面に表せない構造も同時に見ることができます。黄線で示した範囲が超音波検査の視野です。

MEMO　自己免疫性膵炎

膵炎のなかには、自己免疫が関与しているものがあることがわかっています。治療法としてステロイドが著効するのが特徴です。高齢の男性に多い疾患で、軽い腹痛や心窩部不快感を示します。
超音波所見は膵の全体的あるいは部分的な腫大です。画像上はアルコールが原因の膵炎と区別がつきませんが、アルコールを摂取しない人に膵の腫大を見たときは鑑別疾患の1つとして考えておく必要があります。高γグロブリン血症、高IgG血症、自己抗体の存在などの特徴がみられます。

膵嚢胞

膵嚢胞の特徴は嚢胞壁に上皮細胞がない仮性嚢胞が多いことです。急性膵炎や慢性膵炎でできたり，外傷や上腹部の手術後にできます。もちろん，肝や腎の嚢胞のような上皮細胞に覆われた真性嚢胞もありますが，超音波画像上では上皮細胞の有無はわからないので真性と仮性の区別はできません。腫瘍性の真性嚢胞には粘液性嚢胞腫瘍（MCN），漿液性嚢胞腫瘍（SCN）と膵管内乳頭粘液性腫瘍（IPMN）の分枝型があります。二次性嚢胞にはsolid pseudopapillary tumor，内分泌腫瘍の中心壊死や癌に伴う貯留嚢胞や仮性嚢胞があります。

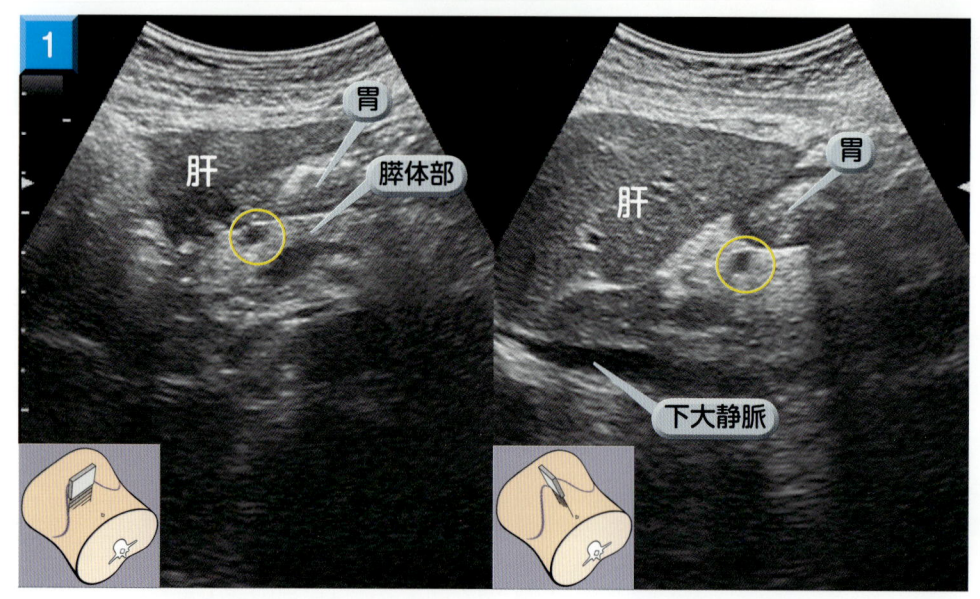

1

左図は横断像で，右図は縦断像です。頭部と体部の境界（頸部ということもある）に6mm位の嚢胞があります。経過観察しても変化しません。原因になりそうな疾患もありません。いわゆる特発性（原因不明）の仮性嚢胞と考えられます。

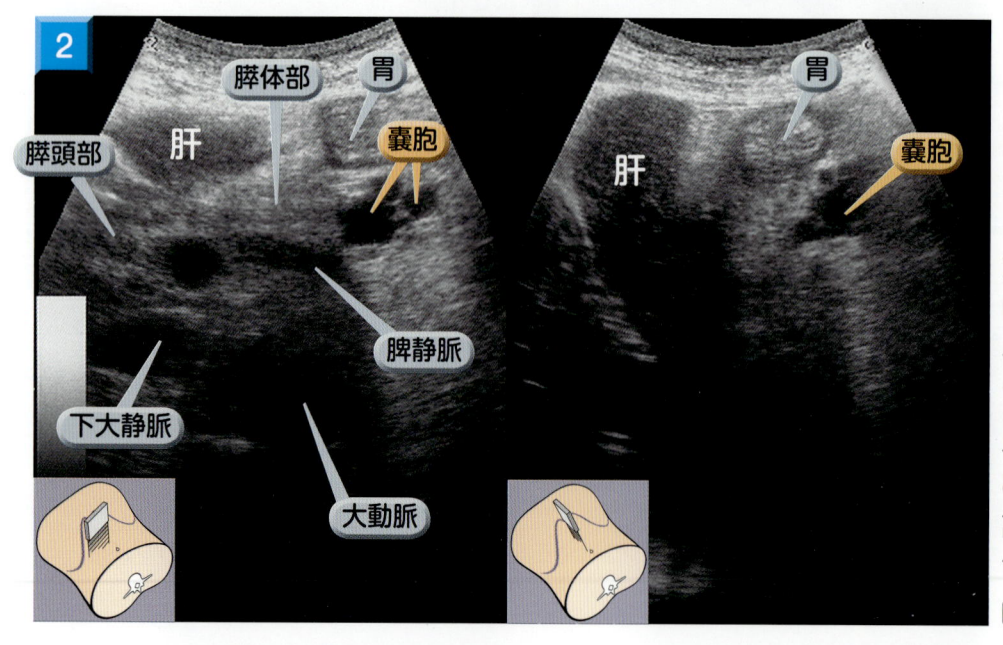

2

左図は横断像で，右図は縦断像です。膵体部から尾部への移行部にできた嚢胞です。慢性膵炎を示唆する所見（主膵管の拡張，膵石）があれば仮性嚢胞の可能性が高くなりますが，これだけでは仮性嚢胞と真性嚢胞の区別はできません。

膵管内乳頭粘液性腫瘍（IPMN）

粘液が貯留して膵管が拡張する疾患です。病変の部位により主膵管型，分枝膵管型，混合型に分けられます。良性と悪性があります。診断の確定には内視鏡で十二指腸乳頭から粘液の分泌があることを確認します。

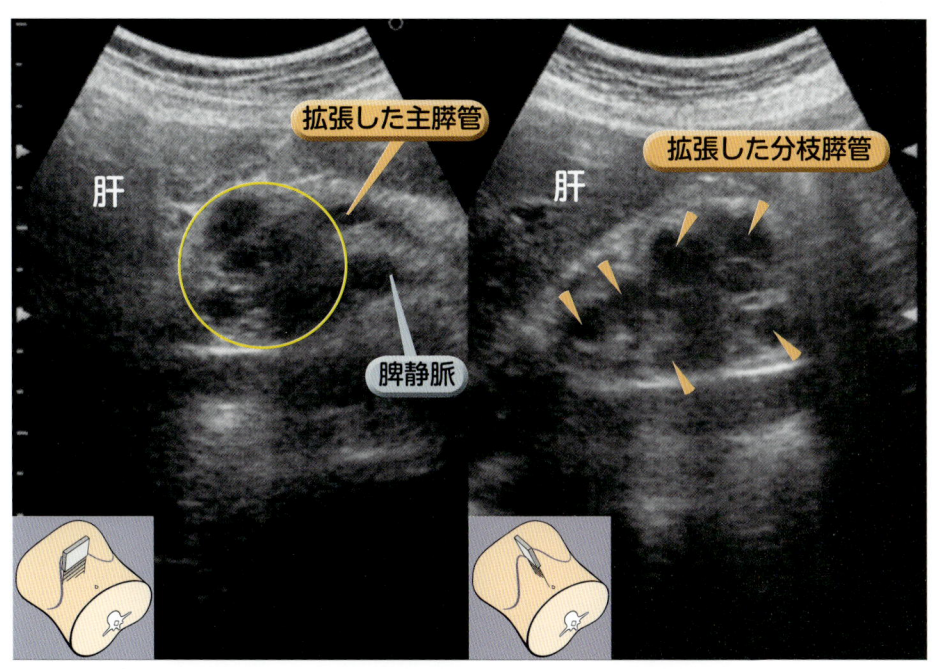

拡張した主膵管
肝
脾静脈

拡張した分枝膵管
肝

主膵管は膵頭部近くで4mmに拡張しています。膵頭部には10mm前後の嚢胞性腫瘤が多発しています。手術でIPMNと確認されているので，この嚢胞性腫瘤の正体は拡張した分枝膵管で，互いに連続しているはずですが，検査中は独立した嚢胞が多発しているようにしか見えませんでした。

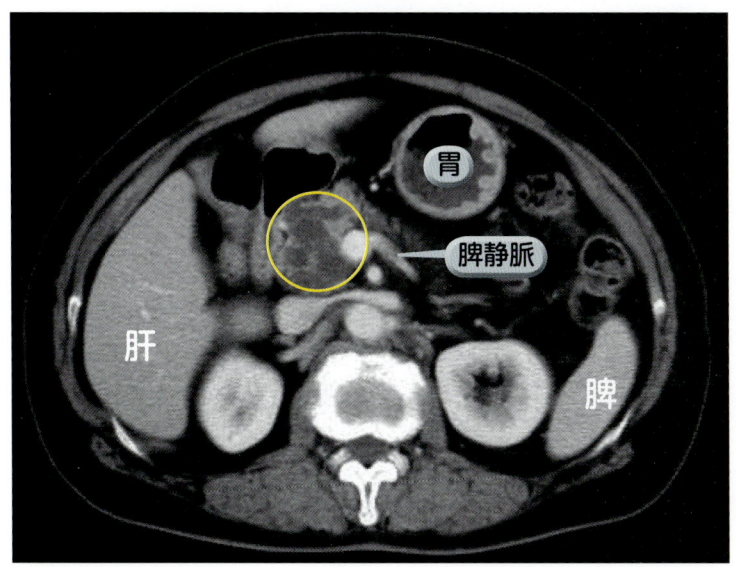

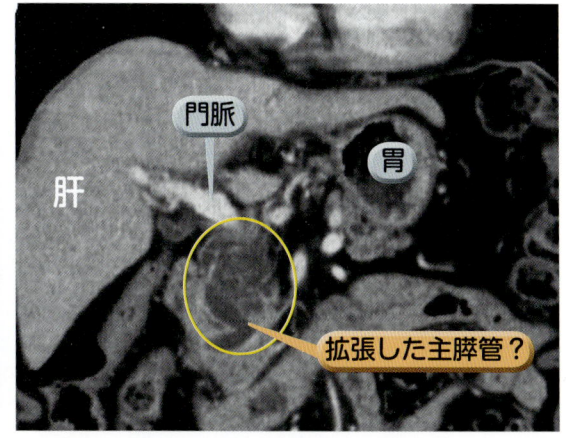

胃
脾静脈
肝
脾

門脈
肝
胃
拡張した主膵管？

同症例の造影CTです。左図が膵頭部の横断像で，右図は膵頭部の前額断像です。超音波と同じように独立した嚢胞が多発しているように見えます。前額断像で逆「く」の字に見えるのは軽く拡張した主膵管でしょうか。

膵臓癌

膵臓癌は早期診断が難しく予後の悪い疾患です。膵臓は細長い臓器で厚さは8〜15mmしかありません。膵被膜への浸潤のない早期の癌を診断しようと思えば，直径が8mm以下の腫瘍を見つけなければならないことになります。これは至難の業です。
膵臓癌は正常部分よりも内部エコーが弱い低エコーの腫瘍として描出されます。肥満体や高齢者では膵実質が高エコーに描出されるので，癌との間でコントラストがつきます。

● 膵頭部癌の間接所見

膵臓癌は膵頭部に多く発生します。腫瘍が膵頭部にできると膵内胆管が閉塞するので，①肝内胆管，肝外胆管が拡張し，②胆囊は拡張・緊満します。腫瘍よりも尾側の③主膵管は著明に拡張します。これらの所見を「膵頭部癌の間接所見」と呼んでいます。膵頭部がガスなどの影響で見えなくても癌を疑う根拠になります。

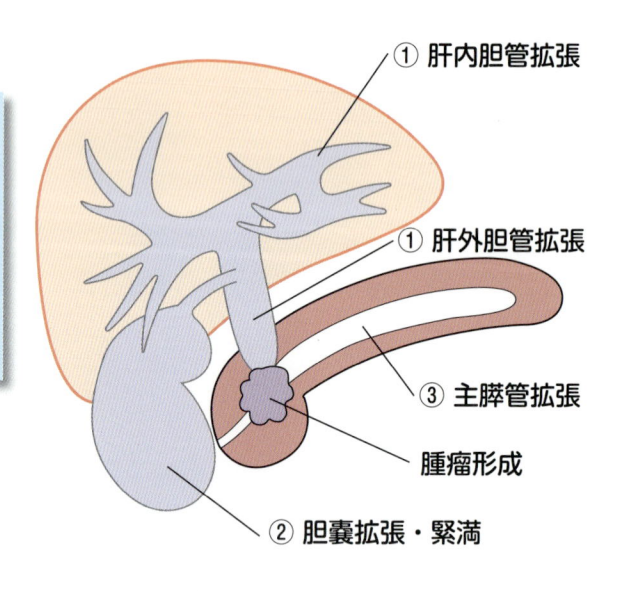

① 肝内胆管拡張
① 肝外胆管拡張
③ 主膵管拡張
腫瘤形成
② 胆囊拡張・緊満

● 膵頭部癌　1

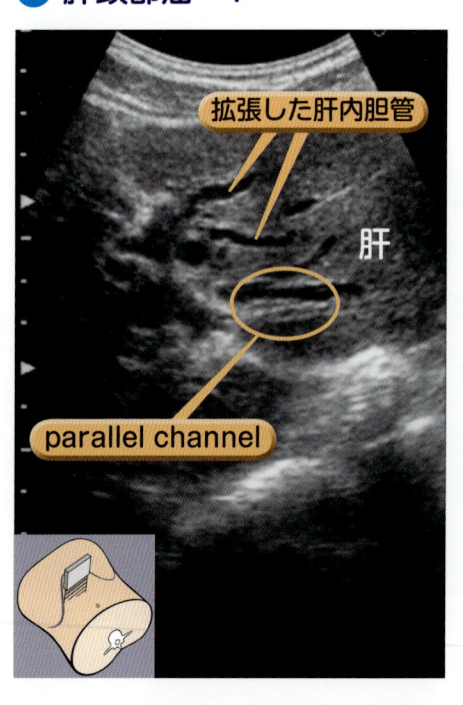

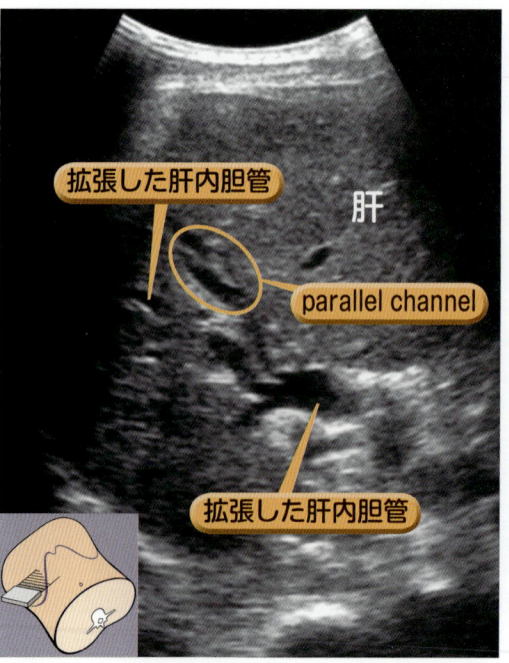

左図は心窩部の横断像です。肝左葉外側区の拡張した肝内胆管が見えています。右図は右肋間像です。肝右葉の拡張した肝内胆管が見えています。
肝内胆管が拡張すると，並走している門脈とで平行な2本の管腔が見えます。これをparallel channel signといいます。

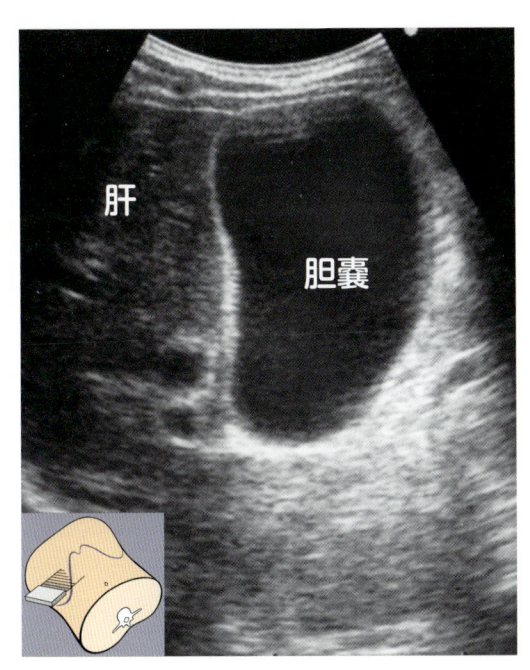

胆嚢は拡張・緊満しています。明らかな胆泥はみられませんが，キラキラする微細なエコーが充満していました。胆汁が濃縮しているのでしょう。

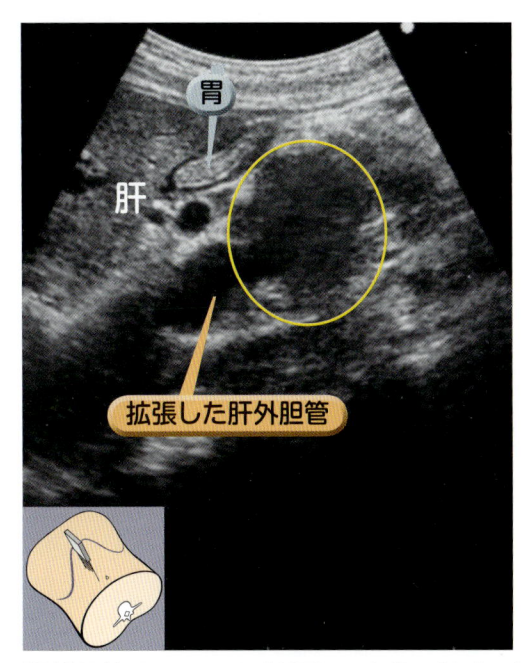

肝外胆管は17mmに拡張しており，途中で途絶しています。途絶部から尾側に40×36mmの凹凸不整な腫瘤があります。

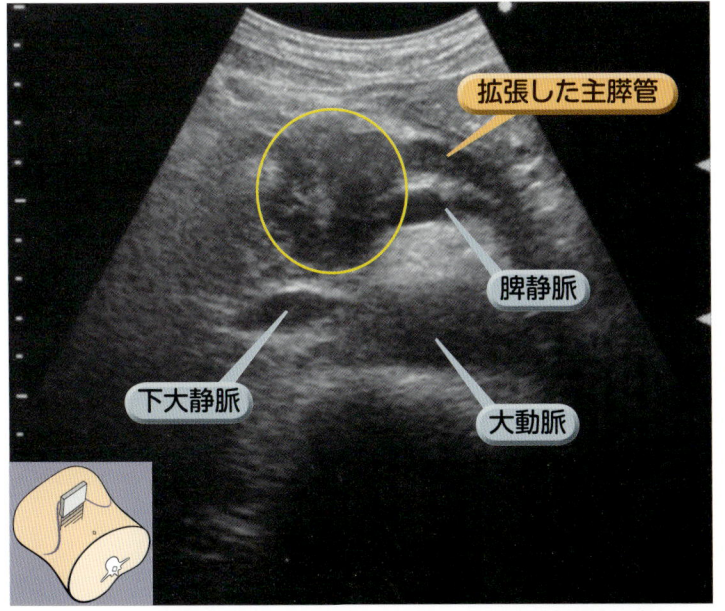

膵頭部から一部は体部にもかけて充実性の腫瘍があります。内部エコーは強弱不均一です。主膵管は9mmに拡張しています。腫瘤は背側へも伸展しているので，門脈起始部（脾静脈門脈接合部）にも浸潤があることが予想されます。

膵臓

MEMO　　胆嚢腫大か拡張か？

胆嚢内腔が大きく膨らんでいるときに「胆嚢腫大」と表現する人がいますが，腫大というのは充実性臓器が浮腫で大きくなっているときの表現です。胆嚢の場合は拡張というのが正しいと思います。しかし，胆嚢腫大という表現も多く使われているようです。水腎症では腎盂が拡張していると表現して，腎盂が腫大しているとはいいません。ちなみに，充実性臓器の細胞の数が増えて大きくなっているときは肥大というべきでしょう。

膵頭部癌　2

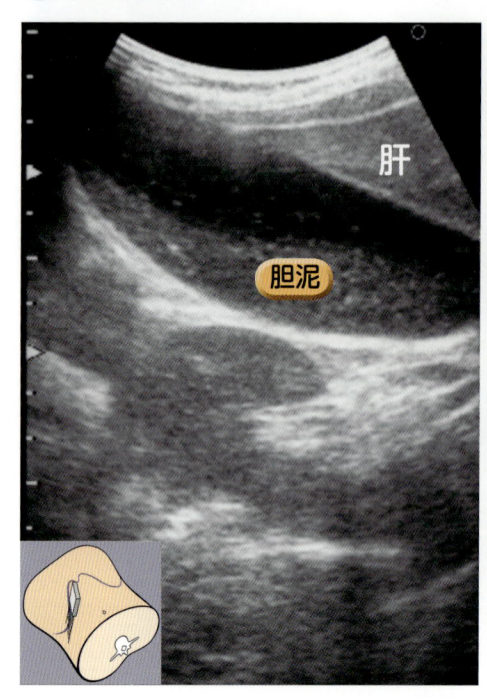

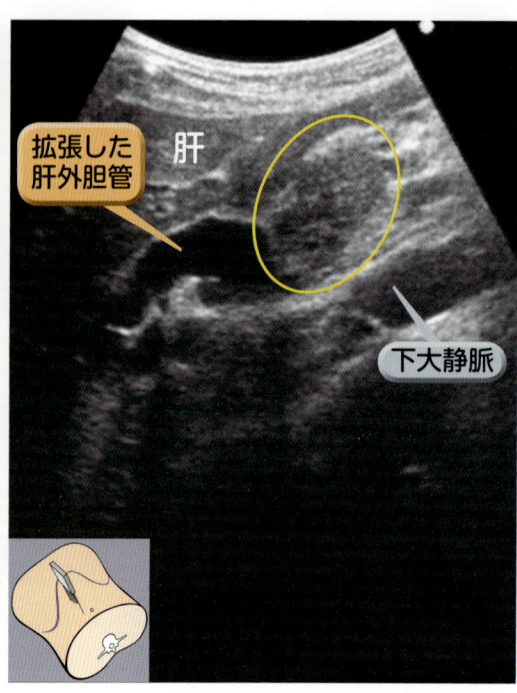

左図は胆嚢の肋骨弓下像です。胆嚢は拡張・緊満し，胆泥が貯まっています。右図は膵頭部を通る縦断像です。肝外胆管は拡張し，膵頭部の腫瘍の部分（黄色の楕円で囲む）で内腔が途絶しています。

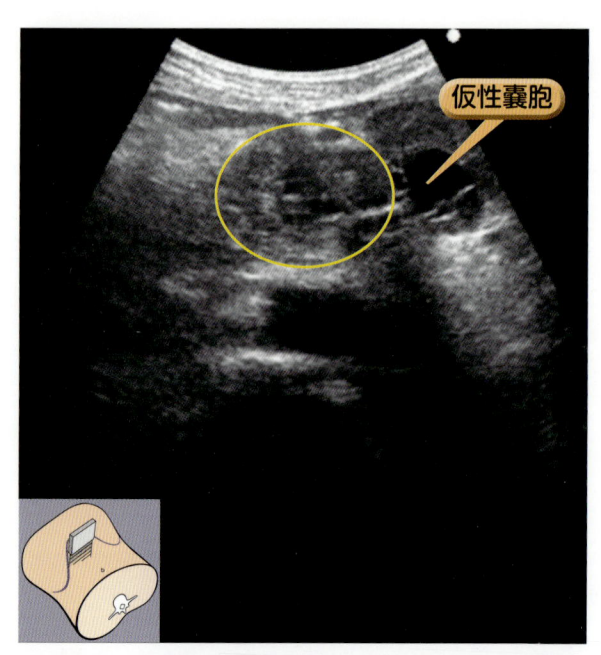

膵体部に充実性の腫瘍（黄色の円で囲む）があります。内部エコーは強弱入り乱れています。その尾側には15mm位の嚢胞があります。主膵管が癌で閉塞したためにできた仮性嚢胞です。

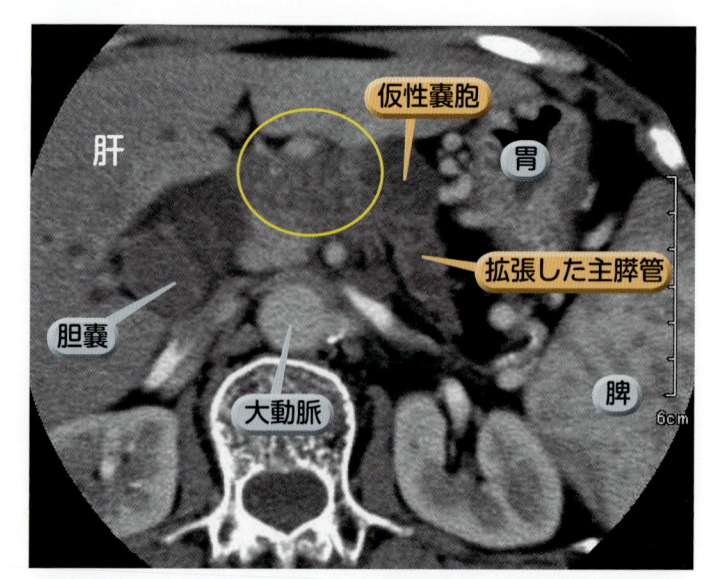

造影CTです。膵癌に関してはほぼ同等の情報ですが，膵尾部の拡張した主膵管が明瞭に描出されています。拡張した肝外胆管や胆嚢も観察できます。消化管ガスの影響を受けないCTの利点が発揮されています。

膵頭部癌 3

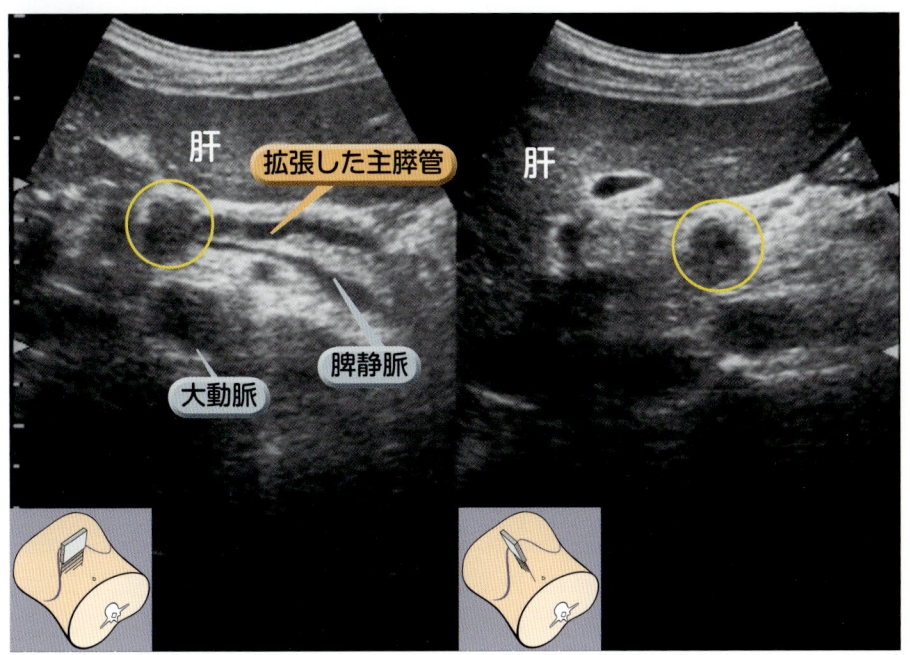

膵頭部の中で膵体部に隣接する部分（背側に脾静脈門脈接合部がある）を膵頸部と呼ぶことがあります。
膵臓を明瞭に描出するために坐位で検査しました。膵頸部に長径が15mmの膵癌があります。左図で体部の主膵管は5mmに拡張していますが、膵頸部の腫瘍の所で途絶しています。
右図は腫瘍を通る縦断像です。

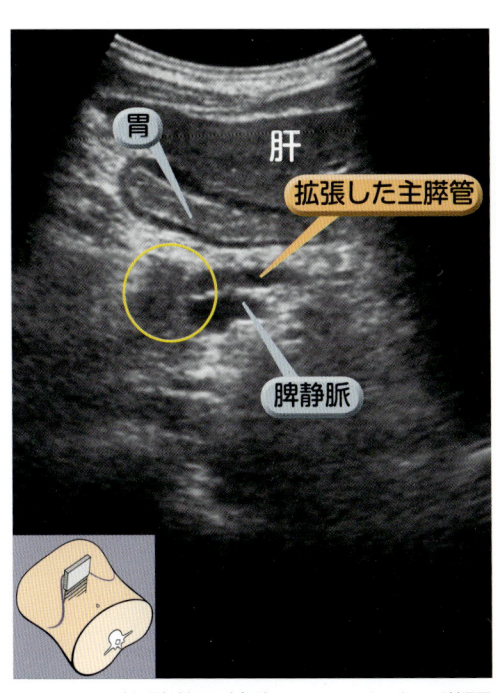

こちらは仰臥位で検査しています。膵頭部の腫瘍の輪郭は部分的に不明瞭です。上の坐位で検査した画像では肝が膵に隣接しており、胃は介在していません。

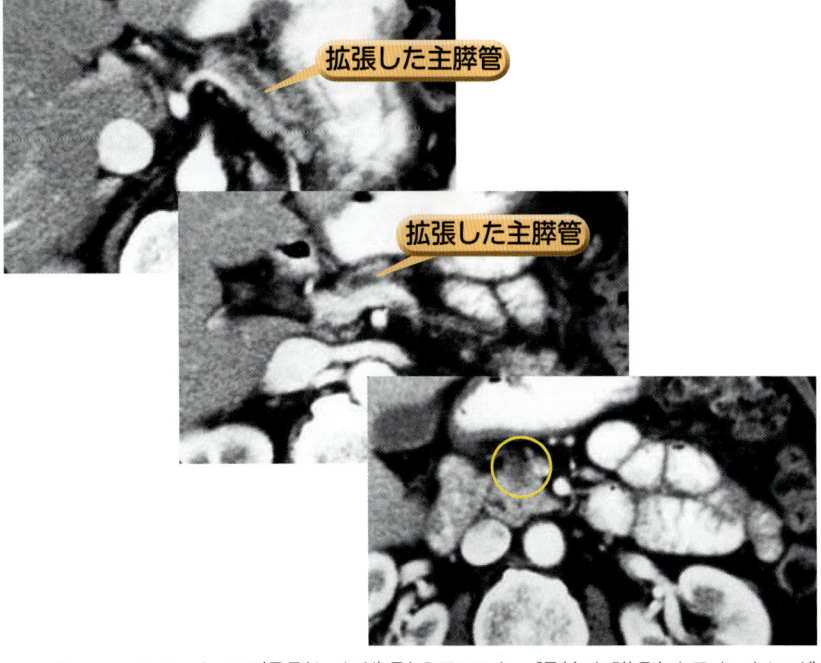

5mmスライスで撮影した造影CTです。腸管を識別するためにガストログラフィンも投与されています。途中を2スライスずつ省いています。上段では体部の主膵管の拡張が見えています。中段では膵体部に見える拡張した主膵管を示しています。下段で見えている低吸収域（黄色の円で囲む）は癌そのものと考えます。

● 膵体部癌

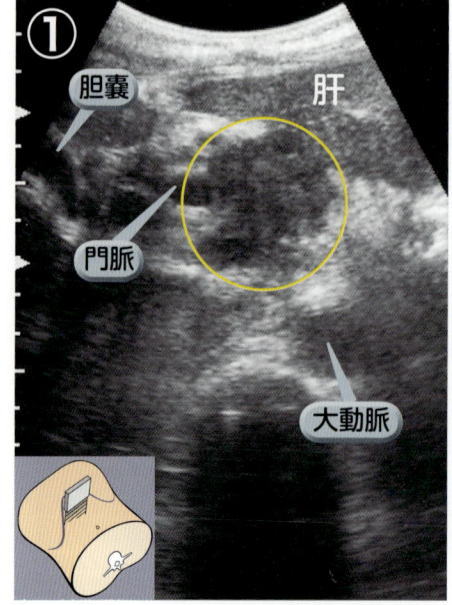

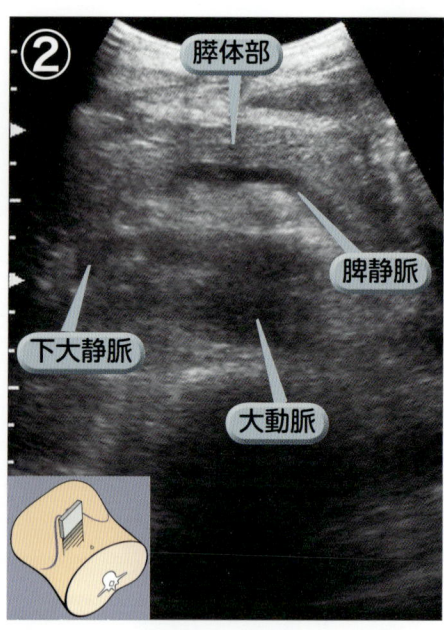

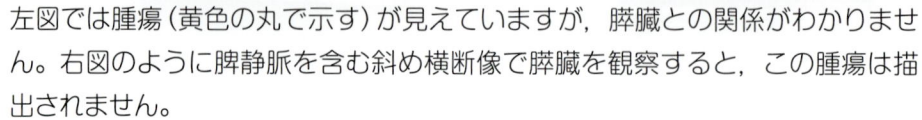

左図では腫瘍（黄色の丸で示す）が見えていますが，膵臓との関係がわかりません。右図のように脾静脈を含む斜め横断像で膵臓を観察すると，この腫瘍は描出されません。

膵臓を描出するときは，この断面を目標にする人が多いようですが，この断面だけでは不十分です。左図は右図より2 cm頭側での横断像です。

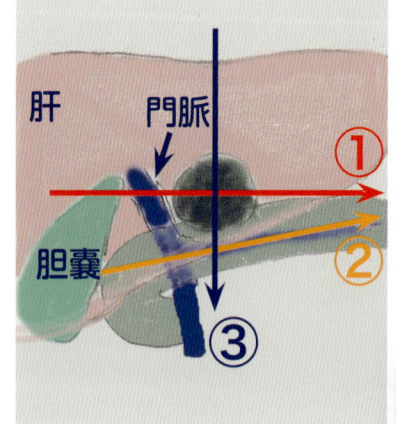

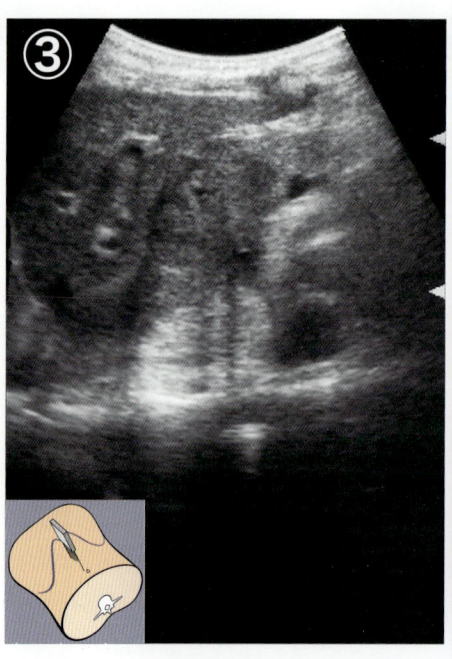

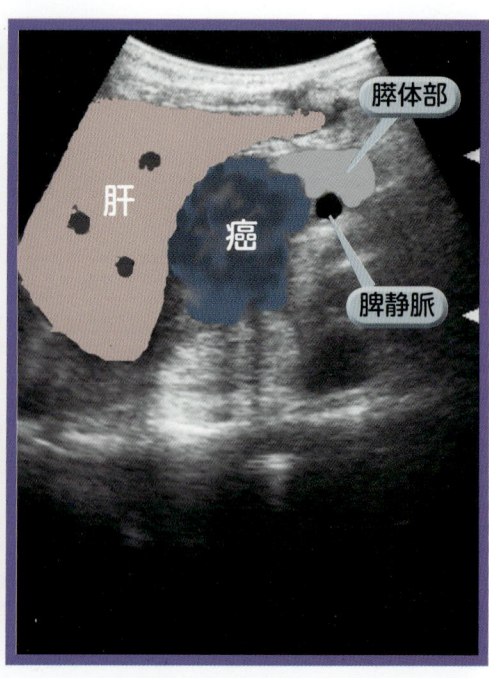

膵体部の腫瘍が頭側に向けて膵外に進展して，肝左葉の下面に接しています。肝腫瘍が肝外に突出しているようにも見えますが，膵体部から発生した腫瘍です。

膵体尾部癌

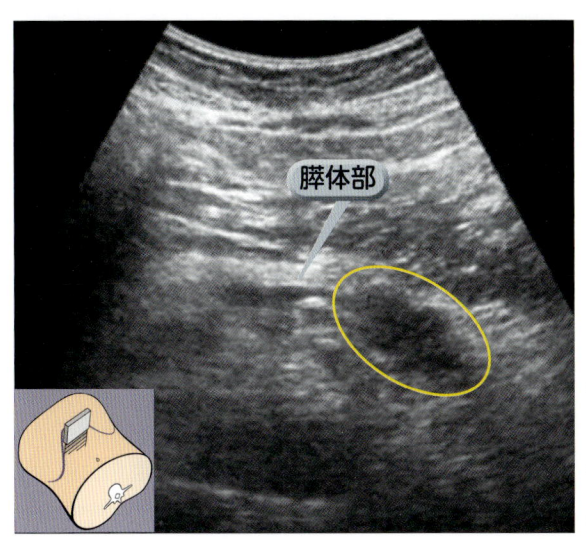

体尾から尾部にかけて低エコー（黄色の楕円で囲む）になっています。この低エコー域は膵の後縁を超えて背側に伸びています。脾静脈を巻き込んだ膵癌です。半年前に70歳で糖尿病を発症した患者です。

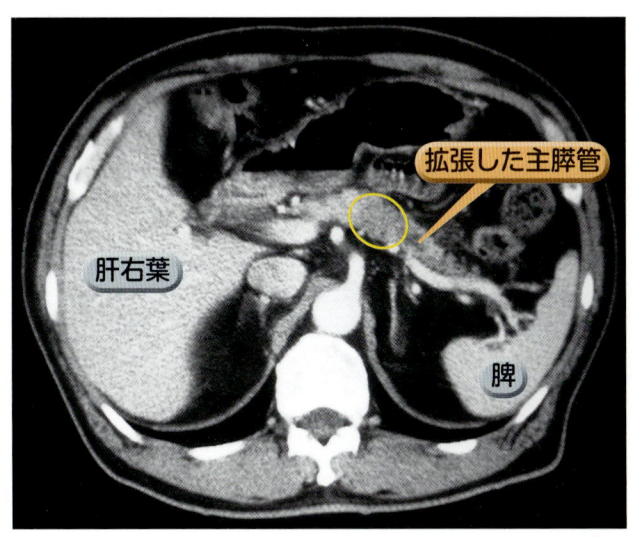

超音波検査の直後に撮影したCT画像です。体部と尾部の境界領域に低吸収域があります。これは拡張した主膵管で、そこより頭部寄りの、わずかに低吸収な部分（黄色の楕円で囲む）が癌です。超音波の低エコーな腫瘤像と比べるとわかりにくいです。
膵は消化管に取り囲まれており、超音波検査にとっては非常に厳しい状態ということがわかります。
先にCT検査が行われていれば、超音波検査は諦めたかもしれないような画像です。

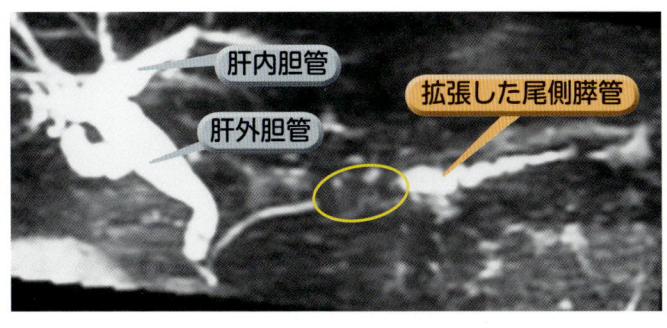

MRCP（MRで撮影した膵管胆管造影）です。頭部では正常な主膵管が途中で途絶し、さらに末梢側では拡張しています。途中で途絶している部分（黄色の楕円）が癌です。

膵尾部癌

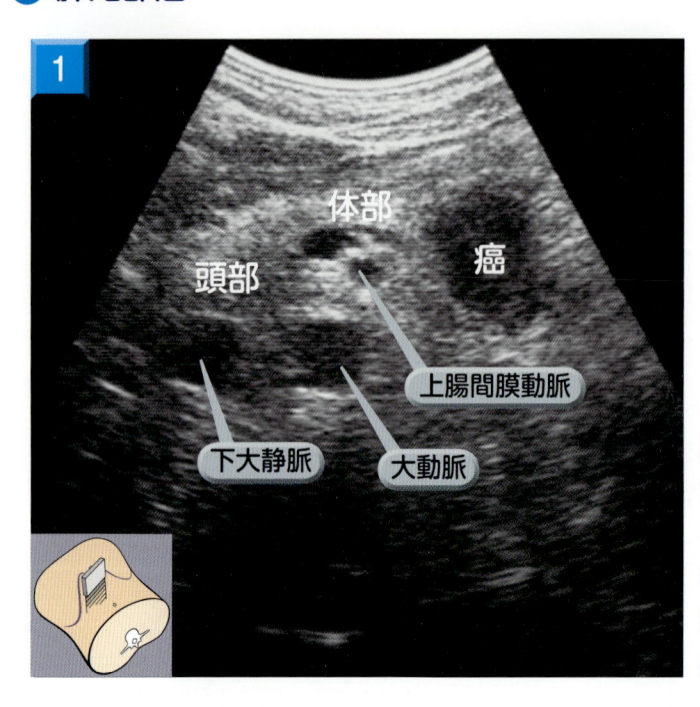

1

（画像ラベル：頭部、体部、癌、上腸間膜動脈、下大静脈、大動脈）

膵尾部に膵臓からはみ出す大きな腫瘤があります。腫瘤のエコーレベルは正常部分よりはるかに低いので、明瞭にコントラストがついてわかりやすくなっています。これは高齢者や肥満体では膵の正常部分のエコーレベルが上昇する現象があるからです。

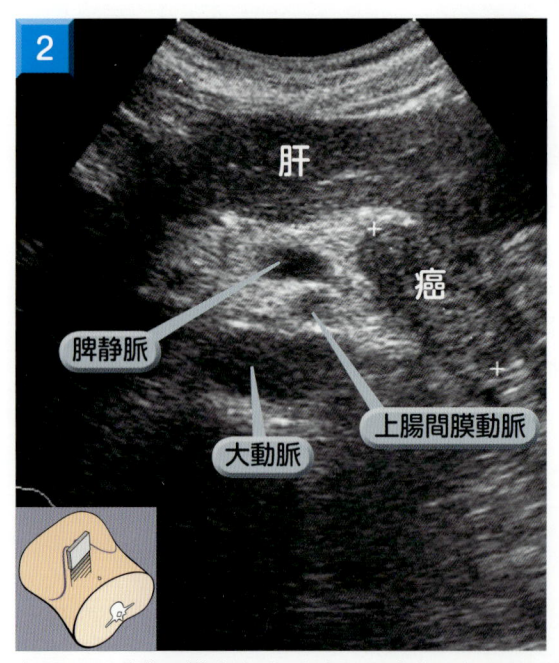

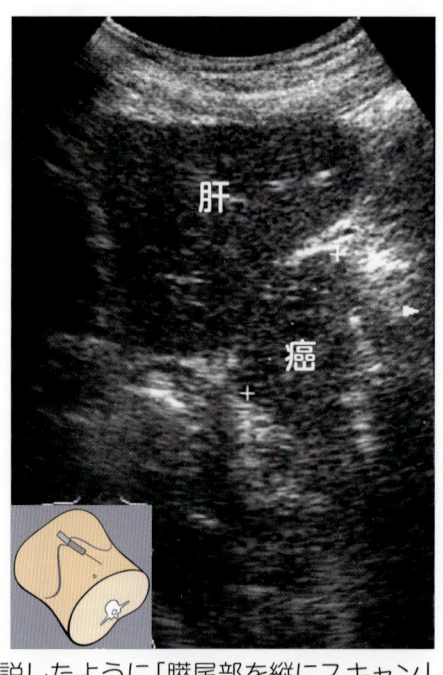

2

（画像ラベル：肝、癌、脾静脈、大動脈、上腸間膜動脈／肝、癌）

右図では「膵の描出をよくする工夫」のところで解説したように「膵尾部を縦にスキャン」しています（243ページ参照）。左図の横断像では前後と左右方向のサイズしかわかりませんが、尾部を縦にスキャンすることで、腫瘍の頭尾方向のサイズや肝臓との位置関係がよくわかります。この症例も膵の正常部分のエコーレベルが高くなって白く見えているので、癌の部分が際だって黒く見えます。

紛らわしい症例

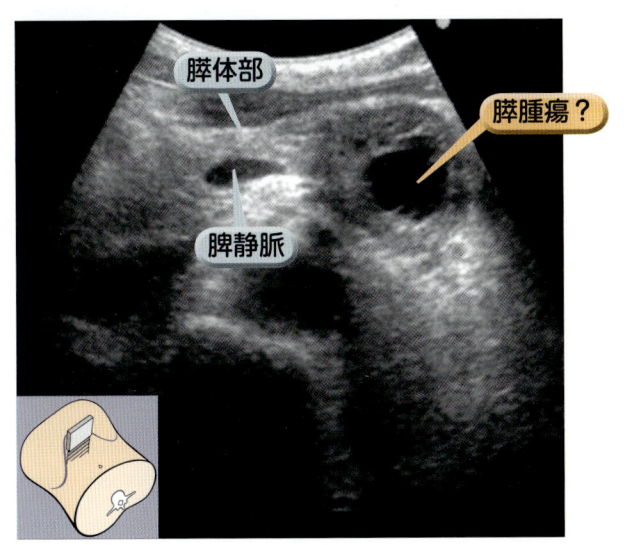

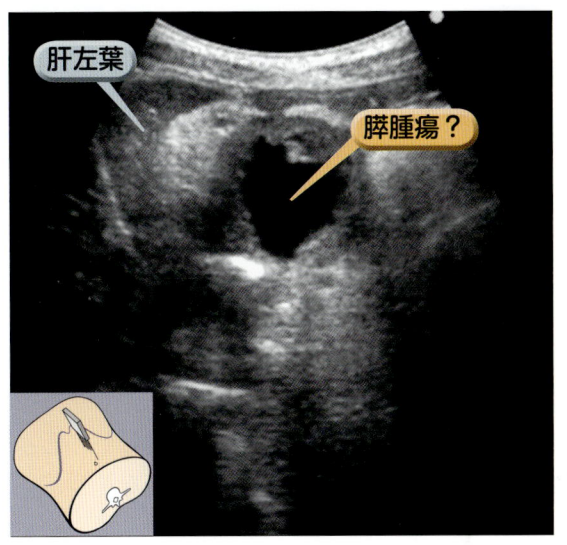

左図は心窩部で検査した横断像です。膵臓の体部から尾部にかけて内部が壊死に陥った腫瘍があります。右図は正中のやや左寄りの縦断像です。左図と同じように内部が壊死に陥った充実性腫瘍があります。互いに直交する断面で円形をしているので、この腫瘍はほぼ球形をした腫瘍であるとわかります。

上の2枚の画像からは中心壊死を伴った膵臓癌を考えますが、この患者は胃の噴門部に進行癌があります。この腫瘍は膵に接したリンパ節に胃癌が転移している状態でした。リンパ節の内部は壊死に陥っています。

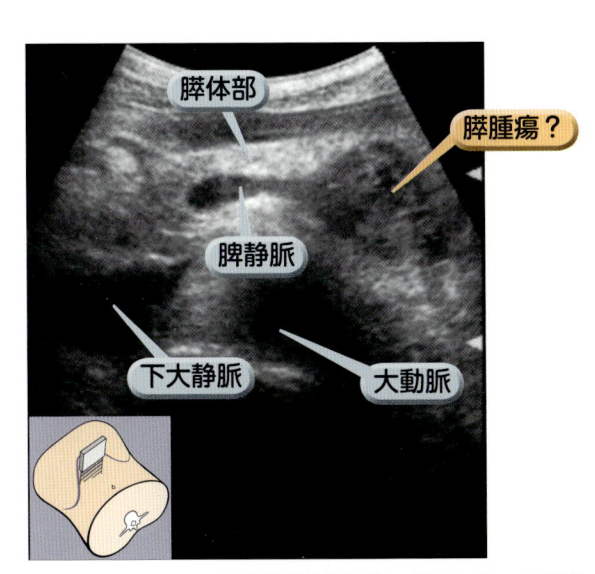

このスライスでは脾静脈が明瞭に見えていて膵を正確に捉えています。このスライスだけを見せられると真っ先に膵癌を考えます。

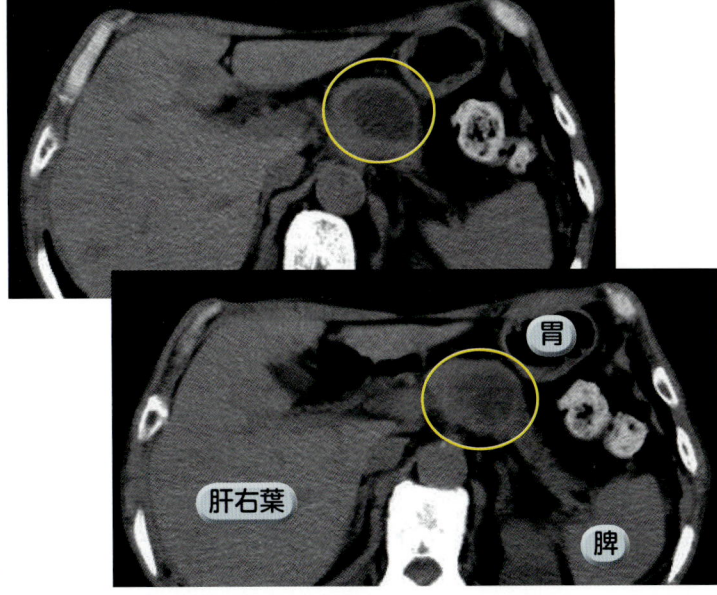

CT像でも腫瘍は膵臓にあるように見えます。内部壊死が明瞭なのは上のスライスです。

最新の超音波診断装置の傾向

超音波検査は読影法の勉強に加え，検査技術を習得しなくてはなりません。検査技術では装置の調整・操作が重要です。それに関連して機種選択が重要になります。装置メーカーによって，操作性に差があり，画質も微妙に異なります。自分にあった装置でなければ習得した検査技術が生きてきません。2010年末に3社に装置のデモを依頼し，2〜3日間試用しました。それぞれ各社の最上位機種です。ベッドの周りに3台の装置を並べて同じ被験者を検査して比較検討するのがベストの方法ですが，現実には不可能です。別々の日に異なる患者やボランティアで検査を行いました。
この試用で感じた最新装置の特徴・傾向について述べてみたいと思います。

① 小型・コンパクト化の方向

装置は小型・コンパクト化の方向をめざしているようです。以前は巨艦主義で，大きいことは性能の象徴みたいな考えがありましたが，現在は集積回路を積極的に採用して装置は小型・軽量化されています。デザインや配色にも配慮がなされるようになっています。モニタだけは液晶方式を採用して大きなサイズになっています。
コンパクト化のしわ寄せが記録装置にきており，サイズの軽量化ができないプリンタの配置が犠牲になっている装置があります。記録を感熱紙に残さずに，院内LANにつないで電子情報のまま記録する施設が増えているので，装置本体でプリントする重要性が薄れていることも背景にあるようです。

② 画像処理法の多様化

装置は小型化されていますが，搭載される機能は増え，使いこなすのが難しくなっています。ハーモニックイメージング（32ページ参照）は当たり前の技術になっています。最近は画像を滑らかなものにする方法としてコンパウンドスキャン（34ページ参照）が各装置に採用されています。肝臓などの内部を表現している粒（スペックルエコー）を低減するという手法（35ページ参照）も取り入れられています。後の2者は諸刃の剣で，使いすぎると解像力の低下という副作用が生じます。長所・短所を理解したうえで加減して使うようにしたいものです。初心者は機能を解除することを勧めます。あるいは，このような機能を搭載しない中位機種でも診断能においては遜色ないと思います。

③ カラードプラ法の多種化

血流に色をつけて表示する方法が進歩し，カラードプラ，パワードプラに次ぐ第三の方法（31ページ参照）が開発されていますが，この第三の方法は各社が異なるネーミングをしており，共通の名称がないという困ったことになっています。以前はどの会社の装置でも簡単なレクチャーを受ければ患者の検査に使えましたが，最新の装置は調整ツマミの配置や機能のネーミングが各社バラバラで，操作を覚えるのに苦労します。

④ 造影超音波検査の進歩

第二世代の超音波造影剤であるソナゾイドの使用が健康保険で認可されたこともあって，各社ともコントラストハーモニックイメージング機能を工夫して，それぞれの特徴を押し出したネーミングで搭載しています。ただ，造影超音波検査がどのレベルの病院まで行われるのかは未知数です。造影超音波検査は検者1人で行える検査法ではありません。当面は大規模病院で研究を絡めた検査が行われるものと考えます。ソナゾイドが発売開始された当初と比較すると造影剤の出荷量は落ちていると聞きます。

⑤ エラストグラフィーの腹部への応用

乳腺エコーで腫瘍の硬さを知る方法として開発されたエラストグラフィーが，一部のメーカーの装置では肝臓腫瘍にも応用されています。乳腺のエラストグラフィーがプローブで乳房を軽く圧迫して腫瘍を変形させるのに対して，腫瘍を圧迫する作用がある超音波パルス（プッシュパルス）を照射して腫瘍の硬さを間接的に知る手法（virtual palpation 仮想触診）のようです。これはデモ機の手配がつかず試用する機会がありませんでした。

第 5 章

腎　臓

腎臓は超音波検査に適した臓器です．腹部の超音波検査を行う人は肝臓や胃腸などの消化器を専門にする人が多いせいか，腎臓の検査にはあまり熱心でないような印象を受けます．

腎臓は肝臓や膵臓と比べると描出するのは容易です．上腹部の超音波検査を行うときには，腎臓にも注意を払うようにしたいものです．

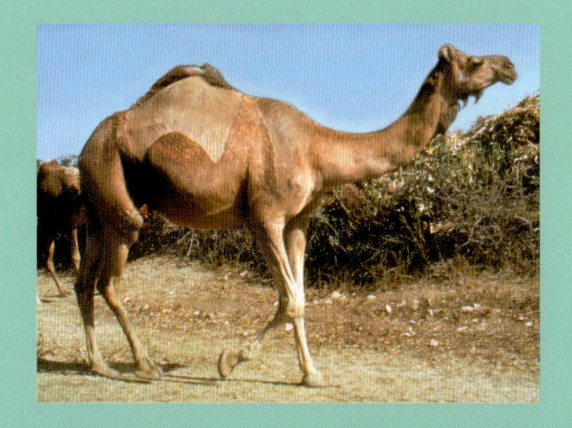

腎臓の正常変異（variation）の1つに「ヒトコブラクダのこぶ」というのがあります（280ページ参照）．上図がヒトコブラクダ（dromedary）です．

腎臓と周囲臓器

腎臓は大腰筋の外側縁に沿って左右対称に存在します。下極側は外に向って開いている（ハの字形）ので，腎を側腹部からスキャンすると上極側が腹壁から遠くなり，超音波画像上では上極が下極より深い位置に描出されます。右に並べているのはCTで撮った左腎の前額断です。

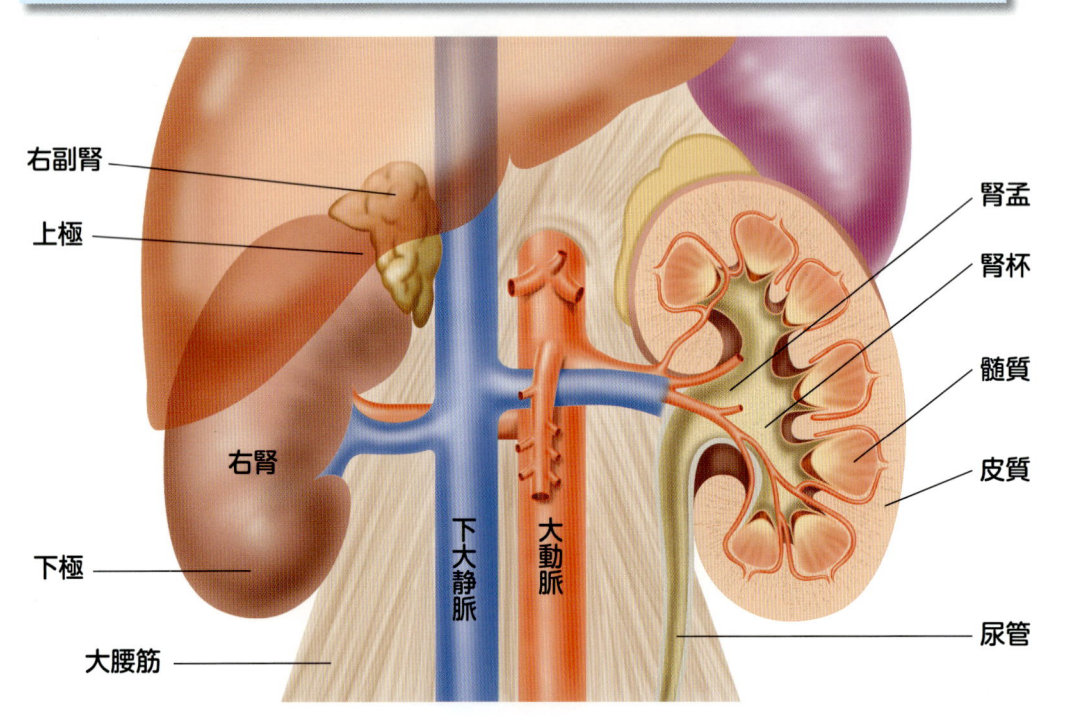

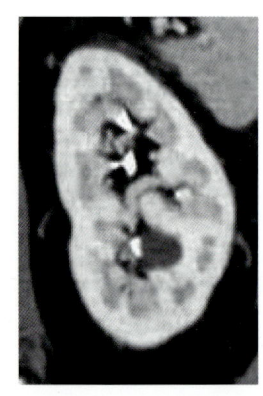

図中ラベル：右副腎，上極，右腎，下極，大腰筋，下大静脈，大動脈，腎盂，腎杯，髄質，皮質，尿管

腎の超音波解剖

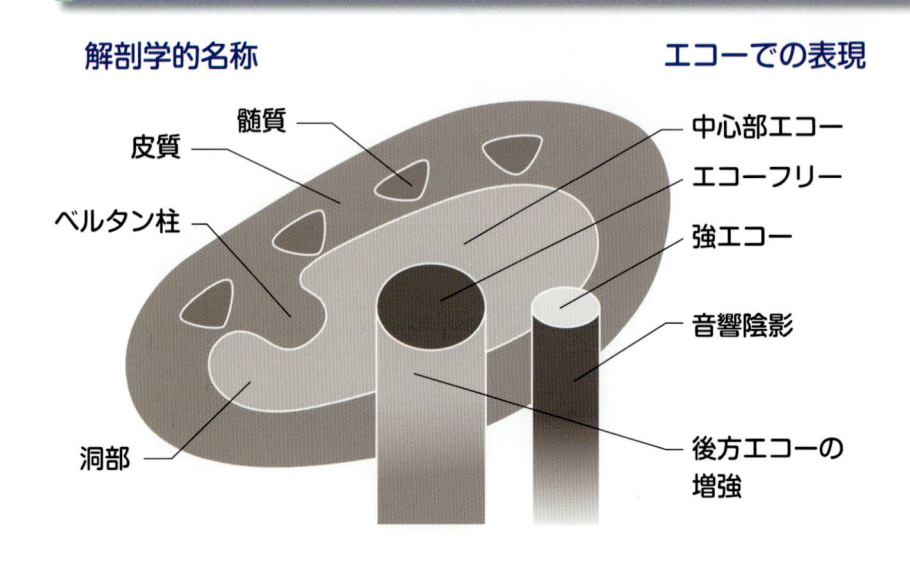

解剖学的名称：皮質，髄質，ベルタン柱，洞部

エコーでの表現：中心部エコー，エコーフリー，強エコー，音響陰影，後方エコーの増強

腎臓に結石があると，結石は白く描出されます。これを強エコー（strong echo）といいます。結石の後方には超音波が到達しないので，情報が欠損して黒くなります。これを音響陰影（acoustic shadow）といいます。

嚢胞は内部の液体成分から超音波の反射がないので黒く見えます。この状態をエコーフリー（echo free）といいます。嚢胞の後方からは強い超音波が反射してくるので明るく見えます。これを後方エコーの増強（posterior echo enhancement）といいます。

腎の正常像

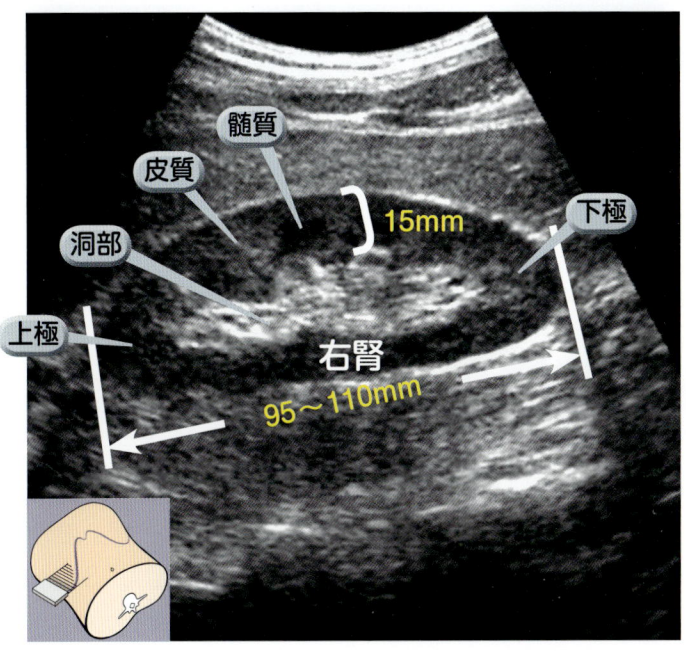

(画像ラベル: 髄質, 皮質, 洞部, 上極, 下極, 15mm, 右腎, 95〜110mm)

超音波画像上で腎臓の長軸の長さは95mm〜110mmの間に分布します。

腎皮質のエコーレベルは肝臓とほとんど同じで、その中に髄質がほぼ等間隔に描出されます。髄質のエコーレベルは皮質よりも低いので、嚢胞と間違われることがあります。

腎の中心部分に位置する腎洞部は不均一な高エコーに描出されます。英語の書物にはCEC (central echo complex) と書かれています。日本では単に中心部エコー（あるいは中心部高エコー）と呼んでいます。

腎のカラードプラ

従来のカラードプラは細かい血管を描出できず、また血管の周囲まで色を付けてしまう「はみ出し現象」も多かったりで、実用性に乏しいものでした。2000年台半ばに開発されたeFlow (Fine Flow, B-Flow Color, Advanced Dynamic Flowなどメーカーによって名称が異なる) は細かい血管まで識別できるので、腎梗塞などの血流障害の診断に期待できそうです。

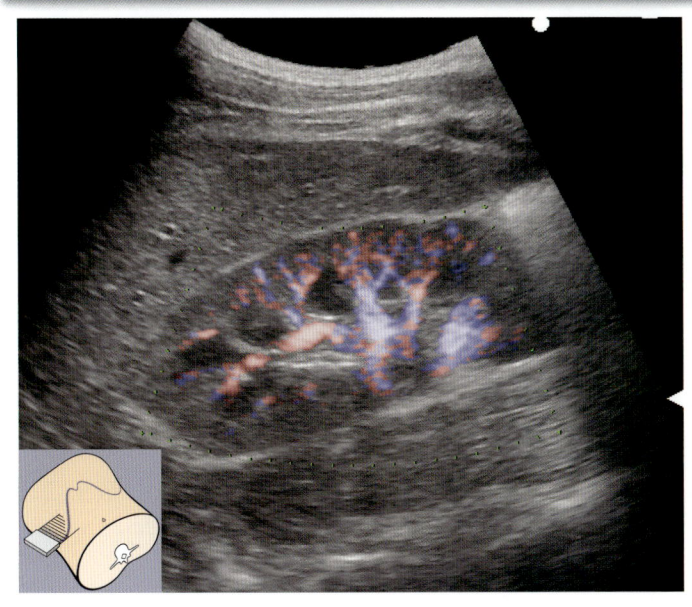

従来のカラードプラやパワードプラで腎内の細い血管を見ると、実際の太さの5倍以上に強調されて太く見えていました（はみ出し現象）。このeFlowによる画像では、はみ出しが少なく実際の血管像に近くなっています。

腎臓

CTで見た腎臓

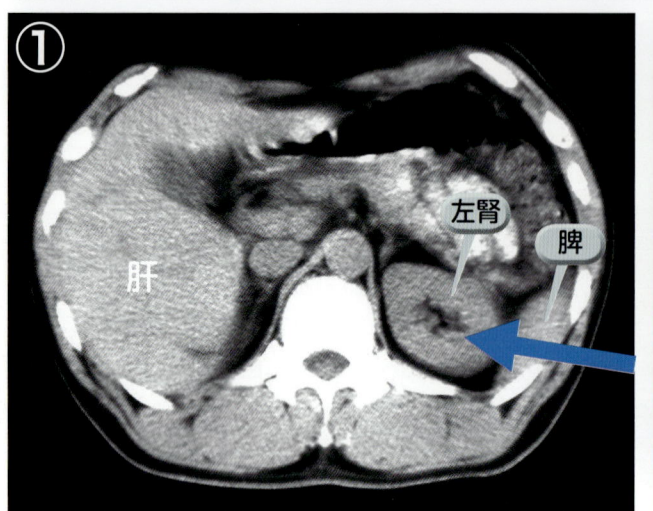

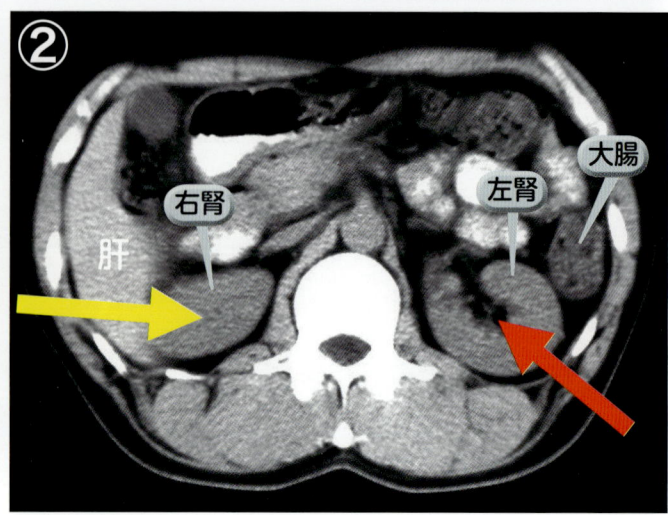

左右のCTとも腎の高さの横断像です。スライス①より3cm尾側がスライス②です。スライス①では左腎上部の外側に脾臓が接しているので、青い矢印経由で超音波を入射すると、空気の影響を受けません。ところが、3cm尾側の左腎中部は、スライス②の赤い矢印のように、さらに背側から超音波を入射しないと消化管の影響を受けます。スライス②では右腎上部も見えますが、ここは外側に肝臓があるので、黄色い矢印に沿って超音波を入射すれば、消化管の影響を受けません。ただし、右腎下部は消化管の影響を受けて、このルートでは描出できません。さらに背側から検査しなくてはなりません。

腎のボディーマーク

A：推奨　　B：感心しない 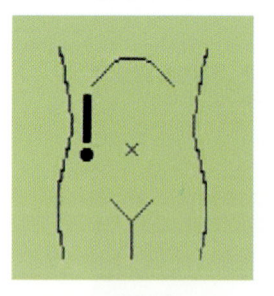　　C：最も正確

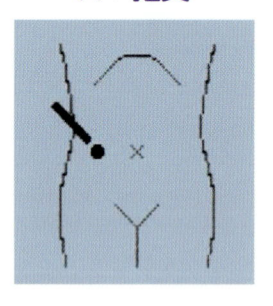

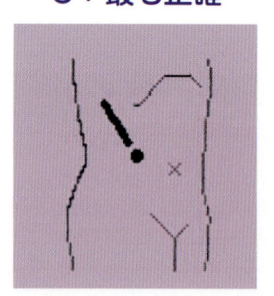

右腎の肋間スキャン像に対して、私は上図のAのボディーマークを表示しています。他の人が検査したフィルムを見ますと、上図のBのボディーマークをつける人もいます。右腎の肋間スキャン像に対してつけるボディーマークとして最も正確なのは上図のCです。しかし、Cのマークを表示させるためには、検査の途中でボディーマークを入れ替えなくてはならないので、私はAで代用しています。

Bの表示を用いている人は、腎の長軸像を描くスキャンなので腎の長軸に沿って縦にマークを表示しているのだろうと思います。しかし、これでは右肋間腔からスキャンしたことが表現できません。厳密にいうと腎の長軸像は前額断像（65ページ参照）であって矢状断像ではないので、その意味でもBの表示法は感心しません。

腎の中極とは？

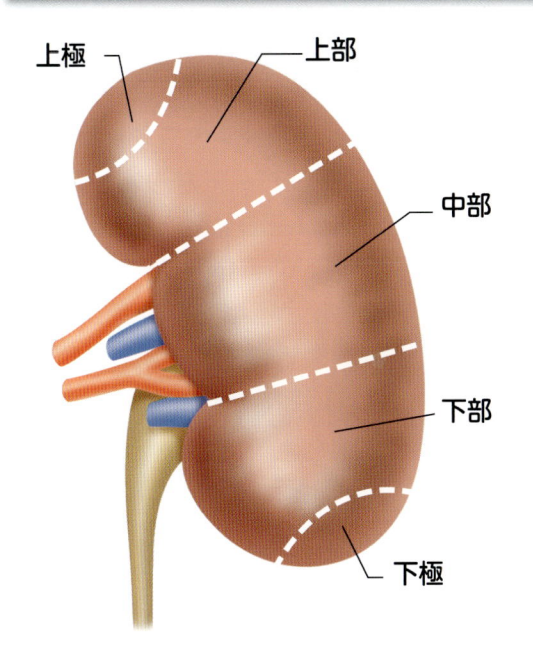

上極 — 上部
中部
下部
下極

よその病院で人間ドックの超音波検査を受けた方のレポートを見ると，「腎臓の中極に嚢胞がある」と記載されているケースがあります。解剖学的に腎臓には上極と下極はありますが，中極という部位はありません。腎臓の中央部分は中部と表現すべきです。極というのは「端っこ」という意味なので，中極という言葉は日本語としておかしいと思います。

左腎の表示法について

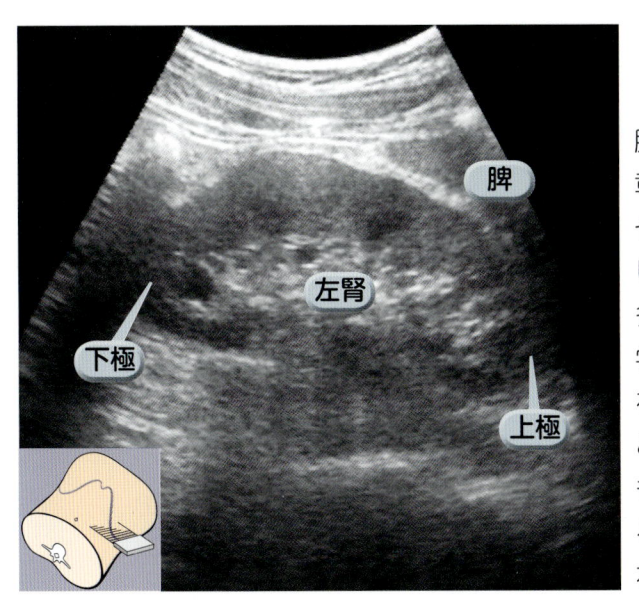

脾
左腎
下極
上極

脾臓と左腎の表示方向に2通りの方法があることは，第1章・総論の74，75ページで詳しく解説しました。
そこでは，超音波学会が出版した本の記述に従うためとして数年前から従来とは反対に左腎を表示する解説本が多くなっていますが，この解釈は間違っており，超音波学会の本が定めている方法はどちらでもないということを解説しています。
この本では従来通り，上極側を画面の右に表示します。
もし反対方向に表示すると，構図が右腎と全く同じになるので，ボディーマークがないと超音波画像だけでは左右の区別がつきません。

腎臓

腎嚢胞

腎嚢胞は良性の疾患ですから放置してかまいません。若い人には少なくて、40歳を過ぎる頃から出現します。私は患者を安心させるために「老化現象の一種です」と説明することにしています。
典型的には内部にエコーがなくて、後方にエコーの増強現象がみられます。輪郭は明瞭です。サイズが小さいと、スライス厚みによるアーチファクトが内部に出現してエコーフリーになりません。浅い部位にある嚢胞は腹壁で発生した多重反射が重なって、内部がエコーフリーに見えません。その結果、充実性腫瘍と間違えられることがあります。腎嚢胞には外へ突出しているものが多くあります。腎髄質は腎皮質に比べてエコーが弱いので、これを嚢胞と間違えてしまうこともあります。

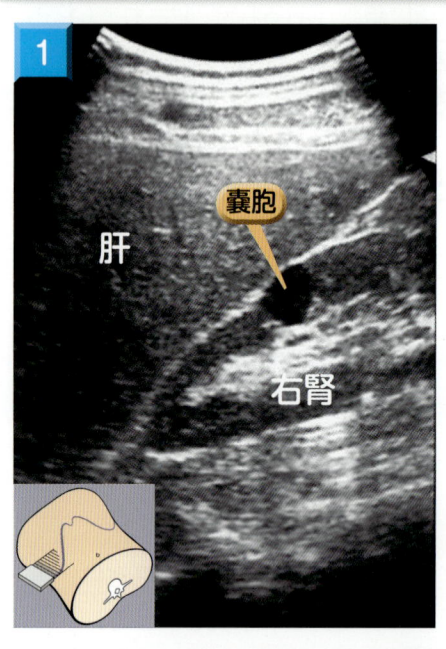

1 嚢胞／肝／右腎

右腎の中部に約1cmの嚢胞があります。内部は黒く見えて、エコーフリーの状態です。後方で超音波の増強現象が生じているはずですが、中心部エコーが作る白い部分に重なって、はっきりわかりません。
この画像は右脇腹からスキャンしているので、この嚢胞は右腎の右外側の皮質にあることになります。画像だけを見ると、嚢胞は右腎の前方（腹側）にあるように感じるかもしれませんが、画面の上がプローブの置かれている部分を示すという原則を忘れないでください。

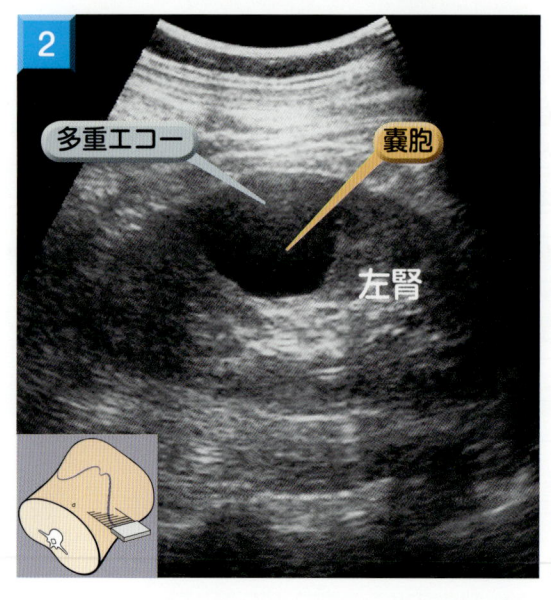

2 多重エコー／嚢胞／左腎

左腎の中部にある25mmの嚢胞です。嚢胞の手前の半分位は腹壁で生じた多重反射が重なって、内部がエコーフリーになっていません。嚢胞の深い部分は完全にエコーフリーになっています。このように、画面上で浅い所に存在する嚢胞は、腹壁でできる多重反射の影響を受けて、大きくても内部が完全にエコーフリーには見えません。そのような場合でも、後方でのエコー増強は通常通りに起きています。

● 辺縁にある腎嚢胞

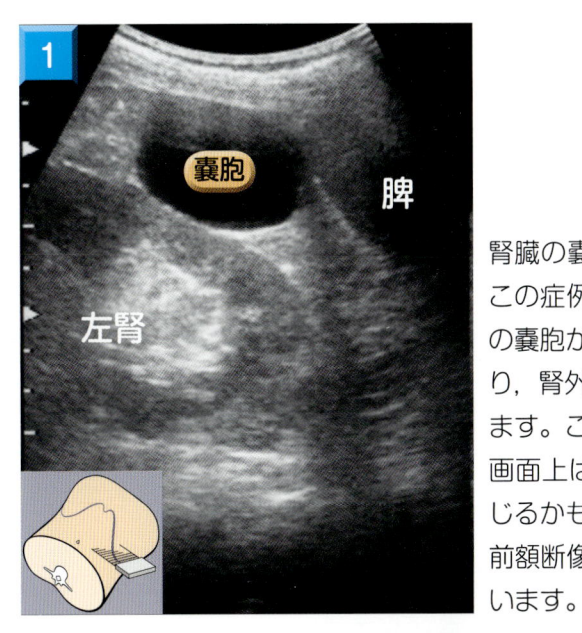

1

腎臓の嚢胞はしばしば腎の外に大きく突出します。この症例には左腎から左側に突出する44×30mmの嚢胞があります。嚢胞は完全に腎の輪郭の外にあり，腎外の嚢胞が左腎に接しているかのように見えます。この嚢胞は脾臓の下極に接しています。
画面上は嚢胞は左腎の前方（腹側）にあるように感じるかもしれませんが，この画像は左側腹部からの前額断像ですから，嚢胞は左腎から左側に突出しています。

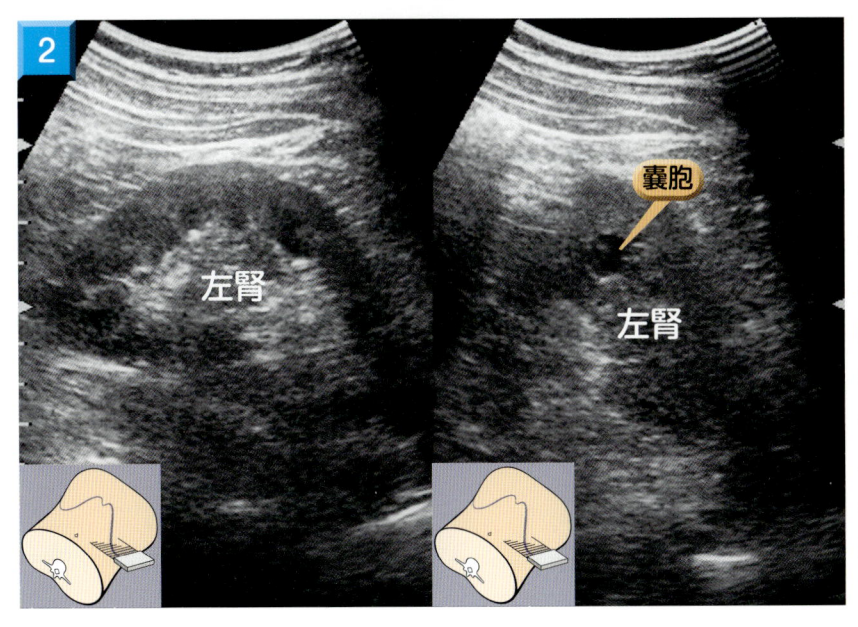

2

左図のように腎臓の上極と下極を結ぶ面で腎を描出すると，腎臓が最大に見えて説得力がありますが，腎臓の病変のすべてが，この断面上にあるわけではありません。
ここに示す嚢胞も左腎が最大に見える断面にはなくて，右図のように端の所で描出されました。場合によっては横断スキャンも必要です。

MEMO　見落としやすい腎の小病変

腎臓の辺縁にある小さな局在性病変は，つい見落としてしまいます。頻度からいうと嚢胞が最も多いのですが，結石や1cm未満の血管筋脂肪腫も見落とします。以前に超音波検査で指摘を受けていれば，検査の前にそのフィルムを見て，どこに病変があるかを確認しておくべきでしょう。
CTには部位による盲点はないので，超音波で気付かなかった嚢胞が超音波検査の後で行われたCTに描出されていて，冷や汗をかくことがしばしばあります。

肝に食い込む腎嚢胞

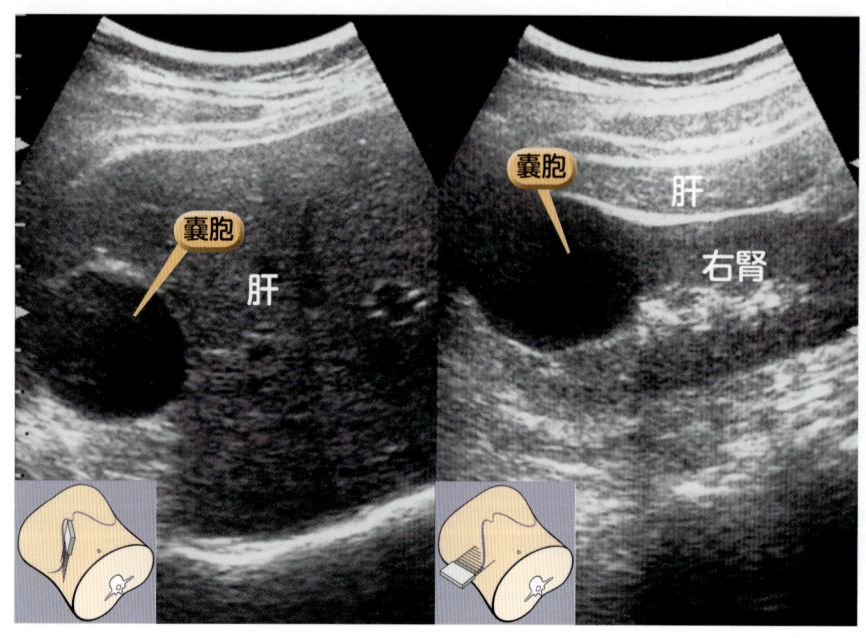

右腎の上部にある嚢胞の半分近くが肝臓に向けて突出しています。
右図のように右肋間腔から右腎を検査すると，この嚢胞は右腎上部から発生して外に発育したものであることがわかりますが，左図の肝右葉の肋骨弓下スキャンでは肝右葉の嚢胞のように見えます。
178ページにも同様な症例を紹介しています。

傍腎盂嚢胞

嚢胞は腎実質内だけではなく，腎洞部にもできます。傍腎盂嚢胞といいます。嚢胞が腎洞部にできると，水腎症で拡張した腎盂や腎杯と紛らわしいので注意が必要です。

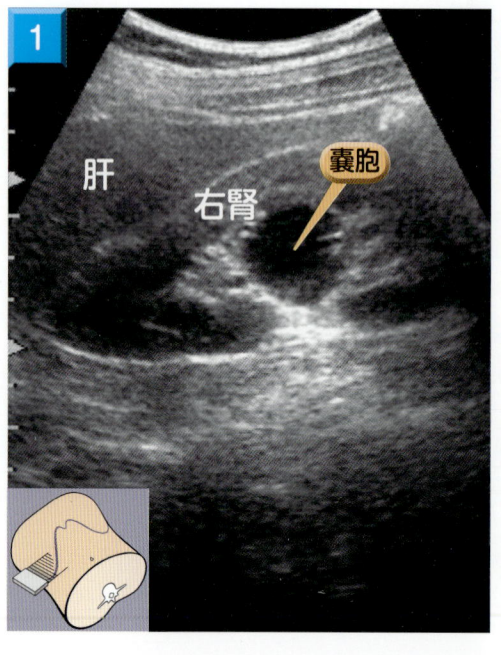

右腎の中央部に22mmの嚢胞性腫瘤があります。腎盂に接してできた嚢胞です。
水腎症で拡張した腎盂と紛らわしい像を示していますが，水腎症では拡張した腎盂に連続して拡張した腎杯が見えなくてはなりません。この症例では腎杯の拡張はありません。

2

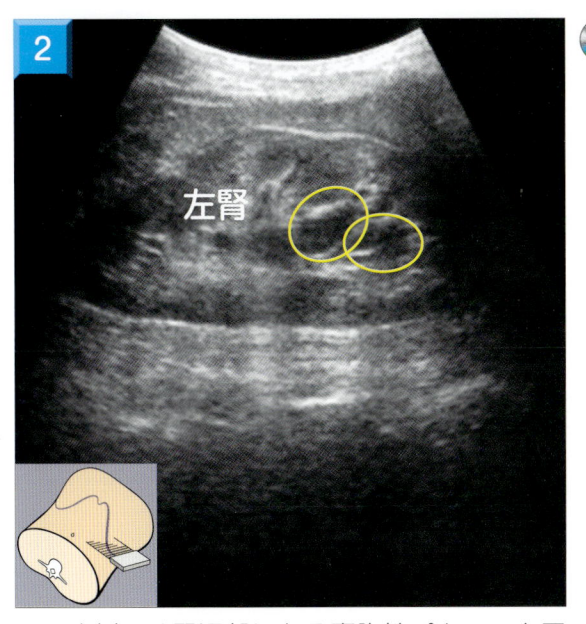

この症例では腎洞部にある囊胞性パターンを示す部分（黄色の円で囲む）が囊胞なのか，あるいは一部の腎杯に限局した水腎症なのか，はたまた血管の拡張したものか迷います。

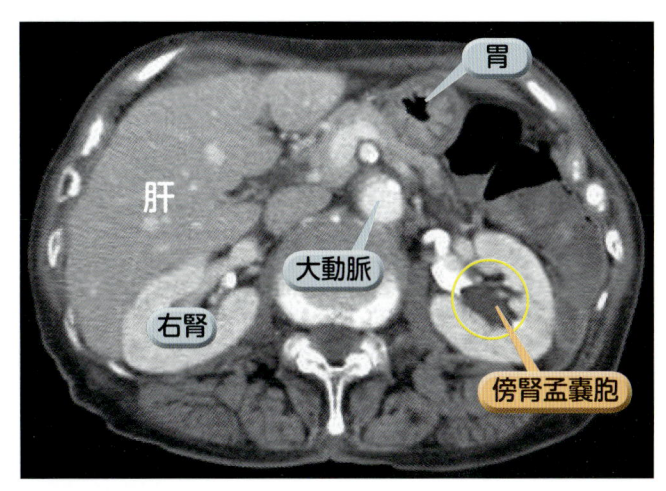

超音波検査の時点で造影CTが行われていました。超音波検査で囊胞性パターンを示している部分は全く造影されていません。傍腎盂囊胞であるのは明らかです。

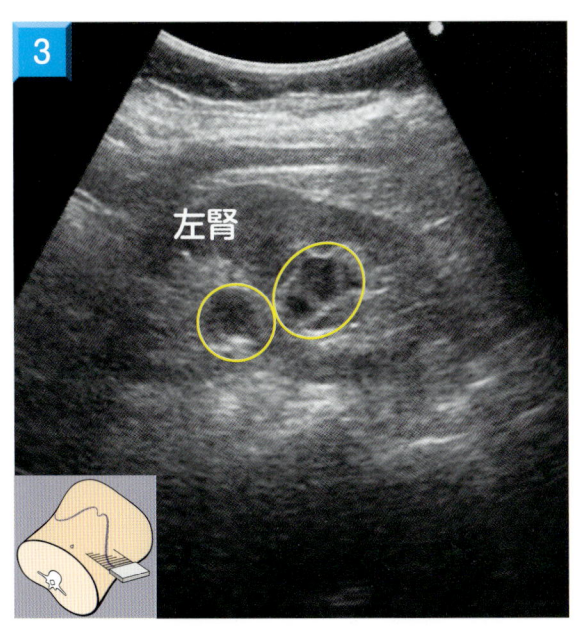

3

これも傍腎盂囊胞です。もし，囊胞パターンが髄質に一致して並んでいれば，腎乳頭が壊死を起こしている状態（腎乳頭壊死）で別の疾患です。

腎臓

囊胞腎

囊胞腎（polycystic kidney disease）は両側腎に無数の囊胞ができる疾患です。単に囊胞が多発する腎囊胞多発（単純囊胞の多発例）とは全く別の疾患で，遺伝性（常染色体優性）です。40〜50歳で発症して次第に腎皮質が囊胞に置き換わる結果，最終的には腎不全になります。

両腎とも腫大して輪郭は囊胞のために凸凹になります。正常な腎臓では辺縁部の低エコーに見える腎実質と，中心部の高エコーに見える腎洞部とは明瞭に区別できますが，囊胞腎では腎全体が囊胞で埋め尽くされるので，この区別がなくなります。

肝臓にも多数の囊胞（腎の囊胞ほどは数が多くない）を示すものがありますが，（書物に述べてあるような）膵臓や脾臓にまで囊胞を認めるものは，私は経験がありません。

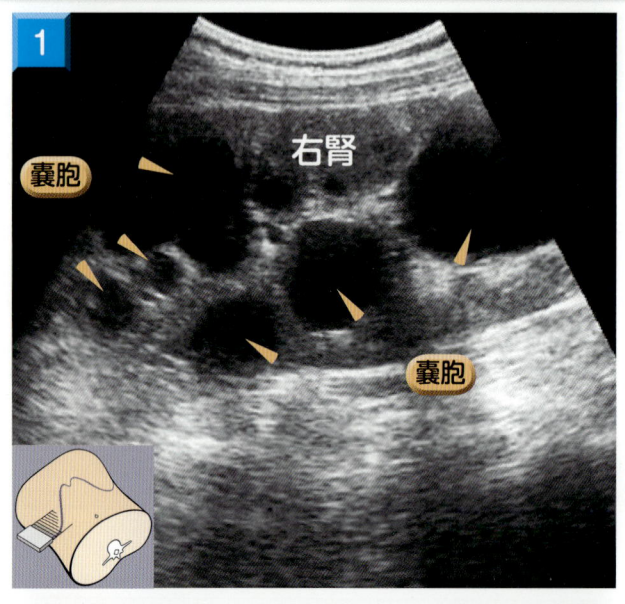

1

右腎の長軸像です。腎は軽く腫大していますが，囊胞腎としては比較的軽い症例で，囊胞の間に腎臓の正常部分が描出されています。この程度ですと，単純囊胞が多発している例との鑑別に困りますが，下の図に示す左腎が典型的な囊胞腎のパターンを示しているので，この症例は比較的早期の囊胞腎と考えます。

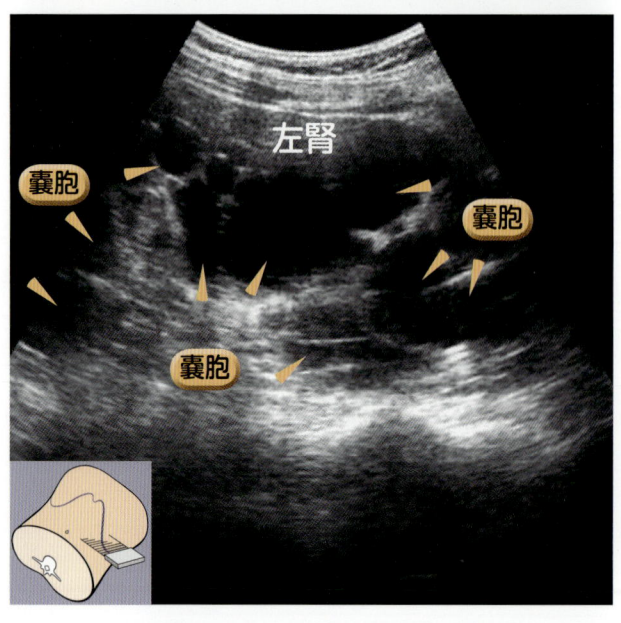

同一症例の左腎の長軸像です。大小無数の囊胞がみられます。囊胞は丸い形をしたものの他に，角張った囊胞，棘状の突出を認めるものなどさまざまです。腎の中心部分にも囊胞があるために，もはや高エコーを示す腎洞部の超音波像はありません。

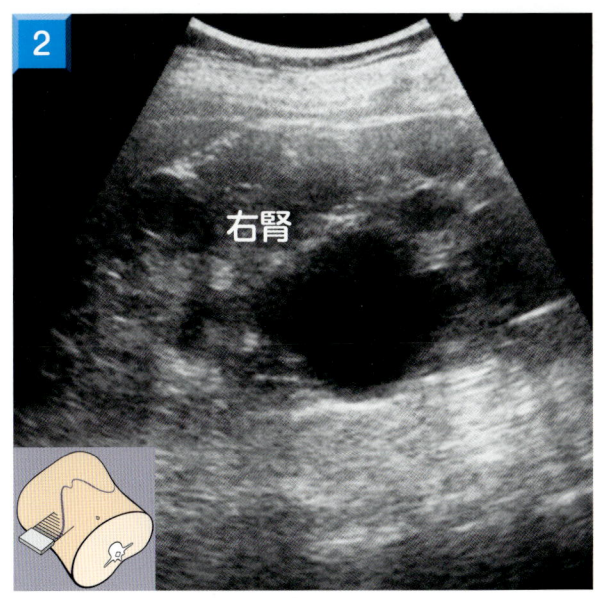

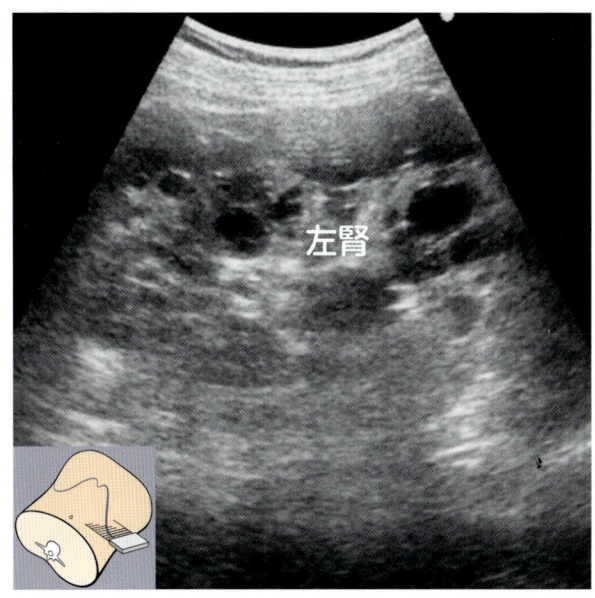

左図は右腎の長軸像で，右図は左腎の長軸像です。この症例では1cm未満の小さな嚢胞も多くあります。小さな嚢胞は超音波のスライス厚みの影響でもともとエコーフリーになりにくいのですが，嚢胞腎では手前にある別の嚢胞から生じる後方エコーの増強現象が重なります。浅い所の嚢胞は腹壁からの多重反射でエコーフリーに見えません。腎は腫大しており，長軸像はコンベックス画像からはみ出しています。

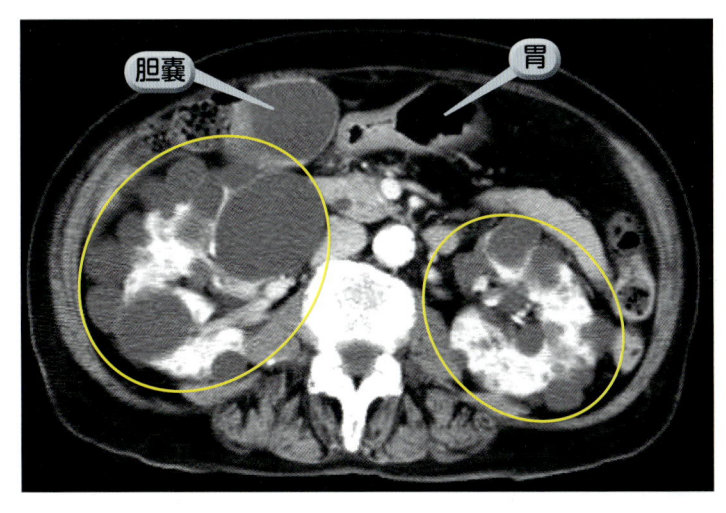

この症例の造影CTです。造影されていない部分（灰色の部分）が嚢胞です。これは軽い症例です。左右の腎が大きくなると，正中で互いに接することもあります。

MEMO　　　　　嚢胞腎

英語ではpolycystic kidney disease（PCKD，PKD）ですが，日本語では嚢胞腎，多嚢胞腎，多発性嚢胞腎といろいろな表現があります。医学書院の医学大辞典では嚢胞腎が正式な表現で，多嚢胞腎は同義語と書かれています。英語の「poly」にとらわれると，「多発性」と訳したくなるのでしょう。一方，幼児型の嚢胞腎（infantile type of polycystic kidney disease）というのもあります。常染色体劣性遺伝で，死産か新生児期にほとんどが死亡します。

小児科領域ではunilateral multicystic dysplastic kidney というものもあります。片側性で無症状で加齢に伴いほとんどが自然消退するので，放置していい疾患です。腎臓の嚢胞性疾患は複雑で理解が困難です。

腎結石

腎結石は超音波画像上で白く強エコーに描出されて，後方に黒い音響陰影を伴います。この所見が腎実質内にみられるときは腎結石の診断は比較的簡単ですが，腎洞部に強エコーがあるときは，もともとの腎洞部の強エコーなのか，あるいは結石による強エコーなのか区別が難しくなります。腎洞部固有の強エコーは音響陰影は伴わないので，腎結石かどうかの判断は音響陰影だけが頼りになります。そのために比較的大きな結石しか診断できません。装置のゲインを下げて周囲の腎洞部のエコーが弱くなった状態でも，まだ強いエコーを示していれば結石と診断できます。

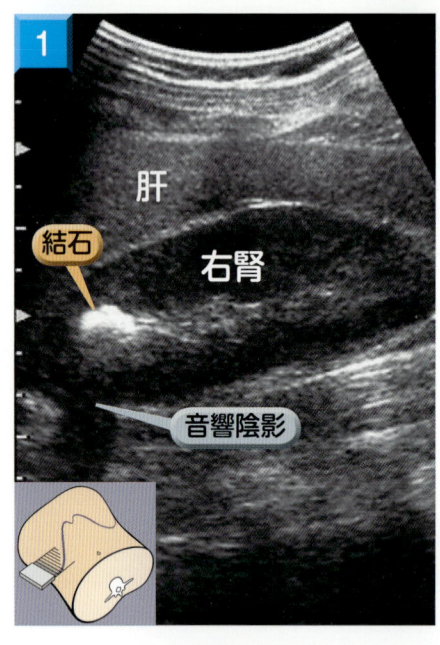

1

右腎の上部に15mmの結石があります。結石の表面近くでほとんどの超音波が反射してしまうために，結石は三日月状に描出されていますが，実際は丸いはずです。後方には明瞭な音響陰影を伴っています。

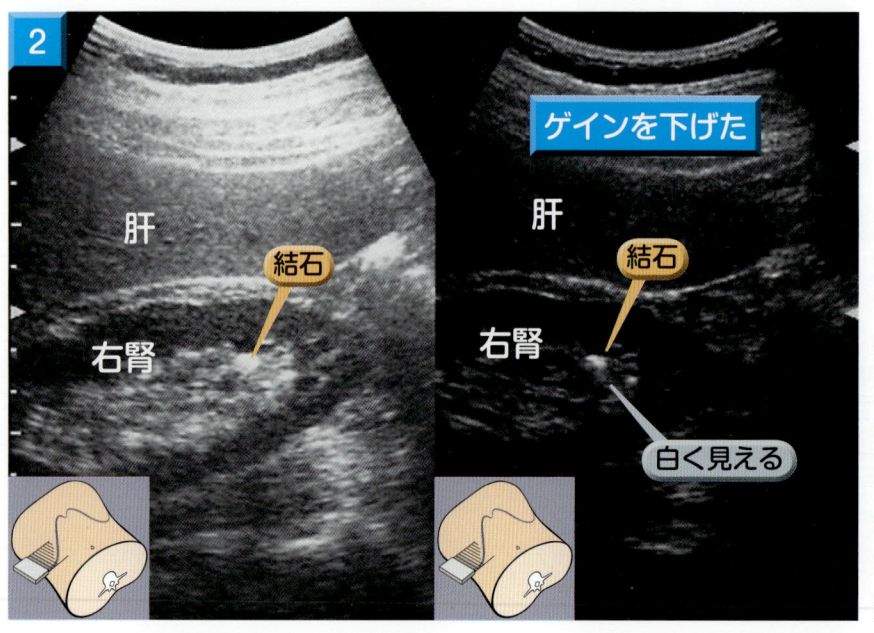

2

中心部エコー内に強エコーがある場合，正常構造を見ているのか腎結石を見ているのか判断に迷うことがあります。このとき右図のように装置のゲインを下げると，強エコーの正体が腎結石である場合は強エコーは最後まで白く見えますが，正常構造の一部を見ている場合は強エコーは消えて暗くなります。

尿管結石

水腎症の原因の多くは尿管結石ですが，尿管結石が超音波で直接描出できることはほとんどありません。それは尿管が細いうえに大部分は消化管に覆われており，消化管内のガスのために尿管自体が描出されないからです。

しかし，患者が極端に痩せていたり，結石が膀胱に落ちる直前で尿管口にあるときは，超音波で確認できることがあります。

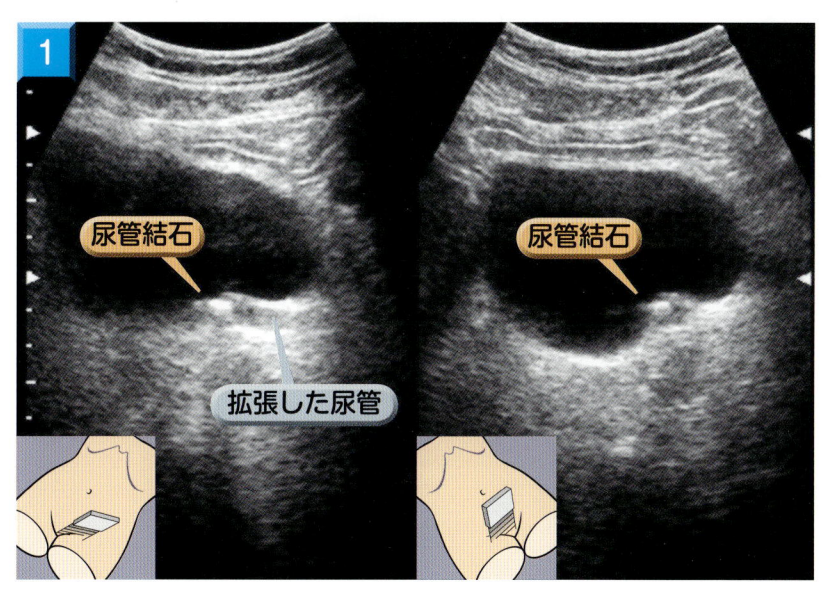

1

左尿管口（尿管の下端）にある結石です。2〜3日前に尿管結石の発作があり，現在は痛みがないか軽減したという症例では，尿管口に結石が存在する例があります。

ここまで結石が降りてくると，水腎症は軽減して痛みは消失するようです。

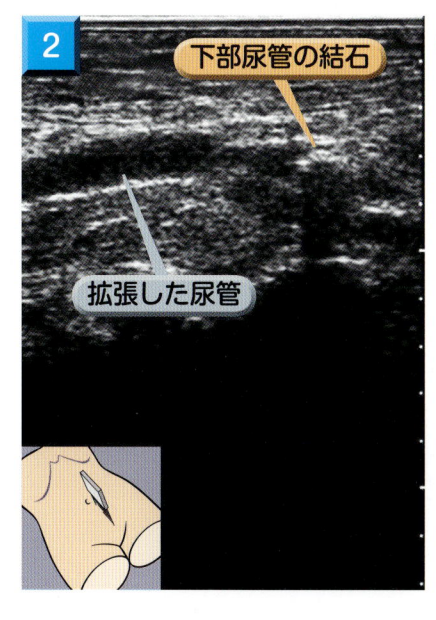

2

第5腰椎の高さの左尿管内にある結石を示しています。かなり痩せた患者で，さらに消化管ガスの影響を受けない状態だったので，拡張した尿管と尿管結石とが明瞭に描出できました。普通の患者ではこのような画像は得られません。

腎細胞癌

腎細胞癌は60歳以上の高齢者にみられる悪性腫瘍です。等エコーの充実性腫瘤として描出されることが多いのですが，内部の状態によっては少し高エコーに見えたり，中心壊死の部分がエコーフリーに見えたりします。RCC(renal cell carcinoma)と略すことがあります。

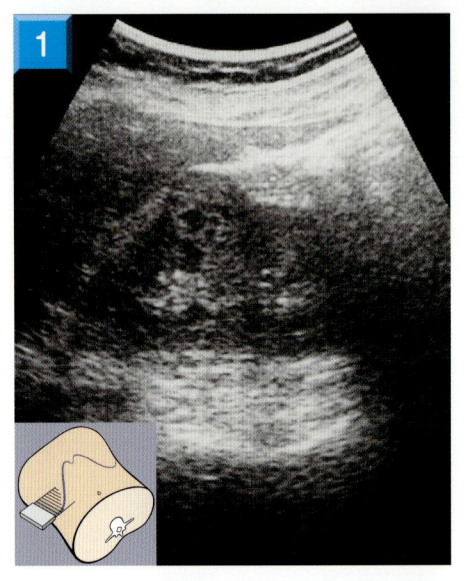

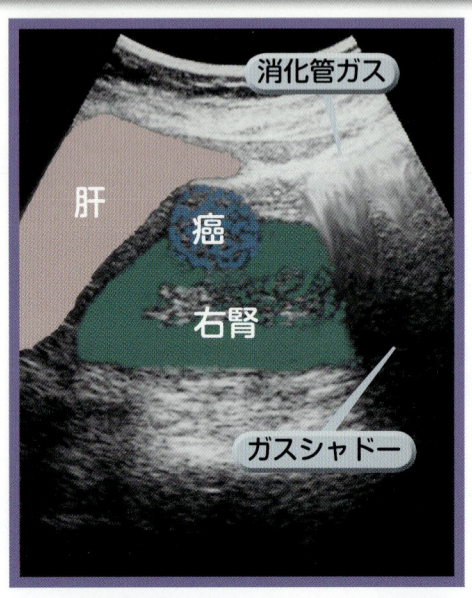

1

右腎の中部外側に2cmの充実性腫瘍があり，一部は肝臓に向けて突出しています。腫瘍のエコーレベルは周囲の腎皮質よりもわずかに高くなっています。内部には低エコーの部分（おそらく小さな変性壊死）が混在しています。

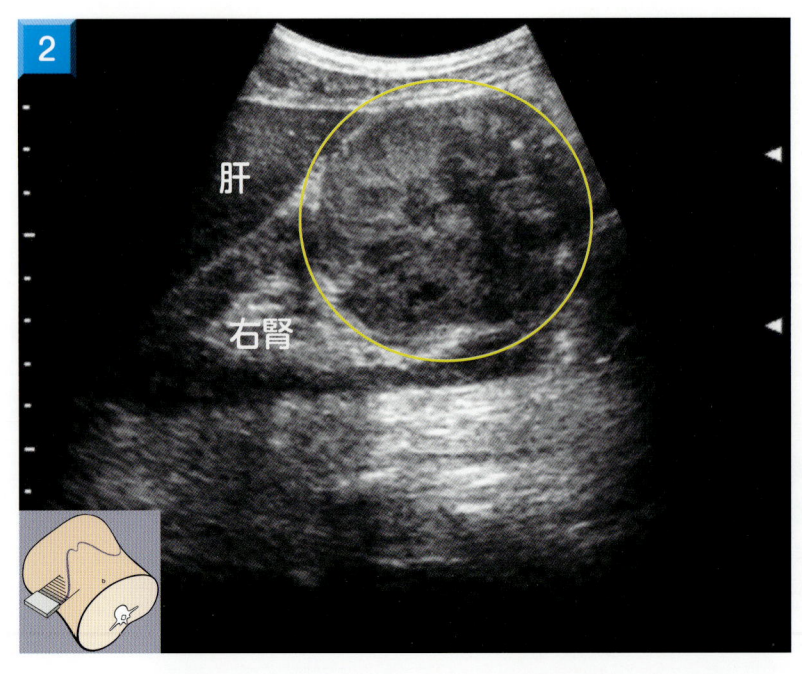

2

右腎の下部に6cm位の充実性腫瘍があります。内部エコーは不均一です。このような腎実質とほぼ等しいエコーを示す腫瘍を見たら，腎細胞癌と考えて間違いありません。

副腎腫瘍

副腎腫瘍はホルモン活性の有無あるいは良性・悪性で分類します。内分泌活性のある腫瘍はクッシング症候群，原発性アルドステロン症，褐色細胞腫があります。すべて高血圧を引き起こします。悪性腫瘍はほとんどが転移性の腫瘍です。肺癌からの転移が多いようです。

副腎は両側とも深部にあって腹壁から遠いので，超音波にとっては検査が難しい臓器です。超音波で腫瘍が確認できなくでも，可能性があれば，念のためにCTでも検査する慎重さが大切です。

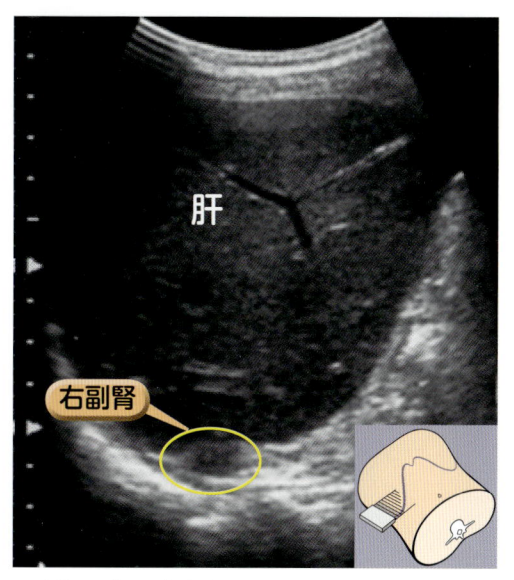

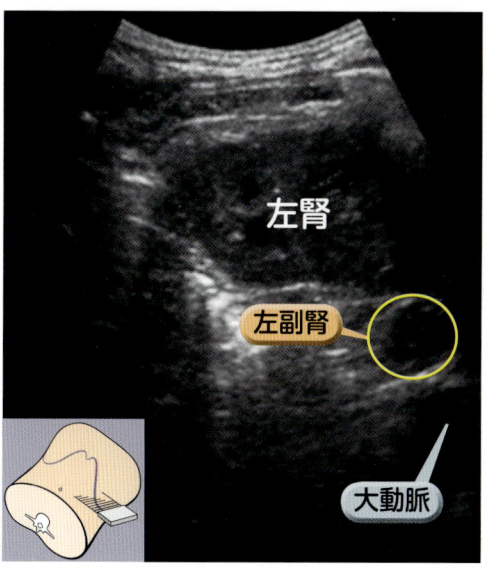

両側の副腎が腫大しています。2年前に肺癌の手術を受けている77歳の男性です。肺癌からの転移性腫瘍の可能性があります。両図とも下のCTに書き込んだ青い線に沿って肋間スキャンをしています。10cm前後の深い所にあるので，輪郭は不明瞭です。

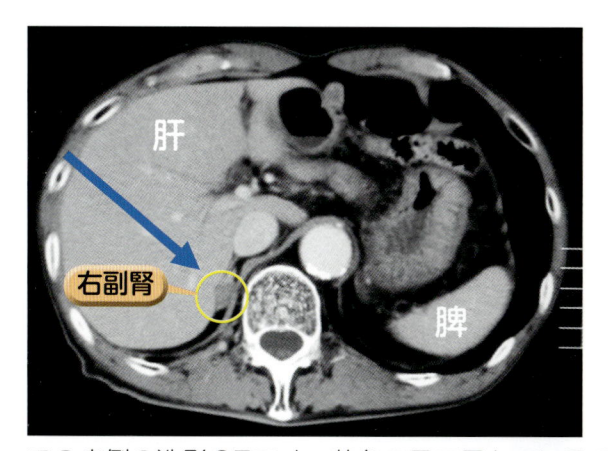

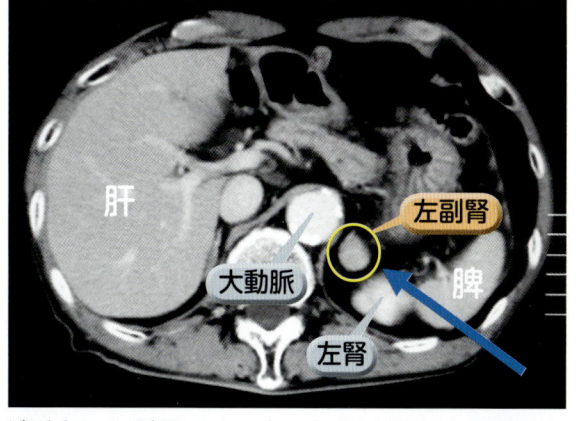

この症例の造影CTです。黄色の円で囲んでいるのが腫大した副腎です。青い矢印は超音波で副腎を描出するときのルートです。右副腎は肝臓を音響窓として使うので比較的容易に描出できますが，位置が深いので解像度は落ちます。左副腎は左腎を音響窓にするので，右側臥位で背側にプローブを置きます。左腎の上部と大動脈を結ぶ面上に左副腎があることをCT像から理解してください。

腎血管筋脂肪腫

腎臓に発生する腫瘍は比較的限られています。充実性腫瘍で最も多いのは血管筋脂肪腫です。その名の通りに血管組織・平滑筋組織・脂肪組織が異常に増生してできる良性腫瘍です。
脂肪成分が超音波を強く反射するために，腫瘍は高エコーに白く描出されます。大きさは２cm未満が多いようです。腎細胞癌の高エコーに見えるタイプよりははるかに白く見えます。
初めて指摘された症例なら，CTで脂肪成分があることを確認しておけば十分です。

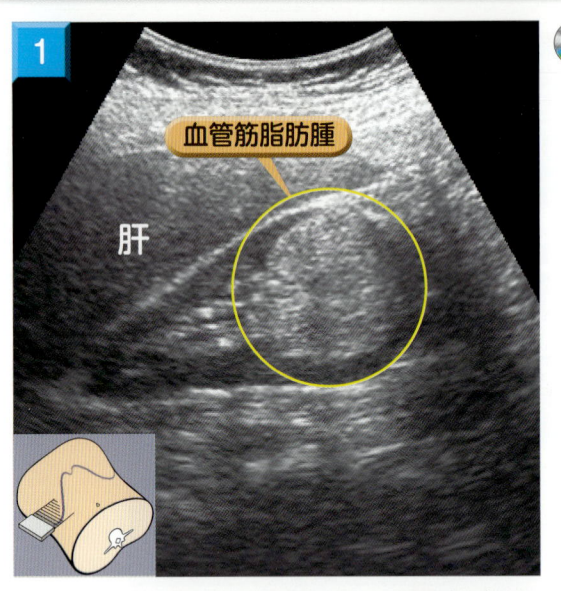

右腎の下部に38mmの高エコーの腫瘍があります。中心エコーに連続していますが，中心エコーは内部に低エコーの部分が混在しているのに対して，この腫瘍は均一です。

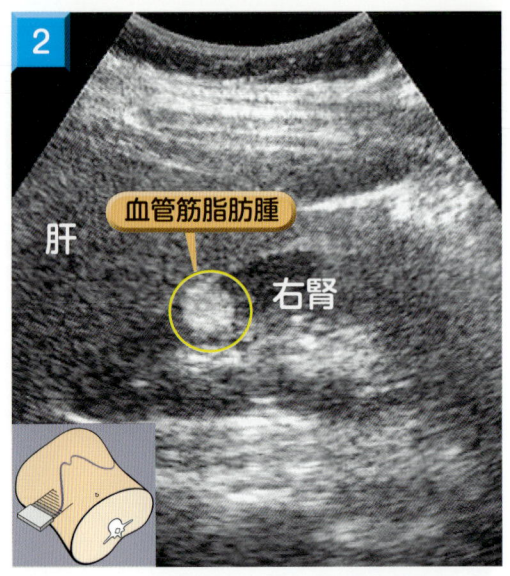

右腎中部の皮質に15mmの高エコーの腫瘍があります。典型的な血管筋脂肪腫のパターンです。小さな血管脂肪腫は腎結石と類似していますが，音響陰影は伴いません。

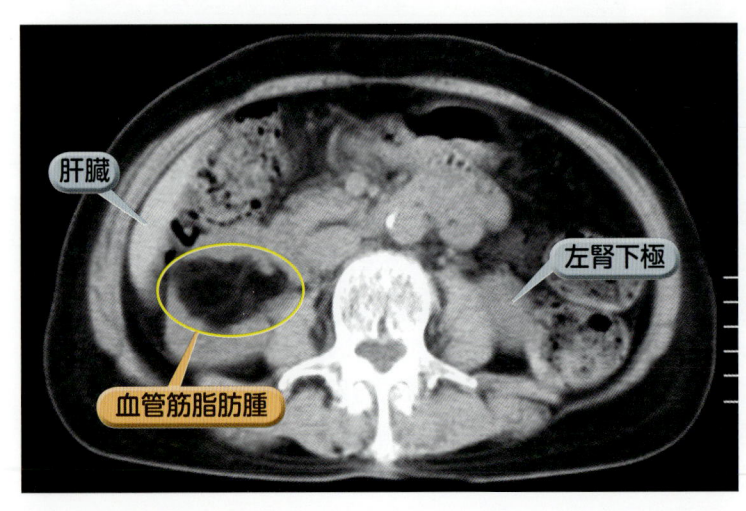

上の症例１の単純CT像です。右腎に低濃度の腫瘍があり，その濃度は皮下脂肪と同じです。これが血管筋脂肪腫の特徴です。

重複腎盂尿管

腎洞部が2つに分かれており，腎盂と尿管が2個あるのを重複腎盂尿管といいます。内部構造が2つに分かれているだけで，外観は1つの腎臓です。あたかも黄身が2個ある卵のようなものでしょう。尿管が最後まで2本あって膀胱に2本とも注ぐ（尿管口が2つある）のを完全重複腎盂尿管といい，途中で合流して1本の尿管になるのを不完全重複腎盂尿管といいます。
正常変異の1つです。病気ではないので，私は所見として取り上げても診断項目には記入していません。

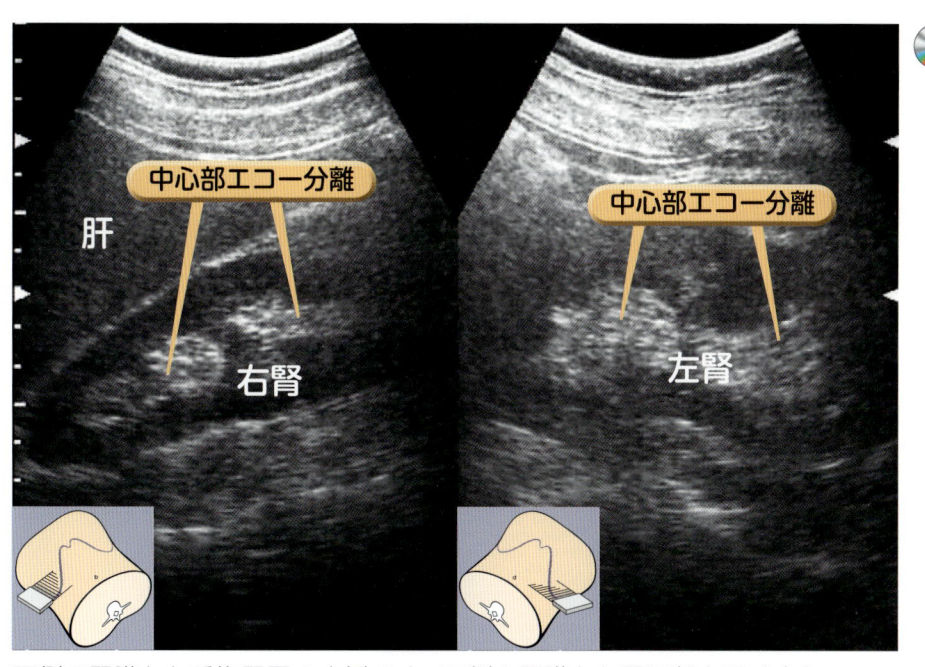

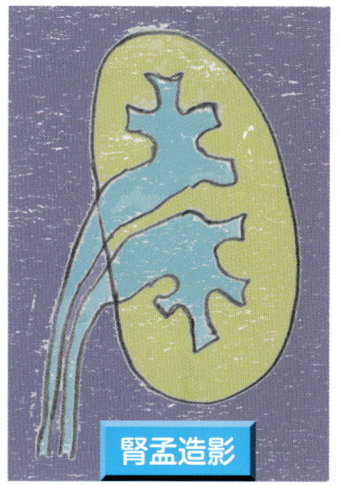

両側の腎臓とも重複腎盂の症例です。両側の腎臓とも腎洞部を示す中心エコーが2つに分離しています。尿管が最後まで2本なのか，途中で合流しているのかは超音波検査ではわかりません。膀胱鏡で尿管口を観察するか腎盂造影をします。

MEMO　　　腎臓が4個ある？

重複腎盂尿管の症例を検査していたら，患者さんが「私は腎臓が4個あります」と言います。私が「腎盂が4個あるという意味で，腎臓は左右1個ずつの2個ですよ」と言うと，「いや，腎臓が4個あるレントゲンを見せてもらいました」と言い張ります。腎盂造影のフィルムでは腎盂・腎杯が分離しており尿管も4本見えるので，それを見せて「あなたは腎臓を4個持っている」と担当の医師がからかったのでしょうか。
もしかすると，その医師も腎臓が4個あると思い込んでいるのかもしれません!?

水腎症

尿管に結石が詰まったり，尿管腫瘍や膀胱腫瘍ができたりして尿の流れが障害されると，腎盂や腎杯が尿で拡張します。これが水腎症です。超音波検査では拡張した腎盂や腎杯がエコーフリーな構造として描出されます。これらの構造は注意深く観察すると互いに連続しており，しかも指先を拡げた手の形をしているので，傍腎盂嚢胞とは容易に区別できます。

高度な水腎症では腎実質が紙のように薄くなり，腎臓の病変と診断しにくくなりますが，他にどこにも正常な腎臓が描出されないことから，これが高度な水腎症であると診断できます。

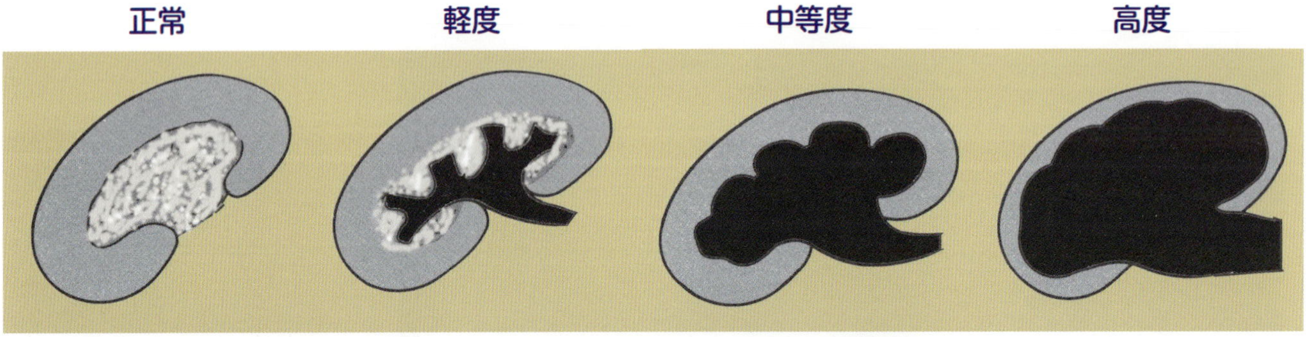

正常　　　軽度　　　中等度　　　高度

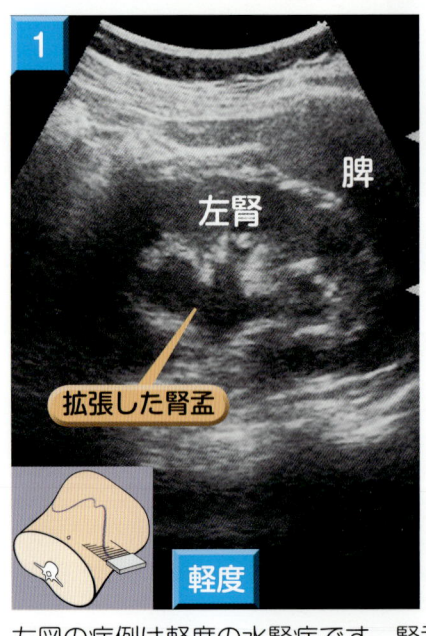

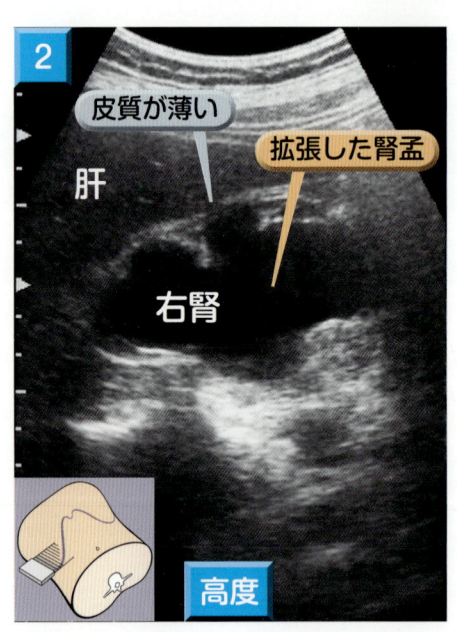

1　脾／左腎／拡張した腎盂　　軽度

2　肝／皮質が薄い／右腎／拡張した腎盂　　高度

左図の症例は軽度の水腎症です。腎盂・腎杯の拡張は軽く，その周囲に腎洞部の高エコーが残っています。腎皮質の厚さは正常です。

右図の症例は高度の水腎症です。腎皮質は5mm以下に薄くなっています。腎皮質のエコーレベルは高くなっており，機能が低下していることを示唆しています。実際は機能していないでしょう。腎盂は著明に拡張していて，その先に拡張した腎杯が規則正しく配列しています。

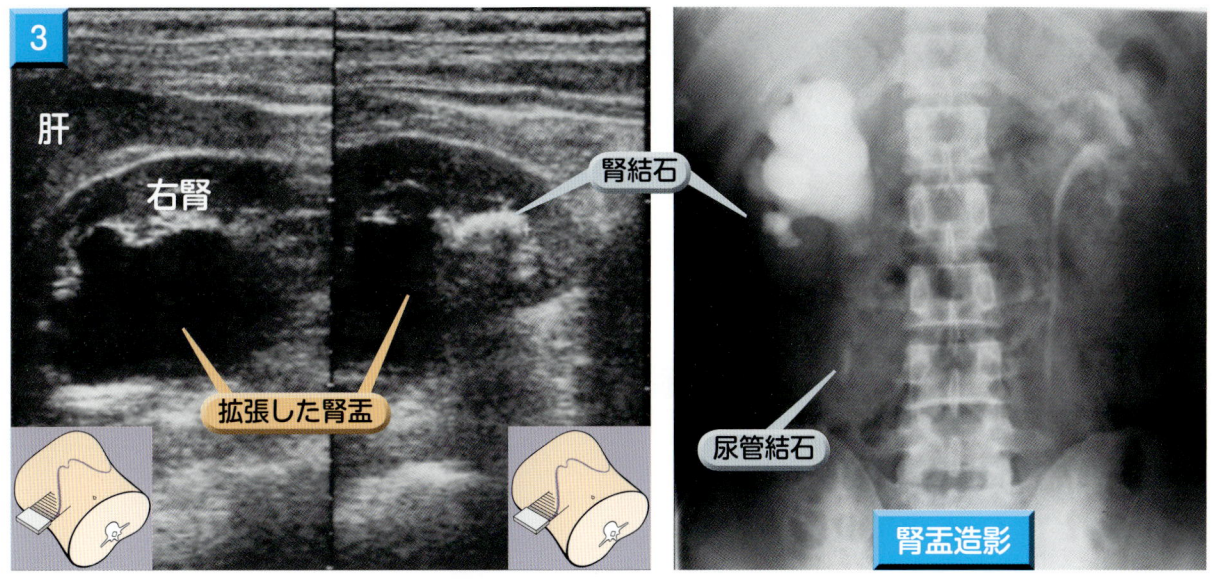

中等度の水腎症の症例です。右図の腎盂造影のフィルムでは，右尿管の途中に尿管結石が見えます。これが右水腎症の原因です。超音波画像では右腎の下部の腎杯内に15mm位の結石があります。この腎結石は右図の腎盂造影のフィルムでも描出されていますが，造影剤の濃度と同じであるために，結石と気付きにくい状態です。

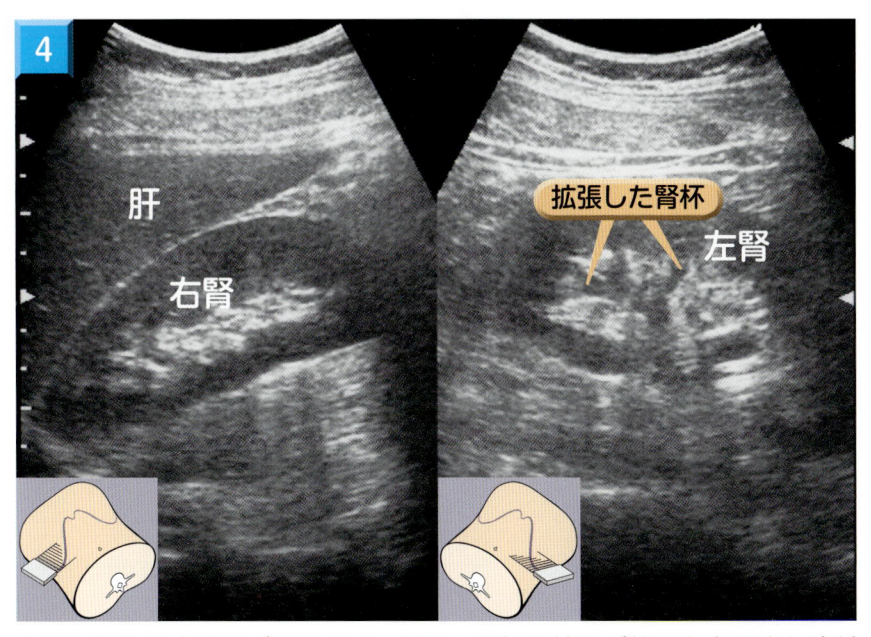

左腎に軽微な水腎症があります。腎盂・腎杯の拡張が軽いと水腎症と診断するのに迷いますが，そのときは対側の腎と比較すると判断しやすいと思います。痩せた患者では腎洞部の脂肪が少ないので，正常でも腎盂・腎杯が軽く拡張して見えることがあります。また，腎結石が排出された後も数日は，この程度の拡張が観察されることがあるので，尿管結石が残存しているかどうかの判断は，超音波検査だけでは難しいことがあります。

腎不全

腎不全では腎は萎縮して小さく描出されます。皮質のエコーは線維化のために高エコーになると同時に腎洞部のエコーは弱くなるため，腎全体が均等なエコーレベルになります。その結果，腎周囲組織との間にエコーレベルの差がなくなり，腎臓がどこにあるのかわかりにくくなります。内部に囊胞が発生する場合もあります。人工透析を行うと，囊胞が発生しやすいといわれています。

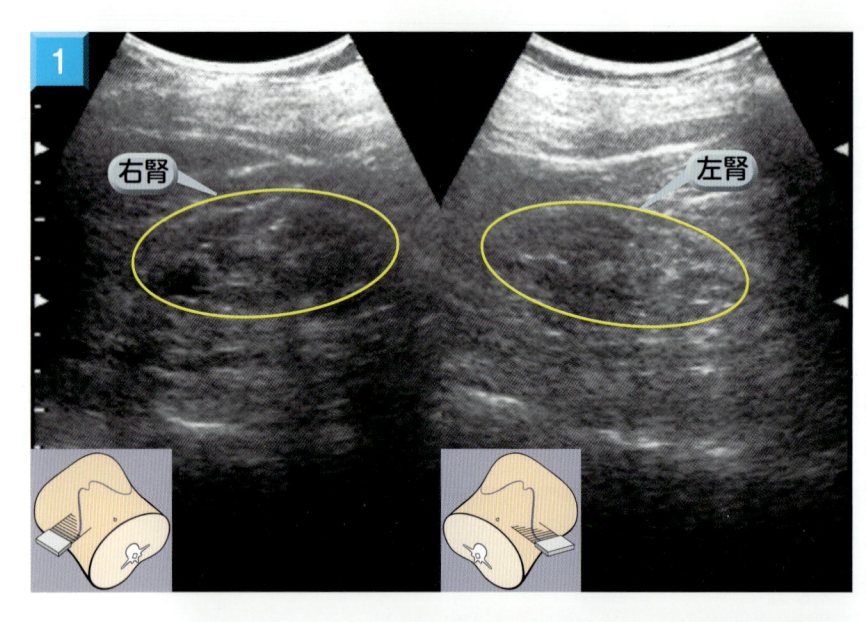

この症例は人工透析中です。両腎とも萎縮しているうえに腎皮質のエコーレベルが上がっています。その結果，腎洞部や腎周囲の後腹膜脂肪とほぼ同じエコーレベルになって，どこに腎臓があるのかわかりにくい状態です。

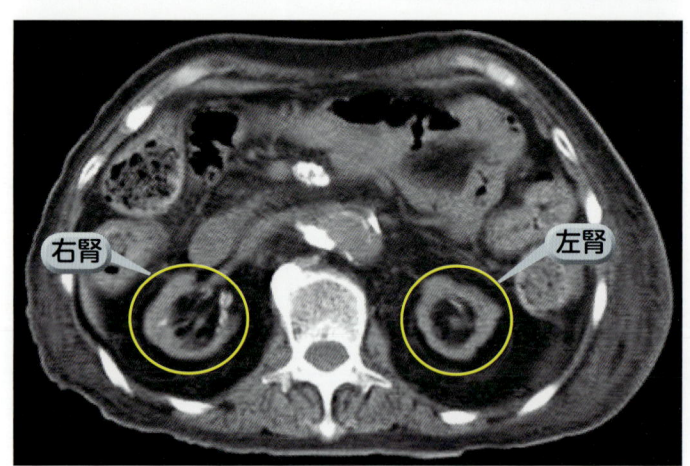

この患者のCTです。
超音波では非常に認識が困難な状態ですが，CTでは萎縮した腎臓が明瞭に描出されます。実質は菲薄化しているうえに厚みが一定ではありません。

MEMO　透析患者と腎細胞癌

人工透析をしている患者は腎細胞癌ができやすいといわれています。したがって，超音波検査で定期的にチェックしますが，上に述べたように透析患者の腎臓は検査しづらいのが実情です。

2 萎縮した腎　囊胞　肝　右腎

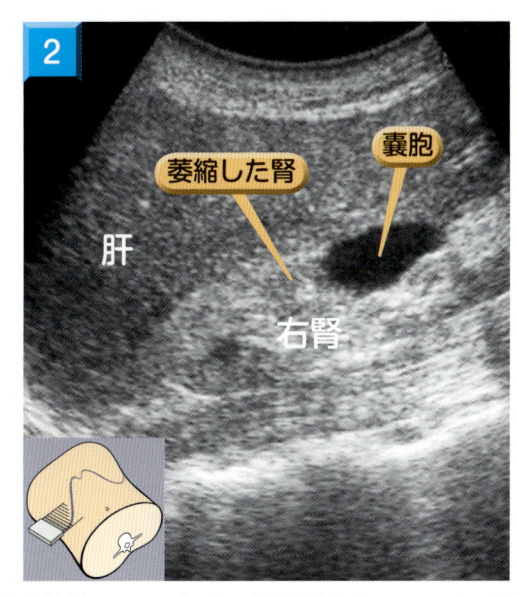

腎臓は萎縮しています。長径は75mmです。腎皮質は薄くなり，エコーレベルは上昇しています。そのために腎皮質と腎洞部のエコーは区別できません。囊胞が合併しています。腎不全によくみられる所見です。

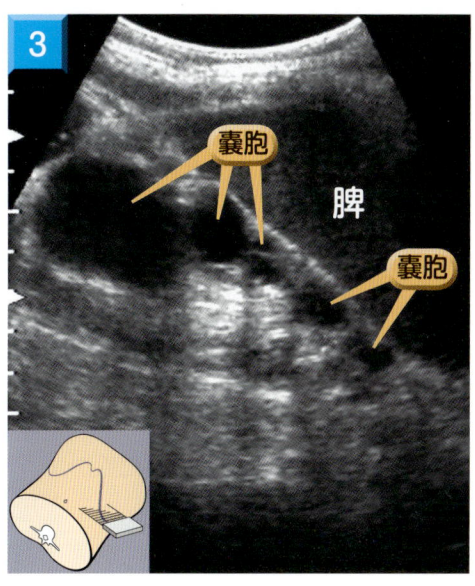

3 囊胞　脾　囊胞

この症例は人工透析歴が19年の典型的な腎不全ですが，左腎の長径は110mm近くあります。78歳ですから，むしろ大きめです。腎皮質は10mmと薄くなっていますが，この年齢では必ずしも異常ではありません。エコーレベルも明らかに高いとはいえません。

> **ひとくちコメント**
> 日常診療でよくみられる軽症の腎盂腎炎や糸球体腎炎は，超音波検査では診断できません。なぜならば軽度の炎症性疾患では形態的な変化を起こさないからです。ですから，超音波検査で異常がないからといって，上記の疾患を否定はできません。重症例では下の図に示すように腎髄質の腫大明瞭化が認められ，腎全体も腫大します。皮質のエコーレベルは上昇します。

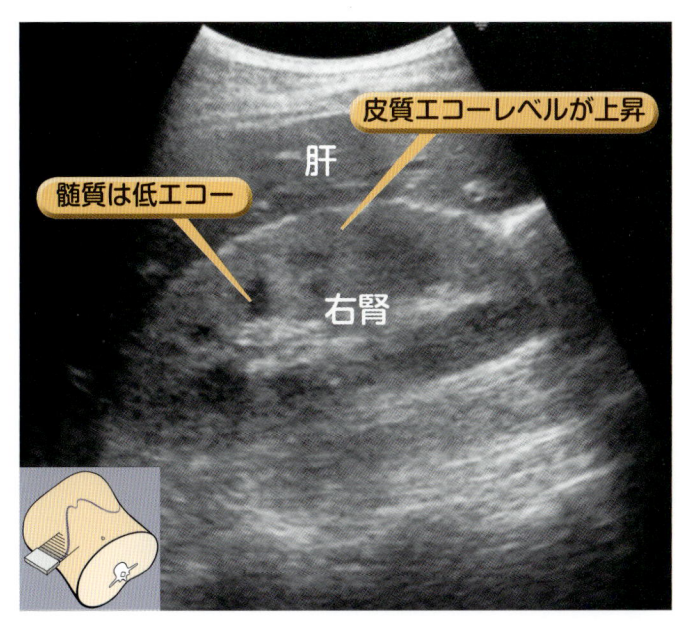

皮質エコーレベルが上昇　肝　髄質は低エコー　右腎

典型的な腎不全例ではありませんが，腎機能障害の特徴を示しているので参考に示します。
腎の長径は正常ですが，皮質の厚みは増大しています。いわゆる腫大した状態です。皮質のエコーレベルが上昇しているために髄質がより低エコーに見えます。
この所見だけでは腎障害の種類を特定はできませんが，腎機能障害を示唆しています。
BUN31.3mg/dl（8～20），クレアチニン1.45mg/dl（0.65～1.09）と腎機能障害がみられます。

腎臓

腎の正常変異

正常変異（variation）というのは一部の限られた人にみられる形態的な異常で、かつ病気ではないものをいいます。病気ではないのですが、その存在を知らないと病気と誤診してしまうことがあります。人間の体にはあちこちに正常変異がみられますが、腎臓にみられる正常変異で以前から知られているのは「ベルタン柱の過形成」と「ヒトコブラクダのこぶ」です。275ページで解説した「重複腎盂尿管」も正常変異です。最近は「腎実質接合部欠損」という異常も注目されています。

● ベルタン柱の過形成

腎皮質が部分的に発達して腎洞部に突出している状態です。腎柱の過形成ともいいます。見慣れないと腎腫瘍があると勘違いしてしまいます。
腎腫瘍の場合は輪郭を全周性に追えますが、ベルタン柱は皮質そのものですから、皮質との境界はありません。エコーレベルは当然皮質と同じです。

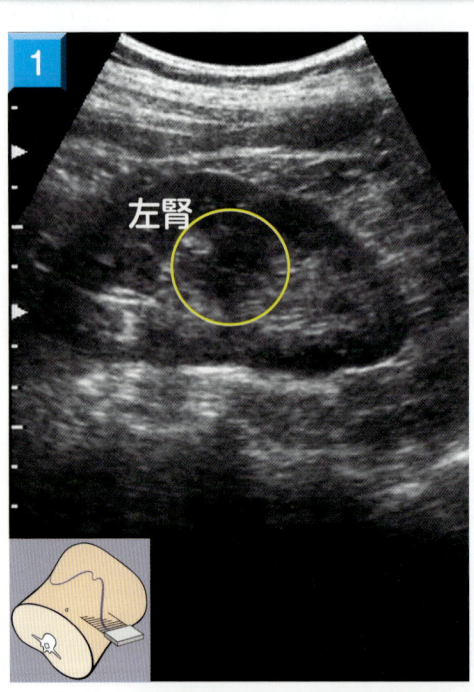

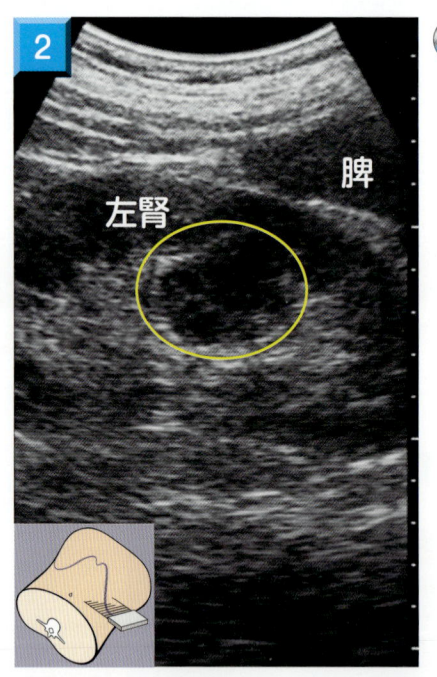

両症例とも左腎の皮質の一部が発達して腎洞部に突出しています。ベルタン柱と隣の腎髄質に挟まれた脂肪組織を、高エコーの腫瘍と勘違いしてしまうこともあります。

● ヒトコブラクダのこぶ

左腎中部の皮質が外に突き出て腫瘍のように見える正常変異です。この瘤は左腎の中部だけにみられます。右腎でみられることはありません。脾の下極が圧迫するので、ここが盛り上がるという説がありますが……。

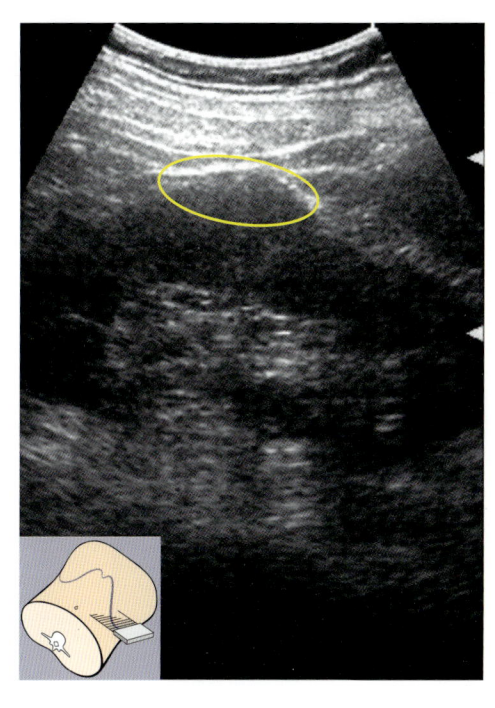

ヒトコブラクダ。アラビア産で足が速い乗用ラクダ。

左腎の中部の輪郭がコブ状に突出しています。このコブの近くには脾臓の下極が見えています。腫瘍との鑑別点は輪郭線（正常部との境界線）がないことです。

🔵 腎実質接合部欠損

胎生期に上下の小腎が癒合する部位にみられる線状あるいは帯状の高エコー域です。腎洞部の脂肪組織に連続しています。文字どおり，接合部（癒合部）にみられる実質の欠損です。右腎の上極側から1/3の部分にみられます。左腎でも起きる現象ですが，左腎は矢状断で観察することがないので気付きません。

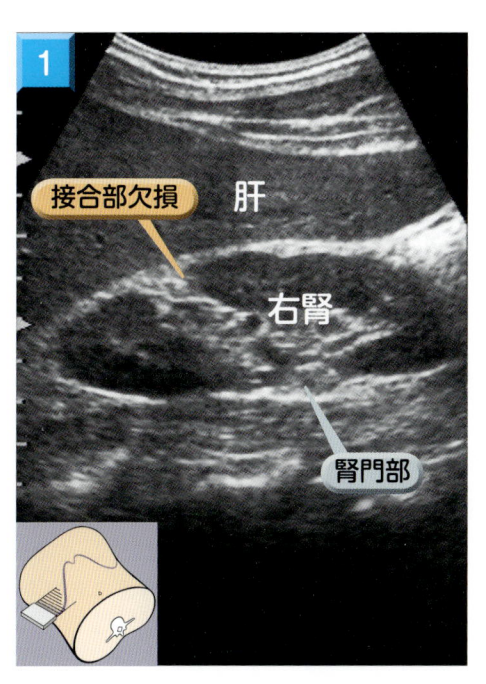

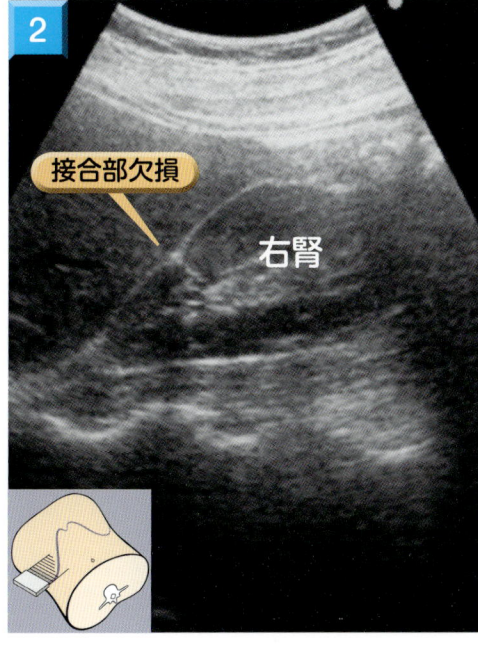

1　接合部欠損　肝　右腎　腎門部

2　接合部欠損　右腎

右図の症例は欠損部が線状なので他の疾患は考えませんが，左図の症例は皮質の瘢痕と間違いそうです。欠損部位以外は全く正常なことから瘢痕と区別します。

腎臓

片側性に小さい腎臓

片側の腎が小さい症例があります。腎炎後に萎縮した場合と，初めから成長しなかった場合（発育不全）とが考えられます。前者の形が歪んでいるのに対し，後者は小さいだけでバランスは保たれています。対側の腎は代償性に肥大しています。大人になってからの腎炎や腎梗塞が原因の場合は代償性肥大が不十分です。

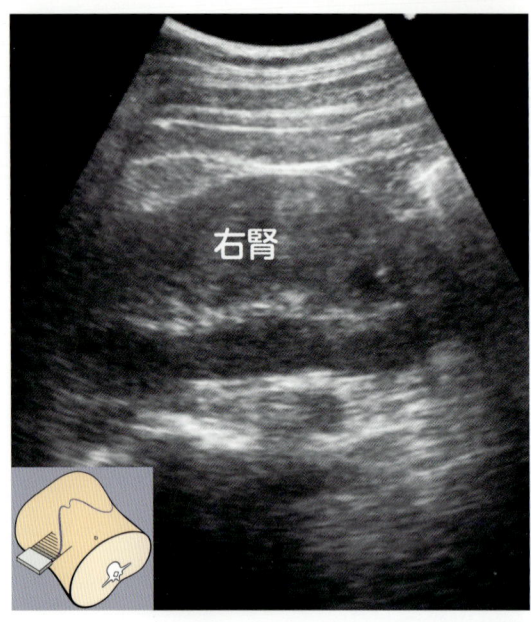

右腎は代償性に肥大しています。皮質の最も厚い所は30mmあります。正常腎の2倍の厚みです。その結果，腎洞部は狭くなっています。

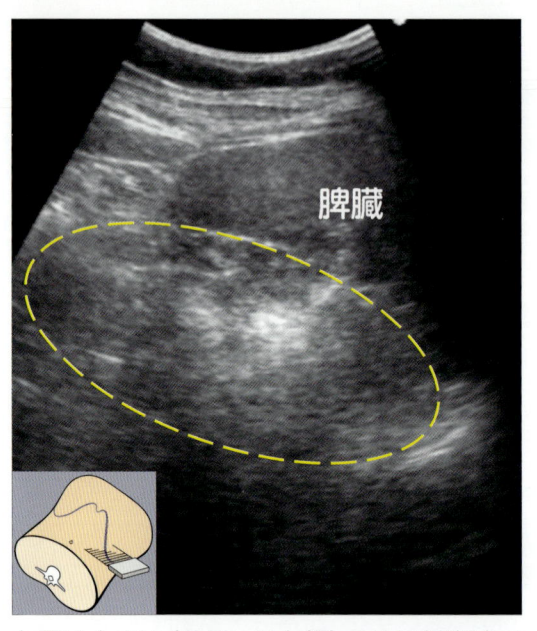

左腎は小さい（あるいは欠損）ために超音波では全く描出できません。黄色の破線が本来あるべき左腎の輪郭です。この場合は腎は萎縮したのか発育不全なのか，あるいは先天的に欠損しているのか判断はできません。膀胱鏡で左尿管口の有無を調べる必要があります。

MEMO　　腎の奇形

先天的に片方の腎臓が欠損する場合（腎無発生）がありますが，対側の腎が機能を代償するので問題はありません。この場合は尿管がないので膀胱の患側には尿管口がありません。

腎がある程度萎縮すると超音波では描出できなくなります。その場合でも，CTでは萎縮した腎臓を指摘できます。

左右の腎が融合して（1つになって）片側にある場合（融合性交差性腎変位）もあります。この場合は尿管口は2つあります。左右の腎の下極が融合しただけで腎は左右に分かれているのが，次に述べる馬蹄腎です。

馬蹄腎

稀に両腎の下極が結合組織（ときに腎皮質）でつながっている症例があります。通常の腎は大腰筋に沿って，その外側にあるのでハの字形をしています（260ページ参照）が，下極同士がつながると，U字形に下極が内側に偏移します。結合組織の下端は峡部といい，大動脈のすぐ腹側にあります。痩せた患者で消化管ガスが少ないと，この峡部を超音波で観察することができます。

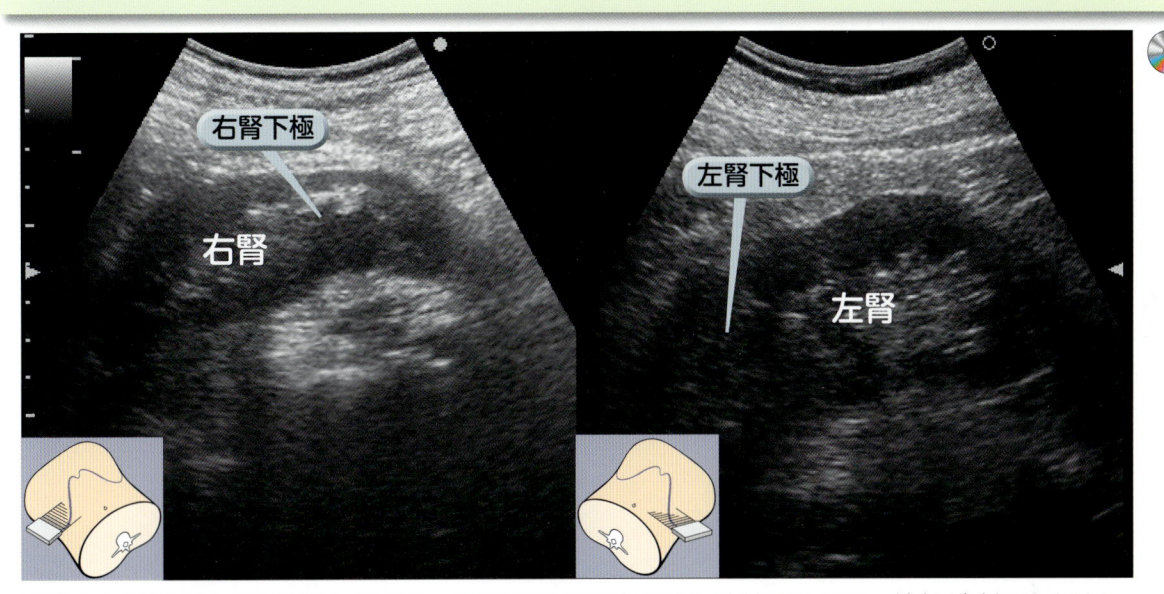

両腎とも下極が内側に偏移しており，両腎を結ぶ結合組織に連続するので，輪郭が途切れません。消化管ガスで覆われて，超音波画面上は途切れるように見えるだけです。

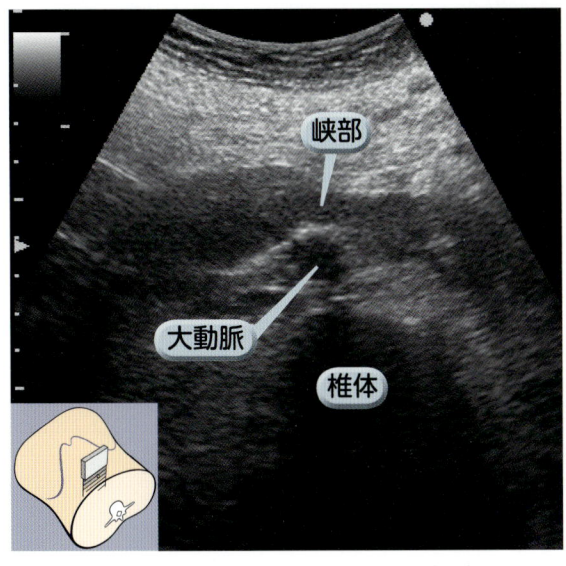

両腎を結ぶ結合組織の部分（峡部）を観察しています。大動脈をまたぐ結合組織が見えています。消化管ガスが少ないと峡部が明瞭に見えますが，消化管ガスが多いと全く見えません。

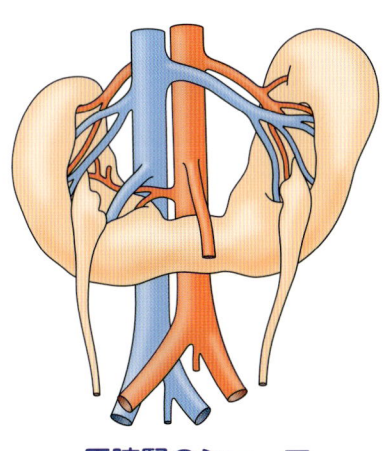

馬蹄腎のシェーマ

異所性腎

腎臓は胎生期は両方とも骨盤腔にあります。週数が経つにつれて徐々に上昇して通常の位置に収まります。ごく稀に、この上昇がうまく行われずに骨盤内に留まったり、あるいは臍の高さまでしか到達していない例があります。このようなものを異所性腎（偏位腎）といいます。以前は上昇しすぎて胸腔内に達するもの（胸腔腎）もあるといわれていましたが、そのような例は腹部単純X線の誤読影であることがCT検査で確認されています。

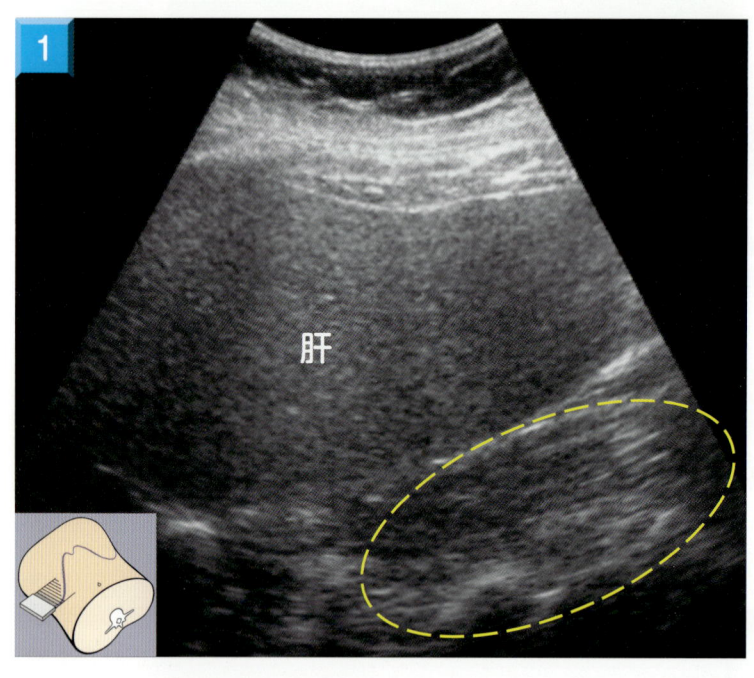

1

右腎があるはずの肝右葉の尾背側に右腎はありません。正常なら黄色の破線で囲んだ部位に右腎が描出されます。

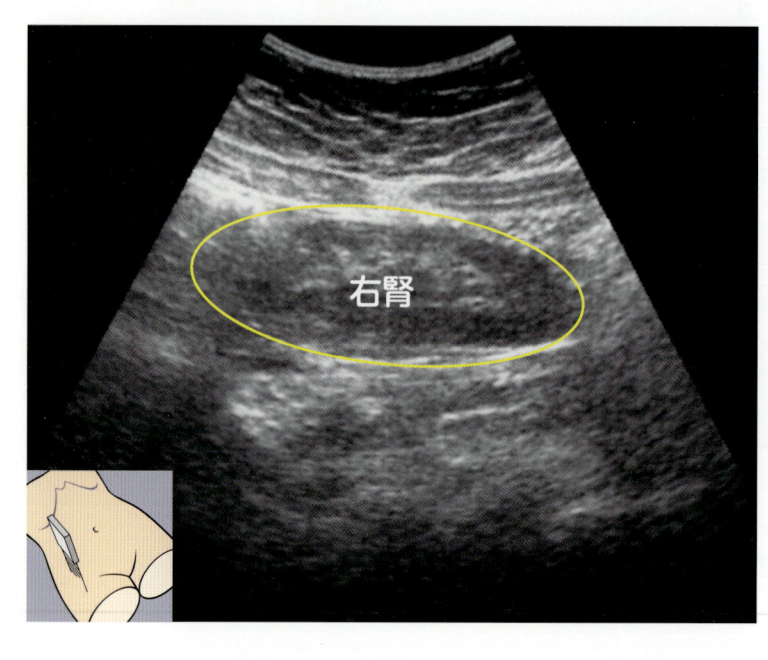

臍の右横の縦断像です。腎臓の面影はあるものの小さく、皮質の一部が強く萎縮・変形しており不均一です。上昇障害に成長障害が合併したのでしょう。

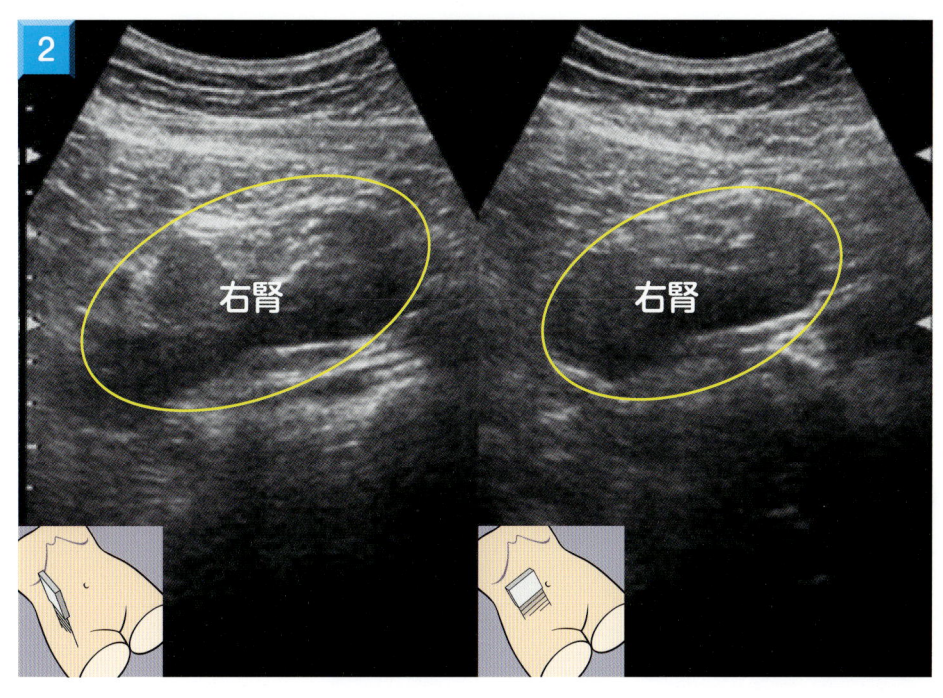

症例1よりも変形が著明です。この画像だけを見たのでは右腎とは思いませんが，右腎が正常な部位になく，左腎が肥大していれば，これが異所性腎で発育障害を伴っていると判断できます。

腎結核

肺結核の減少により，腎結核も非常に稀な疾患になっています。おそらく，病期によってさまざまな形態を示すと考えられます。二次的に結核性の膀胱炎を引き起こします。
両腎が同時に結核に感染することはありません。理由は免疫が関係していると考えられています。

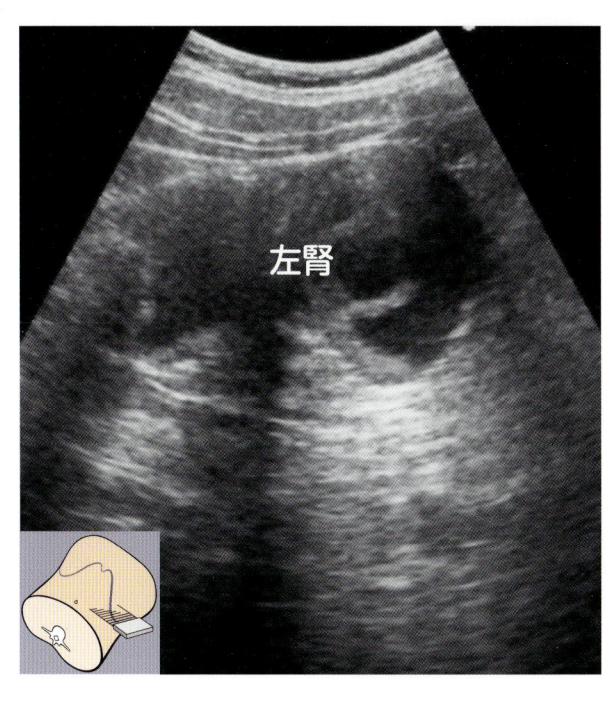

左腎の結核です。萎縮変形しており，正常な腎のパターンは失われています。上極側は多胞性になっています。石灰化はこの症例では指摘できません。
この超音波画像だけで結核であるとの診断はできません。

腎炎後の変形

腎臓は腎門部を除いて，厚さ15mm位の腎実質に取り囲まれています。ところが，この腎実質が途切れて高エコーの構造にとって代わられているケースがあります。その部分では腎の輪郭は凹んでいます。これは高度の腎炎により，腎実質が部分的に壊死に陥った後の瘢痕組織と解釈します。単に瘢痕萎縮と考えられる陥凹だけを認めるケースもあります。

高齢者の場合は腎血管の梗塞の結果，腎皮質が壊死に陥った後の瘢痕組織と考えます。

腎門部（尿管や血管が腎に出入りする腎中部の内側）は腎実質エコーが途切れているので，ここを異常と間違わないようにしましょう。

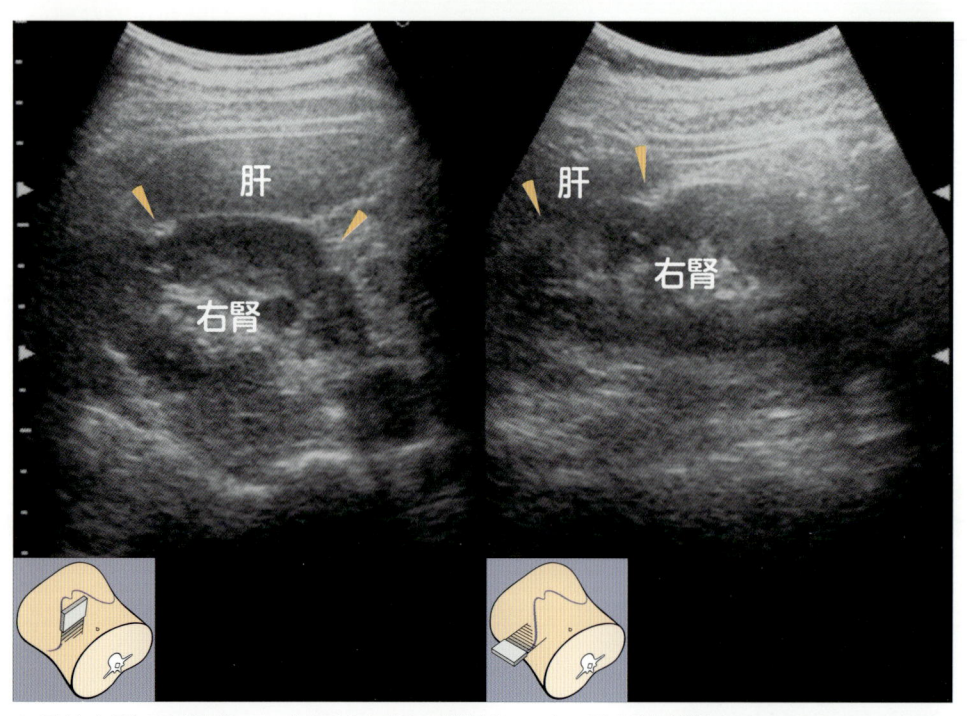

右図は右腎の長軸像で，左図は右腎の横断像です。輪郭線が数か所で凹んでいます。腎炎を繰り返したという病歴があります。

MEMO　無視されている腎炎後の変形

今までに数回の超音波検査を受けている方に腎の輪郭の変形があっても，ほとんどの人は指摘を受けていません。結石や嚢胞は細かくチェックされていますが，腎の変形は無視されているようです。過去の病気による瘢痕組織にすぎず，腎機能にも影響はありませんが，動脈硬化による梗塞の跡であれば，これからも起こす可能性がありますから注意が必要でしょう。

局所性の激しい腎炎として，急性巣状細菌性腎炎というのがあります。腎炎後の変形には，この腎炎の跡も含まれていると考えますが，腎炎の最中を超音波検査で診断する機会はなかなかありません。

第6章

消化管

消化管はガスが入っているために，一般的には超音波検査の対象になりませんが，特殊な状況下では超音波検査で診断できる場合があります。

ここでは体表面からの検査に限ります。消化管の内腔から観察する超音波内視鏡は取り上げません。

粘膜に限局する微細な病変はわかりませんが，壁肥厚が著明な進行癌は容易に診断できます。また，腸閉塞は手前（口側）の拡張した腸管が描出されるので，間接的に診断できます。

腸閉塞が起こると，その手前の小腸が拡張して小腸の粘膜襞（ケルクリング襞）が見えるようになります。その形が鍵盤に似ていることからキーボードサインといいます（294ページ参照）。

胃癌

胃壁が肥厚すると超音波検査で描出できることがあります。なかでも進行胃癌で胃角部や前庭部の壁が肥厚している場合は比較的容易に描出されます。膵臓を検査するときは，胃壁越しにスキャンすることが多いので，胃壁の肥厚に気付きます。

進行胃癌で胃壁が肥厚すると内腔は極端に狭くなり，内部の空気が超音波を強く反射して白く見えます。胃壁が均一に厚く見え，その中心部で空気が白く見えている様子が腎臓の超音波像に似ていることから，pseudokidney signといいます。

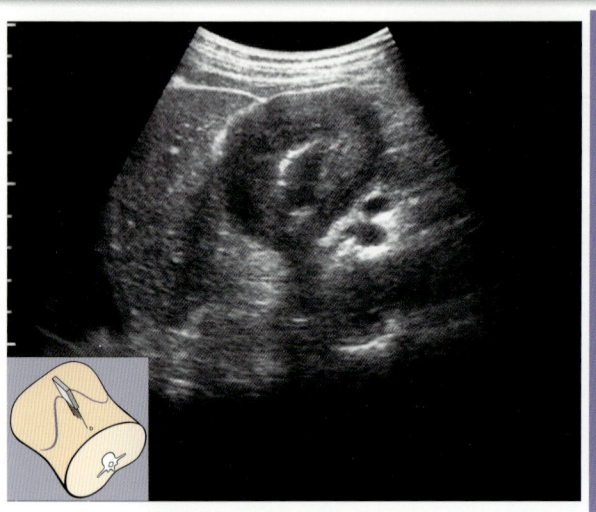

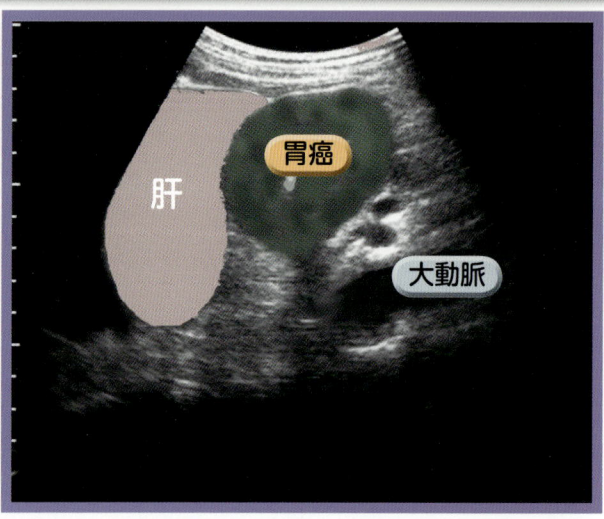

胃前庭部の胃壁が全周性に肥厚していて，内腔は狭くなっています。狭い内腔にある空気が超音波を強く反射しています。内腔の空気からのエコーが少ないので，腎臓の中心部エコーに相当する部分が小さくて典型的ではありませんが，これがpseudokidney signです。

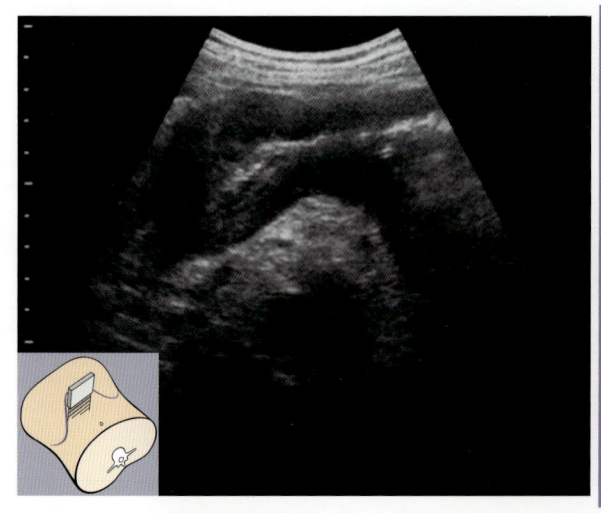

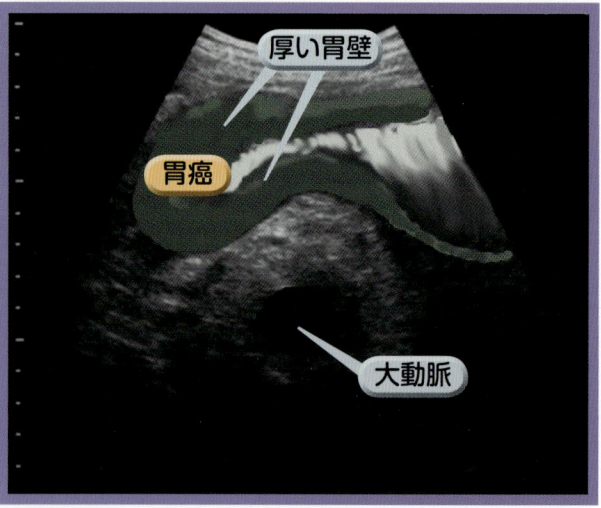

横断スキャンで胃前庭部を長く描出しました。胃前庭部の胃壁が肥厚して内腔が狭くなっている状態がわかります。

急性胃炎

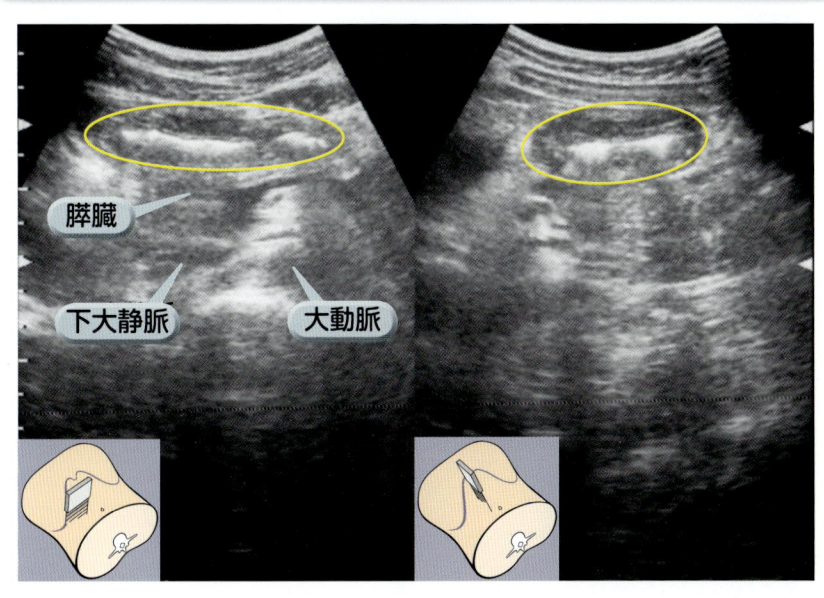

膵臓
下大静脈
大動脈

前庭部の胃壁が最大で10mmに肥厚しています。腹壁からの超音波検査でわかるのはここまでです。
肥厚の原因が癌なのか，胃炎なのかはわかりません。

胃潰瘍

超音波を学問として研究するグループは胃の超音波画像を病理標本と対比して，粘膜層・粘膜下層・固有筋層に分けて診断しています。粘膜層優位の肥厚と粘膜下層優位の肥厚に分類する方法もあるようです。胃潰瘍では潰瘍底の白苔部が線状の高エコーを示すという考えが支持されていますが，臨床の現場では胃壁が肥厚しているから内視鏡検査を受けるようにと指示しているのが実情です。腹痛の原因が胃にあるということが判明するだけでも患者にとっては有用だと思います。

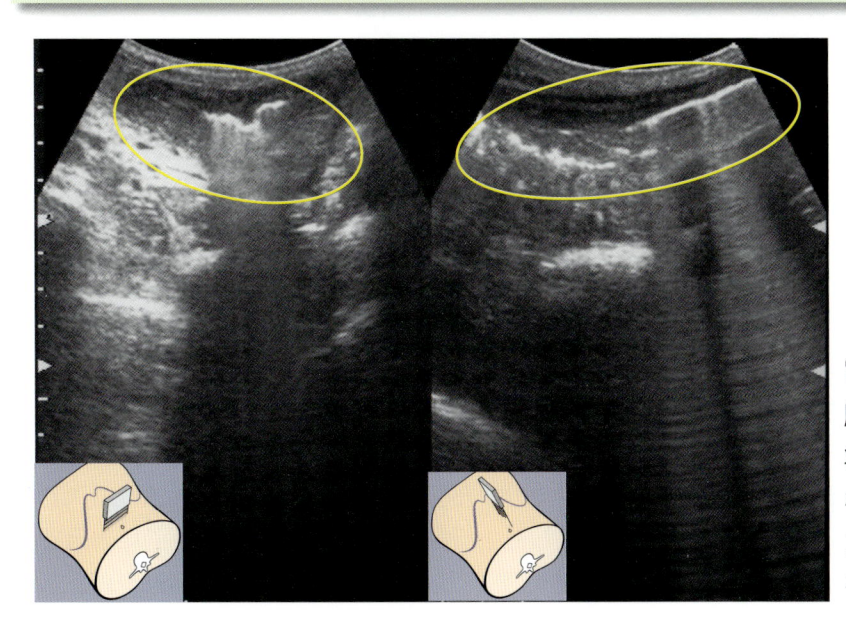

胃角部周辺の胃壁が最大で20mmに肥厚しています。狭い内腔の空気が線状の高エコーに見えています。潰瘍底を示唆するといわれている線状の高エコーとは，どのように区別するのでしょう。

消化管

大腸癌

大腸癌も進行するとpseudokidney signを示します（288ページ参照）。また，併発するイレウスによる口側の腸管の拡張も大腸癌を見つける糸口になります。胆嚢の検査中に近くにある肝湾曲部の病変を見つける機会が多いです。次に多いのが膀胱の背後に見える直腸癌です。

結腸癌

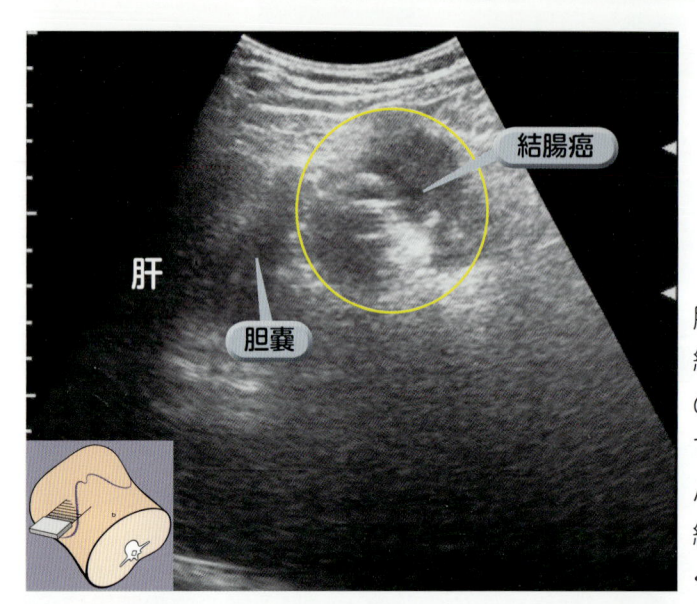

胆嚢を挟んで肝臓の反対側に結腸癌が見えています。腎臓の形態とはかけ離れているのでpseudokidney signと呼ぶのはためらいを感じますが，結腸癌にはこのような像が多くみられます。

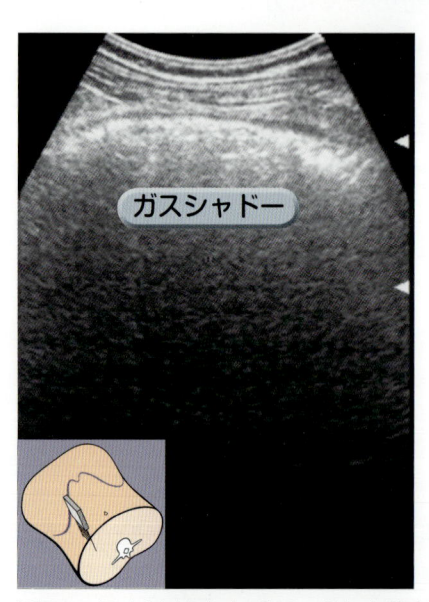

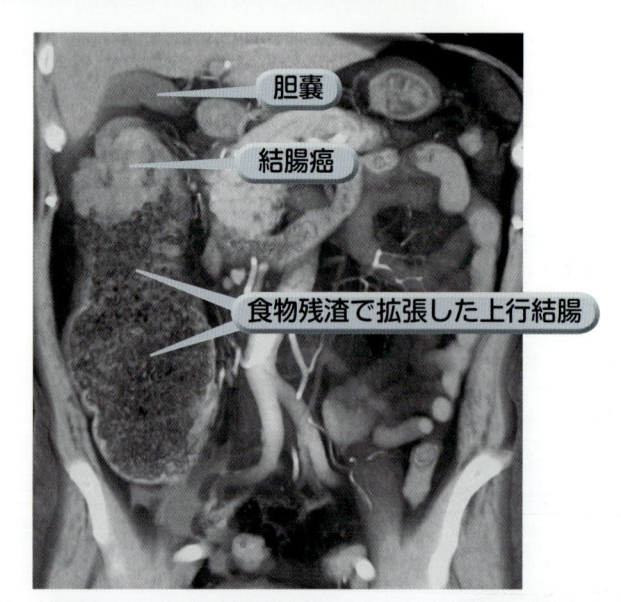

近医で超音波検査を受け，「右上腹部に小児頭大の充実性腫瘍がある」という診断で紹介されてきました。大きな腎癌でもあるのかと思いながら検査を始めたところ，まず得られたのが左図の所見でした。食物残渣とガスで拡張した上行結腸を充実性腫瘍と判断したようです。大腸癌と拡張した上行結腸があるので1枚の画面に表示するようにと指示して，再構成画像の角度を工夫して撮ったのが右図のCTです。上行結腸には食物残渣が充満しています。ガスも当然貯まっているので，超音波で前腹壁から見ると左図のように見えます。

直腸癌

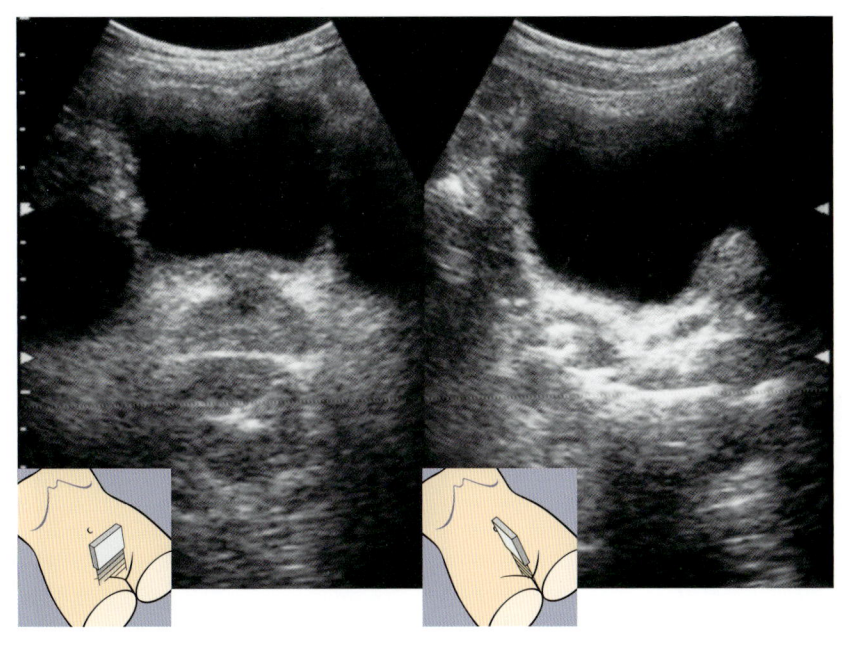

膀胱がある程度充満していると，超音波で直腸を観察するのは比較的容易です。
8cmの範囲で直腸壁が全周性に肥厚しています。

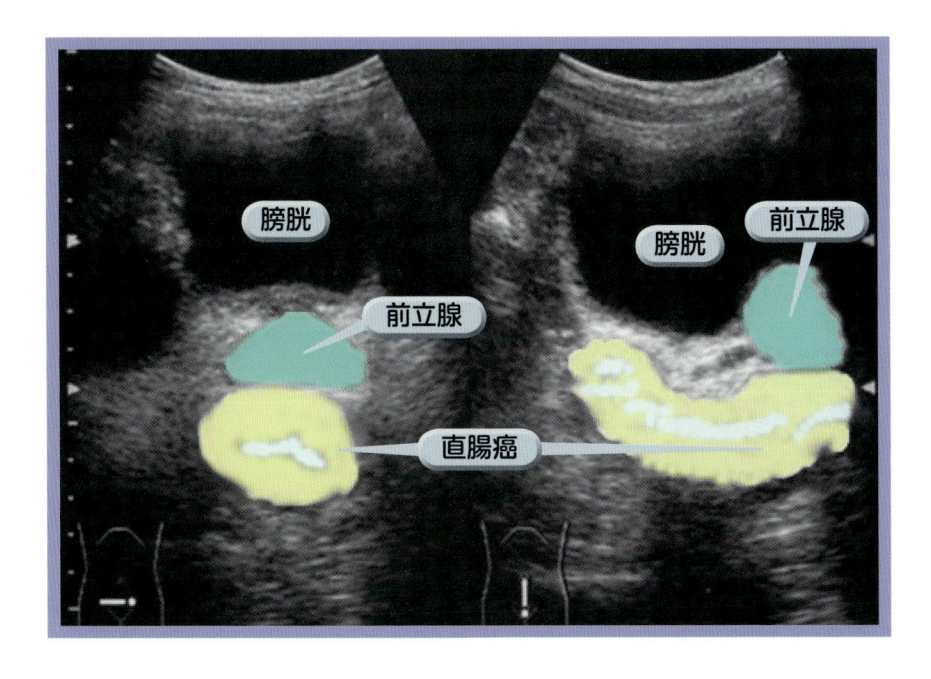

虫垂炎

虫垂は小さな臓器ですから，正常では描出できません。炎症を起こして腫大・拡張すると，超音波検査で描出できることがあります。特に小児では脂肪が少なく，腸管のガスも少ないので描出される機会が多くなります。もちろん，腸管のガスが多ければ小児でも描出はできません。回腸末端部が，ときに腫大した虫垂のように見えることがありますが，最大の違いは虫垂は途切れて終わる（盲端）という点です。回腸では内部を流れる内容物も見えます。内部に糞石が観察できれば虫垂です。超音波検査で虫垂炎の所見が認められれば，虫垂炎として自信をもって治療できますが，虫垂炎の所見がないから虫垂炎でないとはいえません。

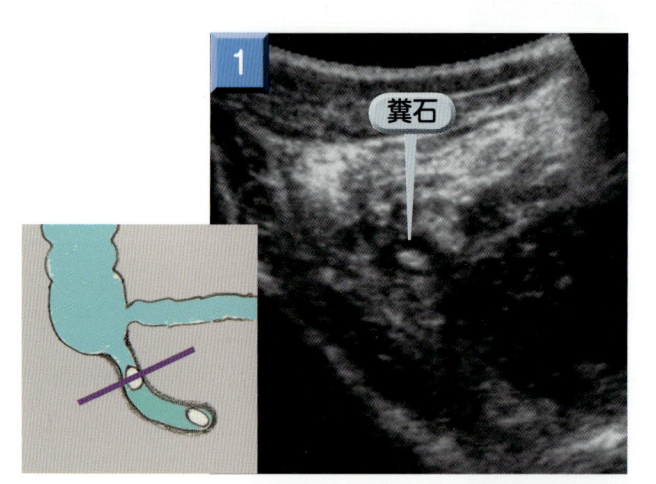

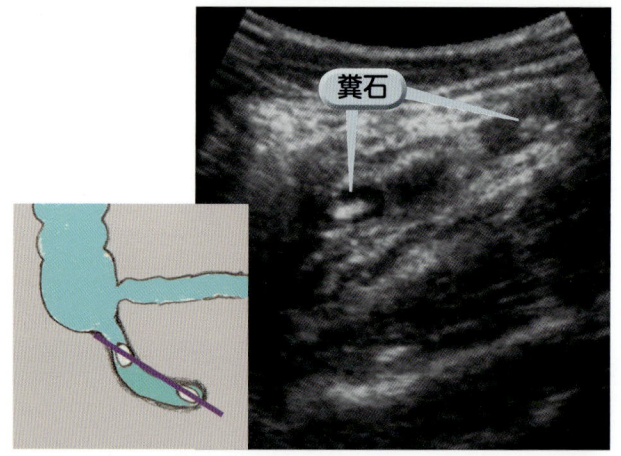

1

腫大・拡張していても虫垂は径が大きくないうえに曲がりくねっているので，超音波で明瞭に描出するのは困難です。部位によっては腸管ガスに隠されます。糞石は比較的描出しやすい対象です。

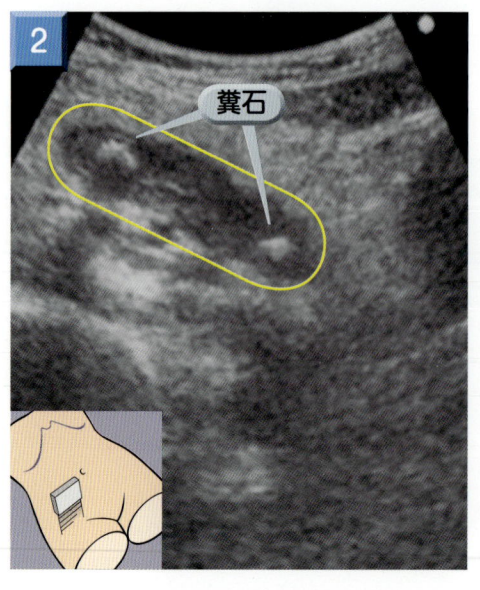

2

腫大した虫垂が腹壁直下にあるので明瞭に観察でき，しかも糞石を伴っているので診断は容易です。このような症例はごく稀で，ほとんどは虫垂を全く描出できません。超音波検査で虫垂炎の所見が得られなくても，臨床的に可能性があればマルチスライスCTで再構成を駆使して，あらゆる方向から観察しなくてはなりません。

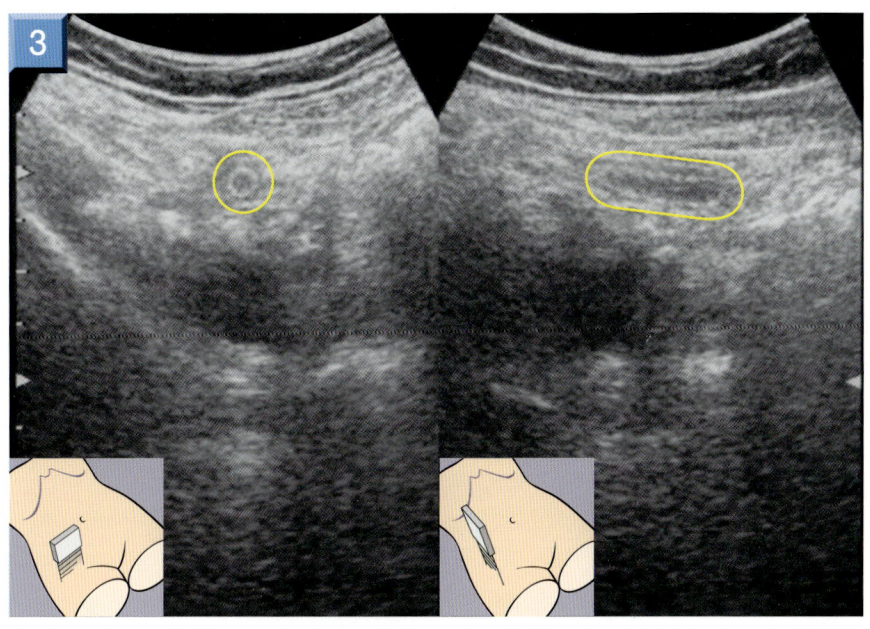

右図は腫大・拡張した虫垂の長軸像です。左図は右図とは直交する横断像です。内腔は4mmです。内腔表面（粘膜）は高エコーで，その外は薄いエコーフリーな層（固有筋層）で囲まれています。虫垂は浅い所にあり，腸管ガスの影響を受けていません。

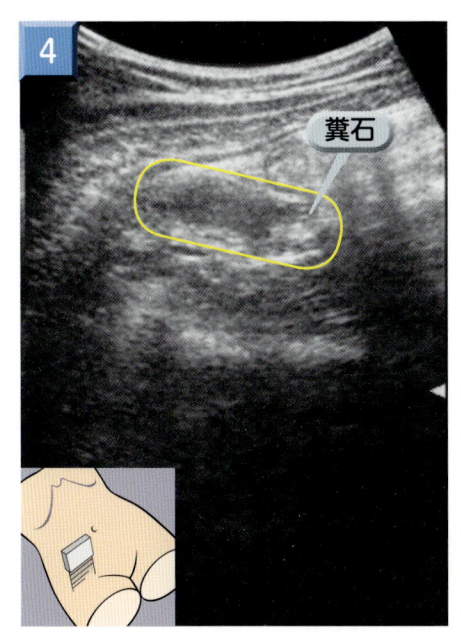

糞石

この症例では大きめの糞石（10mm）が1個あります。糞石から先は浅い所にあって，消化管ガスの影響を受けていませんが，糞石よりも手前（盲腸側）はガスに妨げられて観察できません。つまり，虫垂は一部しか観察できていません。
糞石ができると末梢側が拡張し，血流が悪くなります（虚血状態）。これが細菌感染を引き起こし，虫垂炎になります。

消化管

腸閉塞

超音波検査では腸管の閉塞部が直接描出できることは稀で，観察できるのは，消化管が閉塞するために二次的に引き起こされる閉塞部位よりは手前（口側）の消化管の拡張所見です。
腸管が拡張すると，内腔に腸液が充満してエコーフリーに見えますが，内部のガスが作る音響陰影も混在します。小腸が拡張すると，小腸特有の間隔の短い粘膜襞（ケルクリング襞）が見えてきます。この様子が鍵盤楽器の鍵盤に似ていることからキーボードサインという言葉があります。
大腸が拡張すると，間隔の長い粘膜襞（ハウストラ襞）が見えてきます。拡張している腸管が小腸なのか大腸なのか判断に迷うことがありますが，上に述べた粘膜襞の形態から，ある程度の区別はできます。上行結腸と下行結腸は後腹膜に固定されていて存在部位が決まっているので，わかりやすいです。

● 小腸の拡張

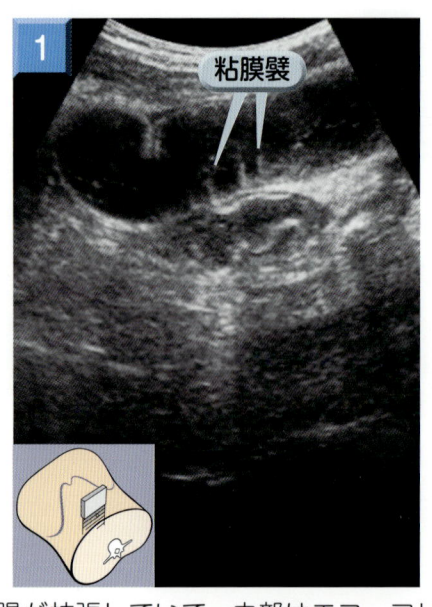

1. 小腸が拡張していて，内部はエコーフリーに見えています。小腸の粘膜襞であるケルクリング襞がキーボードのように描出されています。

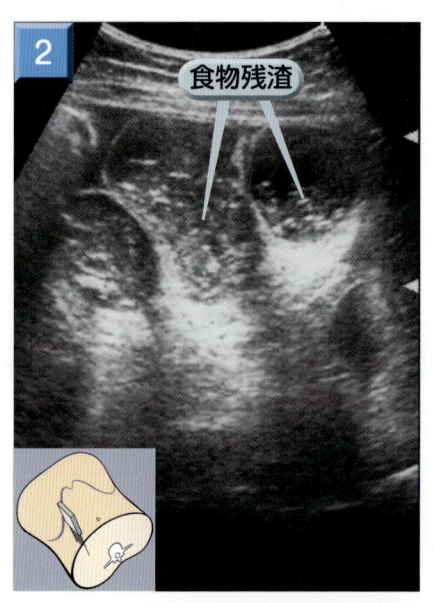

2. 拡張した小腸の中に食物残渣がみられる例です。本来なら一定方向に移動するはずの内容物が閉塞のためにほとんど動かないか，動いてもすぐに逆流する現象（to and fro）がみられます。

キーボードという言葉で真っ先に思い浮かぶのはパソコンの入力装置であるキーボードですが，ここでは電子楽器の別名であるキーボード（左図）です。キーボードサイン（keyboard sign）と名付けた人はピアノの鍵盤を思い浮かべていたと思います。

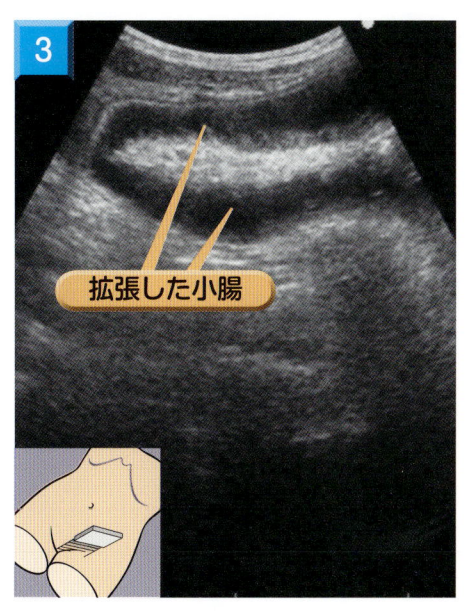

左下腹部を鼠径靱帯に平行に走査しています。拡張した小腸が折れ曲がって見えます。炎症反応が強かったので腸炎による麻痺性イレウスと考え，絶食と抗生剤投与で改善しています。

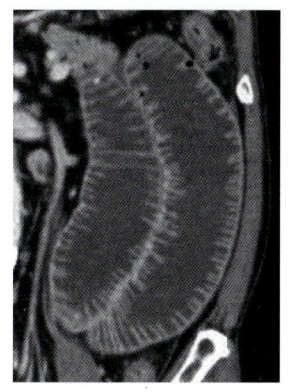

左図の症例の造影CTです。ほぼ同じ小腸が見えていますが，断面が異なります。CTは再構成画像で前額断像です。左図は矢状断と横断の中間の断面像です。CTではケルクリング襞が明瞭に観察できるので提示しました。

● 大腸の拡張

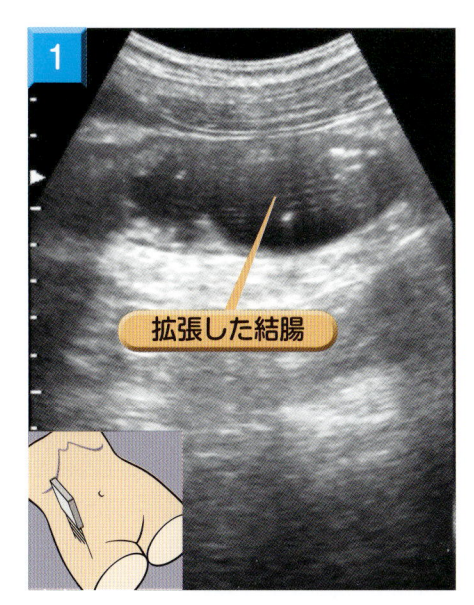

結腸の肝湾曲部に癌があります。その手前（口側）で上行結腸が拡張している状態です。液体と同時に一部には微量の空気も見えています。液体とガスが混在するので，立位で撮った腹部単純X線ではair fluid levelを形成します。

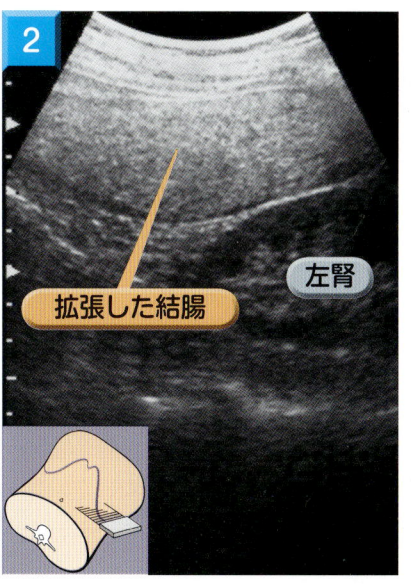

上行結腸が拡張しており，内部に均一なエコーを発生する液体が充満しています。おそらく，液状の食物残渣があるのでしょう。左図とは内容物が異なるので，その違いがエコーレベルの差になって現れています。

特殊な腸閉塞

輸入脚症候群

BillrothⅡ法で胃癌の手術を受けた後に輸入脚（十二指腸とそれに続く空腸）と残胃との吻合部に狭窄が起こり，胆汁と膵液の流出障害が発生する疾患です．輸入脚全体と胆嚢を含めた胆道系が拡張します．狭窄の原因はさまざまですが，癌の再発や瘢痕狭窄が多いようです．

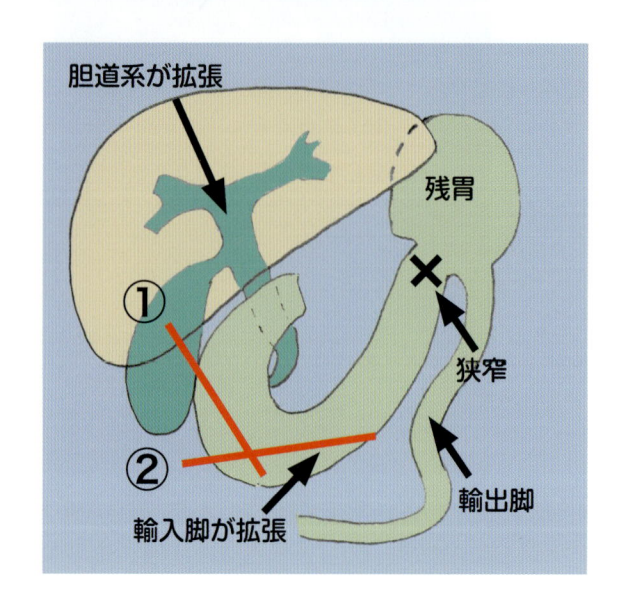

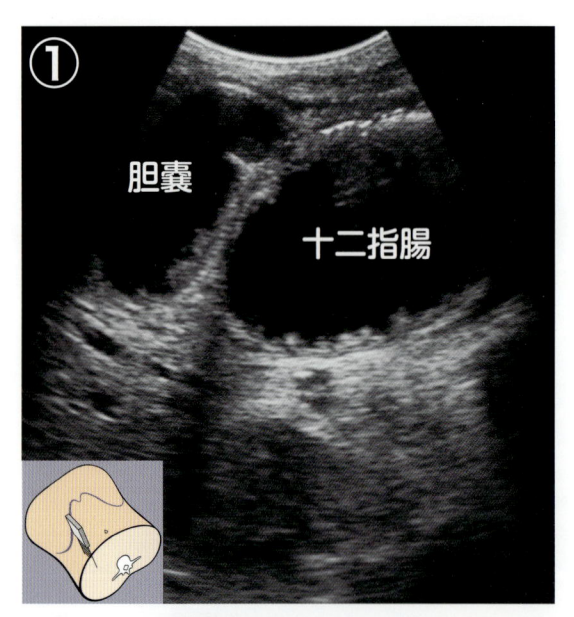

① 上の説明図の①で斜めにスキャンしました．胆嚢と十二指腸下行脚がともに拡張して，互いに接しています．
胆嚢内腔には小さなくびれと少量の胆泥がみられるだけで粘膜面は平滑ですが，十二指腸には細かい粘膜襞がみられています．

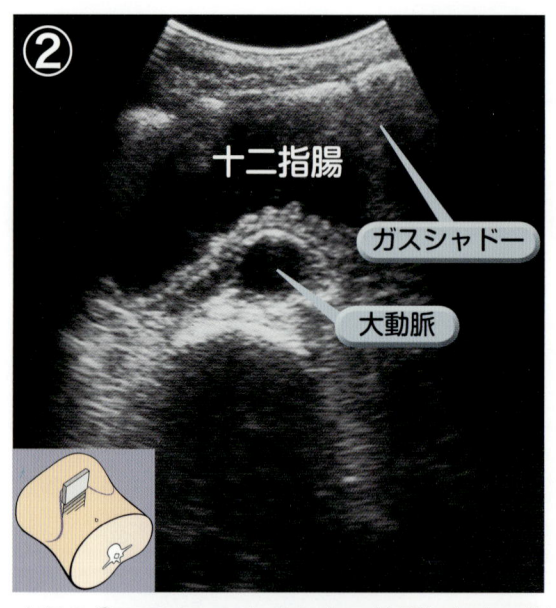

② 上図の②でスキャンしました．拡張した十二指腸の上行脚の横断スキャン像です．大動脈の上を交差する部分は通常では内腔が狭くなるのですが，この症例では先のほうで閉塞しているので，内腔は拡張しています．十二指腸の前壁には少量の空気があり，空気特有の粉雪状の音響陰影（ガスシャドー）を伴っています．

● 胆石イレウス

有石胆嚢炎が増強して胆嚢と十二指腸との間に瘻孔ができて，この瘻孔から排出された胆石が小腸に詰まって腸閉塞を起こすのが胆石イレウスです。

ほとんどの教科書に記載されている有名な疾患ですが，私が実際に経験したのはこの1例だけです。瘻孔から逆流した空気が肝内胆管にみられます。

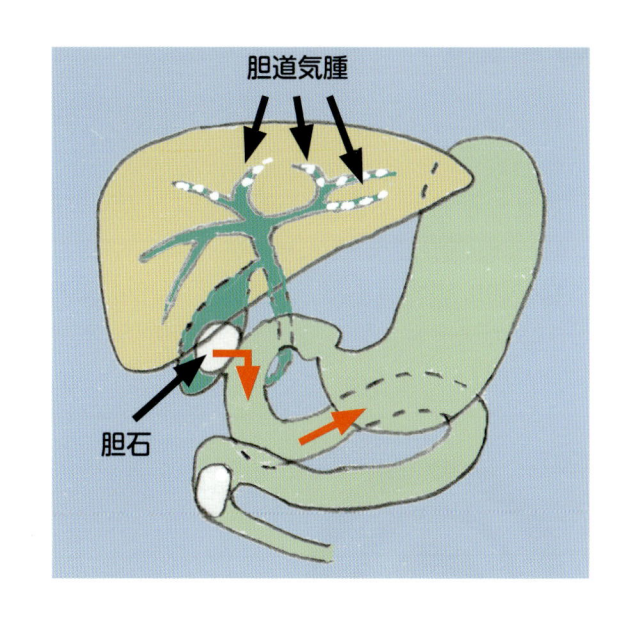

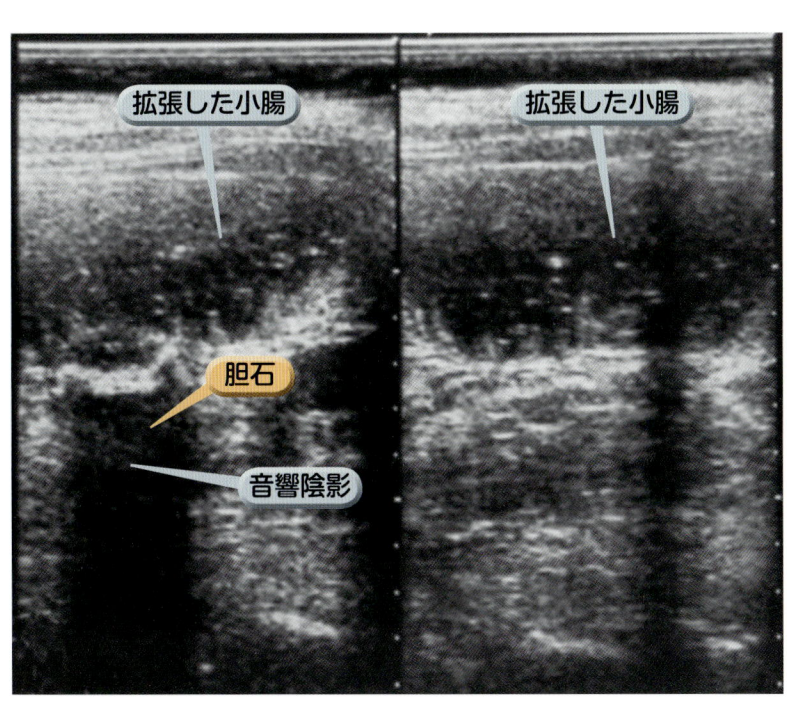

小腸内腔が拡張して，ケルクリング襞が櫛の歯状に見えています。この拡張を辿っていくと，小腸の向きが変わる所に，結石に特有な強エコーが観察されました。胆石の表面だけが見えていて，全体像が丸く見えていませんが，これは大きな胆石では当たり前の所見です。はっきりとした音響陰影を伴っています。

1年前に行われていた超音波検査であった胆石が，このときは胆嚢内になく，胆嚢は萎縮していました。

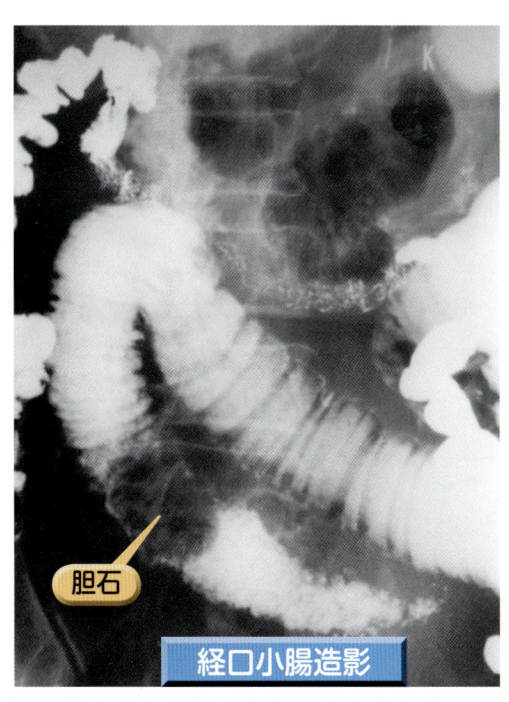

確認のために経口小腸造影をしました。超音波検査のときよりは少し先のほうに移動していますが，内腔に陰影欠損がみられます。この造影所見だけでは脂肪腫などのポリープ性病変の可能性もありますが，超音波検査の所見を合わせ考えると胆石イレウスです。手術で取り出されました。

腸重積

腸重積の90%は小児に起こりますが，大人でもみられます。大人の場合はポリープ，癌，内翻したメッケル憩室などが腸管を引っ張って，先（肛側）の腸管内に入り込みます。

腸管の断面を見るとバームクーヘンのような同心円状の構造をしています。弓の標的に似ていることからtarget signということもあります。

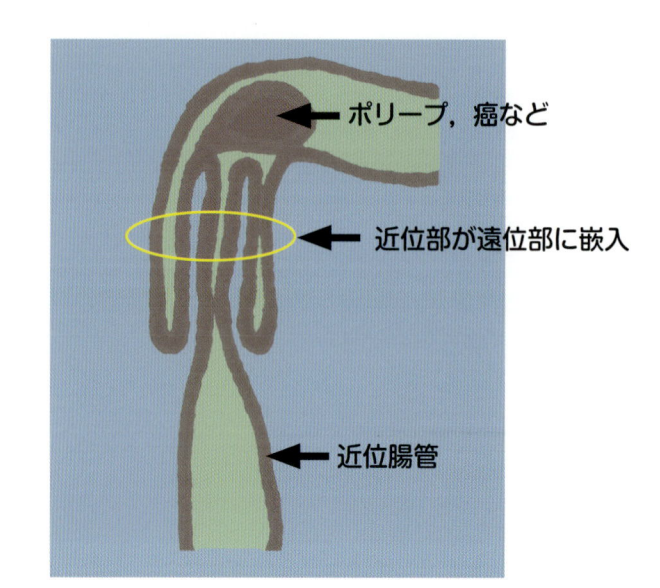

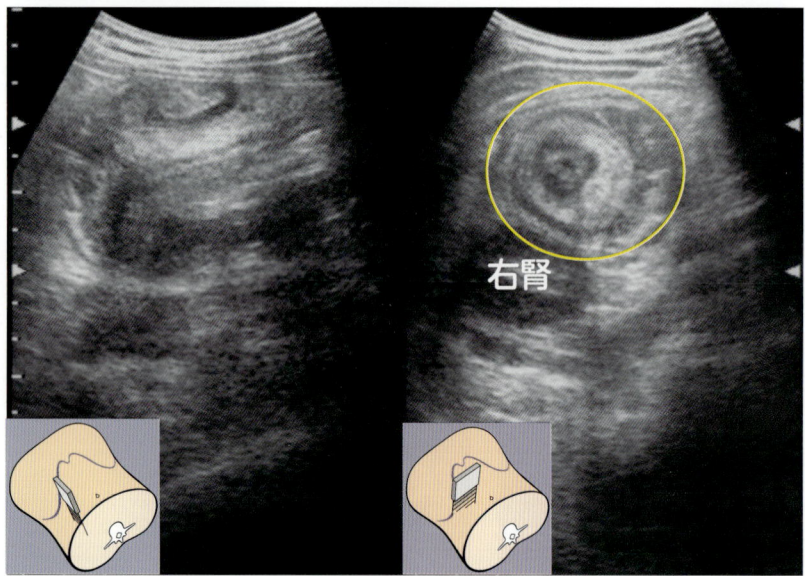

← ポリープ，癌など

← 近位部が遠位部に嵌入

← 近位腸管

右腎

左図は腸管の走行に沿った縦断像で，右図は横断像です。横断像では同心円状の構造が確認できますが，縦断像は検査中の動画を見ると嵌入していることが納得できても，左図の静止画では上の嵌入シェーマをイメージするのは容易ではありません。

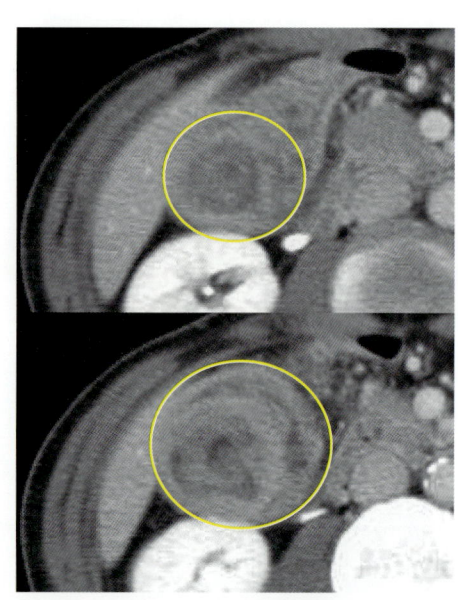

造影CTです。同心円の構造は上図で確認できます。超音波の横断像に近いのは下図です。

第7章

その他

ここでは，これまでに紹介したどの腹部臓器にも属さない病変で超音波検査が役立つケースについて紹介します。具体的には腹水，胸水，網嚢嚢胞，大動脈瘤，リンパ節腫大，膀胱・精巣・前立腺・子宮・卵巣，腹壁，下肢です。

子宮・卵巣の疾患は専門書が多数ありますから，詳しくはそちらを見ていただくことにして，ここでは内科や外科のドクターが日常診療で超音波検査をしていて経験するポピューラーな婦人科疾患の紹介にとどめます。

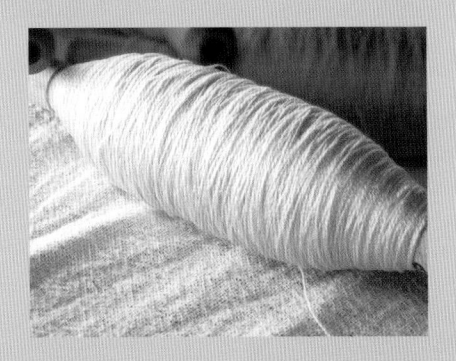

腹部大動脈瘤を形態的に嚢状と紡錘状とに分類します。紡錘状とは上図のような，なだらかな膨らみのことです。

腹水

腹水はエコーフリーに見えます。腹水は腹壁直下に存在すると邪魔するものがないので、超音波検査で描出するのは容易です。肝臓と腹壁との間は、微量の腹水でも証明できます。
超音波診断装置のゲインが低いと、腹膜の厚い脂肪層が微量の腹水のように見えることがありますが、本物の腹水は呼吸状態によって厚みが変化することから、脂肪とは区別できます。
肝臓と右腎の間の腹腔内スペース（モリソン窩）は少量の腹水を検出するのに適した場所です。
微量の腹水は骨盤腔内のダグラス窩（男性では膀胱直腸窩）にだけみられます。

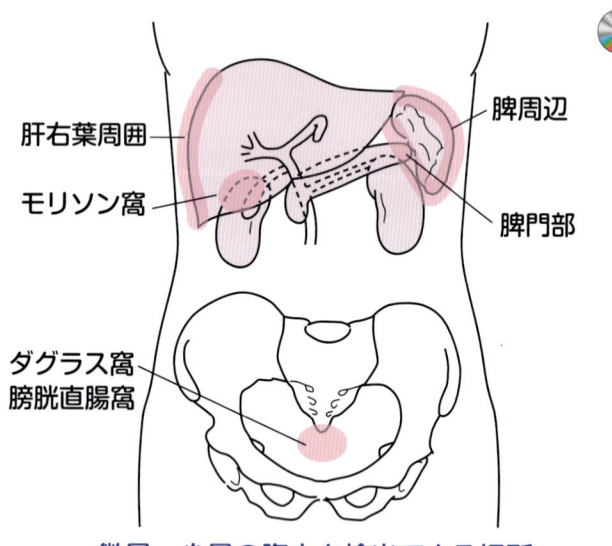

微量〜少量の腹水を検出できる場所

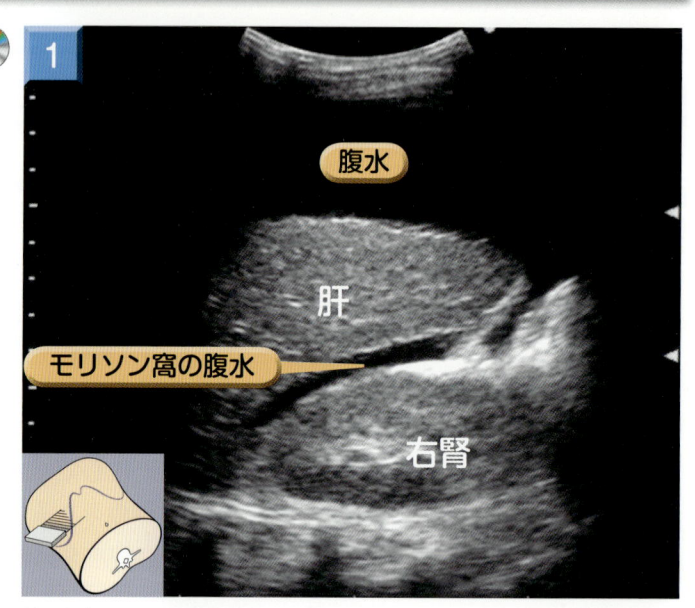

1　腹壁直下に大量の腹水が貯まっています。腹水はモリソン窩にもみられます。

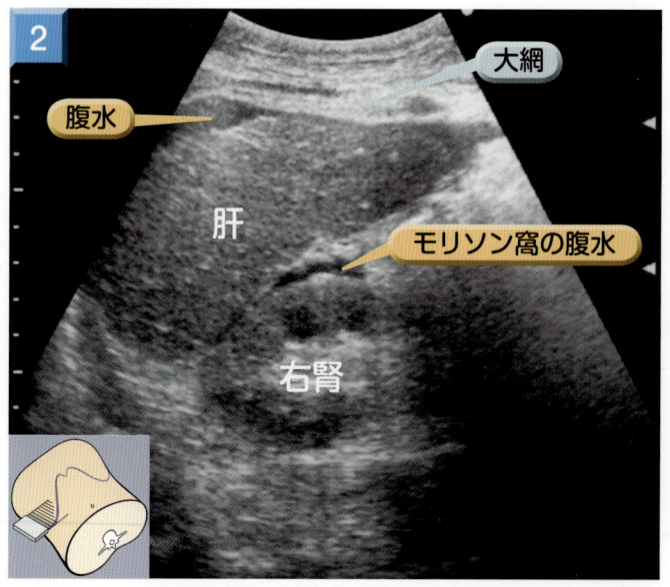

2　少量の腹水があります。腹壁と肝臓の間に8mm位の厚さで腹水がありますが、大網がせりあがってきているので、一部では腹水がわかりにくくなっています。

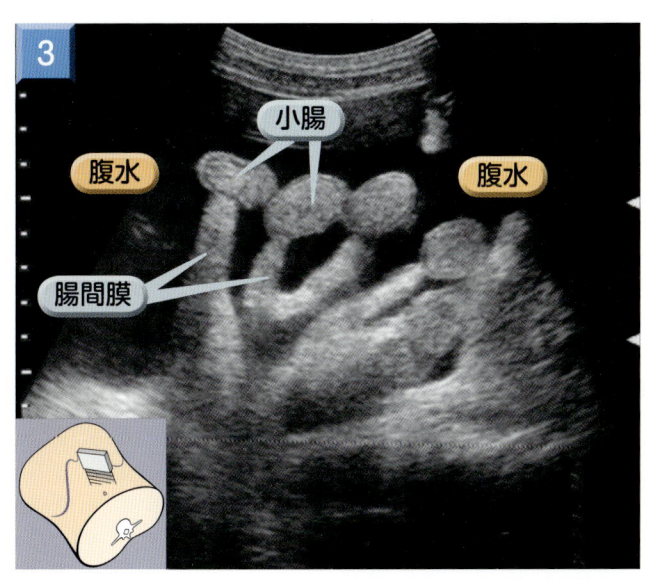

大量の腹水が貯まっています。その内部に小腸が浮いています。松茸の傘のような部分が小腸で茎が腸間膜です。小腸内には腸管と等エコーの内容物があります。

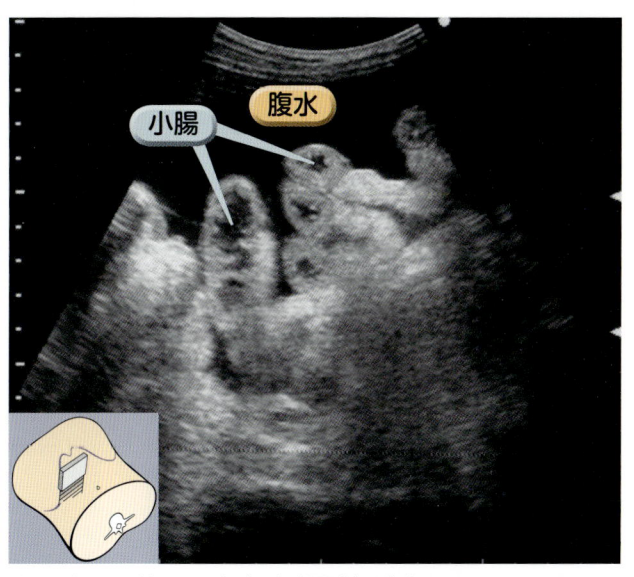

小腸内には均一な内容液（腸液）が貯まっています。超音波検査では腹水はエコーフリーなので，腸管は明瞭に描出されます。

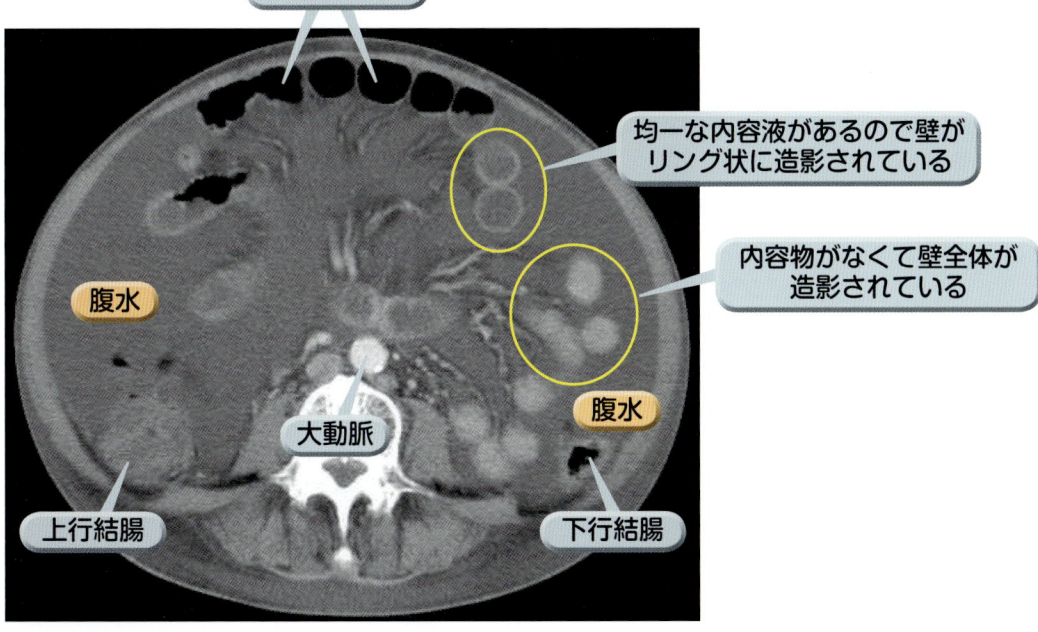

上の症例の造影CT像です。大腸（結腸）は後腹膜に固定されているので椎体の左右にありますが，小腸は腹水内に浮遊しています。小腸内のガスは正中近くの腹壁直下に集まります。ですから，この部位にプローブを置いてもガスシャドーだけで，情報は得られません。正中を避けて少し横にプローブを置くと，上の両図に示すような超音波画像が得られます。

胸水

胸水は胸部の疾患であって腹部の疾患ではありませんが，上腹部の超音波検査を行っているときに見つかるので紹介します。胸水も腹水と同じように胸壁直下にエコーフリーな層が描出されます。肝右葉の横隔膜直下の部分を右側腹部からスキャンしているとき，あるいは肝右葉を肋骨弓下からプローブを大きく傾けてスキャンしているときに，横隔膜の頭側にエコーフリーなスペースが見えれば胸水です。左胸水は脾臓を肋間から観察しているときに気付きます。

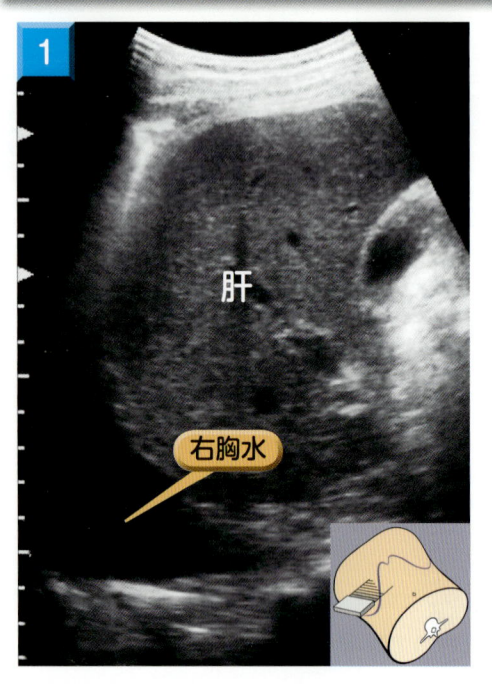

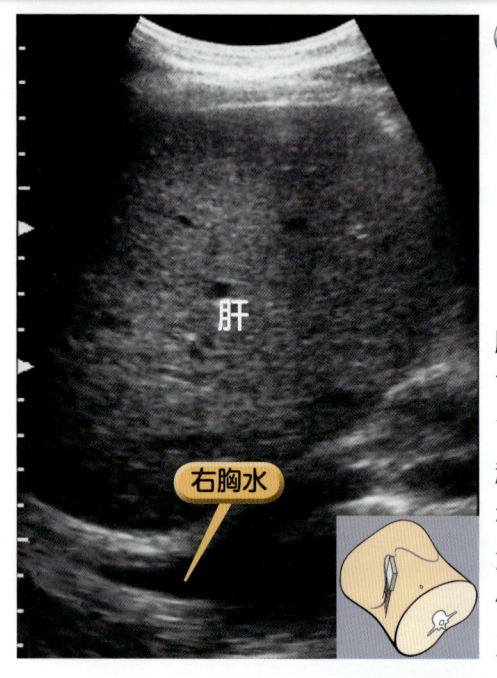

肝右葉の肋骨弓下スキャンで描出された右胸水です。プローブを大きく傾けて，超音波ビームを上向きに入れたときにこのような画像が見えます。横隔膜より頭側にエコーフリーなスペースがあります。

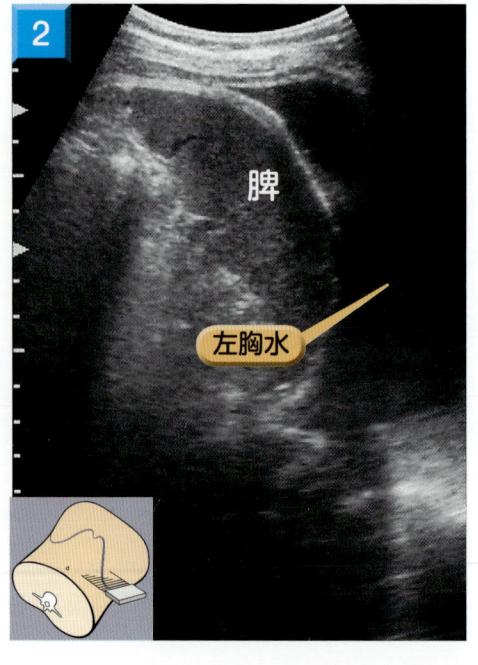

肝右葉の肋間スキャンを行っているときに描出された右胸水です。正常なら横隔膜より頭側には空気を含んだ肺があるので，この部分は空気による音響陰影（ガスシャドー）で全体が白く見えるはずですが，胸水があるために完全にエコーフリーになっています。

脾臓を左肋間腔から検査しているときにみられた左胸水です。左横隔膜よりも頭側にエコーフリーなスペースがみられます。
胸水が少量しかないときは，肺下葉の先端が心臓の拍動に連動して揺れ動いているのが観察できます。胸水と腹水が同時に貯まっている場合は，両者の間に横隔膜が円弧状に描出されます。

網嚢嚢胞

嚢胞というのは肝臓や腎臓などの充実性臓器にある被包化された液体の貯まりを指しますが，充実性臓器の内部でなくても，限局したスペースに液体が貯まれば，それも嚢胞と呼びます。
ここに示す網嚢嚢胞は胃と膵との間に広がるスペースである網嚢に液体が貯まった疾患です。ここに液体が貯まって大きな嚢胞を形成すると膵臓が明瞭に描出されます。

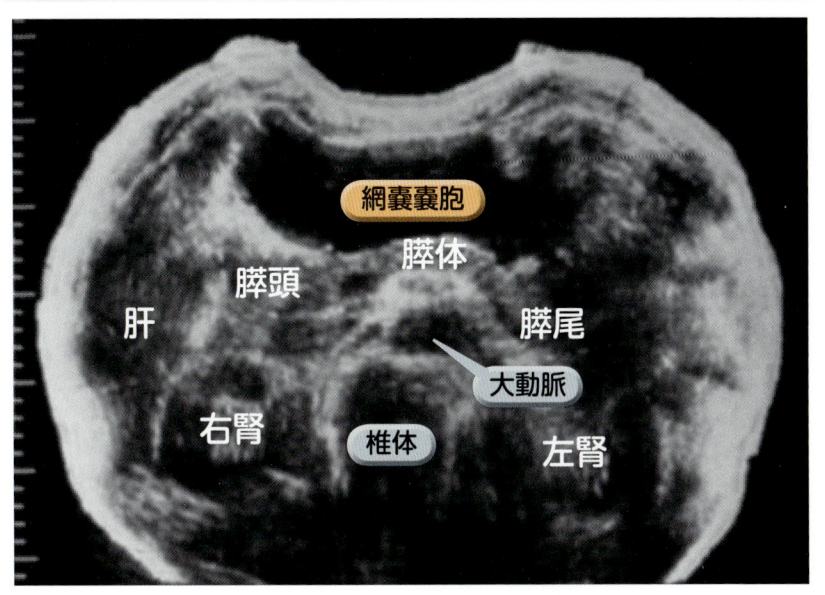

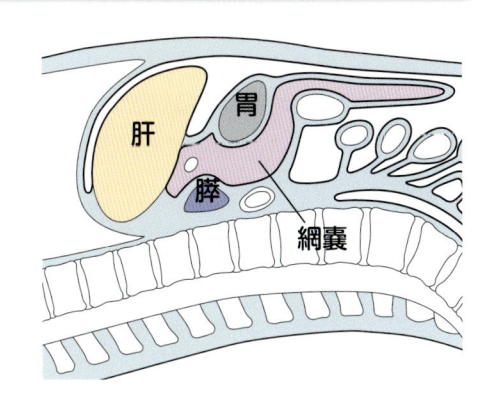

上腹部の真中にかなり大きなスペースを占める嚢胞性の局在性病変があります。腹壁と膵臓との間が完全に液体で占められているので，膵臓が明瞭に描出されています。

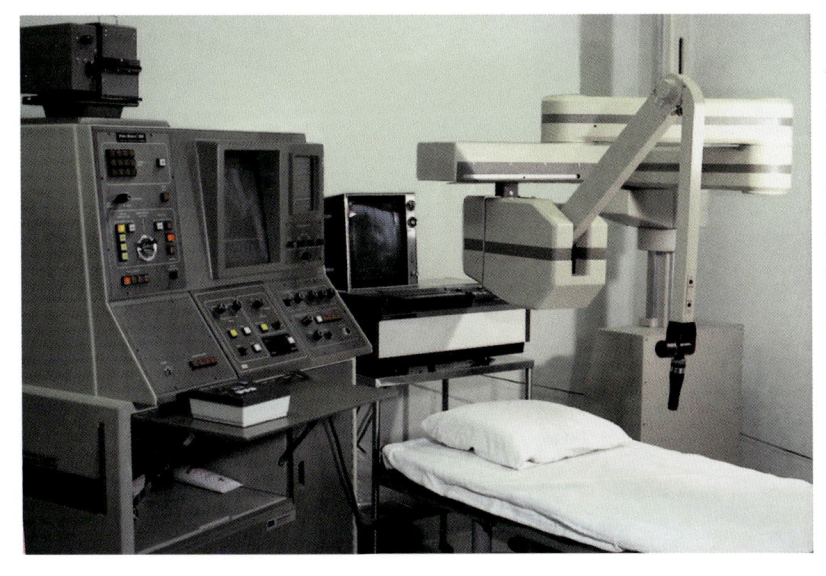

上の超音波画像を撮ったコンタクトコンパウンド型スキャナの外観です。スタンドに固定されたアームの先端にプローブ（黒色）が装着されています。このプローブで体の周囲をなぞっていくと，上に示すような人体の輪切りが描出できます。もちろん，縦断像や斜めの像も撮影できます（左の写真は縦断像のセッティングになっています）。
超音波診断の黎明期に活躍した装置ですが，1980年代半ばに製造は打ち切られました。

その他

大動脈瘤

腹部大動脈瘤は60歳以上の人に多い疾患です。本人が拍動性の腫瘤の存在に気付いている場合もあります。ごく稀に破裂して即死するケースもあります。高齢者の腹部超音波検査を行うときは，膵臓を検査した後にプローブを尾側に移動して，臍の高さまで大動脈を観察しましょう。

肥満体では，正常な腹部大動脈は腸管内のガスに覆われて観察できませんが，動脈瘤があると腸管を押しのけるので，大動脈瘤の部分だけは超音波で明瞭に観察できます。

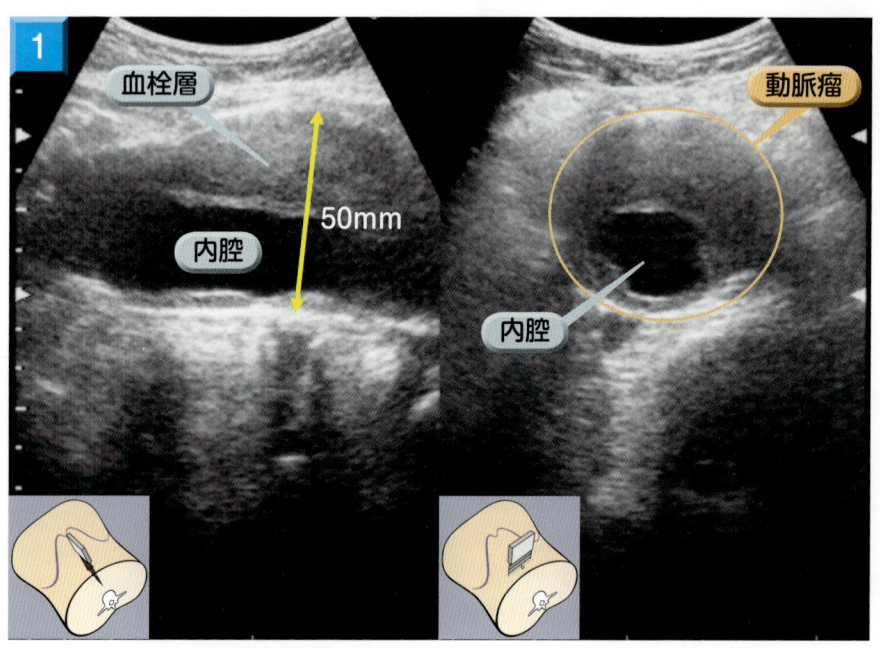

腹部大動脈の下端部に動脈瘤があります。動脈瘤の部分では血管が拡張して前後径が50mmになっています。正常な大動脈の前後径は20mm前後です。

内部には器質化した血栓層が低エコーの塊として観察できます。血栓層は前壁側に向けて厚くなります。内腔のサイズは瘤の部分でも正常部分と同じです。

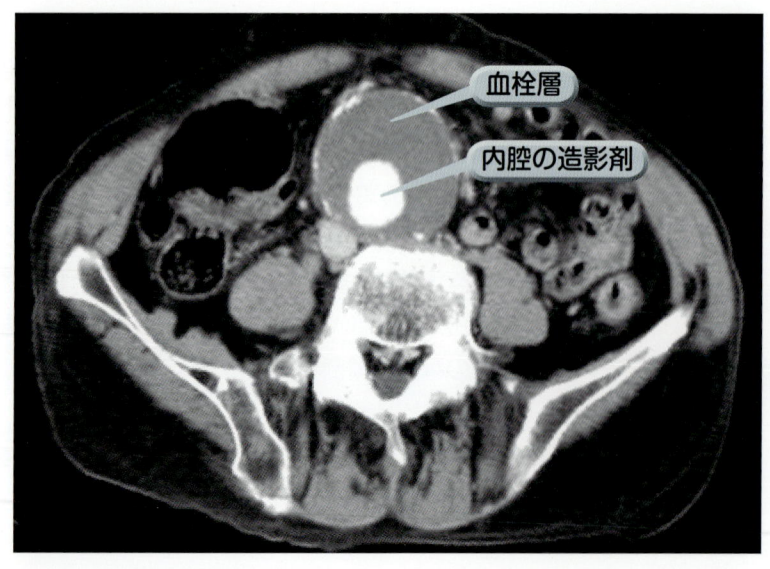

この症例の造影CT像です。器質化した血栓層が均一な濃度で明瞭に見えています。周囲の白い物は石灰化です。

以前から行われていた血管造影検査では血管内腔の大きさ（左図の造影剤がある部分）がわかるだけで，血栓層の存在や厚みはわかりません。血栓層は超音波検査やCTが開発されてはじめて観察できるようになりました。

2

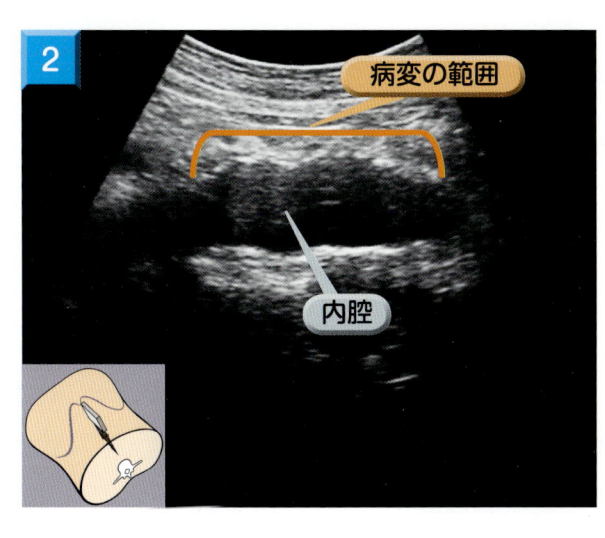

病変の範囲
内腔

「紡錘」とは糸をつむぐときに糸を巻きつける心棒のことをいうようですが，紡錘状とたとえるときは，糸を巻いた姿をいっているのではないでしょうか。

この動脈瘤は紡錘状に膨らんでいるだけで，血栓層はみられません。動脈瘤の初期の段階では，このようなタイプが多いようです。

解離性大動脈瘤

ある日突然に大動脈の内膜に亀裂が入り，中膜が2層に剥離する疾患です。腹部大動脈でみられる病変は大動脈弓の周囲で始まっており，その変化が腹部大動脈にまで及んでいるものです。大動脈の径は増大しません。剥離した中膜が内腔にあるので，超音波で横断スキャンをすると内腔が2つに分離して見えます。一方が前からあった本当の内腔（真腔）で，もう一方が新たに生じた内腔（偽腔）です。

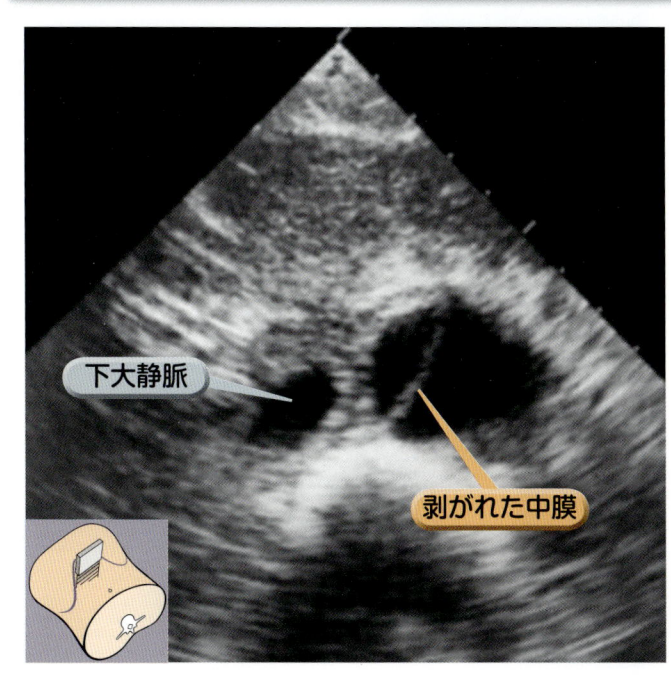

下大静脈
剥がれた中膜

剥離した大動脈の中膜が血管の中に隔壁構造として見えます。この画像だけでは，どちらの腔が真腔であるかは判断できません。大きいほうが真腔とは限りません。ドプラ検査では両方の腔とも血流が観察されます。

その他

リンパ節の腫大

表在性のリンパ節が腫大している場合は表在性臓器用のプローブを使えば，かなり明瞭にリンパ節の腫大を描出することができます。腹部のリンパ節は深部に存在しているので消化管ガスの影響を受けやすく，いつも描出できるとは限りませんが，患者が痩せていたり消化管ガスが少ない場合などでは腹部リンパ節の腫大を超音波で描出することができます。特に悪性リンパ腫の場合はリンパ節の腫大が広範囲に及ぶので，かなり明瞭に描出できます。

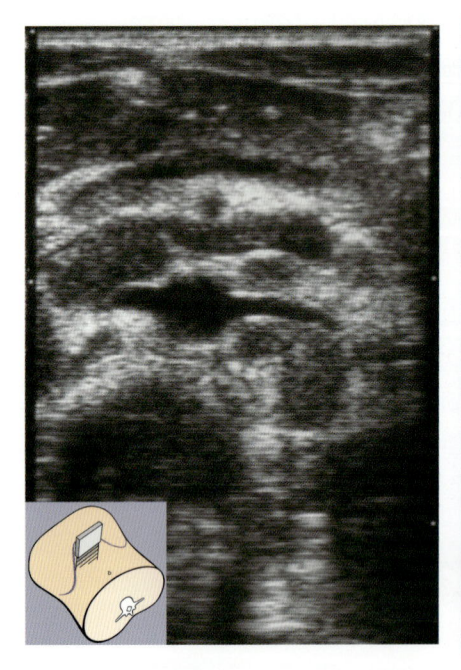

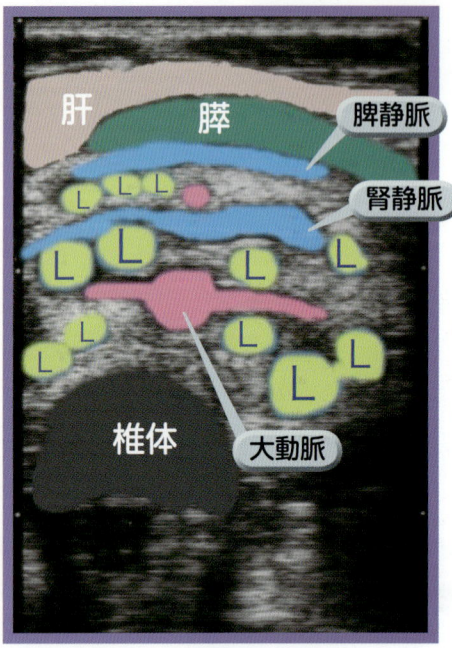

悪性リンパ腫の症例です。この画像では大動脈周囲および膵周囲のリンパ節（L）が数多く腫大しています。このリンパ節の画像だけでは，悪性リンパ腫という診断はできませんが，これだけいろいろとリンパ節が腫大するのは，悪性リンパ腫の他には考えられません。

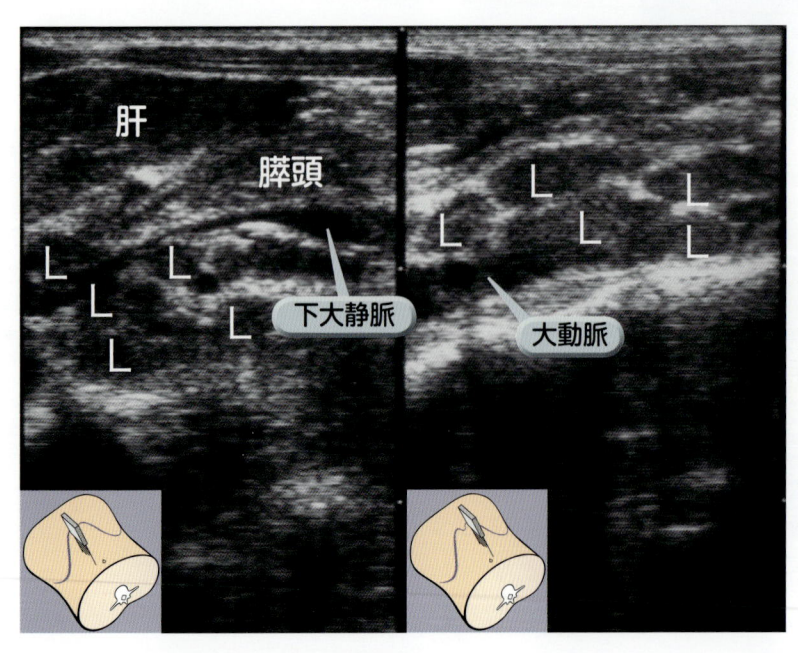

上の症例の縦断スキャン像です。左図が下大静脈に沿ったスキャンで，右図が大動脈に沿ったスキャンです。下大静脈の背側にあるリンパ節が腫大しているために下大静脈は腹側（前方）に偏位しています。
右図では大動脈の前方に腫大したリンパ節が多数あります。

総肝動脈幹リンパ節腫大

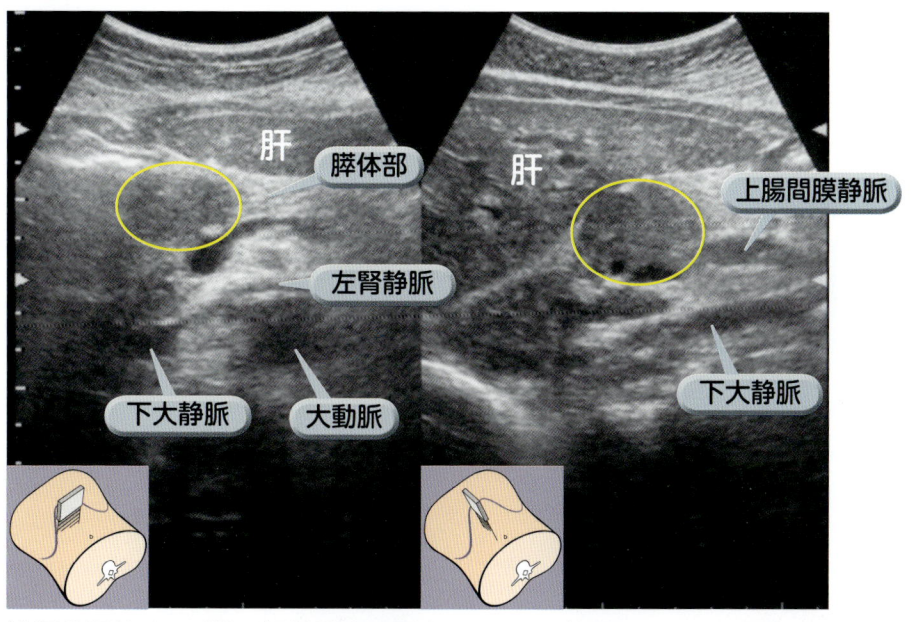

総肝動脈幹リンパ節は慢性肝炎で腫大することが知られていますが、もちろん癌でも腫大します。総肝動脈幹リンパ節は膵頭部に近いので、大きく腫大すると膵を圧排して喰い込んで、膵腫瘍のように見えます。この症例は肝内胆管癌のリンパ節転移でした。

鼠径部リンパ節腫大

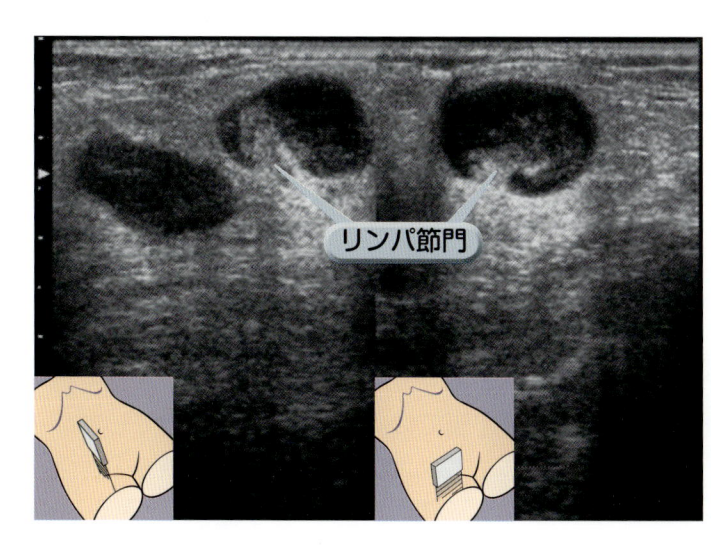

鼠径部のリンパ節は表在性にあるので腫大すると超音波で明瞭に描出されます。リンパ節に血管・リンパ管が出入りするリンパ節門が白く見えるのがリンパ節の特徴ですが、いつもこのように明瞭に見えるわけではありません。

膀胱腫瘍

膀胱の疾患で超音波で診断できるのは膀胱癌，膀胱結石，尿管瘤，膀胱憩室，神経因性膀胱，高度の膀胱炎などです。外来には健康診断で尿潜血を指摘されて，精密検査に来院する方がいますが，その際は腎の検査だけでは不十分です。膀胱も同時に超音波で検査するべきです。そのためには，尿の検査の前に超音波検査をしないといけません。排尿すると膀胱は全く観察できません。

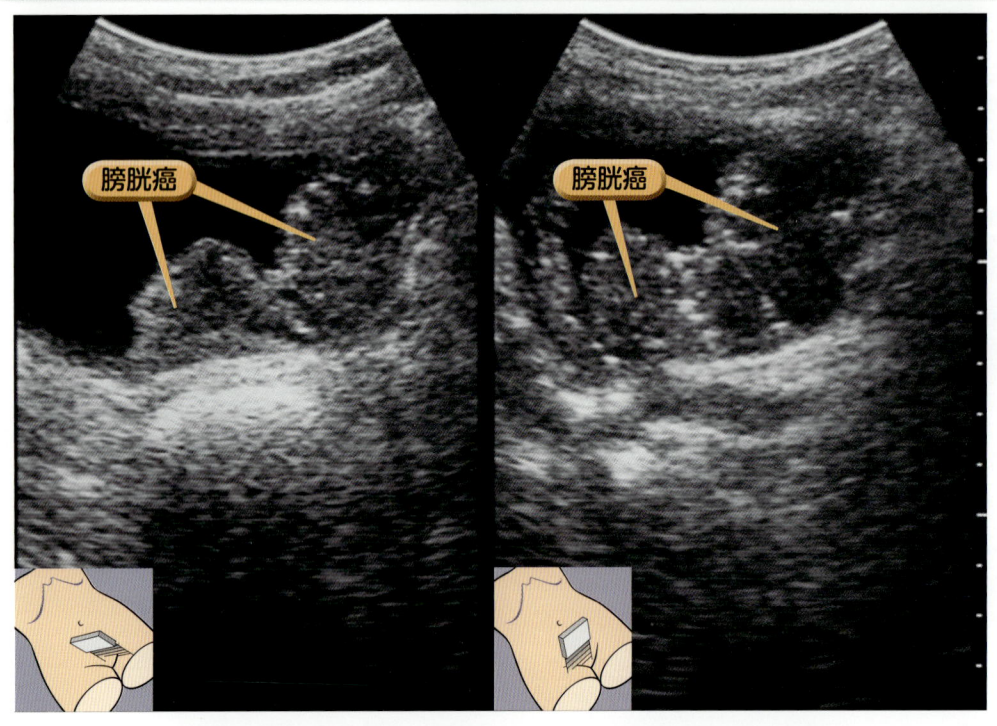

膀胱の後壁から乳頭状に盛り上がる腫瘍があります。病変は左側壁にも及んでいます。大きいわりにはエコー強度は強くなく，内部まで全体像が見えているので，膀胱結石ではありません。もちろん体位変換をしても移動しません。

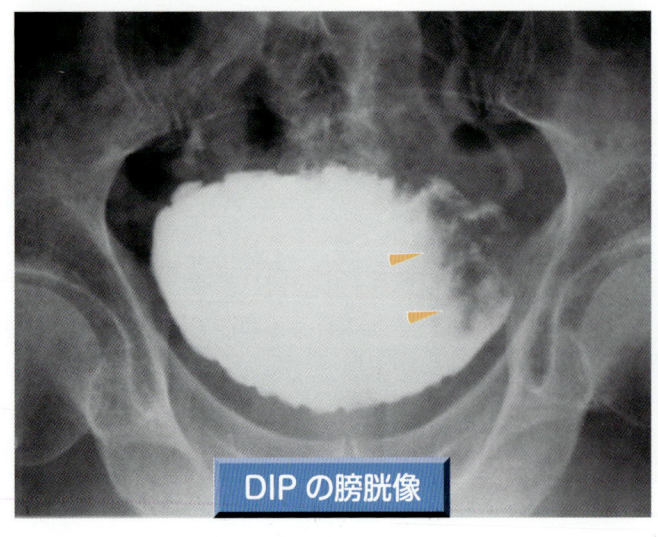

上の症例のDIP（点滴による腎盂造影）の膀胱像です。この画像では癌は膀胱の左側壁に限局しているように見えます。造影剤が厚くなる中心部では，腫瘍が覆い隠されてしまって見えません。造影X線検査の弱点です。

DIPの膀胱像

精巣腫瘍

精巣腫瘍は熱や痛みがなく精巣（睾丸）が腫大します。セミノーマ（精上皮腫）と非セミノーマに大きく分けられます，後者には胎児性癌，奇形腫，卵黄嚢腫瘍などがあります。精巣は左右2個あるので，対側の健康な精巣と比較して検査すると腫瘍を形成しているのは一目瞭然です。

● 精上皮腫

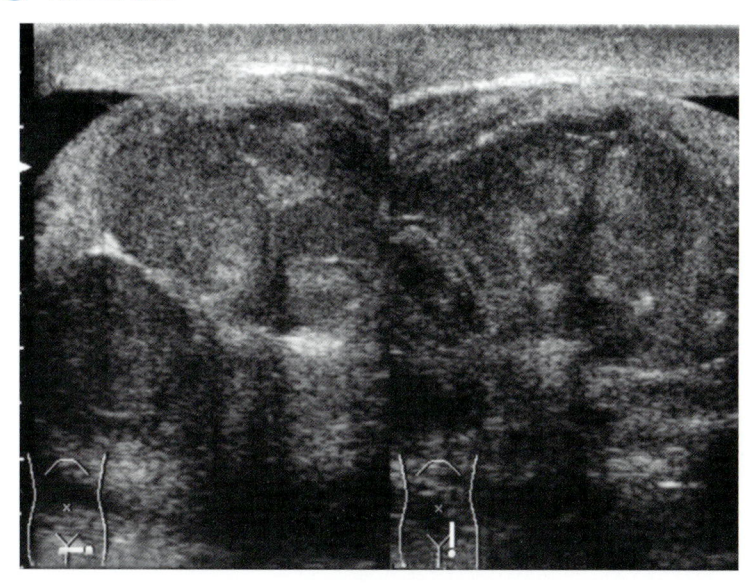

左精巣を2方向から観察しています。精巣は多結節状で腫大しています。

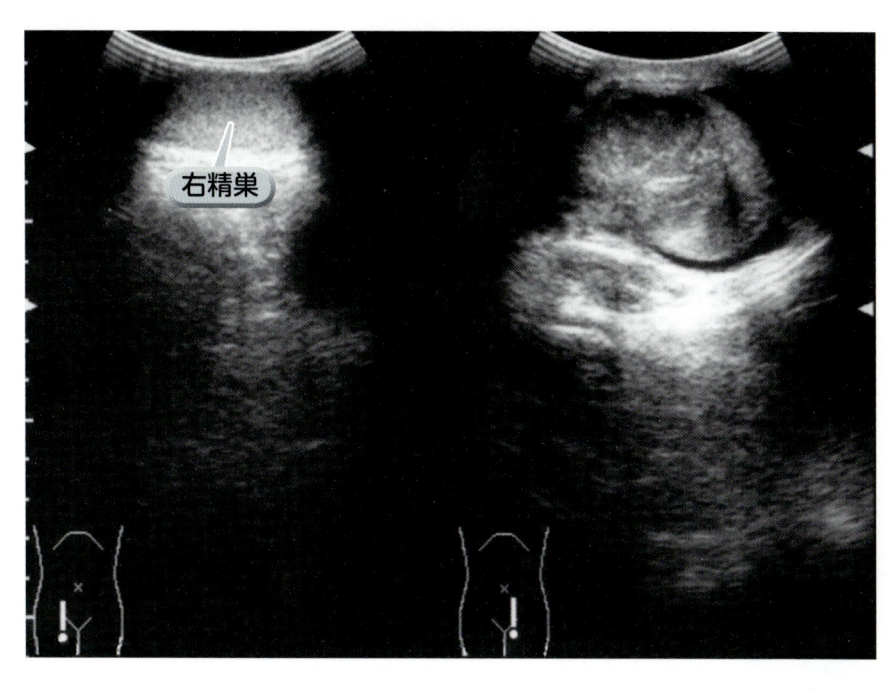

精巣の全体像を見る目的でコンベックス型プローブも使用しました。健側の右精巣を左図に示します。
プローブとの間に水嚢を置けば陰嚢の自然な形態を描出できたはずですが，水嚢が準備されていませんでした。

前立腺肥大

前立腺のサイズと排尿障害の程度とは必ずしも比例しません。大きくても排尿障害の訴えがなければ，前立腺肥大症とはいいません。年をとると多くの男性で前立腺は肥大するので，年齢の割に大きいというのが意味があるのかもしれません。縦断像で前立腺が膀胱内に突出していれば前立腺肥大と考えていいでしょう。私は横径（左右径）が35mmを一応の指標にしています。

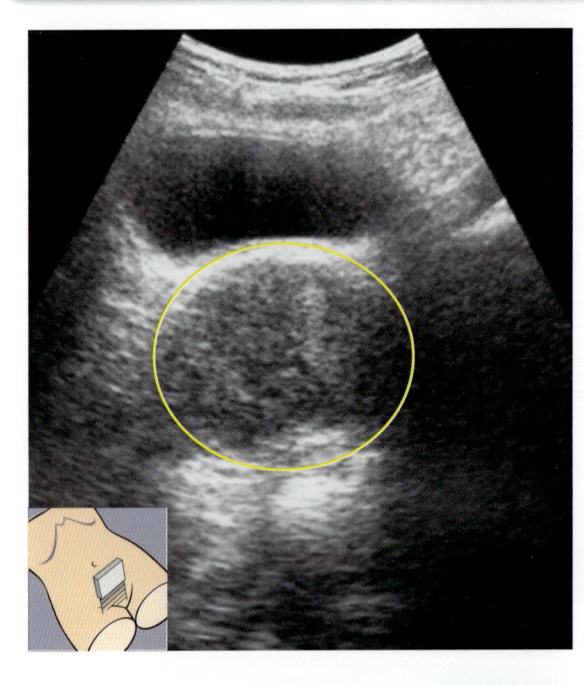

60歳代後半男性の前立腺の横断像です。前立腺の横径は約60mmあります。膀胱充満が不十分なので前立腺を観察するのには適していません。

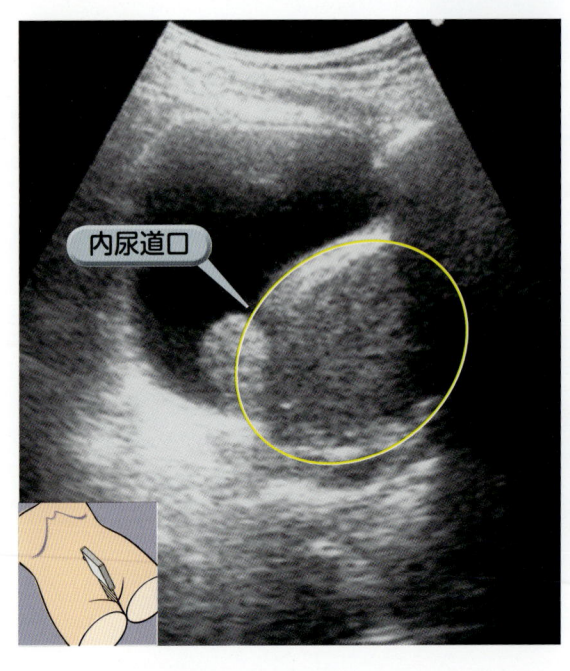

内尿道口

縦断像です。肥大した前立腺が膀胱内に突出しています。正常な前立腺は膀胱内に突出することはありません（291ページ参照）。突出の有無を肥大判定の基準にしてもいいでしょう。

正常子宮と卵巣

子宮を検査するときは，排尿を我慢して膀胱内を尿で充満させておく前処置（膀胱充満）が必要です。前処置を指示せずに超音波検査を行うと，ほとんどの場合に膀胱には少量の尿しか貯まっていません。膀胱が小さいと小腸が子宮に覆い被さり，内部のガスのために，子宮はほとんど描出できません。大きな子宮筋腫があるときや妊娠後期では小腸が頭側に追いやられているので，膀胱充満は必要ありません。

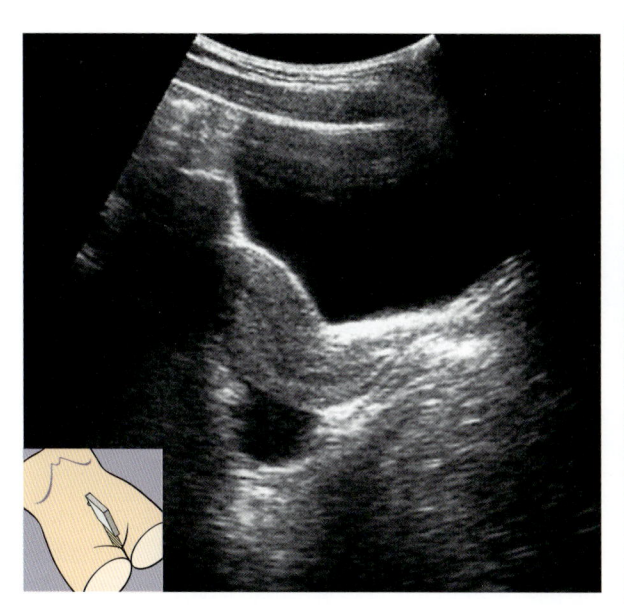

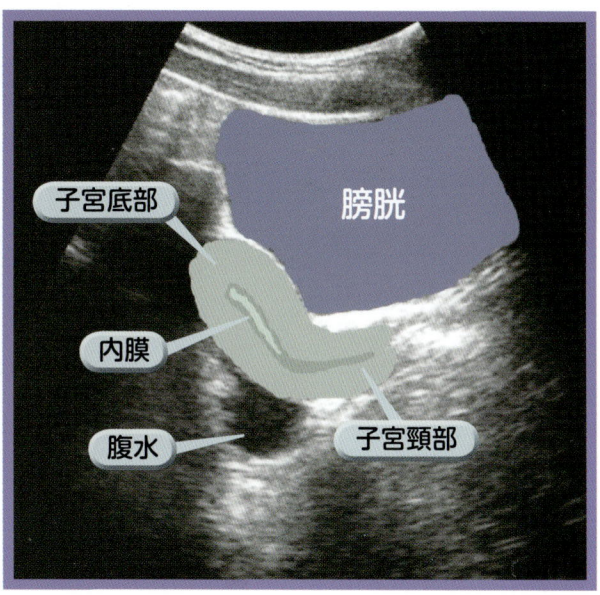

下腹部痛がある14歳の女性です。おそらく腸管の炎症のためと考えますが，ダグラス窩に微量の腹水が貯まっています。子宮内膜は薄い高エコーの線で見えています。この線は生理前には厚くなります。

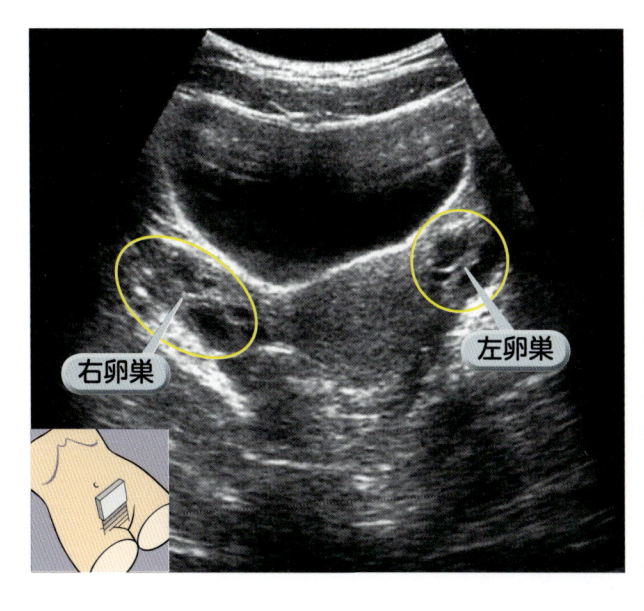

同じ女性の子宮の横断像です。膀胱との位置関係から，子宮底部は少し左に偏っているのがわかります。子宮底部はしばしば左右どちらかに偏っています。子宮の両脇に卵巣が見えています。卵巣は親指大の大きさです。内部に大小数個の卵胞があります。このうちの最も大きい卵胞（成熟卵胞）が約28日ごとに左右卵巣のどちらかから排出されます。
成熟卵胞は2cm前後の大きさがあるので，卵巣囊腫と間違えることがあります。

子宮筋腫

子宮筋腫は成人女性の4～5人に1人がもっているポピュラーな疾患です。筋腫自体は良性の疾患ですが，筋腫が内膜面にかかっていると生理の量が多くなって，貧血の原因になります。内科外来で貧血女性を診たら，真っ先に考えるべき疾患です。

婦人科では経腟プローブを使って検査するので，腹壁の影響を受けずに明瞭な画像が得られます。コンベックス型プローブを使う腹壁からの検査では小さな筋腫は見落とします。

1

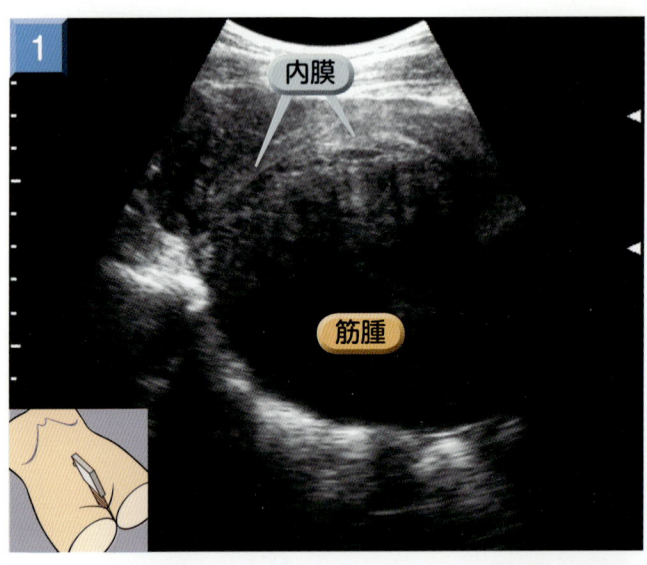

子宮体部から背側に向けて突出する大きな筋腫があります。子宮内膜を表わす線が腹側に向けて弓形になっていることから，腫瘤は背側にあると判断できます。

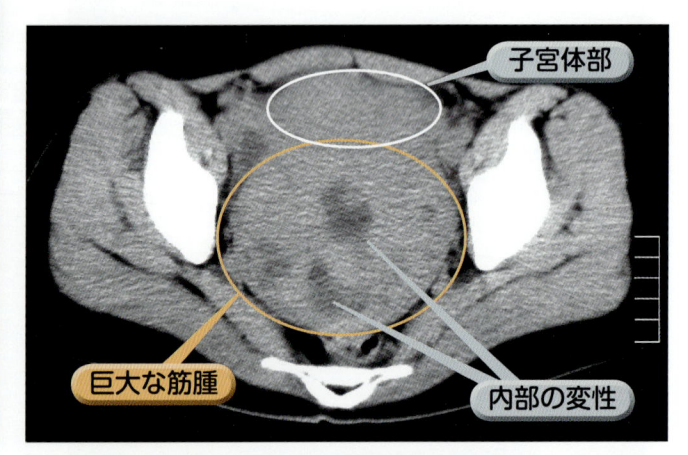

この症例の単純CTです。解剖的には超音波と同じ形態を示していますが，超音波でわかる子宮内膜は不明です。婦人科疾患は超音波以外ではMRで検査するべきです。

2

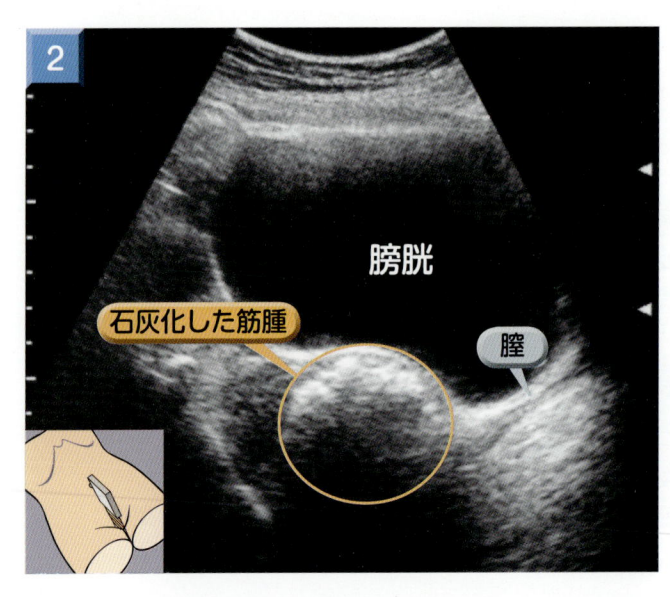

子宮の体部に45mmの石灰化した筋腫があります。この石灰化は腹部単純X線でしばしば観察されます。

この画像の膀胱は尿が充満しています。このように充満していると婦人科領域の検査は行いやすくなります。

3

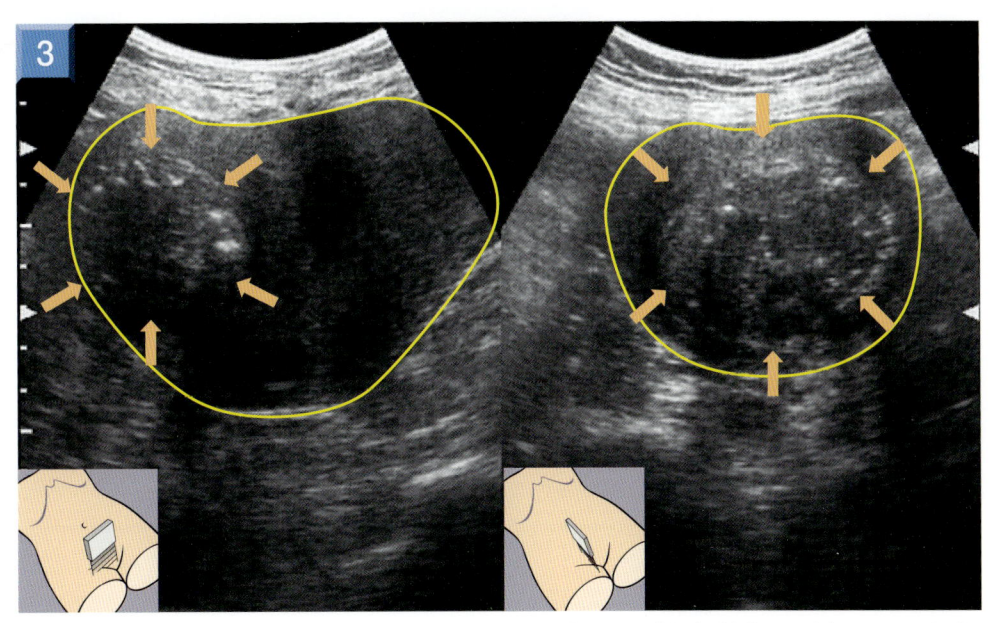

子宮の輪郭を黄色い線で描き入れています。子宮はほぼ左右対称に腫大しています。左図の横断像では子宮の右半分に40×45mmの充実性の腫瘍があり，内部に2〜4mmの強エコー（石灰化）が散在しています。右図の縦断像は筋腫を最大に描出できるように右寄りでスキャンしています。頭尾（上下）方向には6cmあります。

膀胱充満の前処置はしてありませんが，子宮が大きくて腹壁に接しているので，消化管ガスの影響を受けていません。

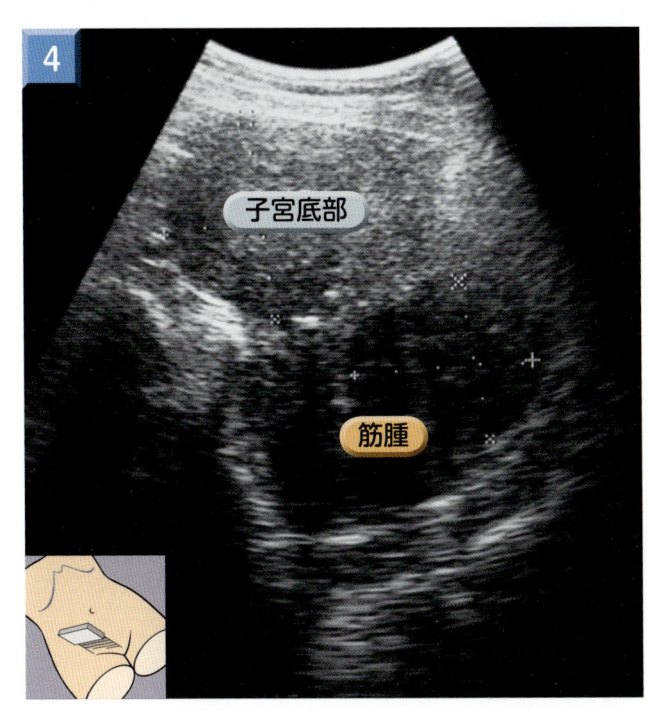

4

この症例は子宮頸部から背側のダグラス窩に向けて筋腫が突出しています。大小4〜5個の結節があるようです。これも上腹部の検査時に引き続いて検査しているので，膀胱には全く尿はありません。

その他

卵巣嚢腫

卵巣の嚢腫で最も多いのが良性の「漿液性嚢胞腺腫」です。嚢胞の壁は薄く平滑です。嚢胞が1つの単胞性から，内部が隔壁で仕切られた多胞性までさまざまです。嚢胞壁が厚く不整形を示し，一部に乳頭状の発育を示す部分があれば，悪性の「漿液性嚢胞腺癌」の可能性があります。

内容液が粘液（ムチン）で構成されていると「粘液性嚢胞腺腫」で，悪性が「粘液性嚢胞腺癌」です。多胞性ですが，内部の粘液濃度の違いによって，嚢胞ごとにエコー強度が異なります。この他に成熟嚢胞性奇形腫（皮様嚢腫）があります。

上記の病変は腫瘍性病変で本来の嚢腫ですが，卵胞嚢胞や子宮内膜症性卵巣嚢胞は，嚢胞自体は自己増殖することはなく，内部の分泌物が増量することで大きくなります。これは肝嚢胞と同様に「嚢胞」ですが，子宮内膜症性卵巣嚢胞は「子宮内膜症性卵巣嚢腫」と呼ばれることが多いです。

● 漿液性嚢胞腺腫

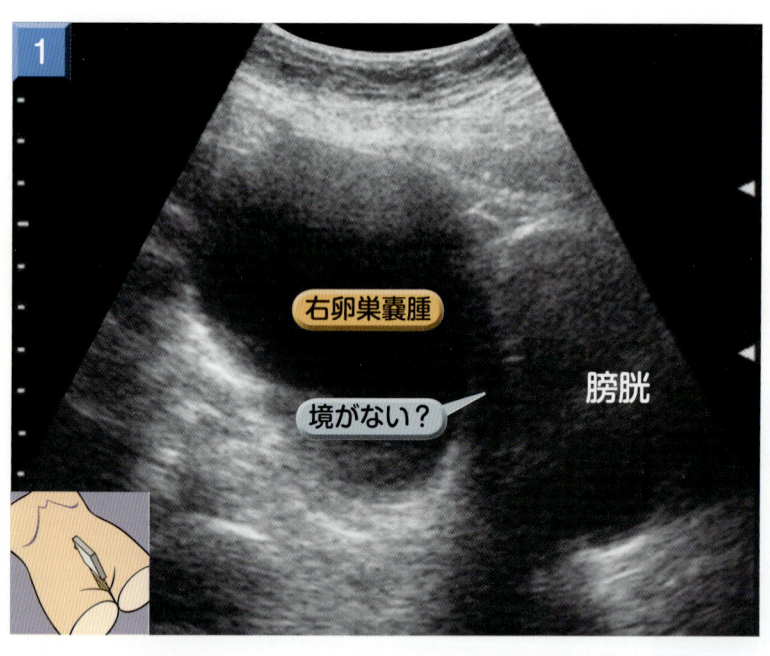

右卵巣にできた漿液性嚢胞腺腫です。この画像でわかるのは，膀胱に接して長径が90mmの楕円形の腫瘍があるということだけです。女性の骨盤内にこのような嚢胞を作るのは卵巣嚢腫しかありません。

ところで，卵巣嚢腫と膀胱は連続して見えます。なぜでしょう？　瘻孔ができているのではありません。超音波のビームに平行で平滑な線は，超音波を反射しないので描かれません。

MEMO　　経腟プローブ

婦人科領域の小病変は経腟プローブで検査します。これは婦人科診察台の上で腟の奥に棒状のプローブ（先端はコンベックス型）を挿入するので婦人科でないと行えない検査です。その利点は近くで病変をみられ，超音波を弱め音場を乱す原因になる腹壁がないことです。この効果は大きく，腹壁からの検査に比べてはるかに細かい情報が得られます。膀胱が充満するまで待たなくてもいいのも大きなメリットです。欠点は慣れないと病変の位置関係がわかりにくいことです。たとえば，左右の卵巣を取り違えることがあり得ます。

泌尿器科では前立腺の検査は経直腸プローブで行いますが，その理由は上に挙げたのと同じです。

2

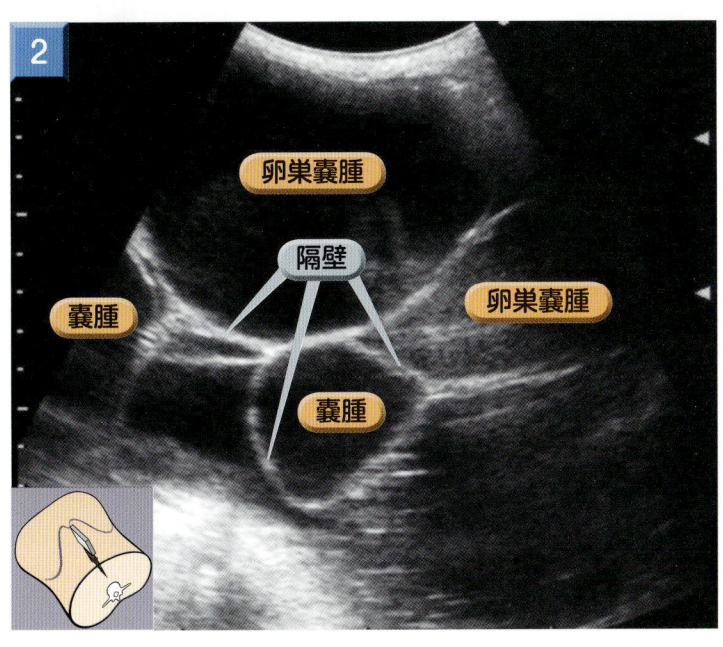

卵巣嚢腫
隔壁
嚢腫
卵巣嚢腫
嚢腫

骨盤腔を占める巨大な多胞性嚢腫です。内部が隔壁によって分けられています。隔壁に厚い部分があると悪性を考えますが，この画像にはありません。
大きすぎるので左右どちらの卵巣の病変かは判断できません。

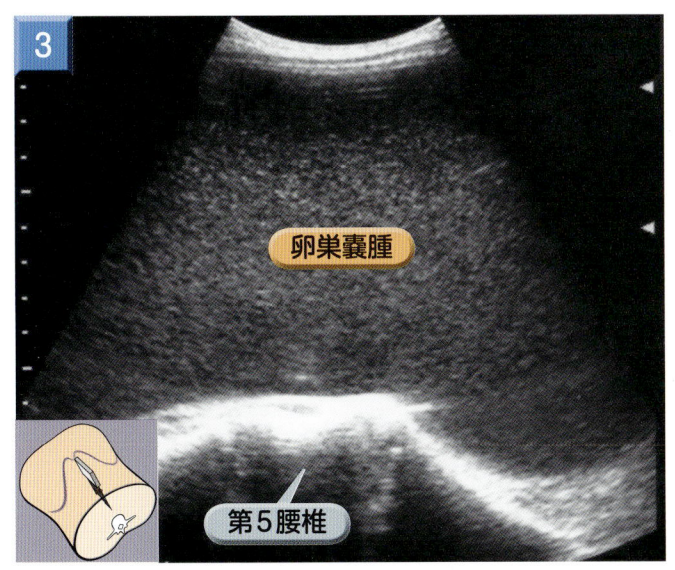

3

卵巣嚢腫
第5腰椎

恥骨
子宮

25歳の女性にみられた腹腔内のほぼ全体を占める巨大な嚢腫です。辺縁には2cm前後の小嚢腫が数個あったので厳密には多胞性嚢腫です。内部に微細なエコーが充満しています。出血している可能性があります。胃や小腸は肝臓の下に押し付けられていました。

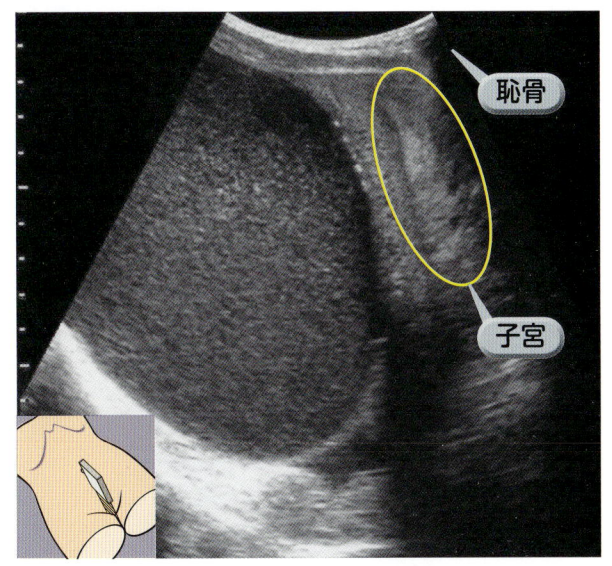

左図の続き（尾側）ですが，かなり重なりがあります。コンベックスプローブでは正確に画像をつなぐことができません。骨盤底には卵巣嚢腫で圧排された子宮があります。膀胱も圧迫されて尿を貯めることができないので，頻尿の状態です。

その他

皮様嚢腫

卵巣には本来存在しない皮膚の組織が増殖している嚢胞性腫瘍です。皮脂腺から分泌された脂肪は他の液体との間で水平面を形成します。髪の毛が集まった部分（hair ball）は不整形をした高エコーを示し，音響陰影を伴います。骨や歯があると，強エコーと明瞭な音響陰影がみられます。

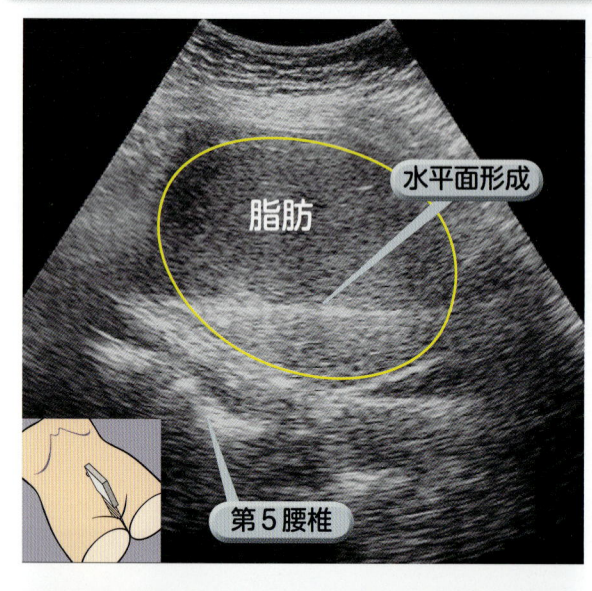

正中の縦断像です。大きな長円形の腫瘍があり，内部には微細均一なエコーがみられます。この内部エコーは画面上で上下（正確には背腹）2層に分かれて，水平面を形成しています。このことから内容物は流動性のあるもの（液体）とわかります。上（腹側）が脂肪成分です。

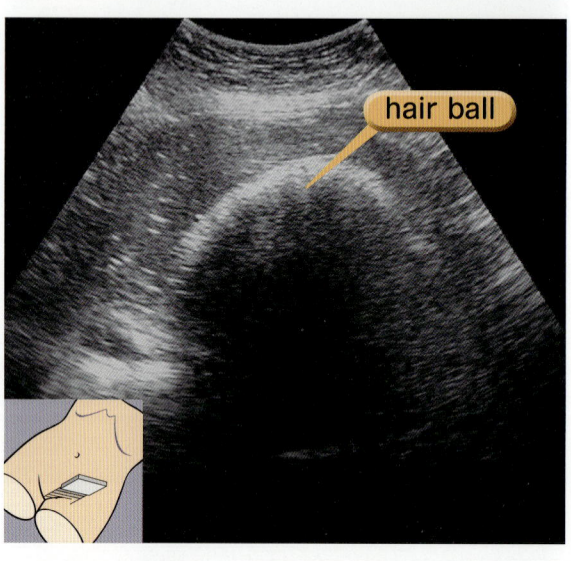

少し断面を変えると，このような円弧状の強エコーがあり，音響陰影を伴っています。毛髪を主成分としたhair ballです。

MEMO　左右どちらの卵巣の病気？

ここに示した症例のように大きくなると，左右どちらの卵巣から発生した腫瘍か判断できません。特有なパターンを示す嚢胞性腫瘍は卵巣由来と判断できますが，通常の嚢胞や充実性腫瘍だと卵巣由来と判断すること自体が困難です。子宮と膀胱，それに消化管を除外できれば，女性の骨盤内には卵巣しか残らないので卵巣の病気と判断します。

● 子宮内膜症性卵巣嚢胞

> 本来は子宮だけにある子宮内膜が卵巣内にあって、生理周期に合わせて定期的に卵巣内で出血を起こす疾患です。強い生理痛の原因疾患の1つです。内容液が血液なので、超音波では特有の微細均一なエコーがみられます。肉眼的には古い血液が茶褐色をしているのでチョコレートシストとも呼ばれます。

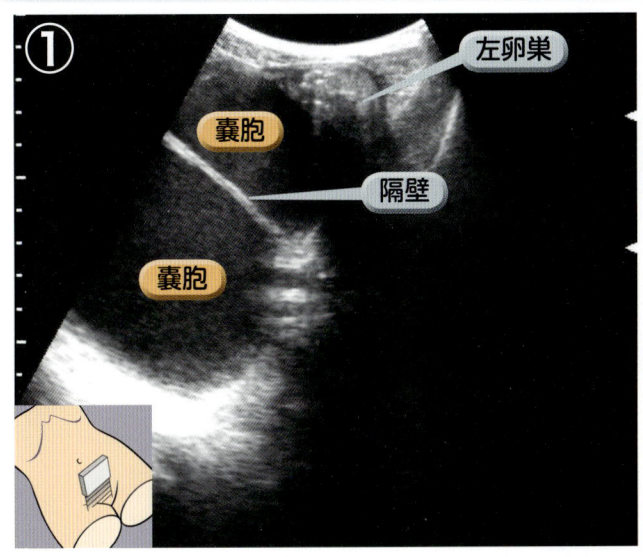

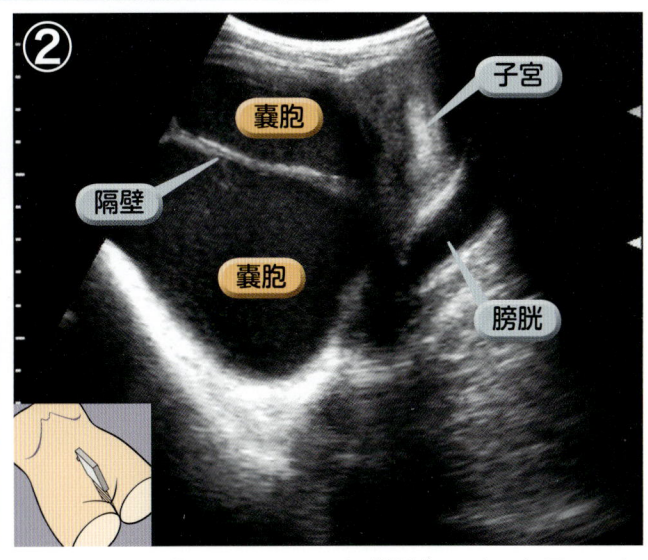

右下の模式図の①でスキャンした横断像です。隔壁で仕切られた大小2個の嚢胞があります。嚢胞内部には微細均一なエコーがあり、嚢胞壁や隔壁は薄く平滑です。左卵巣内には以前の出血でできた石灰化がみられます。

下の模式図の②でスキャンした縦断像です。左図でみられた2個の嚢胞の他に、尾側に圧排された子宮と膀胱が見えています。このことから、腫瘍は卵巣由来と判断できます。

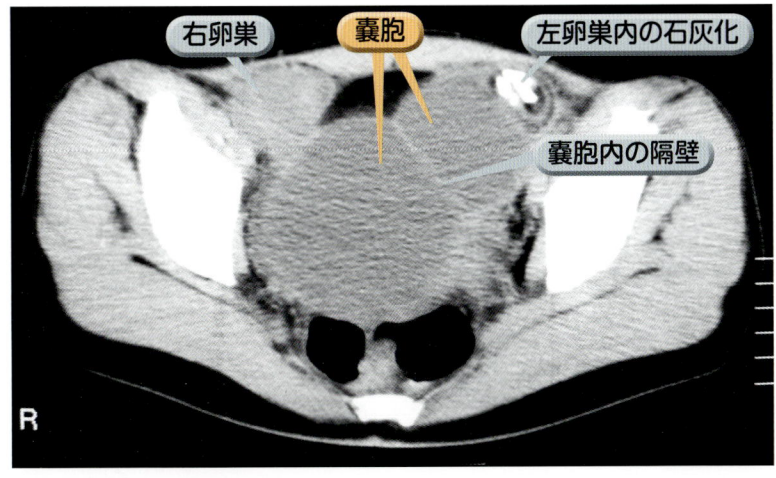

CTでも同様の所見が得られています。右卵巣にも小さな嚢胞があることは、超音波でも確認されています。

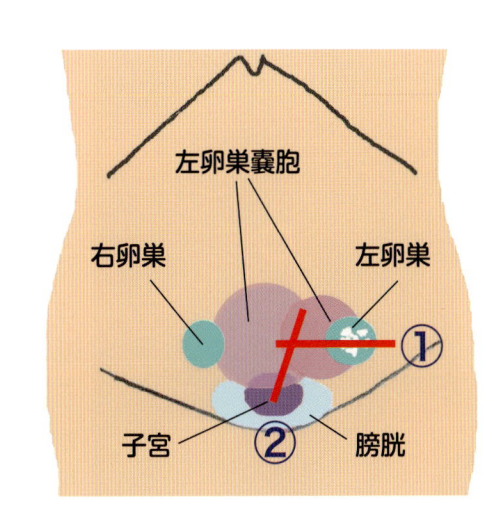

処女膜閉鎖

婦人科医なら，ときに経験する疾患かもしれませんが，私はこの1例しか知りません。最初に診た内科の医師は骨盤内に囊胞性の腫瘍があるので，卵巣囊胞だと解釈して紹介してきました。稀な疾患なので，本書で取り上げる対象ではありませんが，診断に至るプロセスという点で示唆に富んだ症例なので紹介します。12歳の女性で主訴は下腹部痛です。

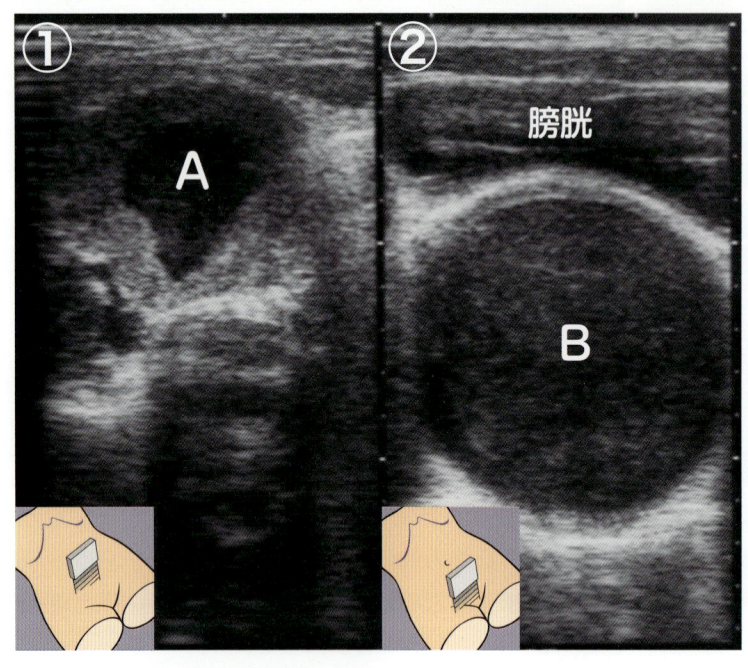

左図は恥骨上縁から12cm位頭側の横断像です。漿液性卵巣囊腫にしては囊胞壁が厚すぎます (A)。恥骨から5cm頭側では右図のように正円形の囊胞が描出されます (B)。囊胞壁は厚さが4mmです。この2つは1つの臓器としては説明できません。別の臓器です。右図の内部には，前ページの「子宮内膜症性卵巣囊胞」で紹介した卵巣内部と同様の微細均一なエコーがみられます。この内容液は血液の可能性があります。

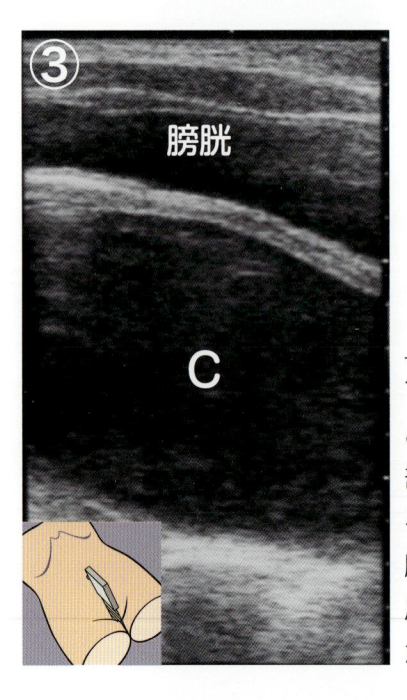

上の右図の高さの縦断像です。右上図に示したBとこの図のCはほぼ同じ部位です。互いに直交する関係にある画像です。膀胱の背後に，上下(頭尾)に細長い囊胞性腫瘤があります。

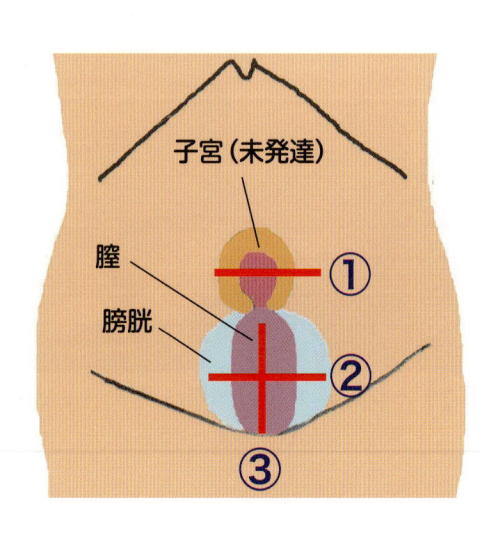

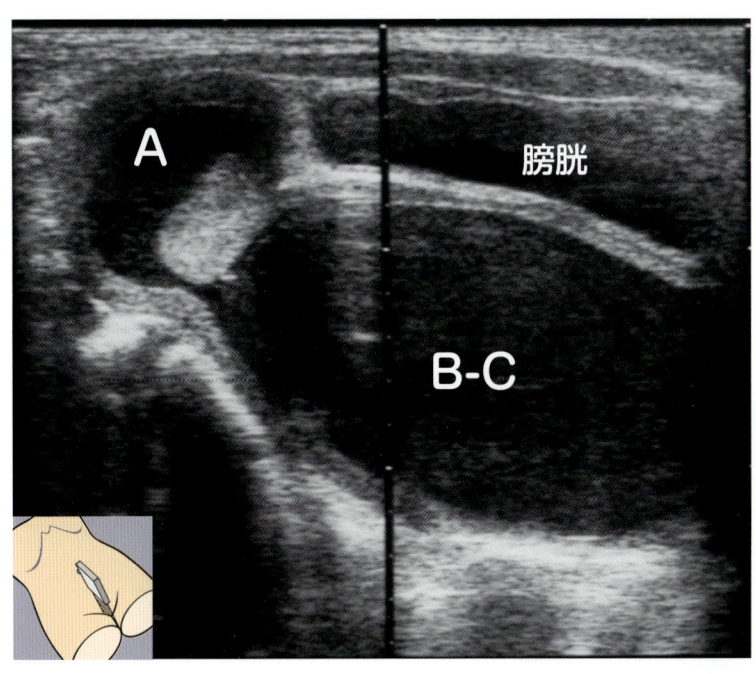

リニア方式のプローブを用いて2画面で連続画像を作製してみました。壁が厚い嚢胞（子宮）と薄い嚢胞（腟）の関係が、この画像では表現されています。
この症例の場合は、本来あるべき臓器がどこにあるか同定していくことが診断に結び付きます。他に正常な形態の子宮が見えなければ、内腔が液体で満ちていても、正中線上にある臓器（A）は子宮です。それに連続する管腔臓器（B-C）は、大きく膨らんでいても腟しかありません。そうすると、初潮がない12歳の女性が下腹部痛を訴えていれば、処女膜閉鎖しかありません。検査後に訊いてみると1か月前にも同じような痛みがあったそうです。

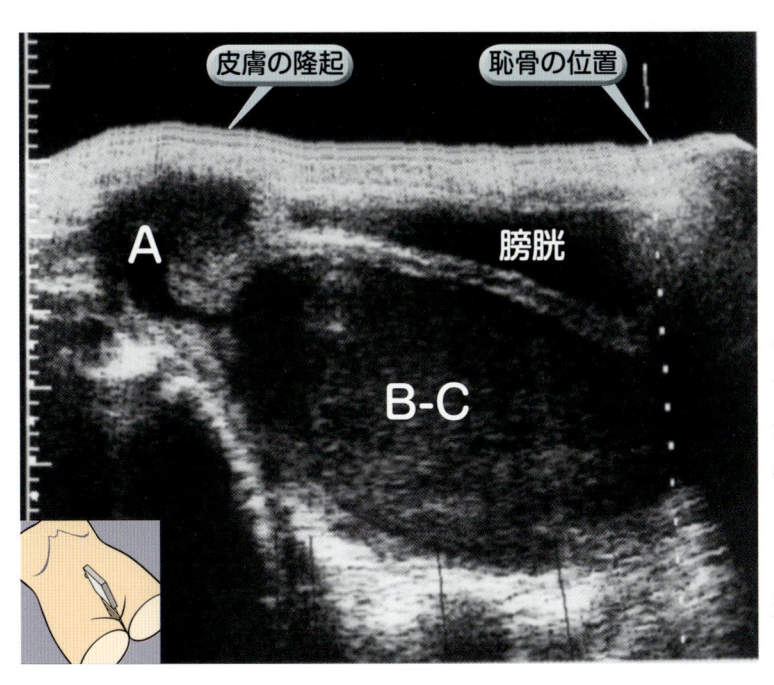

コンタクトコンパウンド装置（現存しない古い装置、303ページ参照）で撮影した画像です。横断像ではないので、リニアの画面をつないだのと大差はありませんが、子宮の直上部の皮膚が少し盛り上がっていることがわかります。現在のリアルタイム方式のプローブではこのような情報は得られません。MR検査やCT検査後に再構成して矢状断像を作ると同じ情報が得られます。

> **MEMO　頭の中で広範囲の合成画像をイメージする**
>
> 上の2画面合成画像やコンタクトコンパウンド装置で撮った画像は、人に説明するときに説得力があります。超音波検査中に検者は頭の中で絶えずこのような合成画像を想い描いているものです。その作業ができないと全体像を把握できません。

腹壁の疾患

腹部の超音波検査は腹壁越しに腹腔内の病変を観察していますが，腹壁にある病変もときに経験します。腹壁を検査するときは解像力が高い表在性臓器用のリニア型プローブを用いたほうがいいと思います。

正常な腹壁の構造

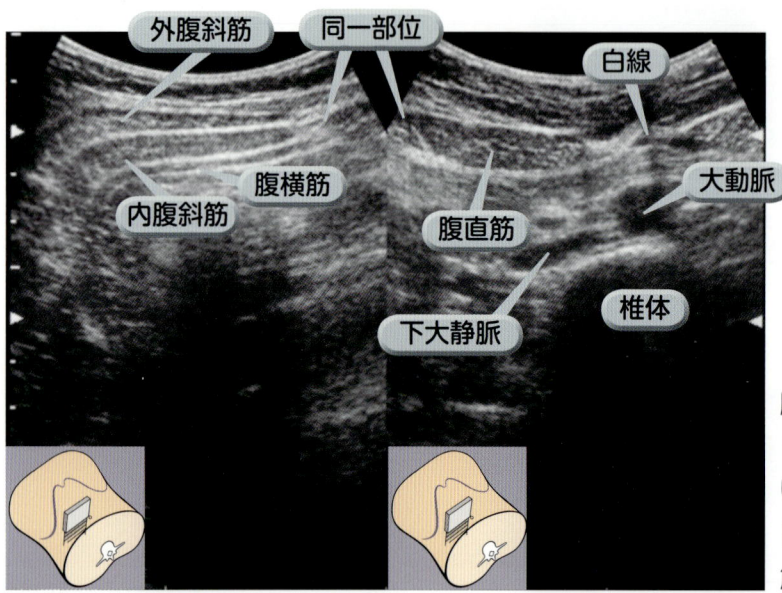

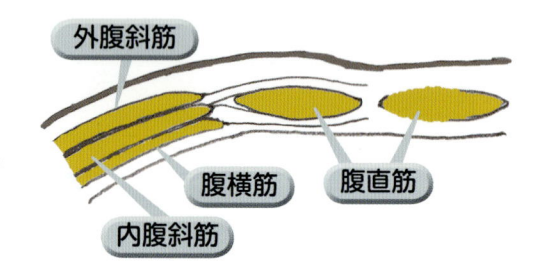

臍の高さで検査した正常腹壁です。1枚の画像では全体をカバーできないので2枚の画像で示しています。「同一部位」と記入している所が腹直筋の外側縁になります。

癌の腹壁播種

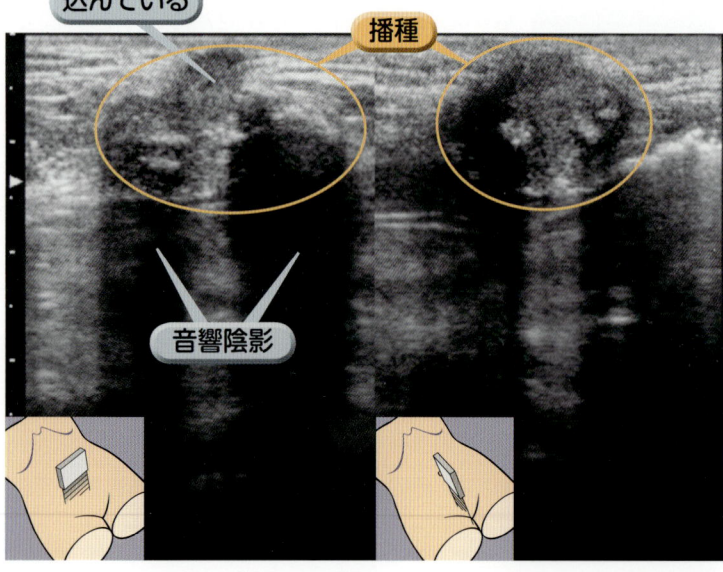

大腸癌の術後に腹壁に発生した播種です。正中切開の術創に一致して硬結を触れます。その部位をリニア型プローブで観察しました。充実性の腫瘤の内部に音響陰影を伴う高エコー領域が混在しています。おそらく淡い石灰化が起きているのでしょう。大腸癌の転移によくみられる所見です。

癌の腹膜播種

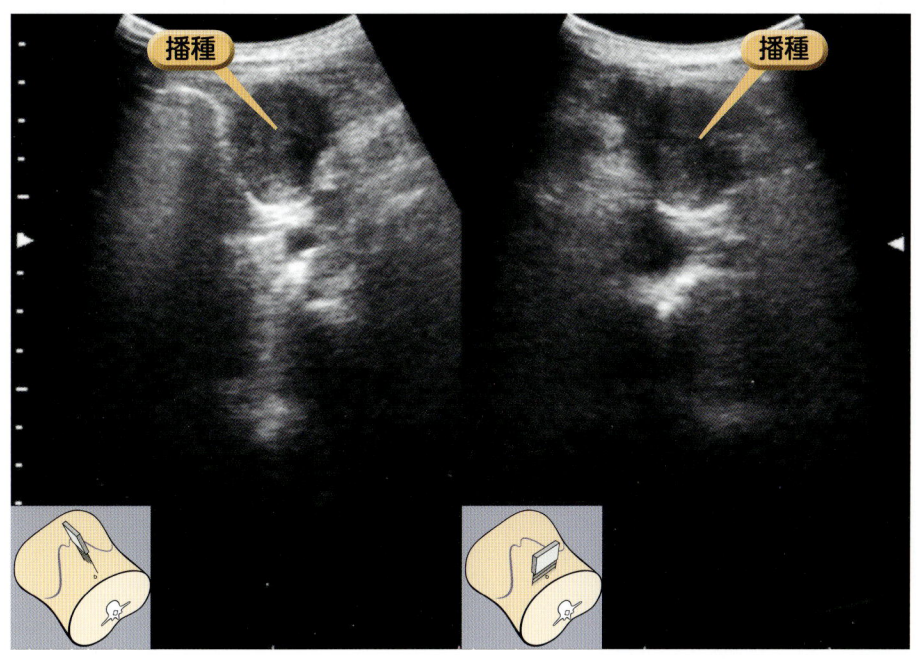

大腸癌が腹腔内に播種し，腹膜に転移している症例です。肝臓にも転移しています。この部位には術創はありません。静止像では大網にできた腫瘍と紛らわしいですが，検査中に深呼吸をしてもらうと，大網などの腹腔内臓器は移動するのに対し，この腹壁にある腫瘍は動きません。

腹直筋内の血腫

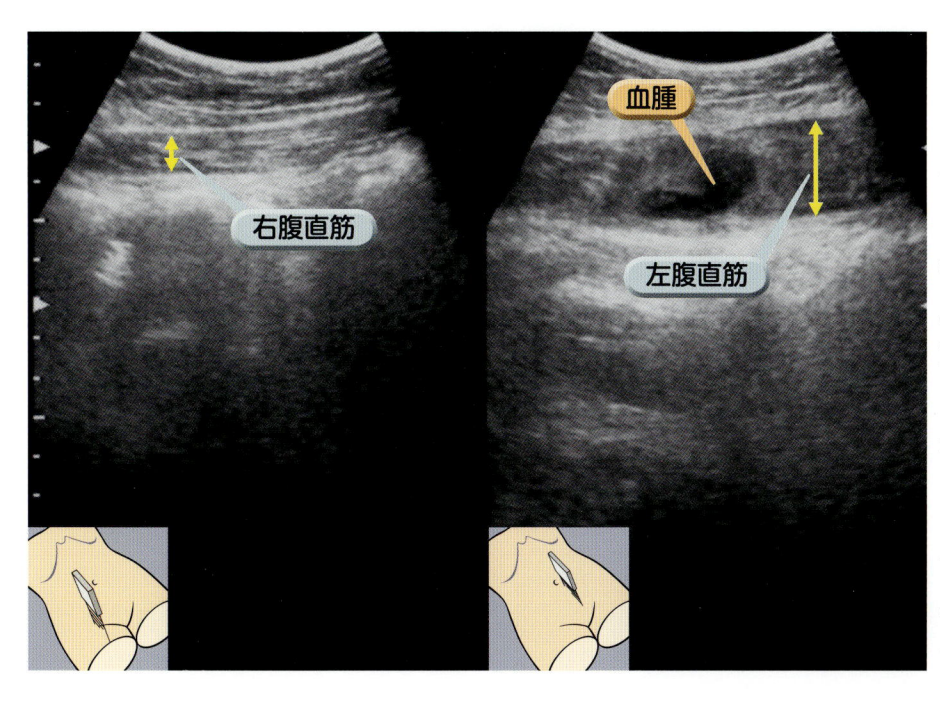

16歳の血友病患者です。健康な人では筋肉内に出血することはありませんが，血友病患者では軽い刺激で筋肉内に出血して血腫を作ります。
左図は健側の腹直筋で，右図は患側です。右図では中央に長径3cmの嚢胞性腫瘤があります。中身は血液です。周囲の筋肉はエコーレベルが低下しており，厚みは増大して健側の3倍近くになっています。

下肢の疾患

最近は整形外科領域でも超音波検査が盛んに行われています。下肢静脈の血栓の診断にも威力を発揮しているようです。この本は腹部エコーの解説が目的ですので，2例の紹介にとどめます。

● 下肢に刺さった棘

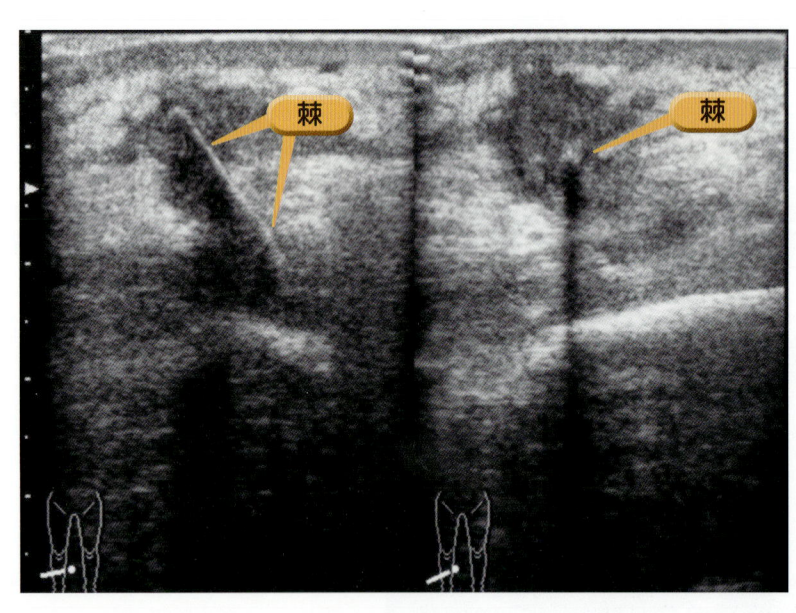

1年前に農作業をしていて，右膝関節直下の皮膚に棘が刺さったそうです。その後も痛みがとれないので来院しました。
左図では皮膚から7mm先に長さ17mmの棘が見えており，右図は棘の断面を示しています。棘の周囲は低エコーになっています。おそらく，周囲の浮腫を表わしているのでしょう。

● ベーカー嚢腫

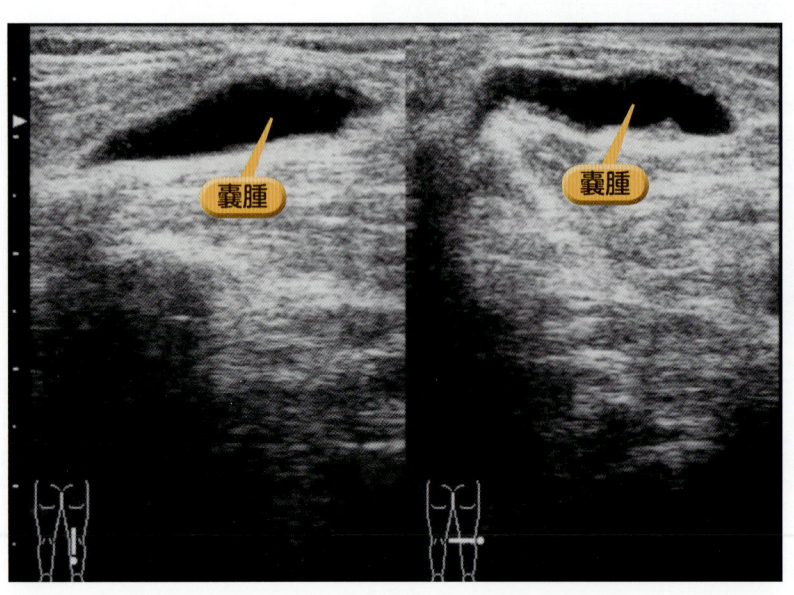

右膝関節の背側にある細長い嚢胞性腫瘤（ベーカー嚢腫）です。
膝関節の背側にある滑液包という滑液（潤滑液）を入れた袋に炎症が起き，液体が増えてできるのがベーカー嚢腫です。
MRで検査すると関節との関連などをより詳しく観察できますが，超音波は嚢胞性腫瘍に強いので存在診断は十分にできます。

演習問題

Q and A

ここでは稀な症例で，この本の主旨（初心者向けの解説書）に沿わないもの，あるいは最終的な確認がとれていないために，本文中で紹介できないものなどをクイズ形式で解説します。なかには意地の悪い設問もありますが，気楽にクイズを楽しんでください。

症例 ①

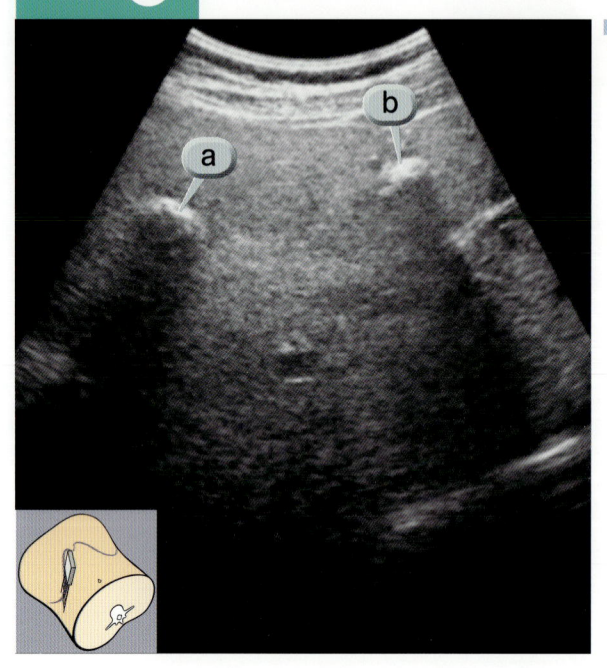

Q 肝臓にa,b2個の高エコーがある。それぞれ何を考えるか？

① 肝内石灰化
② 肝内胆管結石
③ 肝円索
④ 胆石
⑤ 肝内胆管内の空気

A

症例 ② の答え

② 転移性肝臓癌

2枚の画像だけで肝臓腫瘍の種類を当てろというのは無茶です。

どこにも組織が溶解した所見（エコーフリーあるいは均一な低エコー）はないので，④ 肝膿瘍は真っ先に×です。

③ 肝血管腫はこのように大きいものでは辺縁に高エコーの部分があって，中央部には変性を示唆する嚢胞パターンか，均一な低エコー部分が混在します。そのような所見はないので×。

① 肝細胞癌は見えている範囲で肝硬変を示唆する所見がないうえに，腫瘍に多結節状（モザイク状）の所見がないので可能性は低い。

答えは大腸癌の肝臓転移ですが，ヒントは腫瘍の中央部と右寄りにある音響陰影（図中にSで示す）です。これは大腸癌の転移に多い石灰化を示唆しています。ただし，石灰化といってもCT（右図）でもわからないほどの淡いものです。

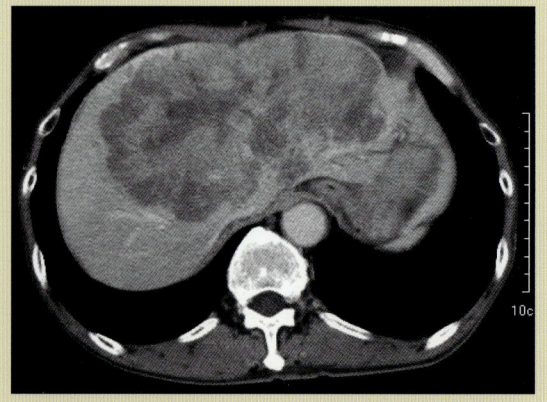

腫瘍の拡がりを見るにはCTがすぐれている

症例 ❷

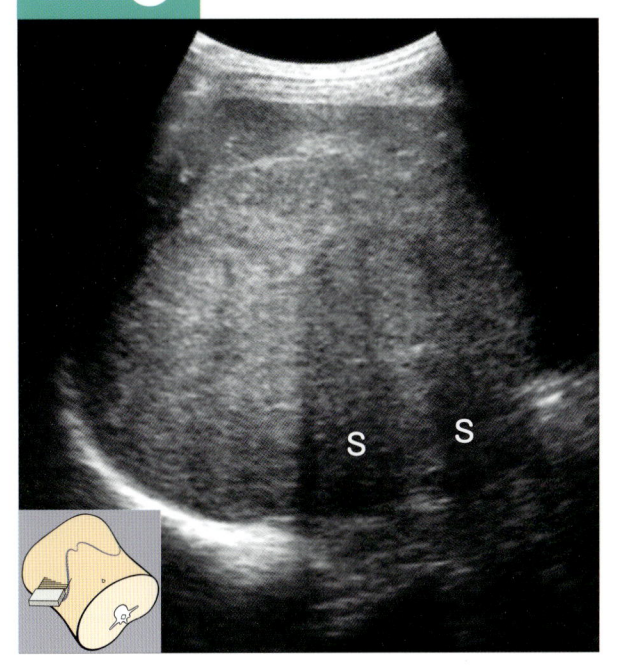

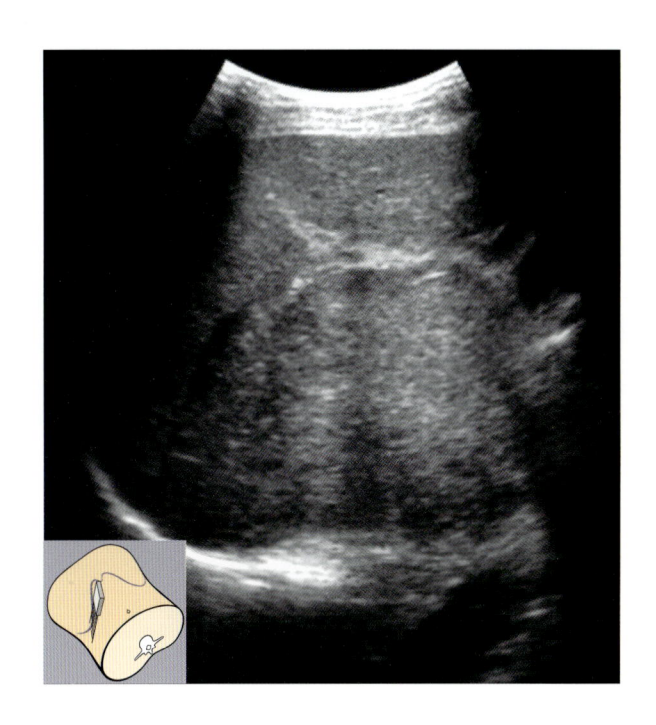

Q 肝臓に巨大な腫瘤があるようだが，可能性が高いのは何か？

① 肝細胞癌
② 転移性肝臓癌
③ 肝血管腫
④ 肝膿瘍

A

症例 ❶ の答え

a は ④ 胆石，b は ③ 肝円索

この問題は強エコーの存在部位が重要です。a は胆嚢の部位で，b は肝円索の部位です。部位がこの 2 か所でなければ，どの答えも正解の可能性があります。胆嚢は慢性胆嚢炎で完全に萎縮した状態です。萎縮した胆嚢内にある胆石を，自信をもって診断するのはやさしくありません。

② 肝内胆管結石は強エコーに連続する拡張した胆管が見えないので可能性は低く，⑤ 肝内胆管内の空気（pneumobilia）であれば，個々の強エコーはもっと小さくシャープです。

① 肝内石灰化は 3～5mm のものが多く，音響陰影はさらに明瞭です。

演習問題

症例 ❸

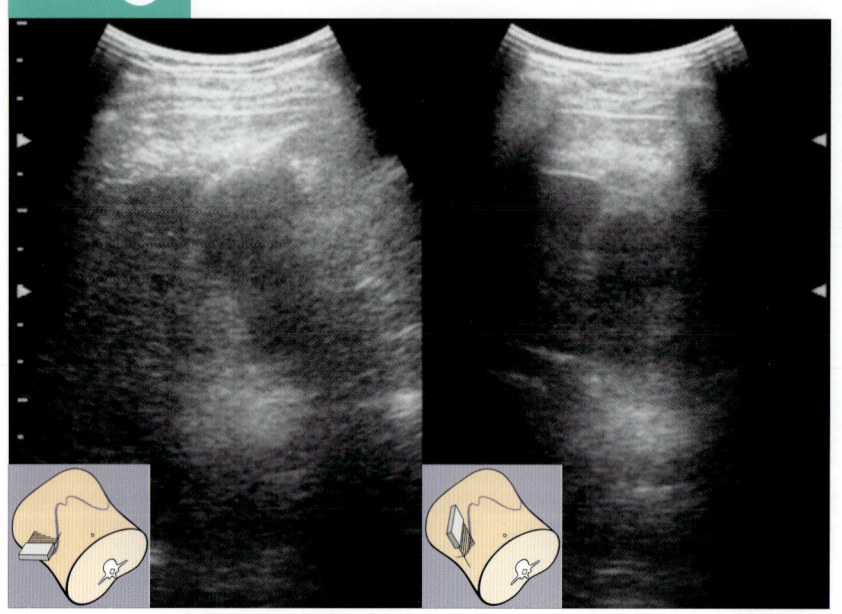

Q 胆嚢を検査しているのだが，明瞭ではない。原因は？

① 装置が悪い
② 検者が未熟
③ 消化管の影響
④ 肝硬変のため
⑤ これは胆嚢ではない

A

症例 ❹ の答え

③ 転移性肝臓癌，① 肝嚢胞，右胸水がある

右図の a は③ 転移性肝臓癌と，中央部が変性した④ 肝血管腫の2つが考えられます。この場合は肺癌からの転移性肝臓癌でした。

b は後方エコーの増強があるので① 肝嚢胞で決まりです。ただし，充実性の腫瘍でも内部が均一だと後方エコーが増強することがあります。b の内部が完全にエコーフリーでないのは，浅い部位にあって，腹壁で生じた多重反射が重なっているからです。

さらに右胸水があります。横隔膜よりも頭側がエコーフリーです。これは右肺癌があり，そのために胸水が貯まり，肝臓に転移があった症例です。

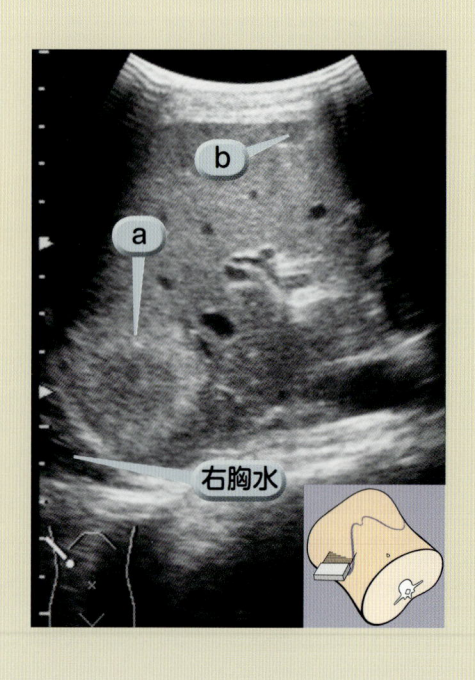

症例 ❹

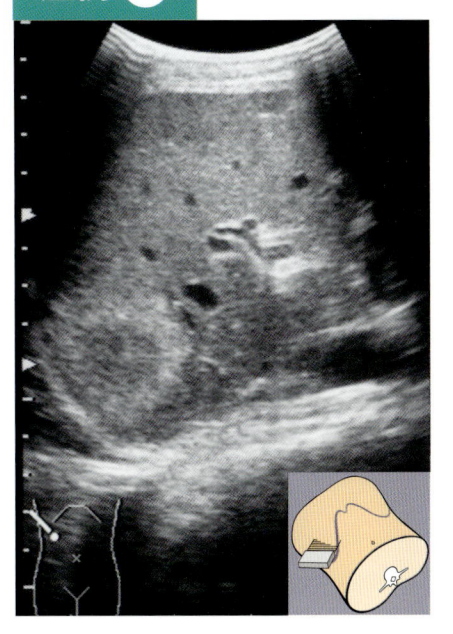

Q 肝臓に腫瘍が2個あるが，それぞれ何か。腫瘍以外に何か異常はないか？

① 肝嚢胞
② 肝細胞癌
③ 転移性肝臓癌
④ 肝血管腫
⑤ 限局性脂肪肝

A

症例 ❸ の答え

③ 消化管の影響

右図のCTを見ると胆嚢底部の右側にも消化管ガスが存在します。通常は胆嚢の左側だけに消化管ガスが存在し，右側は肝臓に接しています。

肝硬変や高齢者では胆嚢周囲の肝臓が萎縮するために，そのスペースに消化管が入ってきて，胆嚢の描出を妨げます。この症例の患者は74歳です。肝硬変はありません。

胆嚢頸部は肝臓に密着しているので，右側腹部の肋間から検査すると描出することができます。

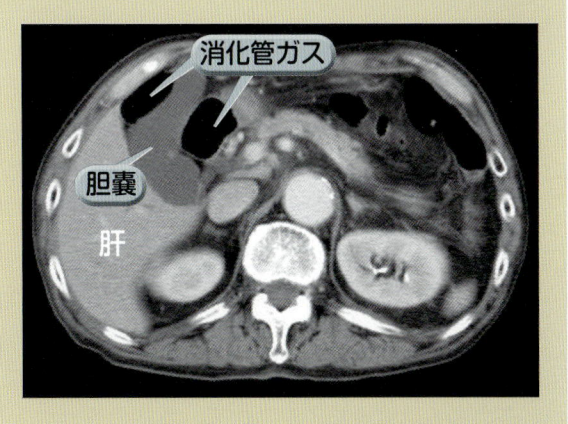

症例 ❺

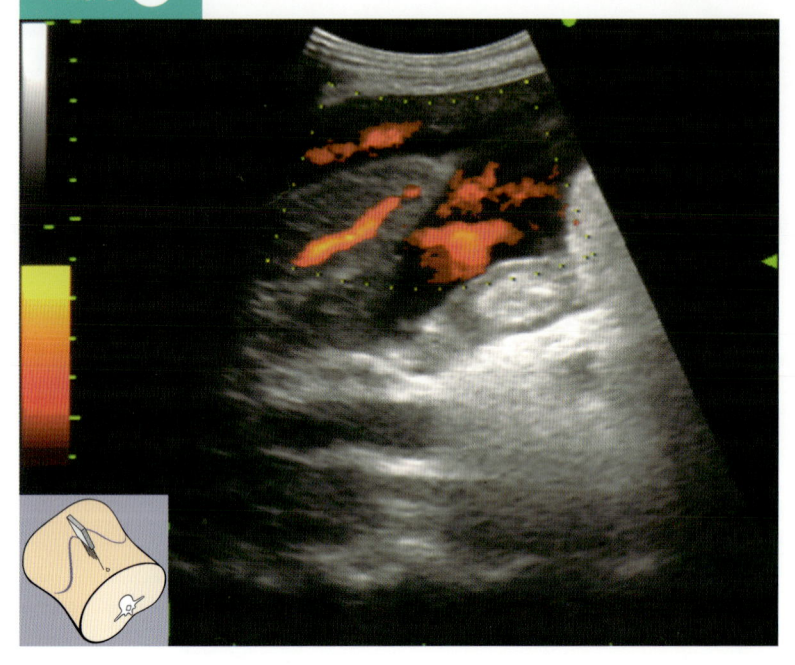

Q 腹水内にドプラ信号が見えるが，これは何か？

① 側副血行路
② 出血
③ 臍傍静脈
④ アーチファクト
⑤ 装置のトラブル

A

症例 ❻ の答え

⑤ 肺癌

最も多い答えは① 挙上した大網だろうと思います。でも，この超音波画像の場合は大網では合わない所見があります。この異常エコーによって右肺が押し上げられているような所見があります。挙上した大網は横隔膜直下に存在するので，肺の形態（といっても肺自体は見えずに，肺の表面だけが強エコーでわかるだけですが）や分布に影響を与えません。

右肺の下葉にできた肺癌が胸郭と横隔膜が作る隙間に侵入している状態です。胸水は重いので，背側の隙間に分布しますが，この肺癌は腹側にできたので，腹側の隙間に入り込んでいるのです。この部分は胸腔の一部ですから，たとえば，この近くから肝臓癌を穿刺するときは留意しないと癌の組織を胸腔内にばらまく恐れがあります。右図の肝臓の画像には，この肺癌からの転移性腫瘍が見えています。

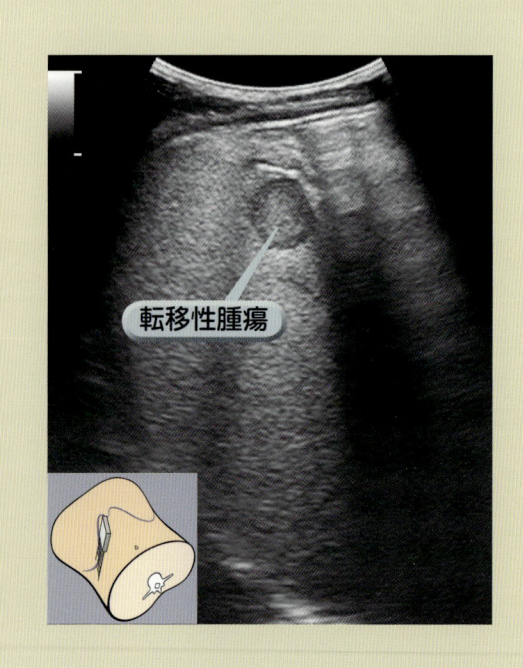

症例 ❻

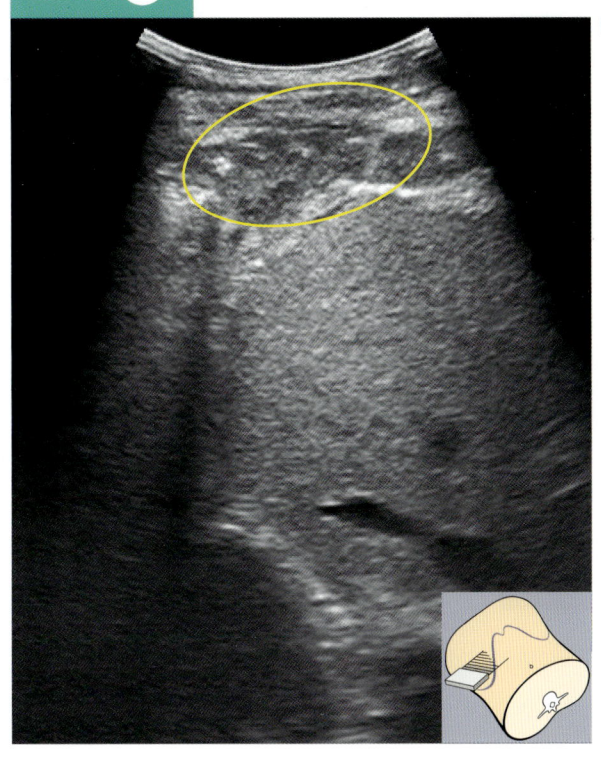

Q 肝右葉と腹壁との間に何か見慣れないもの（黄色の楕円の内部）があるが，これは何か？

① 挙上した大網
② 混濁した腹水
③ 癌の腹膜播種
④ 胸水
⑤ 肺癌

A

症例 ❺ の答え

④ アーチファクト

カラードプラを含めて，ドプラ検査は動きを検出する検査法です。生体中では動きの代表は血流なので，ドプラ検査は血管を検出する検査と短絡的に考えてしまいがちです。ところが，生体内には血流以外にも動きのあるものは多くあります。プローブを持つ手が動くと，見えているものすべてが反対方向に動くので，画面全体に色がつきます。

この画像の場合は息止めが不十分で肝臓が小刻みに動いています。肝臓の動きにつれて周囲の腹水が移動するので，腹水の流れがこうしたアーチファクトを生んでいるのです。

肝硬変によって，臍傍静脈が拡張しています。

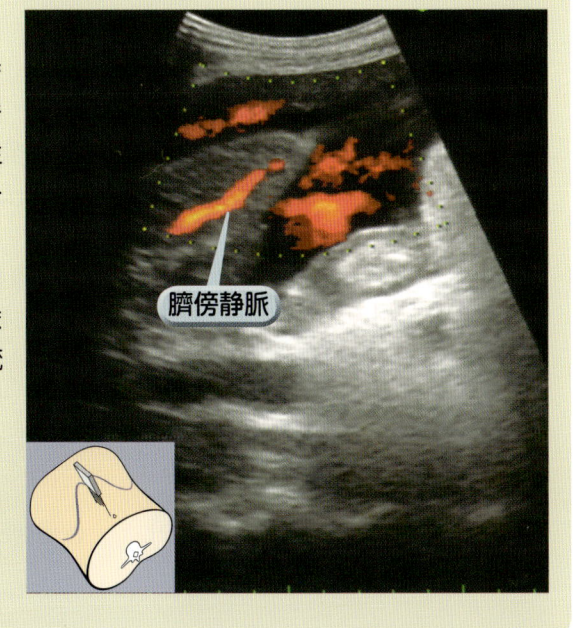

臍傍静脈

症例 ❼

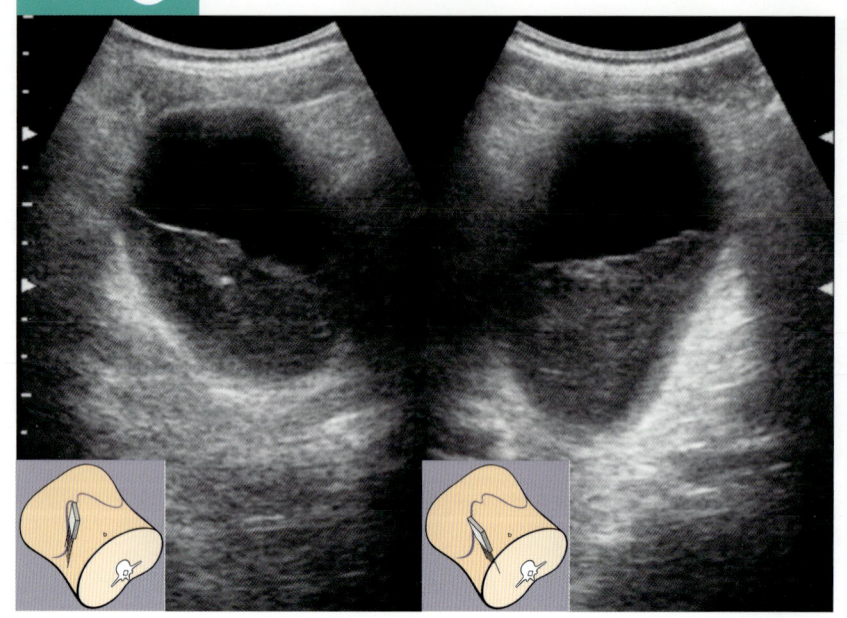

Q 胆嚢の頸部側に異常エコーがある。何を考えるか？

① 胆泥
② 胆砂
③ 壊疽性胆嚢炎
④ 胆嚢癌
⑤ 胆嚢内膿汁

A

症例 ❽ の答え

① 胆石

模範的な答えは底部にあった胆泥（あるいは胆砂）が仰臥位になったことで頸部に移動中の状態だと思います。でも，この症例は微細な胆石が無数にあるのです。答えは胆石だといわれて納得しますか？　胆石とすれば何 mm の胆石が何個あるのでしょう。

以前の装置では微細な胆石は右図のように1個ずつ分離して見えていました。ところが最新の装置のデモ機で観察すると，設問の画像のようにボケて融合してしまうのです。

これは最近の装置はいろいろな機能が組み込んであるからだと思います。たとえばコンパウンドスキャンやスペックルエコーの低減などです。

私は，最近の装置は余計なことをして，微細な所見の抽出能力は低下していると思います。

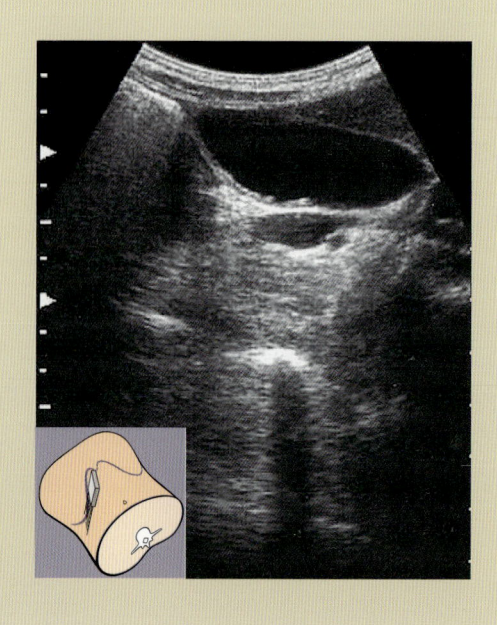

症例 ❽

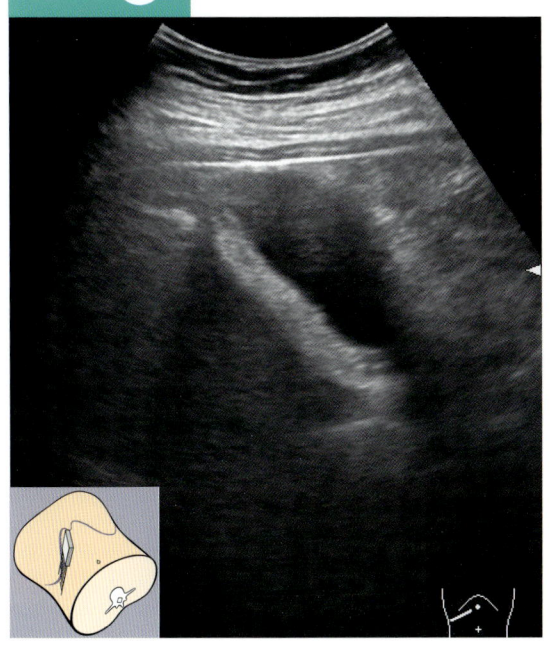

Q この胆嚢にある疾患は何か？

① 胆石
② 胆泥
③ 胆嚢炎
④ 陶器様胆嚢
⑤ 胆嚢腺筋症

症例 ❼ の答え

⑤ 胆嚢内膿汁

この症例の優等生的な答えは① 胆泥です。正解は⑤ 胆嚢内膿汁ですが，この答えは右の超音波画像を見ないと導き出せません。

肝臓に膿瘍があり，その膿汁が胆嚢に穿破している状態です。膿汁が胆汁よりも重いのでしょう。膿汁は仰臥位では頸部側に存在しています。

壊疽性胆嚢炎の炎症が肝臓に波及することもあり得ますが，この症例では胆嚢壁は肥厚していないので，③ 壊疽性胆嚢炎は考えません。

検査中は多方向から胆嚢を観察するので，この症例の診断は難しくありません。

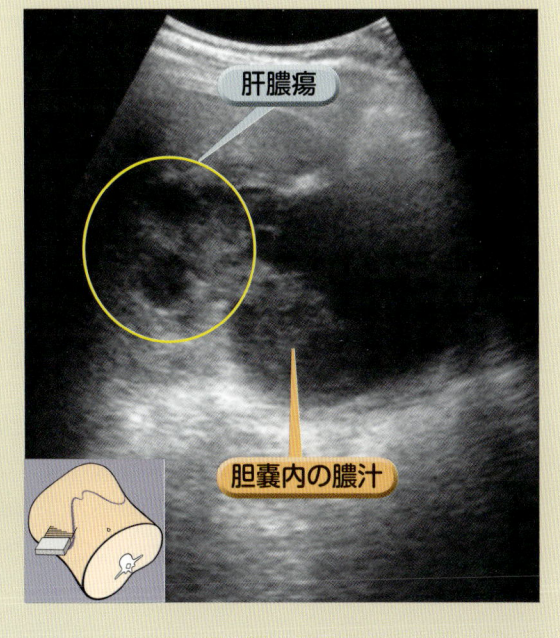

演習問題

症例 ❾

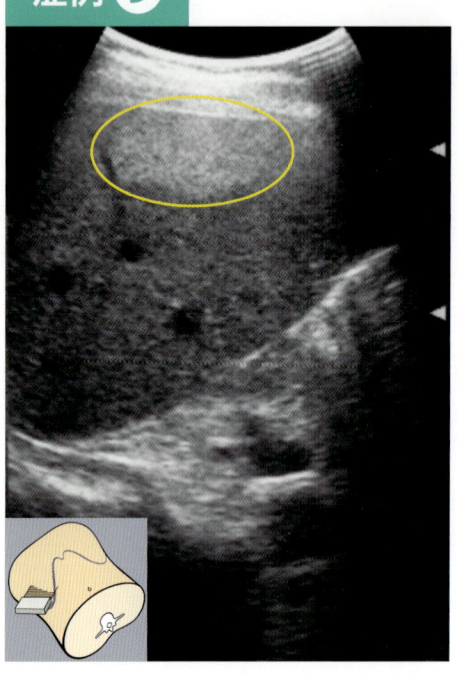

Q 肝臓内に部分的に白っぽい部分（黄色の楕円の内部）がある。これは何を考えるか？

① 限局性脂肪肝
② 肝血管腫
③ 転移性肝臓癌
④ 肝細胞癌
⑤ 腹壁からの多重反射

A

症例 ❿ の答え

① 脾内石灰化（の可能性が最も高い）

② Gamna-Gandy 結節は超音波専門医や超音波検査師をめざす人は知っていなくてはならない疾患です。文献には「門脈圧亢進をきたす疾患でみられる．脾臓の慢性うっ血によって脾内に小出血が生じ，これにヘモジデリン沈着や石灰沈着が起こるためと考えられる．超音波では，脾臓にびまん性に多数の点状の強エコーが認められるが音響陰影は伴わない」と書いてあります。

ここに示す症例は脾腫がないので門脈圧亢進症は考えられませんし，文献で紹介されている Gamna-Gandy 結節はこれほどの強エコーではありません。

この症例の診断は摘出標本の詳細な検索でしか得られませんが，悪性疾患が考えられないので手術の適応になりません。したがって，正確な診断は不明です。確診がついている症例はどのようにして証明したのでしょうか？

症例 ⑩

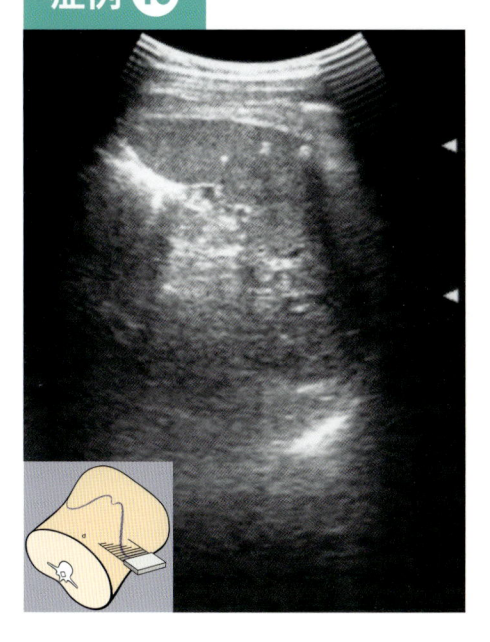

Q 脾臓に点状の高エコーが散在している。何を考えるか？

① 脾内石灰化
② Gamna-Gandy 結節
③ 空気塞栓
④ 脾静脈石
⑤ 陳旧性脾結核

A

症例 ⑨ の答え

① 限局性脂肪肝

まだら脂肪肝の一種です。まだら脂肪肝は部分的に脂肪の沈着が少ない部分が黒く見えるケース (focal fatty sparing) はときどきありますが，部分的に脂肪が沈着した脂肪肝はあまり多くありません。

実はこの症例は確認がとれていません。この白い部分を癌と誤診すれば確認のために穿刺細胞診を行うことがあるかもしれませんが，脂肪肝と考えるときはそんなことはしません。高度の脂肪肝は CT でも診断できますが，微妙な脂肪量の差は超音波検査のほうが敏感なので，この症例は CT では診断できません。

右図の超音波像で白っぽい部分（黄色の円内）も限局性の脂肪肝と考えられます。これも確認はとれていませんが，諸文献で紹介されている症例と同様の所見です。

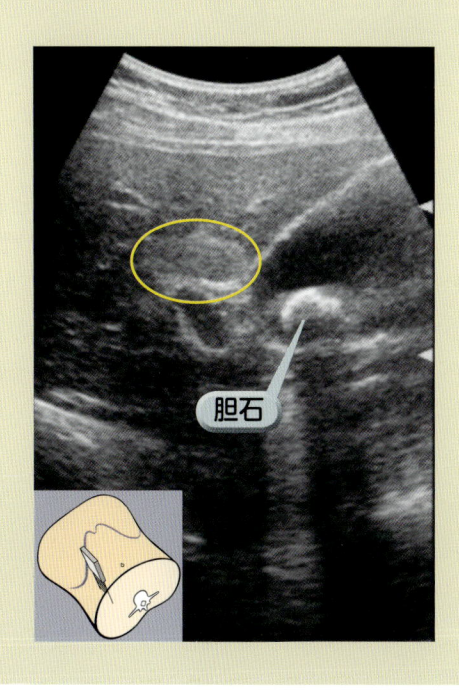

症例 ⑪

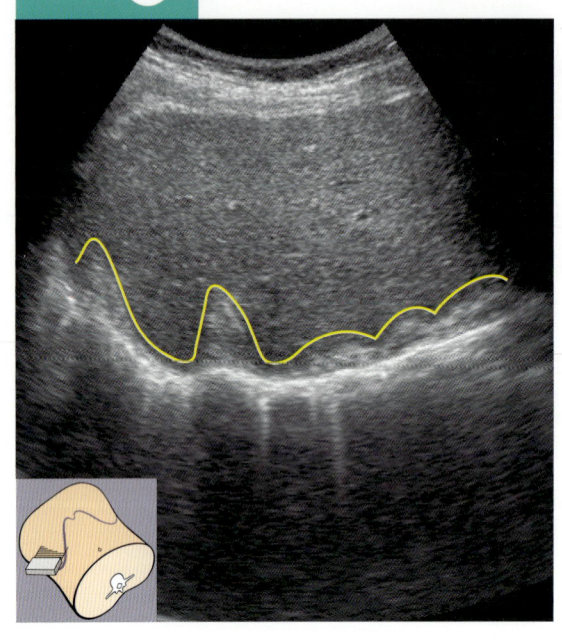

Q 肝臓が横隔膜と接する面が曲線ではなくて凸凹しているが，これはなぜか？

① 肝硬変
② 横隔膜下膿瘍
③ 横隔膜の変形
④ 肺癌
⑤ Chilaiditi 症候群

A

症例 ⑫ の答え

① 正常

設問に示している脾臓は正常な大きさです。脾腫はありません。

同じ肋間にプローブを置いて，少しプローブの傾きを変えると右図のような画像になりました。これだと軽い脾腫です。呼吸は同じ状態で止まっています。つまり，軽い脾腫があっても，十分に探索しないと見落とすというサンプルです。

もちろん，スキャン方法によりこれだけの差が生じるのは限られた症例です。でも，このような例もあるので脾臓のサイズ判断は慎重に行うべきです。

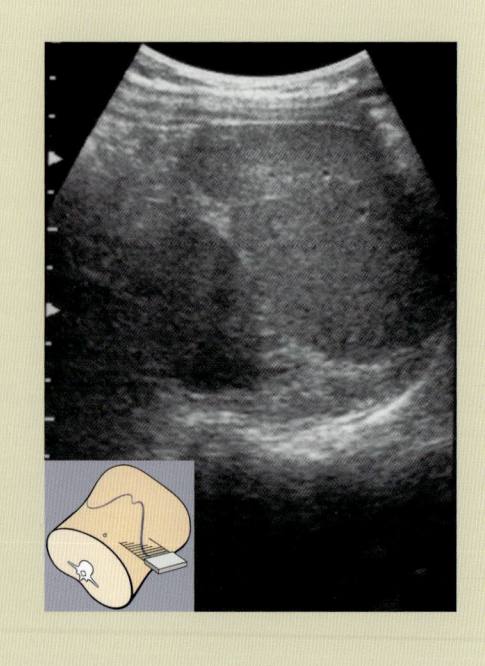

症例 ⑫

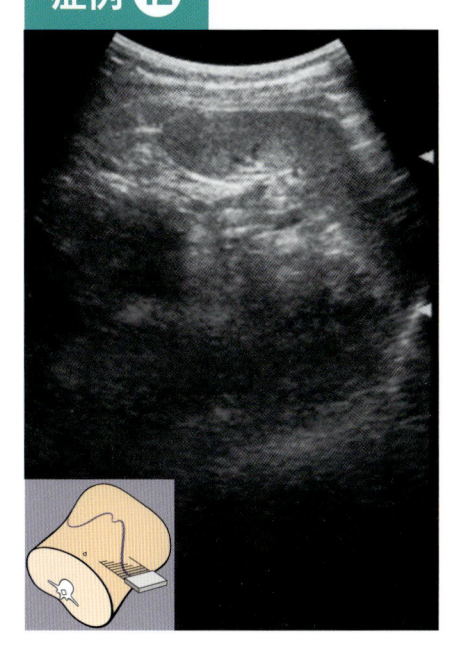

Q 脾臓の肋間像である。サイズはどのように判定するか？

① 正常
② 軽度腫大
③ 中等度腫大
④ 高度腫大

A

症例 ⑪ の答え

③ 横隔膜の変形

横隔膜は通常は表面が平滑なドーム型をしていますが，表面が波打っているケースも稀ではありません。英文では scalloped diaphragm といいます。scallop というのはホタテ貝のことです。ホタテ貝は二枚貝ですが，合わせ目が波打っています。私は波形をしたトタン板の凸凹を思い浮かべます。

横隔膜の波打ち現象は重症肺炎後の癒着などでも起こりますが，高齢者ではそのような既往歴がなくても起こります。横隔膜は全体が筋肉でできているので，筋肉の強弱にムラがあり，時間の経過でこのように変形するのではないでしょうか。

横隔膜が波打っていると，この黄色の線で示すように肝臓に向けて串刺しにするような画像が見えます。

症例 ⑬

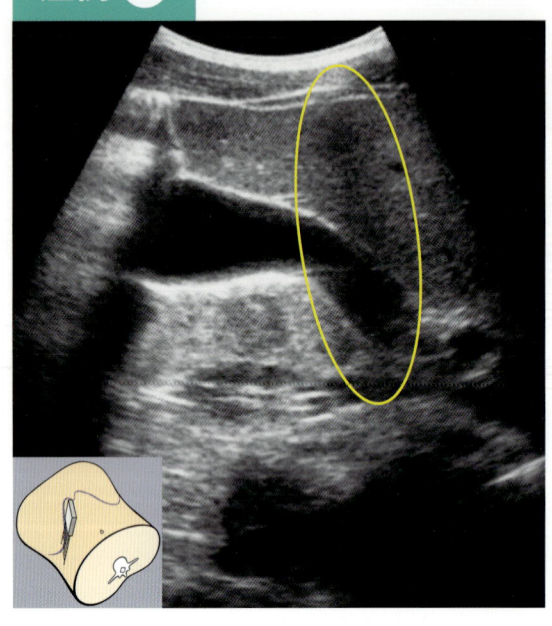

Q 肝臓の中を縦（背腹）方向に分布する低エコー域があるが，これは何か？

① fat spared area
② 装置（プローブ）の故障
③ 肋骨の音響陰影
④ 皮膚のイボのイタズラ
⑤ レンズ効果

A

症例 ⑭ の答え

③ 胆管過誤腫

この病名は横文字では von Meyenburg's complex（biliary microhamartoma）というようです。肝小葉内の小胆管が嚢状に拡張した微小過誤腫だそうです。

超音波所見としては，
① 肝実質は粗糙であるが，肝表面は整である
② よく観察すると小嚢胞が散在している（おそらく顕微鏡で）
③ 嚢胞内で起こる多重反射でコメット様エコーや斑状の高エコーがみられる
と記載されています。

私は数年に1例しか経験しない稀な症例です。ここに示した症例は確認はとれていません。諸文献で発表されている画像にそっくりということで呈示しました。ただし，肝の内部エコーは粗糙ではありません。

症例 ⑭

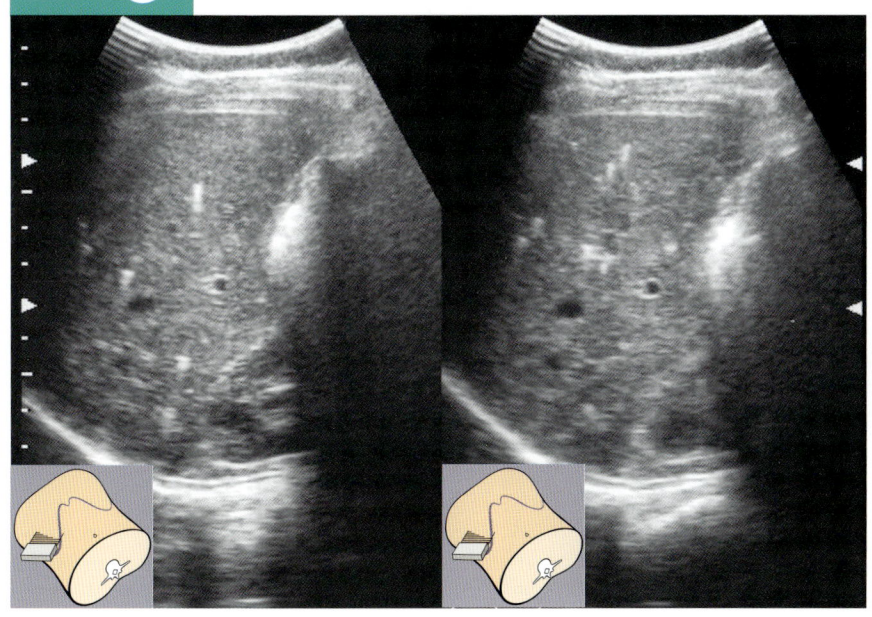

Q 肝臓にいわゆるコメット様エコーが散在している。何を考えるか？

① 肝内石灰化
② 肝内胆管結石
③ 胆管過誤腫
④ 肝内門脈のガス
⑤ 肝内胆管のガス

A

症例 ⑬ の答え

⑤ レンズ効果

肋骨弓下スキャンなので肋骨の影響は考えられません。設問画像の腹壁を見ると，腹直筋とその外側にある筋肉群（外腹斜筋，内腹斜筋，腹横筋）との境で筋が途切れて腱だけが白く見えています。左右の「腹直筋と白線の関係」と類似の関係が成立しています。つまり，ここでレンズ効果が生じているのです。レンズ効果には直下の構造が左右2個に分離したり，このように超音波の分布が少なくなって画像が暗くなる現象があります。

右図も他の症例で観察されたレンズ効果です。肝臓内に帯状に暗い部分があり，胆嚢壁は薄く（あるいは暗く）見えます。

※日本ではまだら脂肪肝の腫瘤型で脂肪の沈着が少ない領域のことを fat spared area という表現が定着していますが，米国の書物には focal fatty sparing と記載されています。

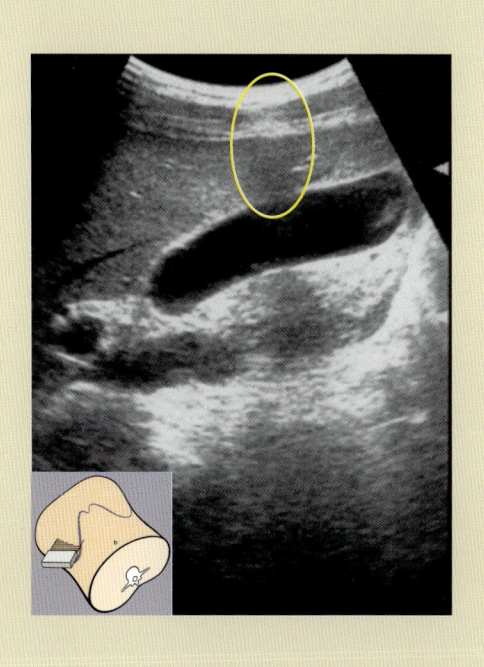

症例 ⑮

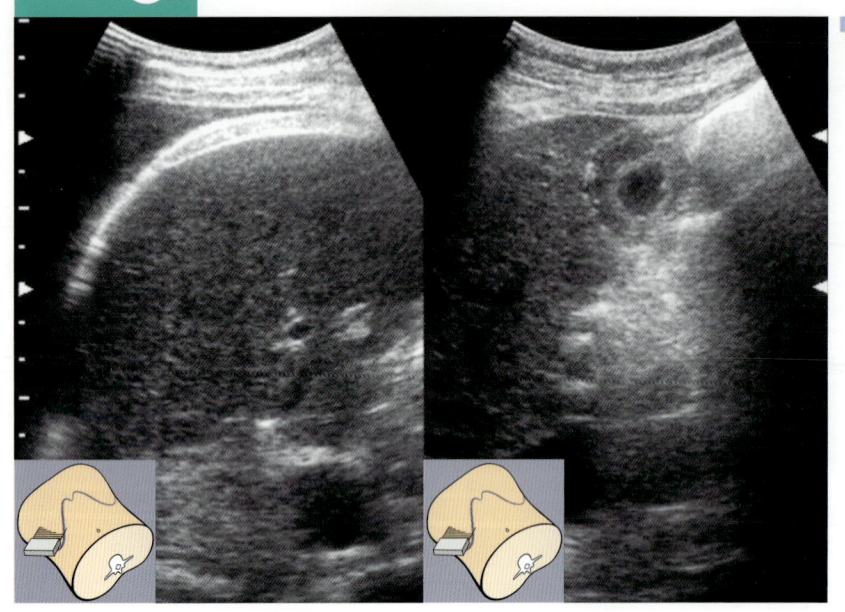

Q 左右の２枚の画像から可能性の高い疾患はどれか？

① 肺癌
② 肺炎
③ うっ血性心不全
④ 胆嚢炎
⑤ 胆嚢癌

A

症例 ⑯ の答え

④ 肝門部胆管癌

肝臓に高エコーの腫瘍があると同時に肝内胆管が拡張しています。しかも，この腫瘍の所で肝内胆管の拡張は途絶しています。となると，（肝内）胆管癌しか考えられません。この腫瘍の径が胆管と同じであれば，胆管結石があって，上流側の肝内胆管が拡張しているという判断も成り立ちますが，胆管の径よりもはるかに大きいので，この判断は否定されます。

なぜ，胆管癌が高エコーに見えるのかは説明できません。

右図はこの症例の別のスライスです。

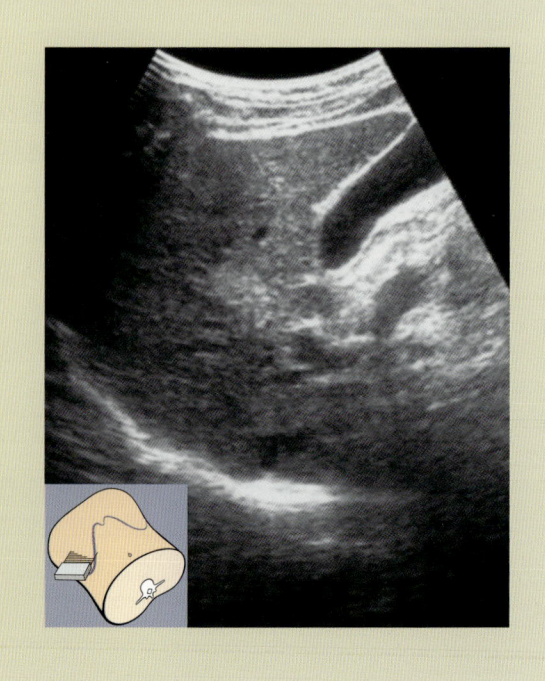

症例 ⑯

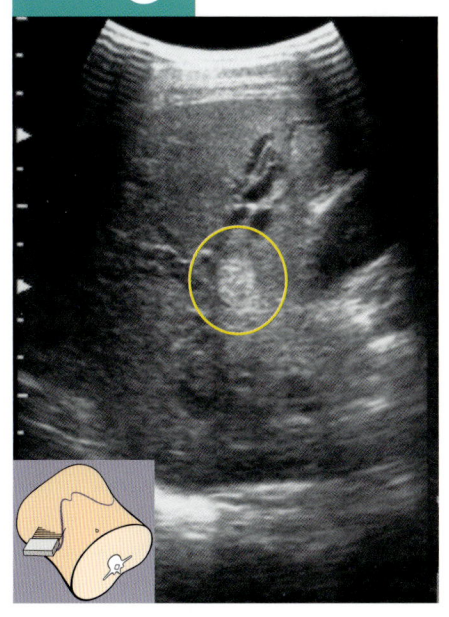

Q 画面の中央に見えている高エコーの部分（黄色の楕円の内部）は何か？

① 肝内石灰化
② 肝内胆管結石
③ 肝血管腫
④ 肝門部胆管癌
⑤ 転移性肝臓癌

症例 ⑮ の答え

③ うっ血性心不全

設問の左図では胸水が貯まっているのは容易にわかると思います。右図に見えているものを，胆嚢壁が全周性に厚くなっているので⑤ 胆嚢癌と判断すると，胸水は癌性胸膜炎ということで話は合います。ただ，右図の胆嚢の壁肥厚はあまりにも厚みが均一で，内側から高エコー，等エコー，高エコーと明瞭な層構造を示しています。癌ではこのようなことはないでしょう。胆嚢壁が肥厚する病気で胸水を伴う病気といえば，うっ血性心不全しかありません。深部に見えている下大静脈は拡張しています。

症例 ⑰

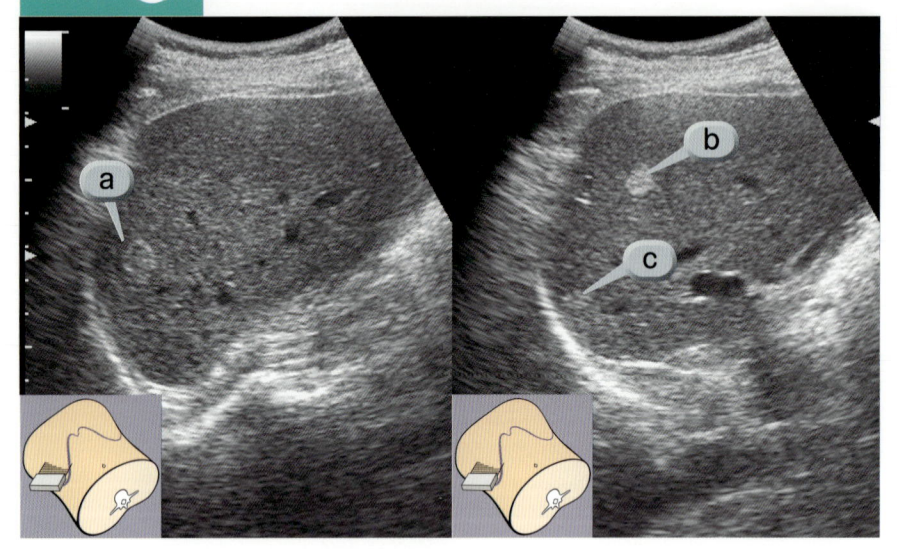

Q 肝臓にa，b，c 3個の高エコーがある。それぞれ何を考えるか？

① 肝内石灰化
② 肝内胆管結石
③ 肝血管腫
④ 転移性肝臓癌
⑤ 肝細胞癌

症例 ⑱ の答え

⑤ 食道癌の術後

超音波検査を長い間行っていても，滅多に経験しない画像です。胃癌や大腸癌の手術では，この高さまで腹壁を切開することはないでしょう。この部位は解剖的には腹膜前脂肪層がある所です。

周囲の低エコーの部分は胃壁で，内部の高エコーは胃の内腔です。食道癌では病巣部の食道を取り除いた後，胃を加工して食道の代用にします（小腸を使うケースもあるそうです）。その代用食道を胸骨の前方に通す（そのコースは他に本来の食道があった部位と胸骨の背後で心臓の前もある）と，下端は肝左葉の前方に位置します。信じられなければ，プローブをこの部位に置いて，患者に水を飲んでもらうと納得できるはずです。

症例 ⑱

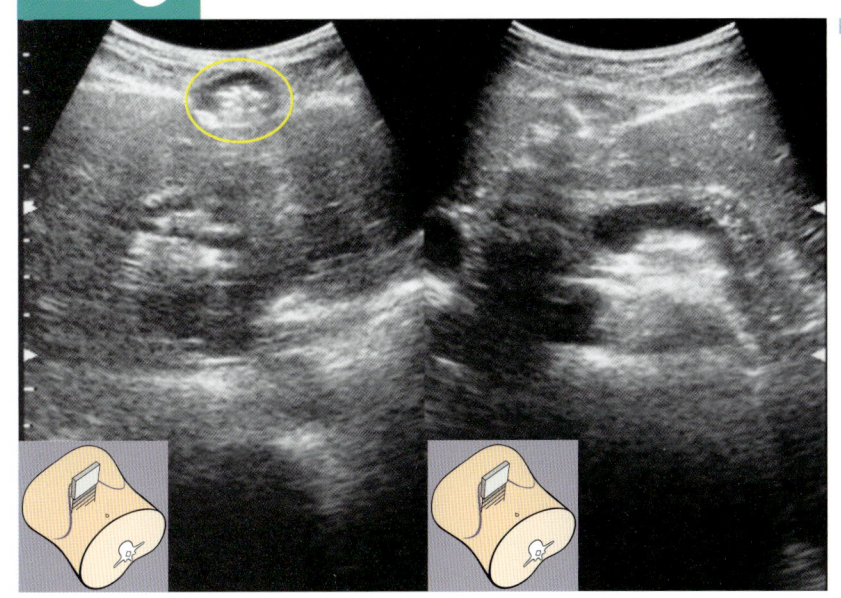

Q 肝左葉の前方（腹側）に辺縁低エコー帯をもつ高エコーの腫瘤（?）がある。何を考えるか？

① 腹壁ヘルニア
② 肝細胞癌の破裂
③ 大網の挙上
④ 門脈の側副血行路
⑤ 食道癌の術後

A

症例 ⑰ の答え

a, b, cとも ③ 肝血管腫

血管腫は多発する傾向があります。1個見つけたら，他にもないか探すべきです。その際，すべての血管腫が同じパターンを示すとは限りません。この症例でもbとcは同じパターンで，均一に高エコーですが，aだけは辺縁がリング状に高エコーで，内部は等エコーです。でも，すべて血管腫が示すパターンです。

血管腫に他の癌が混在することもあり得るので，注意が必要です。

症例 19

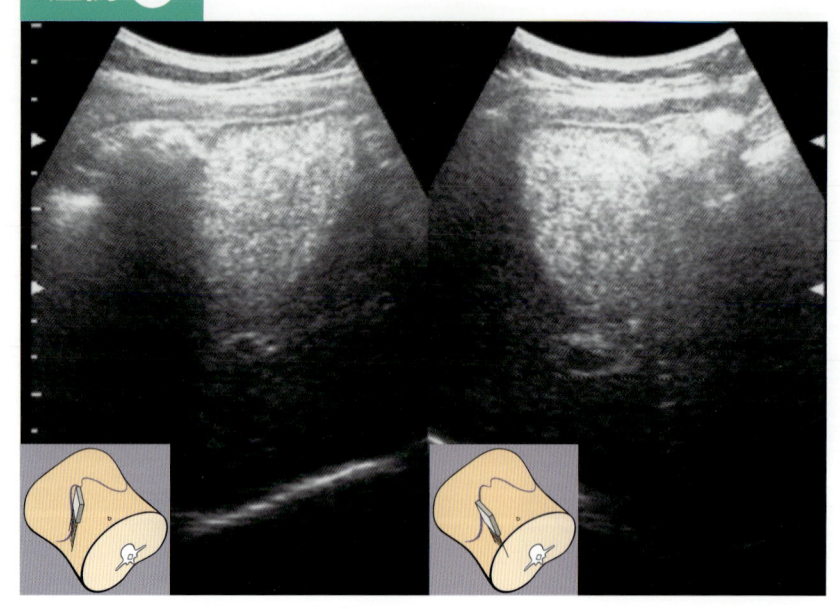

Q 右季肋部に胆嚢の形をした高エコーの構造がある。何を考えるか？

① 幽門狭窄
② 大腸癌
③ 胆泥
④ 腸重積
⑤ 陶器様胆嚢

A

症例 20 の答え

① 大腸癌の肝臓転移

④ 肝膿瘍と答えた方には 100 点満点で 70 点を差し上げます。満点でない理由は，肝膿瘍だとすると隣接して 2 個の膿瘍があるケースになります。そういうケースもありますので，膿瘍として間違いとはいえません。卵巣癌は嚢胞性の腫瘍なので，肝臓に転移したときも嚢胞性の腫瘤を形成します。ですから，⑤ 卵巣癌の肝臓転移という答えも間違いではありません。

この症例の場合は ① 大腸癌の肝臓転移でした。その理由を説明しろといわれてもできません。いえることは，転移性の肝臓癌では原発巣によってある程度の傾向はあるが，個々のケースではさまざまなパターンをとるので，転移巣の超音波像から原発巣を推察するのが極めて難しいということです。意地悪な設問でした。

症例 ⑳

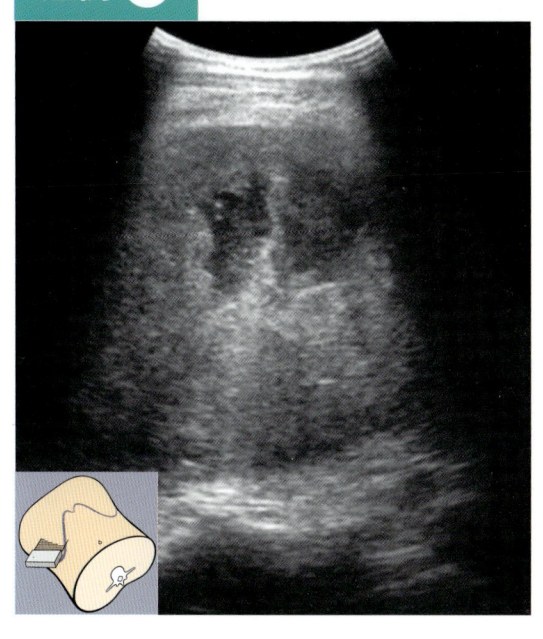

Q 肝右葉に腫瘍がある。何を考えるか？

① 大腸癌の肝臓転移
② 肝血管腫
③ 肝細胞癌
④ 肝膿瘍
⑤ 卵巣癌の肝臓転移

A

症例 ⑲ の答え

③ 胆泥

これは8年前の症例で，すでにカルテが処分されています。そのうちに結果を調べようと思っていたのを放置していました。部位・形態から判断して胆嚢の病変であることは間違いありません。近くには正常な胆嚢はありませんでした。

胆汁の成分が全体的に超音波を強く反射していますが，胆石や胆嚢内のガスのようにほぼ100％近く反射するようなものではありません。反射せずに通過している超音波も多いので，胆嚢内腔全体が高エコーになっているのだと考えます。もし手術して胆嚢内部を見ても，少し粘っこい胆汁があるだけではないでしょうか。肉眼分類上は単なる胆泥か濃縮胆汁と記載されるのではないかと思います。超音波検査の立場からは非常に興味を抱く症例です。残念ながら詳細は不明です。

なお，この胆嚢内の強エコーは食後の胃内容物に酷似しています。ですから，① 幽門狭窄と答えた人は経験豊富と思います。

INDEX

◆ 番号

1画面表示 ……………………… 29
2画面表示 ……………………… 29
3D用プローブ ………………… 18

◆ 欧文

A

Aモード ………………………… 26
acoustic shadow ……………… 110
acoustic window ……………… 241
air fluid level ………………… 295
air in the biliary tract ………… 220
amplitude ……………………… 26
anechoic ……………………… 67
artifact ………………………… 36
automatic gain control (AGC) … 61

B

B型肝炎 ………………………… 188
Bモード法 …………… 26, 30, 33, 39
biliary microhamartoma ……… 336
bright liver ……………… 68, 191, 202
brightness …………………… 26
broad band harmonics (BbH) … 61
bull's eye (sign) ………… 68, 200

C

C型肝炎 ………………………… 188
Cモード ………………………… 18
caput medusae ……………… 200
central echo complex (CEC) … 261
Chilaiditi症候群 ……… 102, 107, 165
Cine 機能 ……………………… 63
clean shadow ………………… 112

contrast harmonic imaging (CHI)
………………………………… 33
Couinaudの肝区域分類 ………… 156
cystic pattern ………………… 173

D

DICOM画像 …………………… 55
DICOM規格 …………………… 28
dirty shadow ………………… 112

E

echo free ……………………… 67
echo poor ……………………… 67
echo rich ……………………… 66
eFlow ………………………… 31

F

fat spared area …………… 205, 333
focal fatty liver ……………… 205

G

Gamna-Gandy結節 …………… 332
GEヘルスケア LOGIQ E9 …… 13, 58

H

hair ball ……………………… 316
high echo ……………………… 66
hump sign ………………… 190, 201
hyperechoic …………………… 66
hypoechoic …………………… 67

I

infantile type of polycystic kidney disease ……………………… 269
isoechoic ……………………… 66

L

localized lesion (LL) ………… 172
low echo ……………………… 67

M

Mモード画像 …………………… 30
marginal strong echo ………… 182
multiplaner reconstruction (MPR)
………………………………… 18

N

nonalcholic steatohepatitis (NASH)
…………………………… 205, 207
nonalcoholic fatty liver disease (NAFLD)
………………………………… 205

P

parallel channel (sign) …… 68, 250
phase inversion ……………… 32
Phrygian cap deformity ……… 104
piezoelectric effect …………… 19
pneumobilia ……………… 220, 325
polycystic kidney disease (PCKD, PKD) ………………… 268, 269
porcelain gallbladder ………… 121
pseudokidney sign …… 69, 288, 290

R

RAWデータ ………………… 55, 58
renal cell carcinoma (RCC) … 272
Rokitansky-Aschoff sinus (RAS)
…………………………… 144, 145

S

scalloped diaphragm ………… 335
sensitivity time control (STC) … 51

silent stone	110
sludge ball	129
solid pseudopapillary tumor	248
sonolucent	67
sonolucent layer	138
space occupying lesion (SOL)	172
spleen index	227
strong echo	66, 110

T

target sign	200, 298
time gain control (TGC)	51
tissue harmonic imaging (THI)	33, 61
to and fro	294
tumor in tumor	190

U

unilateral multicystic dysplastic kidney	269

V

virtual palpation	258
von Meyenburg's complex	336

◆ 和文

あ

アーチファクト	36, 133, 329
── への対処法	41
悪性リンパ腫	226, 306
圧電効果	19
圧電振動子	16, 19
圧電素子	19
圧迫操作	72
アルコール性肝炎	207
アルコール性肝硬変	188
アルコール性肝障害	191

い

胃潰瘍	289
胃癌	288
── の肝臓転移	197
萎縮胆嚢	115
異所性腎	284
イレウス	290

う

ウイルス性肝炎	188, 207
右季肋部縦断スキャン	80
右腎の肋間スキャン	84, 87
うっ血肝	221
うっ血性心不全	339

え

エコーフリー	67
壊疽性胆嚢炎	138, 331
エタノール注入療法(PEIT)	195
胆摘後の ──	152
エラストグラフィー	258
遠位側	64

お

横隔膜の変形	335
横断解剖	91
横断スキャン	73, 76, 82, 159, 162
肝臓の ──	85, 89
坐位での ──	83
膵臓の ──	85, 89
横断像	65
── でみた膵臓	232
凹凸不整	69
肝表面の ──	208
オタマジャクシの頭	235
折り返し現象	31, 45, 61
音響陰影	110, 111, 112, 117, 118, 131, 140, 219, 270
── を伴った強エコー	136
音響インピーダンス	21, 26, 187, 206, 216, 220
音響窓	241
音速補正	35

か

海綿状血管腫	182
解離性大動脈瘤	305
下肢の疾患	322
ガスシャドー	68, 296
仮性嚢胞	246, 248, 252
画像のサーチ	54
化膿性胆嚢炎	138
カメレオンサイン	155
カラードプラ法(画像)	30, 31, 70, 182, 222, 223, 228, 239, 258, 261
肝萎縮	165, 210
肝円索	325
肝外胆管	148
── 拡張	69, 252
肝外胆管型胆管癌	153
肝外胆管結石	150
胆摘後の ──	152
肝区域分類(Cuinaud)	156
肝血管腫	66, 70, 71, 155, 185, 341
大きな ──	186
海綿状 ──	182
巨大な ──	187
低エコーの ──	184
微細な ──	183
肝硬変	102, 128, 131, 146, 188, 207, 208, 209, 210, 211, 213, 225
── の胆嚢	105
肝細胞癌	70, 188, 324
大きな ──	191, 192
小さな ──	189
中程度の ──	190
びまん型 ──	193, 194
肝左葉のサイズ	234
肝左葉外側区	163, 164

肝脂肪……………………… 204	気腫性胆嚢炎…………… 142	血友病……………………… 321
肝腫瘍の診断基準………… 230	肝円索…………………… 201	ケルクリング襞…… 294, 295, 297
肝腎コントラスト……… 202, 203	肝血管腫………………… 324	限局腫瘤型胆嚢癌… 134, 136, 137
癌性腹膜炎………………… 213	肝動脈塞栓療法………… 195	限局性脂肪肝……………… 333
肝切除療法………………… 195	胆嚢腫大………………… 251	検査の後処理……………… 94
肝臓	キャビテーション……… 57	検査の前処置……………… 94
——と周辺臓器 ……… 162	吸気不足………………… 171	原発性肝臓癌……………… 188
——の横断スキャン … 85, 89	急性胃炎………………… 289	
——のカラードプラ検査 … 30	急性肝炎………………… 214	こ
——の縦断スキャン … 85, 88	——の胆嚢 …………… 105	高エコー………… 66, 68, 183, 187
——の肋間スキャン	急性膵炎………………… 244	口側………………………… 65
………… 73, 84, 87, 88	急性巣状細菌性腎炎…… 286	肛側（肛門側）…………… 65
——の肋骨弓下スキャン	急性胆嚢炎……………… 138	高調波……………………… 32
………………… 73, 85, 90	強エコー………… 66, 110, 121	後方エコー増強
肝臓癌の治療法…………… 195	音響陰影を伴った—— … 136	… 68, 69, 173, 174, 189, 326
肝臓転移	三日月状の—— ……… 137	高齢者…………… 102, 107, 165
胃癌の—— ………… 197	仰臥位…………… 64, 119, 241	呼吸による肝の変形……… 168
十二指腸乳頭癌の—— … 198	胸腔腎…………………… 284	呼吸の指示………………… 171
腎盂癌の—— ……… 198	胸水……… 69, 302, 326, 339	骨髄線維症………………… 226
膵臓癌の—— …… 67, 198	鏡面効果………………… 44, 68	コメット様エコー
大腸癌の—— … 196, 324, 342	距離分解能……………… 21	………… 68, 144, 145, 147, 336
肺癌の—— ………… 199	季肋部…………………… 64	コレステロール石………… 150
卵巣癌の—— ……… 342	近位側…………………… 64	コレステロールポリープ……
嵌頓胆石……… 114, 115, 116, 138		122, 123, 124, 126, 135, 147
肝内石灰化………… 66, 69, 219	く	コントラスト……………… 57
肝内胆管癌…………… 307, 338	空間分解能……………… 21	—— 調整 ………… 46, 52
肝内胆管結石………… 68, 216	空洞現象………………… 57	—— 分解能 ……… 21
肝内脈管の位置関係……… 158	屈折……………………… 22	コンパウンドスキャン
肝内脈管の分布…………… 157	クッパー（Kupffer）細胞 … 70	………………… 17, 27, 34, 258
肝内脈管の立体的理解…… 159	クッパーイメージング… 71	コンベックス方式プローブ
肝嚢胞……………… 67, 173, 174,	クリーンシャドー…… 112, 117	………………… 17, 27, 28
175, 176, 178, 326	グレイスケールバー…… 46	
肝膿瘍…………… 180, 181, 342	クロスビームスキャン… 34	さ
肝のサイズ計測法………… 169		サーチ機能………………… 54
肝のスキャン法…………… 162	け	サーフェスレンダリング…… 18
癌の腹壁播種……………… 320	経膣プローブ………… 312, 314	坐位………………………… 241
癌の腹膜播種……………… 321	ゲイン…………………… 57, 113	——での横断スキャン … 83
肝門部型胆管癌………… 153, 154	——の自動補正 ……… 51	——で水を飲む ……… 242
	——の調整 …………… 50	サイドローブ
き	—— 不足 …………… 170	…… 19, 38, 39, 114, 128, 133
キーボードサイン………… 294	結腸癌…………………… 290	——アーチファクト …… 68

臍傍静脈	212, 329
左腎の表示	74, 263
左腎の肋間スキャン	85, 90
左側胆嚢	103
左葉の縦断像	163
散乱	22

し

時間分解能	21
子宮	311
子宮筋腫	312
糸球体腎炎	279
子宮内膜症性卵巣嚢胞腫（嚢胞）	314, 317
自己免疫性膵炎	247
矢状断像	65
自動調整機能	55
脂肪肝	196, 202, 203, 207
── が白く見える理由	206
── のspared area	67
限局性 ──	333
まだら ──	203, 204, 333
シャドー	68
充実性	67
縦断解剖	92
縦断スキャン	73, 77, 98, 99, 100, 162
肝臓の ──	85, 88
胆嚢の ──	84, 86
右季肋部 ──	80
縦断像でみた膵臓	234
十二指腸乳頭癌の肝臓転移	198
重複腎盂尿管	275
受信時間	26
受信フォーカス	23, 25, 35, 53
主膵管	236
── の拡張	246, 247
腫瘍サイズの測り方	179
腫瘍塞栓	193, 194
腫瘍マーカー	188
漿液性胆嚢炎	138
漿液性嚢胞腫瘍（SCN）	248
漿液性嚢胞腺腫	314
消化管ガス	117, 238, 283, 327
小腸の拡張	294
静脈管索裂	211
食道癌の術後	340
食物残渣	290, 294
処女膜閉鎖	318
腎盂癌の肝臓転移	198
腎盂腎炎	279
腎炎後の変形	286
心窩部	64
腎結核	285
腎血管筋脂肪腫	66, 274
腎結石	68, 69, 270
人工透析患者	278
腎細胞癌	272, 278
腎実質接合部欠損	281
腎髄質	68
心臓弁膜症	221
診断装置の調整	46
腎のCT像	262
腎嚢胞	69, 178, 264, 265, 266
腎のカラードプラ	261
腎の奇形	282
腎の小病変	265
腎の正常像	261
腎のボディーマーク	262
深部減衰	203
腎不全	278, 279

す

膵管内乳頭粘液性腫瘍（IPMN）	249
膵腫大の判定	245
水腎症	69, 271, 276, 277
膵石	246
膵臓癌	250
── の肝臓転移	67, 198
膵臓と周囲臓器	232
膵臓の横断スキャン	85, 89
膵体尾部癌	255
膵体部癌	254
膵体部の横断解剖	233
膵頭部癌	104, 250, 252, 253
── の間接所見	250
膵内胆管	149
膵嚢胞	248
膵の描出をよくする工夫	240
膵尾部癌	256
膵尾部の横断解剖	233
膵尾部を縦にスキャン	243
スキャン方向の名称	80
スキャン面と表示像の関係	76
スペックルエコー	22, 209, 258
── の低減	35

せ

正弦波	32
正常膵臓像	235, 236
正常胆嚢の超音波像	98
正常超音波画像	86
精上皮腫	309
精巣腫瘍	309
正中	64
正中縦断スキャン	81
セクタ方式プローブ	17, 28
石灰化	121, 196, 218, 312, 317
── した胆石	109
肝内 ──	66, 69, 219
絶食	94
セミノーマ	309
ゼリーウォーマー	94
ゼリーの拭き取り	95
前額断像	65
全腫瘤型胆嚢癌	134, 136, 137
扇動操作	18, 72, 99, 176
前立腺肥大	310

そ

造影超音波検査	258
総肝動脈	239
総肝動脈幹リンパ節腫大	307

送信時間…………………… 26	嵌頓 ── …… 114, 115, 116, 138	── のタイプ ………………… 134
送信フォーカス………… 23, 25, 53	充満した ── …………… 110, 140	限局腫瘤型 ── … 134, 136, 137
装置の調整………………… 50	石灰化した ── …………… 109	全腫瘤型 ── …… 134, 136, 137
側臥位……………………… 64	典型的な ── …………… 110, 111	びまん型 ── ……………… 134
鼠径部リンパ節腫大………… 307	微細 ── …………………… 112	ポリープ型 ── ……… 134, 135
粗糙なエコー…………… 69, 209	微小 ── …………………… 116	胆嚢結石……………………… 110
ソナゾイド……………… 70, 71	浮遊 ── …………………… 120	胆嚢水腫……………………… 115
ソフトティッシュ・サーマルインデックス……………………… 57	見落としがちな ── ……… 113	胆嚢腺筋症…………… 144, 145
	三日月状の ── ……… 110, 111	胆嚢穿孔……………………… 138
疎密波……………………… 32	胆石イレウス………………… 297	胆嚢摘出後…………………… 105
	胆泥………… 69, 116, 126, 128, 130, 131, 132, 133, 136, 143, 154, 252, 330, 331, 343	胆嚢内膿瘍…………………… 331
た		胆嚢壁肥厚…… 69, 146, 213, 214
ダーティーシャドー… 112, 117, 142	── の移動 ………………… 129	胆嚢ポリープ…… 122, 125, 126, 127
体位変換………… 118, 119, 127	胆道気腫……………… 66, 220	
大腸癌……………………… 290, 321	胆嚢	**ち**
── の肝臓転移 … 196, 324, 342	── と周囲臓器 …………… 98	チャンピオンデータ……………… 239
大腸の拡張………………… 295	── の形 …………………… 102	中心部エコー………………… 261
大動脈瘤…………………… 304	── のくびれ ……………… 125	虫垂炎………………………… 292
ダイナミックフォーカス……… 23	── の縦断スキャン ……… 84, 86	超音波エネルギー反射率……… 21
ダイナミックレンジ…………… 57	── の超音波検査 ………… 101	超音波画像の表示方向………… 73
大網…………………… 166, 328	── の肋骨弓下スキャン … 84, 86	超音波診断装置………… 12, 258
ダグラス窩… 213, 300, 311, 313	萎縮 ── …………………… 115	超音波造影法………………… 70
多重反射……………… 36, 37, 68, 69, 133, 135, 147, 175	拡張・緊満した ── ……… 104	超音波の音速………………… 20
	肝硬変の ── ……………… 105	超音波の性質………………… 19
多段フォーカス…………… 24, 27	急性肝炎の ── …………… 105	超音波の波長………………… 20
脱気水……………………… 237	くびれがある ── ………… 103	超音波の発生………………… 19
多嚢胞肝…………………… 177	検査しやすい ── ………… 108	腸重積………………………… 298
胆管過誤腫………………… 336	左側 ── …………………… 103	腸閉塞………………… 294, 296
胆管癌……………………… 153	陶器様 ── ……………… 121, 140	直腸癌………………………… 291
肝外胆管型 ── …………… 153	細長い ── ………………… 102	チョコレートシスト…………… 317
肝内 ── ……………… 307, 338	胆嚢炎………… 128, 138, 143, 146	
肝門部型 ── ………… 153, 154	壊疽性 ── …………… 138, 331	**て**
胆管結石………… 150, 151, 152, 216	化膿性 ── ………………… 138	低エコー………… 67, 69, 183, 188
肝内 ── ……………… 68, 216	気腫性 ── ………………… 142	── の肝血管腫 …………… 184
胆管細胞癌………………… 188	急性 ── …………………… 138	ティッシュ ハーモニックイメージング（THI）法 ……………… 61
胆砂………… 128, 131, 154, 330	漿液性 ── ………………… 138	
探触子……………………… 16	慢性 ── ……………… 140, 141	転移性肝臓癌……… 66, 71, 188, 196, 200, 324, 326
胆石………… 68, 110, 117, 118, 119, 132, 136, 140, 325, 330	無石 ── ……………… 139, 140, 141	
	有石 ── …………………… 297	電子ファイルシステムの調整……… 49
── が嵌頓 ………………… 138	胆嚢癌	電子フォーカス………………… 23, 24
── のパターン …………… 110		

と

等エコー ………………………… 66
陶器様胆嚢 ……………… 121, 140
東芝 Aplio MX …………………… 15
東芝 Aplio XG …………………… 62
頭側 ……………………………… 64
動注化学療法 …………………… 195
棘 ………………………………… 322
ドプラ検査 ……………………… 329
トラペゾイド表示 ………………… 29
トランスデューサ
　………………… 16, 17, 19, 23, 26, 27

な

内臓逆位 ………………………… 167

に

日本住血吸虫症 ………………… 172
尿管結石 ………………………… 271

ね

ネットワークパターン ………… 172
粘液性嚢胞腫瘍（MCN）……… 248
粘液性嚢胞腺腫 ………………… 314

の

濃縮胆汁 ………………… 131, 132
嚢胞腎 …………………… 177, 268
嚢胞性 …………………………… 67
嚢胞腺癌 ………………………… 176
嚢胞パターン …………………… 173

は

ハーモニックイメージング法 ……
　……… 27, 32, 33, 38, 39, 53, 70, 258
肺癌 ……………………………… 328
　── の肝臓転移 ……………… 199
背側 ……………………………… 64
ハウストラ襞 …………………… 294

白血病 …………………………… 226
馬蹄腎 …………………………… 283
パルスドプラ法 …………… 30, 45
パワードプラ法
　………………………… 31, 212
反射 ……………………………… 22

ひ

非アルコール性脂肪肝炎 …… 205, 207
皮下脂肪 ………………………… 28
微細（微小）胆石 ………… 112, 116
脾腫 …… 211, 215, 224, 225, 226, 228
尾状葉の腫大 …………………… 211
脾静脈 …………………………… 239
脾静脈門脈接合部 ……………… 235
非セミノーマ …………………… 309
脾臓のサイズ ……… 224, 227, 334
脾臓の表示方向 ………………… 74
脾臓の肋間スキャン ……… 85, 89
尾側 ……………………………… 64
日立メディコ HI VISION Preirus
　…………………………… 12, 56
日立アロカ prosound ……… 14, 60
左胃静脈 ………………………… 212
左側臥位 ………………………… 118
　── でのスキャン …………… 83
左肋間スキャン …………… 77, 82
脾動脈 …………………………… 236
ヒトコブラクダのこぶ …… 259, 280
脾内石灰化 ……………………… 332
脾嚢胞 …………………………… 229
脾の腫大 ………………………… 211
びまん型胆嚢癌 ………………… 134
びまん型肝細胞癌 ……… 193, 194
びまん性肝疾患 ………………… 207
肥満体 …………………… 101, 106, 143
皮様嚢腫 ………………………… 316

ふ

フォーカス ……………… 23, 115
　── 効果 …………………… 35

　── の調整 …………… 24, 53
腹臥位 …………………………… 64
腹式呼吸 ………………………… 101
副腎腫瘍 ………………………… 273
腹水
　…… 67, 69, 208, 213, 300, 301, 329
腹側 ……………………………… 64
腹直筋内の血腫 ………………… 321
副脾 ……………………………… 229
腹部手術後 ……………………… 201
腹部大動脈瘤 …………………… 304
腹壁の構造 ……………………… 320
腹壁の疾患 ……………………… 320
腹膜前脂肪 ……………… 166, 208
浮遊胆石 ………………………… 120
フリジア人帽子様変形 ………… 104
プリンタの調整 ………………… 48
フレームレート …………… 27, 53
プローブ
　── 操作 ……………………… 72
　── の置き方 ………………… 99
　── の構造 …………………… 17
　── の左右識別マーク ……… 78
　── の周波数調整 …………… 53
　── の種類 …………………… 16
　── の清掃 …………………… 95
　── の有効視野 ……………… 28
　コンベックス方式 ── 17, 27, 28
　セクタ方式 ── ………… 17, 28
　リニア方式 ── ……………… 17
糞石 ……………………… 292, 293

へ

閉塞性黄疸 ……… 104, 128, 153, 214
ベーカー嚢腫 …………………… 322
ベルタン柱 ……………………… 68
　── の過形成 ………………… 280
偏位腎 …………………………… 284
辺縁高エコー帯 ………………… 183
辺縁低エコー帯
　……… 68, 188, 189, 191, 197, 230

ほ

- 方位分解能 ……………………………… 21
- 膀胱充満 ………………………… 94, 311
- 膀胱腫瘍 ……………………………… 308
- 膀胱直腸窩 …………………… 213, 300
- 傍腎盂嚢胞 ……………… 68, 266, 267
- ボディーマーク ………… 57, 63, 262
- ポリープ型胆嚢癌 …………… 134, 135
- ボリュームレンダリング …………… 18

ま

- まだら脂肪肝 ………… 203, 204, 333
- 末梢側 ………………………………… 65
- マトリックスプローブ ……………… 24
- マルチビームプロセッシング ……… 27
- 慢性肝炎 ………………… 207, 215, 225
- ── の超音波所見 ……………… 215
- 慢性膵炎 ……………………………… 246
- 慢性胆嚢炎 …………………… 140, 141

み

- 三日月状の強エコー ………………… 137
- 三日月状の胆石 ……………… 110, 111
- 右肋間スキャン ………………… 77, 81

む

- 無エコー ………………………… 67, 68
- 無石胆嚢炎 …………… 139, 140, 141

め

- メインローブ …………………………… 38
- メカニカルインデックス（MI）…… 57
- メカニカルフォーカス ……………… 23
- メズサの頭 …………………………… 200
- メッケル憩室 ………………………… 298
- メルセデスベンツサイン …………… 200

も

- 網嚢嚢胞 ……………………………… 303
- モザイクパターン
  …………… 69, 188, 190, 191, 192
- モニタの調整 …………………… 46, 47
- モリソン窩 …………………… 208, 300
- 門脈の側副血行路 …………… 212, 228
- 門脈瘤 ………………………………… 222

や

- 痩せた体 ………………………… 102, 106

ゆ

- 有石胆嚢炎 …………………………… 297
- 輸入脚症候群 ………………………… 296

ら

- ラジオ波焼灼療法（RFA）………… 195

- 卵巣 …………………………………… 311
- 卵巣癌の肝臓転移 …………………… 342
- 卵巣嚢腫 ……………………… 314, 315

り

- リアルタイム装置 …………………… 26
- リニア表示 …………………………… 29
- リニア方式プローブ ………………… 17
- 流速レンジ …………………………… 31
- リンパ節腫大 ………………………… 306

れ

- レボビスト ……………………………… 70
- レンズ効果 ………… 40, 42, 201, 337
- ── のファントム実験 …………… 43
- 連続波ドプラ法 ……………………… 30

ろ

- 肋軟骨 ………………………………… 100
- 肋間スキャン …… 98, 99, 160, 162
  - 右腎の ── ……………… 84, 87
  - 肝臓の ── ……… 73, 84, 88, 97
  - 左腎の ── ……………… 85, 90
  - 脾臓の ── ……………… 85, 89
- 肋骨弓下スキャン
  ……… 77, 80, 98, 99, 161, 162
  - 肝臓の ── ……… 73, 85, 90
  - 胆嚢の ── ……………… 84, 86

謝辞

学研メディカル秀潤社の須摩春樹社長とは仕事を通しての30年来のお付き合いです。腹部用で2冊，乳腺用で1冊の超音波解説本を出版させて頂きました。うち1冊はSpringer社から英文でも出版されました。

須摩氏とそのスタッフ（次ページの奥付にお名前があります）のご尽力で，この第2版も完成に漕ぎつけました。医学書としては少々型破りの私の提案を実現するために努力していただきました。

私が九州大学で超音波検査を始めた当時，ゼロから指導していただいた平田經雄先生（第43回日本超音波医学会研究発表会会長）に感謝申し上げます。私の超音波画像の画質へのこだわりは平田先生に感化されたものです。当時から記録には工夫・努力をされていました。いろいろな会で私が講演する機会を最初に与えていただいたのも平田先生です。その結果，私は超音波検査にのめり込むことになり，大学を辞めてからは超音波検査の職人になっています。

ご協力いただいた方々（敬称略・順不同）

日立アロカメディカル（旧アロカ）
　　東京事業所　　田中一史
　　福岡支店　　　石垣潤一
GEヘルスケア・ジャパン
　　ゼネラルイメージングセールス部
　　　　　　　　　篭原忠彦
日立メディコ
　　九州支店　　木時　綾　　戸嵜裕子
東芝メディカルシステムズ
　　福岡支店　　　片岡克仁
糸島医師会病院
　　検査室　　　　中尾栄二

この方々の協力なしには、この本は完成しませんでした。お礼申し上げます。症例は下記の病院で私が検査したものを使用させていただきました

　　　　　　糸島医師会病院
　　　　　　盛和会神代医院
　　　　　　藤渓会藤野医院
　　　　　　大岩外科医院
　　　　　　喜悦会那珂川病院

著者紹介

東　義孝（ひがし　よしたか）

福岡市在住。1971年九州大学医学部卒業。5年間の研修医生活の後，九州大学附属病院と福岡大学病院の放射線科で超音波検査に15年間従事。1991年に福岡大学を退職した後は数か所の病院を兼務して超音波検査を行ってきた。

自称「超音波検査の職人」。医学博士。

■**主な著書**

腹部超音波診断アトラス　南山堂　1982年
腹部超音波判読講座　全3巻　金原出版　1983年
腹部エコー入門　秀潤社　1986年
超音波診断へのアプローチ　金原出版　1989年
Introduction to Abdominal Ultrasonography
　　　　　　　　　　Springer Verlag　1991年
いまさら聞けない腹部エコーの基礎
　　　　　　　　　　　　秀潤社　2003年
いまさら聞けない乳房の画像診断
　　　　　　　　　　学研メディカル秀潤社　2010年
他に分担執筆18点

上の肖像画のイラストは，さいたま市の磯崎正幸氏に描いていただきました。磯崎氏は以前に医療機器を製造販売する会社の九州営業所長をなさっており，定年退職後に風景のスケッチを趣味で始められましたので，水彩画をお願いしました。

パワーアップ
いまさら聞けない腹部エコーの基礎 第2版
DVDで学ぶ超音波検査

2003年10月 1 日　第 1 版第 1 刷発行
2011年 6 月10日　第 2 版第 1 刷発行
2019年 1 月28日　第 2 版第 6 刷発行

著　者	東　義孝（ひがし よしたか）
発行人	影山博之
編集人	向井直人
発行所	株式会社 学研メディカル秀潤社
	〒141-8414　東京都品川区西五反田 2-11-8
発売元	株式会社 学研プラス
	〒141-8415　東京都品川区西五反田 2-11-8
印刷	共同日本写真印刷 株式会社
製本	加藤製本 株式会社

この本に関する各種お問い合わせ
【電話の場合】●編集内容については Tel 03-6431-1211（編集部）
　　　　　　　●在庫については Tel 03-6431-1234（営業部）
　　　　　　　●不良品（落丁，乱丁）については Tel 0570-000577
　　　　　　　　学研業務センター
　　　　　　　　〒354-0045　埼玉県入間郡三芳町上富 279-1
　　　　　　　●上記以外のお問い合わせは Tel 03-6431-1002（学研お客様センター）
【文書の場合】〒141-8418　東京都品川区西五反田 2-11-8
　　　　　　　学研お客様センター『パワーアップ　いまさら聞けない腹部エコーの基礎 第 2 版 DVD で学ぶ超音波検査』係

©Y. Higashi 2011 Printed in Japan.
●ショウメイ：パワーアップ　イマサラキケナイフクブエコーノキソ　ダイ 2 ハン DVD デマナブチョウオンパケンサ

本書の無断転載，複製，頒布，公衆送信，翻訳，翻案等を禁じます．
本書に掲載する著作物の複製権・翻訳権・上映権・譲渡権・公衆送信権（送信可能化権を含む）は株式会社学研メディカル秀潤社が管理します．
本書を代行業者等の第三者に依頼してスキャンやデジタル化することは，たとえ個人や家庭内の利用であっても，著作権法上，認められておりません．
学研メディカル秀潤社の書籍・雑誌についての新刊情報・詳細情報は，下記をご覧ください．
　　https://gakken-mesh.jp/

JCOPY 〈出版者著作権管理機構委託出版物〉
本書の無断複写は著作権法上での例外を除き禁じられています．複写される場合は，そのつど事前に，出版者著作権管理機構（電話 03-5244-5088，FAX 03-5244-5089，e-mail: info@jcopy.or.jp）の許諾を得てください．

アートディレクター	花本浩一
編集担当	須摩春樹，三原聡子，高藤陽子
本文イラスト	小佐野 咲
オブジェ制作	日野 譲
オブジェ撮影	中村成一
DTP・図版作成	有限会社 ブルーインク，学研メディカル秀潤社 制作室　佐藤 譲
写真提供	株式会社 学研プロダクツサポート 写真資料センター，ピクスタ株式会社
p.351 のイラスト	磯崎正幸
編集協力	佐藤哲夫
DVD 映像制作	株式会社 学研教育出版 デジタルコンテンツ制作室　田辺弘樹

本書に記載されている内容は，出版時の最新情報に基づくとともに，臨床例をもとに正確かつ普遍化すべく，著者，編者，監修者，編集委員ならびに出版社それぞれが最善の努力をしております．しかし，本書の記載内容によりトラブルや損害，不測の事故等が生じた場合，著者，編者，監修者，編集委員ならびに出版社は，その責を負いかねます．
　また，本書に記載されている医薬品や機器等の使用にあたっては，常に最新の各々の添付文書や取り扱い説明書を参照のうえ，適応や使用方法等をご確認ください．

株式会社 学研メディカル秀潤社